国家出版基金项目
NATIONAL PUBLICATION FOUNDATION

“十四五”国家重点图书出版规划项目
国家出版基金资助项目

中国德育研究大系

德育方法研究

总 主 编 | 檀传宝

本册著者 | 李 敏 等

长江出版传媒 | 湖北教育出版社

图书在版编目（CIP）数据

德育方法研究 / 李敏等著. -- 武汉 : 湖北教育出版社, 2023.9
（中国德育研究大系）
ISBN 978-7-5564-5979-7

Ⅰ. ①德… Ⅱ. ①李… Ⅲ. ①德育—研究 Ⅳ. ①G41

中国国家版本馆CIP数据核字(2023)第182695号

ZHONGGUO DEYU YANJIU DAXI · DEYU FANGFA YANJIU
中国德育研究大系 · 德育方法研究

出品人 方 平
责任编辑 孙艳魁 责任校对 李庆华 封面设计 荆棘设计
版式设计 刘静文 责任督印 刘牧原

出版发行 长江出版传媒 430070 武汉市雄楚大道 268 号
湖北教育出版社 430070 武汉市雄楚大道 268 号
经 销 新华书店
网 址 http://www.hbedup.com
印 刷 湖北新华印务有限公司
地 址 武汉市硚口区长风路 31 号
开 本 710mm×1000mm 1/16
印 张 30.5
字 数 420 千字
版 次 2023 年 12 月第 1 版
印 次 2023 年 12 月第 1 次印刷
书 号 ISBN 978-7-5564-5979-7
定 价 158.00 元

总 序

重视道德教化、以伦理组织社会，是中国传统文化的显著特点。[1] 新中国成立后，中国共产党继承并发扬了这一优良传统，先后提出了“德育为首”[2]“德育为先”[3]等命题，并从“落实立德树人根本任务”[4]的战略高度来定位德育的崇高地位和神圣使命。这既为中国当代德育研究提供了良好的政治条件和社会氛围，也对德育研究提出了迫切的期望和最高的要求。

不同于古代的经验型教育，包括德育在内的现代教育早已是一种以科学研究为基础的专业性实践活动。而德育研究作为一种严肃的学术活动，其目的正在于揭示德育问题、探寻德育规律、建构德育理论，从而引领德育实践。中华人民共和国成立以来，我国德育研究直面社会现实需要，关怀学校德育实践，取得了许多重要成就。70余年的当代中国德育研究大致经历了批判化改造、灾难性停滞、科学化探索、人性化追求和本土化建构五个不同历史阶段。总体上看，中国德育研究不断拓展研究领域，不断深

---

① 梁漱溟．中国文化要义［M］．上海：上海人民出版社，2005：20－21.

② 江泽民．在庆祝中华人民共和国成立四十周年大会上的讲话［J］．党建研究，1989（8）：2－12.

③ 教育部关于整体规划大中小学德育体系的意见［J］．中华人民共和国教育部公报，2005（6）：25－29.

④ 习近平．决胜全面建成小康社会 夺取新时代中国特色社会主义伟大胜利［M］．北京：人民出版社，2017：45.

化研究主题，已经初步建立了富有中国特色和时代精神的德育理论体系。

一、新中国德育研究不断发展的历史脉络

中国很早就有礼仪之邦的美名。在传统中国社会，道德、政治、教育三位一体，相互为用。几千年的中华文明史，伦理道德、道德教育或道德教化占据了相当重要的位置。

辛亥革命推翻清朝专制统治建立中华民国之后，国人开始了建立新道德的伦理努力和教育尝试。共和国的主体是公民，而公民需要相应的公民道德,公民教育因而是民主政治制度建立的基石。五四运动在呼唤"德先生"（DEMOCRACY）、"赛先生"（SCIENCE）的同时，也没有忘记还有一位"莫先生"（MORALITY）。中国共产党的创始人之一陈独秀先生就曾指出，只有伦理的觉悟才是最后的觉悟。在此背景下，民国时期的德育研究有一定程度的开展，出版了不少著作。① 同一时期高校的教育系，也开设了德育原理（训导原理）等课程。有论者据此认为，现代德育论开始在中国建立起来。②

随着 1949 年中华人民共和国成立，中国政治、教育、教育研究都进入了新的时代。③ 社会主义制度的建立，在根本性质与根本方向上提出了告别传统道德、传统德育的新要求，理所当然地要求建立自己的德育理论与德育体系。迄今为止，新中国德育研究历经风风雨雨 70 多年，大体以 1978 年改革开放为界，分为"前三十年"和"改革开放四十年"两个大的

① 主要有：蒋拙诚．道德教育论［M］．上海：商务印书馆，1920；吴俊升．德育原理［M］．上海：商务印书馆，1935；姜琦．德育原理［M］．重庆：柏庵书屋，1944.

② 檀传宝．学校道德教育原理［M］．北京：教育科学出版社，2000：16；郑金洲，瞿葆奎．中国教育学百年［M］．北京：教育科学出版社，2002：288.

③ 陈元晖．中国教育学七十年［J］．北京师范大学学报，1991 (5)：52－94.

历史时期。若进一步细分，则有五个重要历史阶段：批判化改造（1949—1966年）、灾难性停滞（1966—1976年）、科学化探索（20世纪70年代末至80年代）、人性化追求（20世纪90年代）和本土化建构（2000年至今）。

（一）德育研究的批判化改造（1949—1966年）

1949年，新中国成立。中华人民共和国，这个新生的人民政权、社会主义国家，在根本性质上与封建专制社会、资本主义社会存在本质差别。这从根本上决定了必须对那个半殖民地半封建的旧中国进行脱胎换骨的改造。新生的人民政权、新中国的领导人也从不避讳这一点。毛泽东在《论人民民主专政》中明确指出要对反动阶级实行专政，即强制性改造；对人民则用民主的方法，进行教育和改造。[①] 在这样的历史背景下，新中国要建立自己的德育理论与德育体系，首要任务就是改造旧的教育体系，特别是改造旧思想。1949年12月，教育部召开了第一次全国教育工作会议，讨论新中国的教育方针和对旧教育进行改造的问题，强调“把改造思想作为理论学习的直接目的”[②]。

那么，用什么来改造？改造的底气从何而来？

当然是用社会主义思想来改造，用马列主义毛泽东思想来改造。教育的目的是“以社会主义思想教育学生，培养他们成为社会主义社会全面发展的成员”[③]。改造的底气来自共产党领导的中国革命的巨大成功。在大革命时期、土地革命时期、抗日战争时期、解放战争时期，只要是建立了新的革命政权的时期，就有新的道德标准产生，就把整个旧的风俗习惯基本上改变过来。正如徐特立所说：“中国在帝国主义和封建统治下的社会状

---

① 毛泽东选集：第四卷［M］. 北京：人民出版社，1991：1468－1482.

② 冯刚，沈壮海. 中华人民共和国学校德育编年史［M］. 北京：中国人民大学出版社，2010：5.

③ 中央人民政府政务院关于改进和发展中学教育的指示［J］. 人民教育，1954（7）：16－17.

况总是土豪劣绅、土匪盗贼、流氓地痞等，横行乡里，民生不安，国家衰败……大革命，土地革命，到抗日的民族革命，凡是改变了社会关系的地区，即实行了减租减息平分土地以及发扬起广大人民民主的地区，于是社会习惯和个人道德也就来了历史上空前的大转变：犯法作乱的人，很少看见；烟赌盗贼，不禁自绝；以至夜不闭户，一切坏分子都变成劳动者。”[①]这种新旧社会的巨变，新旧社会关系的巨变，带来了社会风气的根本好转，带来了个人脱胎换骨的改造。徐特立还对此进行了理论总结，即社会决定人的好坏、善恶。他强调，这种社会决定人性论是符合马克思主义的，因为马克思说“人的本质不是单个人所固有的抽象物”，而是“一切社会关系的总和”。[②]

德育改造的目的是弘扬共产主义道德，培养共产主义新人，根本方针就是学习苏联的共产主义道德教育。“学习苏联的教育理论和教育经验也是必要的和正确的，……是我们刚开始在全国建设社会主义的时期的必要步骤和有效的方法。”[③]当时被介绍到中国的苏联的道德教育是这样的：一是对劳动采取共产主义的态度，即“劳动是一种荣誉的物事，是一种光荣的物事，是一种勇敢和英雄主义的物事”，而剥削阶级认为劳动是辛苦的、耻辱的；二是培养苏维埃爱国主义精神，即“爱祖国、爱人民、爱光荣的共产党及其领袖——列宁、斯大林，养成随时为祖国的幸福牺牲一切的精神”；三是集体主义的教育，“所谓集体，并不是许多同样的儿童一种简单的机械结合，而是儿童的各种活动建立在同志爱和友爱的基础上”。[④]在“一边倒”的学习苏联的方针下，克鲁普斯卡娅、加里宁、凯洛夫等人的理论被介绍到中国，并风靡一时。

---

① 徐特立．论国民公德：上［J］．人民教育，1950(3)：17－19.

② 马克思恩格斯选集：第一卷［M］．北京：人民出版社，2012：135.

③ 陈元晖．中国教育学七十年［J］．北京师范大学学报，1991(5)：52－94.

④ 王雁冰．介绍“苏联的新道德教育”［J］．人民教育，1950(4)：67－70.

在这一历史阶段，德育理论批判改造的对象主要有两个方面：一是彻底批判中国封建社会的传统道德。因为“无产阶级忠于祖国、忠于人民、忠于党、忠于社会主义事业的道德原则是‘从无产阶级斗争的利益中引伸出来的’”[①]。二是彻底批判以杜威为代表的西方资产阶级的德育思想。因为“杜威关于道德的理论，是帝国主义时期资产阶级用以确立善恶标准和规范人类行为的罪恶工具,是资产阶级统治人民思想意识的理论武器”[②]。“杜威关于道德教育的理论是荒谬而反动的。……是一些资本主义国家进行道德教育的指针；而且就我国而论，由于过去教育深受杜威的影响，……存在着杜威理论的残余毒素；所以对于杜威的道德教育论给以彻底的批判……”[③]

比德育理论、学术上的批判更为猛烈的是舆论上对思想界的批判浪潮。1951年批判电影《武训传》,1954年批判胡适,1955年批判胡风反革命集团,1957年反右派斗争,1963年批判母爱教育。在一浪高过一浪的批判浪潮中，德育改造逐渐演变成德育领域的阶级斗争，从而为十年“文革”期间德育及其研究的灾难性停滞埋下了伏笔。

在批判旧世界的同时，也有许多建立共产主义、社会主义道德教育理论的努力。在对社会主义新道德以及中国特色教育路径的探究中，徐特立、王焕勋、黄济、胡守棻等一批教育研究者投入了道德教育的研究。1957年出版的胡守棻编著的《中小学共产主义道德教育的内容和方法》，可以视为这种努力的突出代表。该书共分四章：第一章说明什么是道德（承认道德是人们共同生活及其行为的标准和规则，特别强调道德是社会意识形态之一），什么是共产主义道德（其阶级本质是工人阶级的道德，是从无产阶级斗争利益中引申出来的，同时也代表着全体劳动人民的利益，“它是

---

① 阎长贵．必须坚决摒弃封建道德：从忠孝谈起［J］．哲学研究，1963 (6)：16－25＋15.
② 滕大春．批判杜威的道德论［J］．哲学研究，1957 (4)：60－72.
③ 滕大春．批判杜威关于道德教育的理论［J］．河北天津师范学院学报，1957 (1)：1－11.

人类历史上最高类型的道德”“它是未来全人类的道德”[①]），共产主义道德教育的意义和任务是什么。第二章介绍中小学共产主义道德教育的内容（爱国主义、国际主义、爱劳动和公共财物、自觉纪律、集体主义精神、坚强意志与性格）。第三章讲共产主义道德教育的方法。第四章说明各种道德教育的相互联系，以及如何创造性地运用道德教育方法。

（二）德育研究的灾难性停滞（1966—1976 年）

1981 年党的十一届六中全会通过的《关于建国以来党的若干历史问题的决议》明确指出，“实践证明，‘文化大革命’不是也不可能是任何意义上的革命或社会进步”，而是一场“给党、国家和各族人民带来严重灾难的内乱”。2021 年《中共中央关于党的百年奋斗重大成就和历史经验的决议》也明确指出，十年内乱“使党、国家、人民遭到新中国成立以来最严重的挫折和损失，教训极其惨痛”。

由于德育所具有的突出的特殊性，“文化大革命”对新中国的德育事业来说当然更是灾难，学校教育饱受摧残，德育完全沦为“阶级斗争”的简单工具。正如有研究者指出的那样：无情批判、战斗的“革命道德”取代了讲究温良恭俭让的传统道德；人与人之间关爱、诚信、友善等千古流传的道德准则被推翻，团结友爱、助人为乐和勤勤恳恳为人民服务的美德，被斥为缺少阶级观念；公正无私、实事求是、诚实正直的德行，被诬为缺乏革命斗争精神；学校德育对学生提出的那些道德要求，诸如礼貌谦虚、尊长爱幼、遵纪守法及文明行为等，不仅被认为是无关痛痒的“小德”，而且被指为“资产阶级之德”“修正主义之德”。[②]

这一时期德育的一个突出特点是否定个性、否定独立思考，反对个人

---

① 胡守棻. 中小学共产主义道德教育的内容和方法[M]. 上海：新知识出版社，1957：7.

② 蒋制心，张嘉馥. 德育概念运用上的混乱应该结束[J]. 兰州学刊，1980 (3)：89－91＋96.

奋斗，倡导禁欲主义。青少年在思想汇报或介绍学习“毛选”的心得体会时，都以自己个人的情感、需要和利益为鞭挞的内容，主张“灵魂深处爆发革命”“狠斗私字一闪念”，把“无欲”“无我”奉为至高的道德大加宣传。[①]奉行没有“小我”的禁欲主义道德原则被认为是无产阶级道德的本质特点。由于个人的合理利益被完全否定，极端的国家第一、集体至上的观点泯灭了青年一代的主体意识，个人的独立思考被全然否定。

憎恨教育、斗争教育、禁欲教育造成了教育的非人性化。德育事业也因此遭到了严重的破坏。这表现在：其一，师生关系严重扭曲。中国师道尊严的教育传统被推翻，学生在肉体上毒打老师、在精神上羞辱老师的案例层出不穷。有研究指出，中学教师受到的冲击比小学教师大，大部分批斗教师的事件发生在中学。[②]其二，阶级观点在学生群体之间制造了对立。家庭出身不同的学生、注重学习成绩的学生和追求政治积极的学生之间形成矛盾与对立。其三，在这样一种教育氛围中，学生们是非混淆。在教育与生活中，同情心不再被肯定，善良不再被肯定；无情被误认为革命的坚定性，野蛮被错看作革命者应有的勇敢。一种畸形的情感和道德观形成。

这一时期德育如果说有什么“理论成果”，那就是“阶级斗争德育论”的形成。其主要内容是：

第一，强调道德是阶级的道德，阶级性是道德的本质属性。在阶级对立的社会，“道德始终是阶级的道德”[③]。

第二，教育是为阶级斗争服务的，是阶级斗争的工具。“教育从来就是阶级斗争的工具，我们从不讳言我们的教育是无产阶级斗争的工具，必

---

① 孙少平．十年“文革”时期学校德育的实践特征及其异化[J]．现代教育论丛，1998 (6)：17 − 20 + 16.

② 于珍．“文革”时期农村基础教育的面相：一项口述史的研究[J]．中国校外教育，2014 (21)：56 + 87.

③ 畅广元．“知、仁、勇”是为“复礼”服务的反动道德[J]．陕西师范大学学报(哲学社会科学版)，1974 (1)：39 − 43.

须为无产阶级的政治服务。为了在与资产阶级争夺下一代的斗争中取得胜利，把儿童培养成为共产主义事业的接班人，我们就必须对他们加强无产阶级的阶级教育，抵制剥削阶级思想对他们的侵蚀。”①

第三，学校德育的根本任务是培养无产阶级道德，提高学生的社会主义觉悟。“学生社会主义觉悟的提高，共产主义道德的养成，无产阶级世界观的树立，主要是德育的任务。德育主要是以社会主义、共产主义思想来武装学生的头脑，培养学生的无产阶级的道德品质。”②

第四,学校德育的内容尽管有多个方面,但核心是阶级观点的教育。“归结起来，就是对学生进行马克思列宁主义、毛泽东思想的教育，使学生具有无产阶级的阶级观点、革命观点、群众观点、集体观点和劳动观点……核心就是阶级和阶级斗争的观点。”③

第五，阶级教育的具体内容：其一，使学生具有阶级和阶级斗争的基本认识；其二，让学生了解阶级斗争的历史；其三，使学生了解社会主义时期阶级斗争的实际，增加不断革命的思想；其四，让学生认识国际工人运动和民族解放斗争的情况；其五，教育学生学习、继承和发扬无产阶级的革命精神，培养革命的品质和作风；其六，帮助学生学习运用阶级观点和阶级分析的方法来观察问题，提高阶级觉悟。④

第六，阶级斗争一抓就灵，阶级斗争也是学校德育工作的好方法。由于现实生活中普遍存在着阶级斗争，一小撮阶级敌人企图腐蚀青少年，所以，“发现一条规律，就是学生的思想反复，总是同南京路上阶级斗争的风浪息息相关”⑤。总之，阶级斗争是一门主课，忆比教育（回忆旧社会的

---

① 曾尚友．掌握儿童特点，加强阶级教育［J］．江苏教育，1965 (2)：10 − 12.

② 何辛．学生阶级教育在德育中的地位和内容［J］．学术研究，1964 (1)：48 − 52.

③ 同②.

④ 同②.

⑤ 上海市培光中学党支部．毛主席哲学思想指导我们做好学生思想工作［N］．文汇报，1972 − 12 − 01.

苦难，对比新社会的成就与人民的幸福生活）是一种基本方法，参加现实的阶级斗争是基本途径，学习马列和毛主席著作是学校主导性的课程安排（低年级学习语录，中年级学习马列和毛主席的部分著作和章节，高年级通读《毛泽东选集》和马列部分著作），最终目的是把学生培养成为反修防修的战士。[①]

（三）德育研究的科学化探索（20世纪70年代末至80年代）

1976年，“文化大革命”结束。在经历了短暂的徘徊之后，党的十一届三中全会决定冲破长期的“左”的错误的严重束缚，把全党的工作重点和全国人民的注意力转移到社会主义现代化建设上来，由此导致了德育价值观的转折，即由德育“为阶级斗争服务”转变为德育“为社会主义现代化建设服务”[②]。

从教育学界来看，人们最初是通过否定“文革”、反思“文革”来寻找教育发展的方向的。潘懋元先生曾经谈到，“文革”结束后，我国教育界在反思时，提出要研究、探索教育规律，因为“文革”的教训就是不尊重教育规律。[③]理所当然地，要做好德育工作，就必须尊重德育规律，按德育规律办事。这就是当时理解的德育科学化的内涵。因此在德育理论界，对德育过程规律的探寻成为研究的热点。几乎所有的德育理论研究学者，

---

① 大寨大队党支部．加强党的领导，把学校办成无产阶级专政的工具［M］//瞿葆奎．教育学文集·德育．北京：人民教育出版社，1989：352－359．

② 鲁洁，班华．德育理论在科学化轨道上前进［J］．教育研究，1988（12）：6．

③ 潘懋元．对高等教育若干问题的思考［J］．西北工业大学学报（社会科学版），2018（2）：26－30．

如鲁洁[①]、班华[②]、郭文安[③]、李道仁[④]、涂光辉[⑤]等都先后参与了德育过程规律的研究，仅《教育研究》就先后发表了30余篇相关论文。由此，德育过程规律研究成为改革开放之后我国德育理论研究的第一个高峰，研究内容涵盖德育过程的概念、本质、特点、结构、要素、基本矛盾，中国古代的德育过程思想，苏联的德育过程理论等，特别是把德育过程与人的思想品德形成过程区分开来，把有目的的德育影响与自发的社会影响区别开来。

从目前已有的总结反思改革开放初期德育研究的著述来看，改革开放初期对德育过程理论研究的意义与价值被大大低估了。总体上看，这一研究表达了尊重德育规律、追求德育科学的雄心；表达了不甘心智育第一、德育第二的现实窘境；与当时的学科制度化活动相互促进，促使德育原理成为一门独立的学科（以1989年胡守棻主编的高等院校教材《德育原理》出版为标志）。当时所研究的问题，事实上奠定了德育学科的理论基础，引发了对德育本质、德育功能、德育人性化的研究，具有建构独立的德育学科的建设性价值，并具有德育原理的奠基性价值。

当然，这一阶段德育研究的主题还包括德育与个性发展、德育目标的依据与层次性、德育内容序列化、德育方法科学化等。

---

① 鲁洁．德育过程初探［J］．教育研究，1981 (2)：56－60；鲁洁．试评我国古代教育家有关德育过程的论述［J］．南京师大学报（社会科学版），1980 (3)：21－25.

② 班华．思想品德教育过程［J］．教育研究，1980 (3)：78－83.

③ 郭文安．试论青少年学生的德育过程［C］//北京师范大学教育系资料室．德育过程论文选编，1983：23－40.

④ 李道仁．试析德育过程的基本规律［J］．教育研究与实验，1984 (1)：32－38.

⑤ 涂光辉．试论德育过程的基本规律［J］．湖南师院学报（哲学社会科学版），1984 (3)：8－12.

（四）德育研究的人性化追求（20 世纪 90 年代）

以人为本是教育的基本逻辑。鲁洁曾经指出："总结……近 10 年来（1988—1998 年——作者注）德育理论的发展，便会发现一个明显的趋势，那就是一方面德育理论继续在科学化的轨道上前进，另一方面表现出人性化倾向，而且二者正在逐渐走向整合。"① 班华也曾撰文论述了新世纪德育的人性化走向。②

20 世纪 90 年代，德育研究在科学化探索之后，之所以出现人性化的追求，原因是多方面的。

第一，源于从计划经济向市场经济或者商品经济转型所带来的冲击，中国人的人格要求由计划经济下的单位人、被动人、集体人，转向主体人、自由人等。③ 这是现实生活的需要，是最根本的需要。学术研究的转向是对这种社会现实和社会实践的表达和回应。

第二，源于德育理论界对道德、道德教育本质与功能的创新性认识。鲁洁提出，"道德教育是一种超越"，"道德教育不是对现实的行为与关系的复制与重现，而是按照某种超越于现实的道德理想去塑造与培养人，促使人去追求一种理想的精神境界与行为方式"。④ 道德不全部是、不纯粹是规定、限制人自己的力量，也是人探索、认识、肯定、发展和创造自己的力量。

第三，源于思想界和学术界关于人道主义的论争，使人和人的主体性成为哲学的主题。人性化是对教育的本质、人的本质认识的提升，是对把

---

① 王啸，鲁洁．德育理论：走向科学化和人性化的整合［J］．中国教育学刊，1999 (3)：17 – 21.

② 班华．德育理念与德育改革：新世纪德育人性化走向［J］．南京师大学报（社会科学版），2002 (4)：73 – 80.

③ 同①.

④ 鲁洁．道德教育：一种超越［J］．中国教育学刊，1994 (6)：2 – 8.

人的本质完全归结于阶级性，把个人完全看作社会的工具、集体的工具的阶级人性论的反对。

因而，在这个时期，“人是主体”的教育思想得以确立，主体性德育思想应运而生。主体性德育认为道德教育应以培养学生主体性道德人格为目标，以人的内在需要为动力，把价值引导与自主建构相结合，在活动与交往中生成主体性道德人格。①

这个时期，不仅追求德育的人性化，同时也追求德育的现代化，二者相互交织。教育要现代化，德育也要现代化。②学者们批判指出了当时学校德育的低效及无效问题，试图在借鉴西方德育理论与德育实践的基础上勾画出现代德育的理想特征。鲁洁、王逢贤主编的《德育新论》（1994 年）、班华主编的《现代德育论》（1996 年）以及戚万学、杜时忠编著的《现代德育论》（1997 年）等著作或教材，均试图围绕现代德育构建、促进德育现代化的中心议题发力突围。而活动德育论③、情感德育论④、德育美学观⑤等当代中国德育理论的创新与建构也使中国德育研究开始呈现出百花齐放的局面。与此同时，在德育现代化话语的召唤下，西方道德教育的理论与

---

① 肖川．主体性道德人格教育［M］．北京：北京师范大学出版社，2002：152－183.

② 班华．近十年来德育思想现代化的进展［J］．教育研究，1999 (2)：18－22.

③ 戚万学．活动道德教育论［M］．南京：南京师范大学出版社，1994; 戚万学．活动道德教育模式的理论构想［J］．教育研究，1999 (6)：69－76.

④ 朱小蔓．情感教育论纲［M］．南京：南京师范大学出版社，1993; 刘慧，朱小蔓．多元社会中学校道德教育：关注学生个体的生命世界［J］．教育研究，2001 (9)：8－12; 朱小蔓．情感德育论［M］．北京：人民教育出版社，2005.

⑤ 檀传宝．德育美学观［M］．太原：山西教育出版社，1996; 檀传宝．让德育成为美丽的风景：欣赏型德育模式的理念与操作［M］．合肥：安徽教育出版社，2006; 檀传宝．美学是未来的教育学：德育世界的探寻［M］．上海：华东师范大学出版社，2015.

实践，如道德认知发展理论[①]、价值澄清理论[②]、建构主义德育理论[③]等也被大量引介到中国，成为中国德育人性化、现代化理论与实践探究的思想资源与历史镜鉴。

（五）德育研究的本土化建构（2000 年至今）

经过 20 多年的改革开放，当历史的车轮跨入 21 世纪时，我国的经济、社会、教育、文化都发生了巨大的变化，德育理论也进入了一个多元化发展的新时期。这是因为：第一，德育理论经过科学化与人性化两个阶段的积累，已经有了比较深厚的基础。第二，世纪之交的基础教育改革为德育理论研究提供了难得的机遇与广阔的舞台（生活德育论大有用武之地）。第三，随着大量的、多样性的西方德育思想、德育理论的引进，我国德育理论研究也在不知不觉中融入了多元化的趋势。第四，社会转型的文化冲突、文化危机导致各种文化思潮的兴起，“这也直接影响了德育理论流派的产生与交替”[④]。

在这一时期，中国德育研究不断回应本土性需要，走上了本土化建构的道路。典型表现有三个方面：

第一，推进中华优秀传统文化研究。经过 20 世纪 80 年代、90 年代的理论储备，复兴中华优秀传统文化已经势不可挡，并从底层走向政策、从理论走向实践，成为主导学校德育的一股重要力量。研究者多认同中华优

---

① 郭本禹．道德认知发展与道德教育：科尔伯格的理论与实践［M］．福州：福建教育出版社，1999；岑国桢．吉利根对道德认知发展理论的修正［J］．心理科学，1992（4）：33－37＋66.

② 冯增俊．价值澄清德育理论述评［J］．海南师院学报，1992（3）：28－33＋43.

③ 肖川．建构主义学习观与学校德育［J］．教育导刊，1998（Z2）：36－37；肖川．建构主义与道德教育中的灌输［J］．河北师范大学学报（教育科学版），1999（4）：10－15.

④ 叶飞，檀传宝．改革开放 30 年德育理论发展脉络探析［J］．教育研究，2009（1）：19－24＋85.

秀传统文化是中国人的精神家园，在西方强势文化风靡世界的时候，必须要坚持走文化自主路线。[①]有论者认为，2014 年教育部颁布《完善中华优秀传统文化教育指导纲要》，意味着中国的德育指导思想实现了结构性变革，即由 2010 年之前受马克思主义和社会主义道德一元指导的局面，调整为一种复合型建构性的德育指导方针。[②]一些研究者致力于从传统文化中发掘现代道德教育的资源，探讨全球化进程中具有中国本土特色的道德教育。如认为传统道德可贵之处在于其强调精神，道德教育的中国形态应该是精神形态，而非西方的理性形态；强调伦理与天理良知相通，而非理智狡黠的算计。[③]或认为传统“天人合一”“仁民爱物”道德观可生发出现代生态道德教育思想。或认为传统道德蕴含丰富的生命教育意识、德性教育传统可资利用，可以将传统美德中的感恩教育、孝道教育、自强教育、责任教育作为突破口，开拓新德育。[④]或主张在教育理论研究中，应以整体的、多视角的范式来实现对中国传统道德文化的多层次、立体式开发与利用，而非简单的、分割的碎片式继承。[⑤]

第二，加强社会主义核心价值观教育。社会主义核心价值观凝聚着社会价值共识，吸纳了世界先进思想，中华优秀传统文化是社会主义核心价值体系建构的前提与基础。社会主义核心价值观明确而完整地回答

---

① 鲁洁 . 应对全球化：提升文化自觉［J］. 北京大学教育评论，2003 (1) : 27 － 30.

② 张亚月 . 德育的历史性变革：从政治认同走向社会认同［J］. 中国青年研究，2016 (8) : 35 － 40.

③ 樊浩 . 道德教育的“‘精神’形态”与“中国形态”［J］. 教育研究，2013，34 (2) : 44 － 53.

④ 沈建华 . 传统文化视角下青少年道德教育的活化和链接［J］. 教育研究，2015，36 (11) : 25 － 29 + 48.

⑤ 易连云 . 传统道德教育研究的范式转换［J］. 教育研究，2010，31 (4) : 30 － 33.

了“教育之道”，表达了中国学校教育的价值立场。[①]对于教育来说就是要解决好学生的人生价值取向问题。培育和践行社会主义核心价值观需要从理论引领、舆论宣传、文化熏陶、实践养成和制度保障五个维度入手。[②]社会主义核心价值观应通过具体化、日常化、形象化和生动化的形式引导学生自觉认同。[③]社会主义核心价值观融入学校教育，应立足于优秀德育教材的开发、高水平师资队伍的建设、德育话语体系的合理转换及德育方式的多元创新。有论者指出，把社会主义核心价值观融入教材，要掌握三种逻辑，即知识逻辑、生活逻辑和教育逻辑，打通三个世界，即符号世界、意义世界和生活世界。[④]

第三，立足于中国学校德育实践场域的多种德育理论应运产生。20 世纪 80 年代以来，中国经济高速增长，取得了举世瞩目的经济奇迹。然而，也产生了环境污染、道德滑坡、贫富悬殊、官员腐败诸多问题。德育研究者们冷静审思伴随着现代化进程而泛滥的经济主义、唯科学主义、极端个人主义、工具理性至上及人类中心主义等谬误[⑤]，凸显生活、情感、生态、制度等过去被忽视、压抑或被边缘化的主题，由此形成了多种德育理论“百花齐放”的可喜局面。除了上一时期出现的活动德育论、情感德育论、德

---

① 杜时忠，曹树真.社会主义核心价值观“进教材”的教育学探索[J].教育研究，2015，36 (9)：34 − 39.

② 王琰.将社会主义核心价值观融入高校立德树人全过程的五个维度[J].思想理论教育导刊，2015 (1)：124 − 127.

③ 靳玉军.论社会主义核心价值观教育的实践要求[J].教育研究，2014，35 (11)：4 − 7 + 15.

④ 同①.

⑤ 鲁洁.教育的返本归真：德育之根基所在[J].华东师范大学学报(教育科学版)，2001 (4)：1 − 6 + 65.

育美学观继续活跃之外，这一时期新产生的主要德育理论有生活德育论①、公民教育论②、制度德育论③等。

综上所述，新中国成立以来，“前三十年”的德育研究伴随新民主主义革命胜利之后的喜悦与自信，力图改造旧道德、旧德育。它以革命者的姿态，否定中国传统道德文化与德育思想，否定西方近现代德育理论与德育模式，“一边倒”地学习苏联思想、政治与道德体系、教育经验与教育理论，也尝试在德育理论建构上追求中国特色。“文化大革命”期间，由于错误地估计了国内外形势，错误地坚持无产阶级专政条件下“继续革命”的理论，强调“阶级斗争”，最终导致学校德育沦为阶级斗争的工具，德育理论的发展也处于完全停滞的状态。

以改革开放为始的“后四十年”的学校德育研究，则在解放思想的旗帜下，乘改革开放的东风取得了重要进步。其重要原因，一是彻底反思、批判并否定错误的教育理论，二是大胆学习借鉴外国德育研究成果。反思与批判中，最根本的教训就是两条：一是不尊重教育规律；二是不尊重人，

---

① 鲁洁．德育课程的生活论转向：小学德育课程在观念上的变革［J］．华东师范大学学报（教育科学版），2005（3）：9－16＋37；鲁洁．生活·道德·道德教育［J］．教育研究，2006（10）：3－7；高德胜．生活德育论［M］．北京：人民出版社，2005；高德胜．生活德育简论［J］．教育研究与实验，2002（3）：1－5＋72.

② 檀传宝，等．公民教育引论：国际经验、历史变迁与中国公民教育的选择［M］．人民出版社，2011；李萍，钟明华．公民教育：传统德育的历史转型［J］．教育研究，2002（10）：66－69；万明钢．论公民教育［J］．教育研究，2003（9）：37－43.

③ 杜时忠．制度德性与制度德育［J］．教育研究与实验，2002（1）：38－43；刘超良．制度德育论［M］．武汉：湖北教育出版社，2007；杜时忠．制度何以育德？［J］．华中师范大学学报（人文社会科学版），2012，51（4）：126－131＋4；杜时忠．人文教育与制度德育［M］．合肥：安徽教育出版社，2013；杜时忠，张敏．国家道德即德育［J］．教育研究与实验，2013（1）：7－10；张添翼，杜时忠．再论制度何以育德［J］．教育研究与实验，2018（5）：12－15＋25；杜时忠．德育十讲：制度何以育德［M］．武汉：华中师范大学出版社，2019；杜时忠，张添翼．三论制度何以育德［J］．教育学报，2020，16（4）：20－29.

否定教育主体性。对前者的反思，产生了探索教育规律、德育规律，追求德育科学化的思潮，典型表现就是对德育过程规律的研究；对后者的反思，引燃了主体性教育、主体性德育思潮。大胆学习借鉴外国德育研究成果，则给德育研究带来了最新研究信息、理论想象力和世界眼光。当然，当代中国德育研究并不满足于反思过去，更期待未来，不仅借鉴，更追求创新。它既客观理性地批判，更热情洋溢地建设，那就是追求并建构现代化、科学化、人性化的德育理论，并在本土德育理论建构方面收获了累累硕果。毫无疑问，这四十来年是中国德育研究突飞猛进、全面进步的时期，是中国德育学术发展历史上最好的时期。

二、新中国德育研究的重要成就、局限与发展逻辑

新中国德育研究走过了 70 多年不平凡的历程，在思想产出、学科建设、人才培养、实践引领等方面都取得了显著成绩。德育研究获得了独立的学科地位，初步建立起具有明确研究对象、体现时代精神的德育理论体系。与此同时，德育研究也面临着十分严峻的时代挑战，存在着知识体系比较陈旧、研究方法比较单一、原创性成果十分稀少等亟待解决的问题。

（一）德育研究的重要成就

1. 德育研究获得了丰硕的理论成果

新中国成立以来，在 70 多年的理论探索中，不同思想的交锋让中国德育理论研究不断取得进步。在德育研究中实际上存在两种学术争鸣：一种表现为历史性的反思，另外一种表现为同一时期不同理论观点的竞争、交流，最终促成了百花齐放的繁荣局面。特别是 20 世纪 90 年代以来，中国德育研究在不长的时间内，围绕德育本质、德育功能，以及德育与个体、

德育与社会生活的关系等主题开展了有影响力的学术争鸣，彰显了德育研究的学术魅力，提升了德育研究的科学品质，提高了德育研究的学术声誉。

与学术争鸣相伴而生的，是我国德育研究在科学化、人性化论述上的新进展，先后出现了主体德育论、活动德育论、情感德育论、德育美学观、生活德育论、公民教育论、制度德育论等多种德育理论主张。它们从不同的视角出发，运用多种方法，对学校德育乃至社会道德现象和问题进行了深入的研究，各成一家之言，并以各自的方式力图影响和变革学校德育实践。它们深化了我们对德育的认识，丰富了德育理论体系，促进了德育研究的繁荣。

2. 德育研究取得了独立的学科地位

德育逐渐从教育学的一个研究领域，分化发展成为一个独立的二级学科。人们一般在两种意义上使用“学科”一词：一是依学问性质而划分的知识门类，如物理、化学等；二是学校教学的科目，如语文、数学等。无论在哪一意义上，德育科学研究，尤其是“德育原理”，都已经成为教育学体系中一门相对独立的重要分支学科。其主要理由有三：

首先，德育学科是关于德育的学术知识体系，既有明确的研究对象（德育现象或德育问题）[①]，也具备了相应的研究方法（虽无特有的研究方法，但社会科学常见、通用的方法或移植于其他学科的特色方法似乎足以支持德育学科的研究需要），还形成了自己的理论体系。

其次，德育学科是教育学科中的一类教学内容。在高等院校，特别是师范院校或者教育学院中，“德育原理”“德育论”或“德育学”是作为一门课程广泛开设的，德育学科作为一个教学科目是普遍的社会事实。

---

① 班华．略论德育论学科对象与任务的几个问题［J］．教育科学研究，2007 (4)：5 − 9；班建武．“十一五”期间德育学科发展的回顾与总结［J］．教育科学研究，2011 (7)：67 − 75.

最后，德育原理内部，也正在形成一个可观的分支学科群，包含德育主体论[①]、德育过程论[②]、德育课程论[③]等，以及与其他学科交叉而产生的德育心理学[④]、德育社会学[⑤]等。这样，德育原理不仅从教育学母体中分化独立出来，而且成为一个拥有众多分支学科的独立学科群，其学科地位和学科特色日益彰显。

德育研究成为独立的学科体系的突出标志，是德育原理形成了相对完整的理论体系：一是思想观念体系，如道德是可教的，品德发展及道德教育是有规律可循的，德育的本质是一种超越，以道德的制度培养道德的人等；二是概念范畴体系，如道德、品德、德育，直接德育、间接德育、隐性课程意义上的德育，以及品德形成、德育过程、德育实效等；三是教材结构体系，目前已经相对稳定，大体分为“学科总论”“理论基础”“实践应用”等几大部分，具体展开为德育学科论、德育本质论、品德发展论、德育目的论、德育过程论、德育课程论、德育方法论、德育环境论、德育管理论、德育评价论、德育比较论等。

经过 70 多年的努力，我国建立了自己的德育理论体系。值得一提的是，这不是通过全盘否定中国传统德育文化和接受西方德育理论而实现的，而是更加理性地对待中国传统德育文化和世界先进德育理论。许多学者都主张要实现传统德育的创造性转化，包容、自信地借鉴国外德育理论，从单向度地盲从外国德育理论，到提出教育研究、德育研究的中国化，建立具有中国风格、中国气派的德育理论。

---

① 肖川．主体性道德人格教育［M］．北京：北京师范大学出版社，2002; 于光．德育主体论［M］．北京：中国社会科学出版社，2010.

② 范树成．德育过程论［M］．北京：中国社会科学出版社，2004.

③ 佘双好．现代德育课程论［M］．北京：中国社会科学出版社，2003.

④ 韩进之，王宪清．德育心理学概论［M］．上海：上海人民出版社，1986.

⑤ 鲁洁．德育社会学［M］．福州：福建教育出版社，1998.

3. 德育学科的社会建制逐渐完备

综合经典和现代学科分类理论，可以认为：一门学科的独立或成熟，两个方面标准或条件最为重要：一是专业化的知识建构，如明确的研究对象、行之有效的研究方法和严谨的理论体系；二是制度化的社会建制，如专门的研究机构、专业性的研究共同体、专业研究期刊，以及专门人才培养等。德育学科在制度化建设上从无到有、从弱到强，显示出德育研究得到了越来越多的社会支持和越来越高的社会认可。

70 多年来，中国德育研究共同体日益壮大（2017 年全国专业德育研究者有 70 人左右，关注德育研究的专业研究者约有 500 人[①]），不仅成立了全国性的德育论专业委员会（现为“全国德育学术委员会”）等专业学术团体，而且一些大学还建立了多个专门德育研究机构，如教育部人文社科重点研究基地南京师范大学道德教育研究所、北京师范大学公民与道德教育研究中心、华中师范大学道德教育研究所等，还出现了多种专业期刊，如《中国德育》《中小学德育》《班主任之友》《班主任研究》等。此外，在全国众多的教育学术刊物中，也有为数不少的德育栏目，发表大量的德育研究论文。在德育研究专业人才培养方面，我国从 20 世纪 80 年代开始招收硕士生、博士生，目前已经形成了一个由学士、硕士、博士和博士后构成的完整德育人才培养体系，目前在校研究生约为 1500 人。这既是德育学科兴旺发达的标志，更是德育学科持续发展的根本支撑。

4. 德育研究提升了对于德育实践的影响力

我国德育研究有强烈的实践取向，并体现出鲜明的时代特征。“直面社会现实、关怀德育实践，是 40 年来中国德育学科发展最重要的理论品格。

---

① 刘峻杉，平和光．知识生产视角下我国德育研究的特征与展望［J］．全球教育展望，2017，46（9）：61－72＋85.

从 20 世纪 80 年代对于基础道德重建的呼吁、世纪之交对于新世纪挑战的思考，到近年对于社会主义核心价值观教育、国际理解教育等议题的集中关注，中国德育理论工作者均及时回应了当代社会对于德育实践变革的迫切需要……”①

德育研究者积极参与国家德育决策，指导中小学德育改革。如主持修订义务教育阶段国家德育新课程标准、主编德育教材、开展学校德育诊断、推动教师德育专业化、通过大学与中小学合作（U–S 协同）推进学校德育深度变革等。在德育理论研究的推动之下，我国学校德育正在发生可喜的变化：由过度政治化的强制灌输式的德育逐步走向科学化、人性化、生活化的德育，由追求不食人间烟火的圣贤道德转变为追求社会正义和社会关怀的现代伦理，从封闭式德育走向开放性德育，从学校德育的教育孤岛走向学校、家庭、社会相互支持的合力德育。

（二）德育研究的现存局限

新中国德育 70 多年的发展，在取得长足进步的同时，也存在一些亟待突破的局限。这集中表现在：

1. 德育研究的学科视野相对封闭

道德现象与道德行为是复杂的，是多学科的研究对象。道德理论研究者往往强调道德是社会行为，忽略道德行为的多学科基础，导致对于哲学、伦理学的研究关注较多，而对生物学、心理学、人类学、社会学、经济学、政治学等相近学科关注较少，对于语言学、美学、艺术等跨学科领域对人类道德行为研究成果则更为陌生。一个明显的证据是，尽管对于哲学、伦理学的新进展相对敏感，但德育研究者也仍然未能敏锐地把握当前人文社

① 檀传宝，陈国清．改革开放 40 年我国德育学科建设的探索与进步［J］．中国教育学刊，2018 (10)：28 － 34.

会科学研究范式的转换，对于道德哲学和伦理学、政治学研究中的权力批判和语言转向等还比较漠视。

权力批判的目的是要揭示道德与权力之间的联系，将道德从压制性的意识形态中剥离出来，以防权力借助道德之名畅通无阻。许多研究者批判道德专制与道德灌输，然而其批判的语言依然是大而化之的宏大叙事，未能深入地揭示与批判微观领域中权力运行规则，诸如借用道德之名所实施的隐蔽的性别偏见、歧视、压制以及不平等。哲学和伦理学研究的语言转向,强调思维必须通过语言符号体现,思想的内容受制于说话的方式。同样，研究道德教育问题必须依凭语言来进行，研究所用的概念不清会带来理论混乱。如有人支持道德的相对性，有人反对道德相对主义，有人赞扬消费文化的好处，有人批判消费主义的害处，但道德的相对性与道德相对主义、消费文化与消费主义之间的本质区别是什么，其界限该如何准确划分，则缺乏必要的语言学澄清。对语言缺乏审视，限制了理论研究者之间的对话与交流，使得许多德育理论研究无奈地成了研究者们的“自说自话”。

2. 德育研究的方法论基础相对薄弱

许多德育理论研究者仍然坚守着哲学思辨范式，尤其是受规范伦理学的影响，以直线性演绎逻辑为主，缺乏复杂性、动态性及整体性思维方式，德育研究的方法论基础相对薄弱。表现在：第一，大量研究直接套用哲学、伦理学、政治学的术语与理论来诠释德育问题，对于理论的教育适切性缺乏反思；第二，德育研究注重对道德规范进行合理性论证，轻视批判性思维的培育，也轻视个体道德内化的生成过程；第三，道德哲学一主体维度的研究偏重于道德认知，对于道德情感的研究则相对薄弱。①

此外，许多德育研究者往往忽视也窄化了实证研究，习惯于运用问卷

---

① 孙学功．道德情感研究综述［J］．哲学动态，1998 (1)：17－19.

调查去“处理”复杂的德育问题，而对于批判主义与诠释主义视角下的质性研究则相当陌生。与之相对，一些研究者已经用高质量的研究成果证明，质性研究的两种方法——人种志研究和扎根理论，都是可以较好地从经验中通过归纳来建构理论的方法，它们既保留了理论的系统性，又不阉割教育事实的丰富性。

3. 对重大现实问题缺乏道德审视

“道德教育是整个共同体的事业……进而，它对我们有双重意义。它指教育在某种程度上是道德的，所有计划和实施着的教育都努力将所有与道德相关的内容包括在内；它指这样一种教育，旨在提升受教育者的伦理理想，使得他们能够持续地与他人道德地相遇。”[①] 因此学校教育的伦理基础理应包括自由、公正、民主、关怀、幸福等基本道德价值。这些基本价值不仅是教育哲学、政治哲学的研究领域，更应是道德教育研究者思考的重大问题。德育理论研究有义务追问什么样的教育是道德的，如何以道德的方式培养道德的人，依循这个思路，道德教育研究者对现实的反思和批判力度是不够的。

在教育制度领域，道德教育研究者需要思考如何突破教育制度科层化、等级化、工具理性化的桎梏，将学校建设成为道德共同体以及民主生活共同体[②]；在教育政策领域，道德教育研究者应审视教育政策的正当性，审视政策制定的程序正义与实质正义[③]；在教育改革方面，道德教育研究者应批判反教

---

① 诺丁斯．关心：伦理和道德教育的女性路径［M］．武云斐，译．北京：北京大学出版社，2014.

② 金生鈜．为什么要塑造学校的道德文化：学校作为一个道德共同体的再道德化思考［J］．西北师大学报（社会科学版），2005 (4)：71 － 75.

③ 杜时忠，张添翼．教育制度和教育政策的伦理属性及其实现［J］．中国教育科学（中英文），2017 (4)：91 － 105.

育行为的伪改革，将教育的道德标准作为重要的维度纳入评价指标之中[①]。

此外，我国德育研究还存在一些“痼疾”。比如，不少研究者习惯于做当下教育政策的简单诠释，而损害了德育研究应有的科学品质，其结果是德育概念的大而不当、名实不符等问题至今悬而未决。依据我国学校教育的制度安排，德育的外延远远超出道德教育，不仅包含了政治、思想、道德、心理、法治五大内容，而且教育政策上强调的所有不属于智育、体育、美育的教育任务都会归于“德育”名下。为了迁就这一现实，德育原理教科书只好宣称我国的德育是“大德育”。然而在实际的德育研究中，无论是德育理论的建构、德育规律的阐述，还是德育过程的展开，以及学生品德发展规律的论述等，实质内容仍然主要是道德教育而没有包括政治教育、思想教育、心理教育和法治教育。[②] 德育概念理解“守一而望多”[③] 的原则落实，仍然任重道远。

（三）德育研究发展的学术逻辑

上述成绩与不足同时存在，其中原因值得深思。人文社会科学与研究物质世界、强调事实与规律的自然科学不同，有其自身的学术逻辑，即以人文世界、社会世界为研究对象，关注价值与意义，注重呼应时代精神、回应时代挑战，强调研究活动的社会历史和人文精神属性。德育研究本质上属于人文社会科学研究，有其内在的学术逻辑，有其内部独特的矛盾和困惑要去面对和解决。在学科信念上，是学科独立与学科依附之间的拉锯；在价值取向上，是集体主义与个人主义的博弈；在发展路径上，是西方化与本土化的此消彼长；在研究方法论上，是人文主义与科学主义的融合。

---

① 吴康宁．教育改革成功的基础［J］．教育研究，2012，33（1）：24－31.

② 张忠华．论中国特色的德育概念之研究［J］．现代大学教育，2008（3）：86－92＋113.

③ 檀传宝．学校道德教育原理［M］．北京：教育科学出版社，2000：4－5；檀传宝．德育原理［M］．北京：北京师范大学出版社，2017：4－5.

1. 德育研究的学科信念：学科独立与学科依附之间的拉锯

在教育学的众多二级学科之中，德育研究的政治从属性特别明显。这一特征可能与其研究对象的政治属性有着重要的关联。德育最突出的特点之一是深受政治影响，因为道德与政治之间具有千丝万缕、密不可分的亲缘关系，有的道德要求本身就是意识形态的要求。从理论上讲，道德教化、道德教育是政治实施的基石。[①]在我国传统政治思想中，“修身”一直是“治国”与“平天下”的逻辑起点。今天，“培养什么样的人”依然是教育的核心问题，它决定道德教育的走向。因此，道德教育不应也不可能摆脱政治的影响。

然而，德育研究作为揭示德育问题、探索德育规律的科学活动，毕竟不能直接混同于政治上意识形态的宣传工作，不能满足于对现行政策的简单解释和论证。故如何保持学科的相对独立性，这成为道德教育学者们努力的一个重要方向。鲁洁曾经指出：“……基础性的工作，就是努力把德育作为一门学问来研究它，既不是对党和政府的政策的诠释，也不是直观经验的描述。”[②]

改革开放以来，道德教育研究经历了三次重大的主题转换，其中对人的关切一直是不变的价值诉求与研究基点。[③]德育研究者以其对人的关切、对人性的呼唤来建构学科的独立性，来促进学科的原创性。主体性德育、欣赏型德育、生活德育、情感德育、制度德育、公民教育等理论都是围绕着德育的现代化与人性化而进行理论建构的，它们响应了时代精神，试图将德育从政治的附庸变成为人的德育、属人的德育。尽管各自使用的术语

---

① 任剑涛．道德与中国传统政治的合法性［J］．华中师范大学学报（人文社会科学版），2005 (1)：27 − 34.

② 鲁洁．回望八十年：鲁洁教育口述史［M］．北京：教育科学出版社，2014：233.

③ 胡金木．改革开放以来道德教育研究主题的回顾分析［J］．江苏教育研究，2009 (4)：16 − 18.

不同，但它们的追求完全一致。第一，反对道德教育的专制化、唯知识化、唯理性化，希冀道德教育促进人的完整发展、促进人的美好生活；第二，德育理论研究更多地关注儿童，特别是儿童的解放，更多地借鉴现代道德心理学的研究成果，更多地关注儿童的道德发展与道德学习；第三，追求道德理性、道德自主和道德宽容，而反对道德强制、道德绑架和道德高压。

2. 德育研究的价值主线：集体主义与个人主义的博弈

中国德育研究面临的一个理论难题是在社会日趋多元的环境下，如何重构道德价值，并形成道德共识。新中国成立以后，共产主义、集体主义道德观实际上延续了中国传统伦理观中的整体主义（由家族血缘伦理转到集体组织伦理），如重义轻利、重群轻己的道德价值观。之后，集体主义教育在学校教育实践中产生了异化，否定了个人合理欲望及追求个人幸福之行为存在的价值。[①] 改革开放后，随着市场经济对个人利益的肯定、保障及刺激，义利关系发生了重大的变化与重组，即大众意识形态推崇义利并举，甚至重利轻义。这一过程持续了数十年，使得学校德育面临一个复杂的社会道德环境。社会主义核心价值观的提出，在某种意义上可以看作义利关系重组过程的阶段性完成，自此义利并重、群己和谐应该成为主导的价值观。

在义利关系和群己关系的转型中，道德价值观逐渐突破了传统价值观，走向多元。诺丁斯的关怀伦理的引入[②]，不仅符合中国重视人际关系的传统，而且其充满人性关怀的笔触也填补了康德、涂尔干、杜威理论中忽视个人情感的缺陷，成为教育理论的润滑剂。并且，诺丁斯所代表的女性主义伦理学，对过于注重理性与公正伦理的男性主义伦理学提出了挑战，引入了

---

① 杨建朝．从虚假到真实：集体主义教育反思［J］．教育学报，2011，7(5)：41－47.

② 侯晶晶，朱小蔓．诺丁斯以关怀为核心的道德教育理论及其启示［J］．教育研究，2004(3)：36－43；孙彩平．在道德关系建构中生成德性：析诺丁斯道德教育的新理念［J］．比较教育研究，2003(9)：6－10.

道德教育的性别视角，进一步推进了道德教育理论的多元化。21 世纪以来，随着社会发展不平衡矛盾的凸显，大众对社会公平的呼声渐高。在这种背景下，罗尔斯的社会正义理论产生了广泛的影响。① 至此，德育理论界基本达成了价值共识，即推崇康德式的道德自由与罗尔斯式的社会正义、涂尔干式的理性权威、杜威式的教育民主与诺丁斯式的教育关怀。自由、正义、理性、民主、关怀已经成为德育学者共同的价值追求，这与整个中国社会转型中的时代精神是相符合的。

3. 德育研究的路径选择：西方化与本土化的此消彼长

中国现代化进程包括现代教育发展中始终有一组基本的矛盾，即如何处理传统文化与现代文化之间的冲突，如何在东方文化与西方文化之间进行取舍。

自五四新文化运动直至整个 20 世纪 90 年代，传统文化都被视为落后文化、黑暗文化而被攻击、被批判。于是，教育现代化的目标一度是科学化与民主化，其过程是不断舍弃传统文化，不断学习、引进和复制西方文化教育。②21 世纪以来，随着经济全球化过程中民族主义的复兴、后现代哲学思想对西方中心主义和后殖民主义的挑战，世界各国的文化自觉与本土化需求变得越来越强烈和深刻，传统文化复兴成为必然的趋势。现代化不是西方化、一元化，而是本土化、多元化。这一趋势同样表现在德育理论研究中。德育理论研究者开始自觉地反思全球经济和信息一体化带来的价值多元与文化多元对道德教育的冲击③，批判现代化对人精神需求的漠

---

① 罗尔斯．正义论［M］．何怀宏，何包钢，廖申白，译．北京：社会科学出版社，1988；赵敦华，江立成．罗尔斯的正义说［J］．求索，1994（2）：66－68；姚大志．罗尔斯正义理论的道德基础［J］．江海学刊，2002（2）：37－42.

② 杨东平．艰难的日出：中国现代教育的 20 世纪［M］．上海：文汇出版社，2003：4.

③ 黄书光．全球化时代的学校德育思考［J］．思想·理论·教育，2002（2）：3－7.

视，自觉地肩负起道德教育研究应承担的社会责任与文化使命。德育研究者业已形成的共识是：德育现代化必然立足于中国大地，必然包含传统文化教育的现代转型，也必然包含德育理论本土化的探索。[①] 当前对传统德育资源的挖掘，对优秀传统道德文化的重新阐述，对中国特色的德育理论的探索，均属于德育理论本土化的自觉尝试。

4. 德育研究的方法转换：人文主义与科学主义的融合

纵观中国德育研究的主题，经历了从学科本位、主义本位到问题本位的发展历程。20 世纪 80 年代，德育理论研究的重点是探索德育规律，推动学科独立。20 世纪 90 年代，德育理论大量借鉴西方哲学流派和社会思潮，同时，德育各分支学科也开始萌芽，如德育社会学、德育文化学等。及至 21 世纪，聚焦于德育问题的研究更多了，特别是关于德育实效、德育课程、德育改革等实践命题的研究，问题导向得到了前所未有的强调。

从学科本位、主义本位到问题本位，这一过程背后也体现了德育研究方法论的转换。学科本位、主义本位侧重于哲学思辨，主要的研究方法是逻辑演绎，即用某一哲学理论的视角来看德育问题，将其基本原理推至德育研究，其思维方式是整体的、人文的，关涉很多问题，并不聚焦于特别具体的教育实践问题。而以问题为本位的研究，则聚焦于一个个具体的德育问题的解决，常常不拘泥于教育学科，而是用多学科的视野来研究，从而凸显了德育研究的跨学科性质[②]；或者运用实证研究的方法对问题存在的频率、后果进行揭示，用定量研究方法尤其是以问卷法为主、访谈法为辅来揭示德育问题成为一种普遍的做法；或者用行动

---

① 易连云．全球共同利益视阈下的中小学德育课程改革思考［J］．教育学报，2018，14 (1) : 45 − 50.

② 戚万学，唐爱民，韩笑．改革开放 40 年德育理论研究的主题及进展［J］．教育研究，2018，39 (10) : 20 − 31.

研究来验证德育理论的效用，用质性研究方法对教育现象的精神意味做更深入、立体的揭示。总体看来，目前中国德育研究在方法论上正在努力超越简单的“主义”与“问题”的二元对峙，逐步走向人文主义与科学主义的深度融合。

以上，我们在回望70多年中国德育的发展历程的基础上，努力总结了中国德育研究的历史、成就与不足以及德育学术发展的基本逻辑。“缺什么，补什么。”这一历史的全面总结，尤其是现存局限的分析，其实已经构成了对未来中国德育研究发展应有趋势的严肃探讨。

当然,任何理论研究从来都不可能没有实体性研究对象或者研究的“质料”。对中国德育研究未来发展方向更为准确的把握，当然还需要从对于新时代中国社会的发展方向以及由这一方向所决定的中国德育发展的逻辑中去获得进一步的深入理解。也就是说，只有清晰了解新时代中国需要有什么样的德育，我们才能更为明晰也更为脚踏实地回答新时代中国德育研究应有的努力方向。

三、时代逻辑的转换与中国德育事业及德育研究应努力的方向

2017年，党的十九大宣布“中国特色社会主义进入新时代”，我国社会主要矛盾已经转化为“人民日益增长的美好生活需要和不平衡不充分的发展之间的矛盾”。[①] 与此相应，新时代的中国德育如何为切实解决“人民日益增长的美好生活需要和不平衡不充分的发展之间的矛盾”作出应有贡献？进一步说，依据新时代的发展逻辑，我们需要什么样的德育实践、德育研究？对于这些时代之问题作出全面、认真的回答，实乃新时代中国德

---

① 习近平．决胜全面建成小康社会 夺取新时代中国特色社会主义伟大胜利［M］．北京：人民出版社，2017：11.

育理论工作者必须承担的重要历史使命。

（一）新时代教育发展逻辑的重要转换

由于改革开放以来中国社会经济的长足发展，我们已经进入了一个“物质丰裕的时代”，而这无疑是新时代教育发展逻辑转换的物质基础。

我们可以 2019 年的经济发展指标为例。这一年，中国有两项发展指标特别具有划时代意义：一是人均 GDP 首次超过 1 万美元（国家统计局的数据显示，2019 年中国人均 GDP 达到 10276 美元[①]）；二是城乡居民平均恩格尔系数（居民食物支出占家庭生活总支出的比重）首次降到 30% 以下（国家统计局的数据显示，2019 年全国城乡居民平均恩格尔系数为 28.2%[②]）。

人均 GDP 首次超过 1 万美元、恩格尔系数首次降到 30% 以下，都是了不起的成就，但对于人民的幸福生活而言，平均恩格尔系数显然更为重要。这是因为国家、社会发展的终极目标都是人民生活的改善，而恩格尔系数所直接反映的，正是人民生活水平的高低。虽然横向比较，我们与发达国家尚有不小差距，现实发展的挑战甚多（如基尼系数居高不下），未来发展也未必会一直一帆风顺，但若纵向比较或做大历史的总体考察，我们仍然要承认一个基本的事实——中国已经进入了一个全新的历史发展阶段：几乎所有国民都摆脱了极端贫困、解决了温饱问题、实现了全面小康，国家在整体上已经进入了一个国民物质生活普遍较为富足的新时代——而这一点具有特别重要的历史意义。因为支持各项事业发展的经济基础日益雄厚，所以我们才有可能、有底气达成许多过去可能难以企及的成就。即便还存在教育质量有待提升等诸多挑战，我国教育事业已有长足的发展就

---

① 据《每日经济新闻》2020 年 1 月 17 日发表的文章，2019 年，中国人均 GDP 首破 1 万美元，GDP 总量与日、德、英、法四国之和大体相当。国家统计局 2022 年 2 月 28 日公布的《2021 年国民经济和社会发展统计公报》显示，2021 年中国人均 GDP 已经达到 80976 元，按当时的年均汇率折算为 12551 美元，已经超过世界平均线。

② 2019 年全国居民恩格尔系数 28.2%　连续 8 年下降[N]. 中国青年报，2020－01－22.

是不争的事实。我们再以 2019 年的数据为例。据有关部门的统计：2019 年，我国九年义务教育巩固率为 94.8%，义务教育普及程度达到世界高收入国家的平均水平；2019 年，我国高等教育毛入学率从 2000 年的 12.5% 提高到 51.6%[①]，高等教育在校学生总规模超过 4000 万人，实现了从大众化向普及化的历史性跨越，中国已建成世界上最大规模的高等教育体系[②]……这些成就，无疑都以改革开放以来国家综合国力大幅度提升从而能够有力支持教育事业的发展为基本前提。以国家对教育的投入为例，2012 年以来，国家财政性教育经费支出连年超越 GDP 的 4%，总规模以数万亿元计[③]。因此，我们完全可以预期，只要国家保持目前的发展势头，不断提升的经济实力、综合国力也必定会在未来支撑中国教育事业的进一步腾飞。

不过，“物质丰裕”的社会对人类发展，尤其是对教育事业的发展的挑战也是空前巨大的。中国教育事业发展从现在开始必须直面的挑战至少来自两个方面：一是教育需求类型的升级；二是社会人口结构的变化。

所谓教育需求类型的升级，指的就是无论受教育者（学生）还是教育者（教师），大家接受和从事教育的动机类型都已经悄然发生范型上的变化。受教育者，以后当然还会继续考虑教育的工具性价值（如获得文凭、找一份好工作），但越来越多的人会从过去接受教育的“饥饿逻辑”（如“跳农门”、找工作等）的控制中逐步摆脱出来，更多地关注通过教育去追求修身养性、实现人生梦想等教育的本体性价值。2020 年，湖南省一位贫困家

① 根据美国学者马丁·特罗的研究，以高等教育毛入学率为指标，可以将高等教育发展历程分为精英 (15% 以下)、大众 (15% 至 50%) 和普及 (50% 以上) 三个阶段，当高等教育毛入学率超过 50%，高等教育就进入了普及化阶段。

② 据《2019 年国民经济和社会发展统计公报》，2019 年我国九年义务教育巩固率达到 94.8%。据 2021 年全国教育事业统计主要结果，2021 年我国九年义务教育巩固率达到 95.4%，各种形式的高等教育在学总规模 4430 万人，高等教育毛入学率达到 57.8%。以上数据均不包括我国港澳台地区。

③ 国家统计局数据：2020 年教育经费总投入达 53014 亿元。

庭出生的高分考生不顾网上许多人的劝阻，没有选择更赚钱的金融专业而毅然报考了自己所心仪的考古系，就是一个典型案例。贫困子弟的这一抉择，虽然未必已是普遍现象，但在过去物质匮乏的时代却一定是更难想象的。类似心理需求的变化,在教育工作者身上也呈现出了同样的变化趋势。2015 年河南省一位重点中学教师辞职的理由居然是“世界那么大，我想去看看”，这封“史上最具情怀的辞职信”，当然不是说明教师们以后都不在意薪酬、待遇了，而是意味着在新的历史时期，除了物质上的回报，将会有越来越多的人更倾向于在教育工作、日常生活中寻求生命的安顿、意义的获得。

以上接受、从事教育的动机范型的变化,其实是可以理解的。因为“仓廪实则知礼节，衣食足则知荣辱”(《管子·牧民》)。依据心理学家马斯洛的需要层级理论，当一个人的基础需要获得满足之后，其“优势需要”就一定会转移到对真善美、自我实现等高级需要、超越性需要上去。接受教育、从事教育的心理需求类型变化，或者学习与工作动机类型的变化，正是悄然发生的时代巨变的典型表征之一。就德育而言，获得良好生活所需的道德教养、建构安身立命的价值观念、追求人生的终极意义，同时在社会生活中成为拥有公共参与能力的有尊严的社会主体，对于新时代学习者的重要性将越来越大。

所谓社会人口结构的变化，指的是由于社会经济以及教育事业的迅速发展，我国人口的社会阶层、文化素养等正在悄然发生的结构性变化。首先是中等收入群体（或者中产阶层）的不断壮大。目前中等收入群体有多大，学术界尚有争议，但是改革开放以来中等收入群体迅速发展壮大的趋势，则是大家普遍认可的。而且，只要中国经济、社会继续向前发展，中等收入群体就会不断壮大。中等收入群体，并不只是一个合乎某些财富指标的人群，其突出特征之一就是基本生活问题已经解决，与之相应，心理需要的类型也会随之变革——与获得个体尊严、寻求社会正义等精神需要相关的自由、平等、公正、民主、法治的意识、诉求都会普遍提高。

除了社会阶层结构的变化，还有一项与教育发展直接相关的结构性变化，就是人口文化素养结构的变化——中国受教育人口的比重已经达到前所未有的高度。与新中国成立初期 80% 以上国民是文盲相比较，九年制义务教育已经全面实现、高等教育进入普及化阶段的中国，其人口文化素养结构——其实就是受教育人口占比已经发生翻天覆地的变化。越来越多的国民接受了良好的基础教育、高等教育，固然是我们时代最伟大的成就，也更有利于国家治理现代化的实现，同时，由于“民智已开”，包括教育治理在内的全部社会治理将面临全新的挑战，也是不言而喻的。我们可以肯定地讲，许多不讲公平正义或“不讲道理”的社会治理与教育治理的旧模式必将越来越不合时宜，而社会主义核心价值观所蕴含的自由、平等、公正、民主、法治等精神，将成为我国公民普遍而真实的现实诉求。近年来一些人们过去习以为常的社会“小问题”常常能在一夜之间就迅速形成重大网络“舆情”，重要原因之一，也在于此。

总之，“中国特色社会主义进入新时代”，或者中国进入“物质丰裕的时代”，都已经让国家教育需求的类型、社会大众的结构发生了重要变化。中国教育只能顺应历史大势，努力做出与时俱进的改革。换言之，新时代教育发展逻辑即将发生重要转换——中国教育实践与理论建设一定要有回应“2019 年以后”时代要求的范型之变[①]——以提供优质、公平的教育供给为教育事业发展的基本逻辑。而在德育领域，顺应“物质丰裕的时代”来临的历史大势，我们应该努力做出与时俱进的变革，形成优质、公平的教育供给，至少包括完成在德育主题（内容）、德育形态（形式）两个方面的继往开来与品质提升。

再换言之，依据新时代教育发展的大逻辑，中国德育研究如何为推进德育实践在教育主题（内容）、教育形态（形式）两大转型提供全面、专

① 檀传宝. 发展范式转型的意味：论“2019 年以后”的中国与中国教育应有的变革［J］. 中国教育学刊，2022 (8)：64 － 69.

业的理论支持，也就势必成为新时代中国德育理论建构责无旁贷的使命。

（二）新时代必须坚守的德育主题

1. 加强基础道德教育——讲求基本人伦与道德教养

人类生活有一个重要且普遍的常识：若日常社会生活不讲基本人伦和道德修养，社会成员行为粗鄙，人际以及家庭、社会关系普遍紧张，何谈美好生活？所以，加强基础道德教育，既是教育领域一个千古不变的旧主题，又是“物质丰裕的时代”亟待应对的新课题。

中国是一个伦理型的文明古国，一直有强调基础道德的传统。孟子有云：“恻隐之心，人皆有之；羞恶之心，人皆有之；恭敬之心，人皆有之；是非之心，人皆有之。恻隐之心，仁也;羞恶之心，义也;恭敬之心，礼也;是非之心，智也。仁义礼智，非由外铄我也，我固有之也，弗思耳矣。”（《孟子·告子上》）“四端”说固然重点讲的是仁义礼智的发端，但也同时强调了基础道德发乎自然的“天理”属性。“父子有亲，君臣有义，夫妇有别，长幼有序，朋友有信”（《孟子·滕文公上》）等“五伦”与天理的自觉结合，强化了基础道德教育的重要性。故古代设立学校，“夏曰校，殷曰序，周曰庠，学则三代共之，皆所以明人伦也”（《孟子·滕文公上》）。“明人伦”等道德教育无疑是学校德育的基础或者根本。

“道德教育是学校德育的根本”① 其实也是许多西方教育学家的共识。杜威曾经明确指出：“民主政治热心教育，这是众所周知的事实。”“民主主义不仅是一种政府的形式；它首先是一种联合生活的方式，是一种共同交流经验的方式。人们参与有共同利益的事，每个人必须使自己的行动参照别人的行动，必须考虑别人的行动，使自己的行动有意义和方向，这样

---

① 檀传宝. 道德教育是学校德育的根本［J］. 全球教育展望, 2001 (6) : 9 − 14.

的人在空间上大量地扩大范围，就等于打破阶级、种族和国家之间的屏障，这些屏障过去使人们看不到他们活动的全部意义。”[①] 美国著名的品德教育倡导者里克纳也曾经明确指出：“我们民主的奠基人认为，道德教育是我们民主社会得以存在的关键。”“他们的理由是：民主的政府是由人民当家做主，人民自己对社会的自由与公正承担责任。这意味着人民至少在某种意义上说必须是善良的，他们必须理解民主的道德基础，并为之尽责……”[②] 因此他们的一个共同点就在于他们看到了政治教育虽然重要，但必须建立在最基本和最有效的道德教育基础之上。

对于当代中国社会而言，基础道德教育不仅具有永恒的、理论的意义，而且还具有十分迫切的现实意义。这是因为，物质生活的相对富裕会凸显人们对于精神生活的强烈需求。2014 年，人民论坛问卷调查中心曾经进行过一项有关中国“社会肌体健康”的调查（调查对象 8015 人）。据此形成的分析报告显示，超过八成的受访者认为当前中国社会正处于“亚健康状态”（“若请您为当今中国社会的健康程度打分，从 0 到 10，分值越高越健康，您的打分是？”选择 5 分及 4 分以下的各为 24.4% 和 57.7%），网民们认为最大的“社会病”包括：信仰缺失（55.3%，百分比越高意味着越多人认为这是最大的“社会病”）、看客心态（48.7%）、社会焦虑症（44.5%）、习惯性怀疑（40.4%）、炫富心态（38.9%）、审丑心理（36.5%）、娱乐至死（34.3%）……传统中国是一个乡土社会，特别强调以道德和信仰形成社会规范来规约各种利益主体。但这一调查发现，当今社会有高达 88.0% 的人认同（完全认同、比较认同者分别占 60.2% 和 27.8%）“信仰缺失、道德滑坡”是中国当代社会一种普遍的“社会病”。[③] 基础道德本身及其信仰基础的缺失，恰好与先秦儒家、宋明理学建立的基础道德的“天理”“伦常”的论证逻辑

① 杜威．民主主义与教育［M］．王承绪，译．北京：人民教育出版社，1990：92.

② 里克纳．美式课堂　品质教育学校方略［M］．刘冰，等译．海口：海南出版社，2001：5.

③ 数据来自人民论坛问卷调查中心 2014 年 9 月发布的《当前社会病态调查分析报告》。

以及杜威和里克纳的共识走向了完全相反的方向，同时也反映出了日渐富裕的中国社会在精神层面的饥渴状态以及人民群众心理需求的时代转向。

为了因应新时代社会发展趋势和人民群众的精神需要，2019 年 10 月 27 日，中共中央、国务院印发了《新时代公民道德建设实施纲要》。该纲要开宗明义指出："中国特色社会主义进入新时代，加强公民道德建设、提高全社会道德水平，是全面建成小康社会、全面建设社会主义现代化强国的战略任务，是适应社会主要矛盾变化、满足人民对美好生活向往的迫切需要，是促进社会全面进步、人的全面发展的必然要求"，"要把社会公德、职业道德、家庭美德、个人品德建设作为着力点。推动践行以文明礼貌、助人为乐、爱护公物、保护环境、遵纪守法为主要内容的社会公德，鼓励人们在社会上做一个好公民；推动践行以爱岗敬业、诚实守信、办事公道、热情服务、奉献社会为主要内容的职业道德，鼓励人们在工作中做一个好建设者；推动践行以尊老爱幼、男女平等、夫妻和睦、勤俭持家、邻里互助为主要内容的家庭美德，鼓励人们在家庭里做一个好成员；推动践行以爱国奉献、明礼遵规、勤劳善良、宽厚正直、自强自律为主要内容的个人品德，鼓励人们在日常生活中养成好品行。"对于教育工作者来说，这不仅是对社会发展中道德建设的强调，更是对于基础道德教育最为明确的强调。

基础道德教育既是对儿童道德发展逻辑的尊重，也是完整人格建设逻辑的必然要求。因为儿童总是在与身边人友好相处的日常生活中发展其道德的；而没有基本道德人格建设，任何宏大的社会政治理想、价值观念都会失去其有效生长的起码逻辑基础。强调基础道德教育，既是一个超越时空的永恒、普遍的教育命题，也是当代中国德育直面当代中国社会现实精神需要必须作出的理性回答。

2. 开展民主法治教育——协力政治文明建设

"美好生活"一定是共和国每一个公民都拥有人格尊严，合法权利都得到充分保障的生活。因此"不断满足人民对美好生活的向往"，一方面要求大力加强民主与法治建设，建设社会主义政治文明，另一方面则需要扎实开展民主、法治教育，确保公民成为负责任的权利主体、共和国真正的主人翁与建设者。因此，民主与法治教育、社会主义民主政治教育，或者中国特色社会主义的公民教育的开展就是这一美好生活建构的应然之义。

关于人的现代化，美国社会学家阿历克斯·英格尔斯曾经有过精彩的论述。在深入研究西方发达国家现代化进程并考察了第三世界国家现代化发展出现的诸多问题之后，英格尔斯发现：一个国家或企业即使有先进的制度，但如果缺乏能赋予这些制度以真实生命力的广泛的现代心理基础，如果执行和运用这些现代制度的人自身还未从心理、思想、态度和行为上都经历一个现代化的转变，那么就会导致制度的畸形发展甚至失败。再完善的现代制度和管理方式、再先进的技术工艺，也会在一群“传统人”的手中变为废纸一堆。这就是著名的“英格尔斯效应”。因此，英格尔斯断言：“人的现代化是国家现代化必不可少的因素。它并不是现代化过程结束后的副产品，而是现代化制度与经济赖以长期发展并取得成功的先决条件。”①

中共中央、国务院于 2019 年 2 月颁布的《中国教育现代化 2035》明确指出，要“大力推进教育理念、体系、制度、内容、方法、治理现代化，着力提高教育质量，促进教育公平，优化教育结构，为决胜全面建成小康社会、实现新时代中国特色社会主义发展的奋斗目标提供有力支撑”。而与之配套的由中共中央办公厅、国务院办公厅印发的《加快推进教育现代化实施方案（2018—2022 年）》所制定的 5 年教育现代化总体目标则是：“经过 5 年努力，全面实现各级各类教育普及目标，全面构建现代化教育制度体系，教育总体实力和国际影响力大幅提升。实现更高水平、更有质量的普及，教育改革发展成果更公平地惠及全体人民，教育服务经济社会发展的能力显著提高，社会关注的教育热点难点问题得到有效缓解，多样化可

① 英格尔斯．人的现代化［M］．殷陆君，编译．成都：四川人民出版社，1985：8.

选择的优质教育资源更加丰富，人民群众受教育机会进一步扩大，学习大国建设取得重要进展。”在以上两个文件中，无论是“推进教育理念、体系、制度、内容、方法、治理现代化，着力提高教育质量，促进教育公平，优化教育结构”，还是“教育改革发展成果更公平地惠及全体人民，教育服务经济社会发展的能力显著提高，社会关注的教育热点难点问题得到有效缓解，多样化可选择的优质教育资源更加丰富，人民群众受教育机会进一步扩大”，都说明教育现代化在制度、观念层面均得到了前所未有的强化。这是因为，无论我们的教育现代化在器物层面的进步指标如何亮眼，若教育制度民主与法治水平还不够高，若我们培育的社会主义建设者和接班人还不完全具备独立人格和创造精神、不能积极和理性参与社会治理，若我们不能在制度、精神层面实现彻底的现代化，我们就不可能真正意义上全面实现教育现代化。

若是做国际比较，社会主义民主法治教育、社会主义民主政治教育、社会主义核心价值观教育，其实就是世界各国所说的公民教育。我们与他人的区别，只在于我们的公民教育是中国特色社会主义的公民教育。公民教育所要培育的“公民”，既与“臣民”相对，也与“私民”相对。前者要求社会成员告别等级社会和人身依附，成为民主社会的权利和责任主体，因此公民教育的核心内容就必然包括自由、平等、公平、正义、民主、法治等；后者要求受教育者告别自给自足、不问政治的小农人格，成为有责任感、有能力参与社会治理的社会成员，因此公民教育的内容就必然包括道德责任、法治精神、爱国、敬业、诚信、友善等。无论中外，公民教育的目的，都在于促进受教育者健全的公民身份（Citizenship）的建构，从而在人格上告别人身依附和小农人格，实现人的现代化。正是在这个意义上，公民教育是现代教育性质的体现，是现代教育的目的性要求，因而公民教育意味着“全部教育的转型”①。当然，中国公民教育是中国特色社会主义公民教育。

---

① 檀传宝．论公民教育是全部教育的转型：公民教育意义的现代化视角分析［J］．安徽师范大学学报（人文社会科学版），2010，38（5）：497－503.

教育即生活。要实现人的现代化、培养现代公民，不仅需要设置如“道德与法治”“思想政治”等专门的德育课程，还需要系统“重构学校制度生活”。因此加强学校制度建设以及开展与之相应的制度德育，就成为加强民主与法治教育的必然选择。依据制度德育论的理论主张，第一，“制度是教育资源”，应当彰显学校制度正向的多方面的育德功能；第二，“制度是教育过程”，应当确立优良学校制度的品质，对现行学校制度进行批判性审视，建构公平正义、民主平等、自由发展的学校教育制度，把制度建构活动变成教育过程；第三，“制度是生活方式”，应当把成文的制度规定与有组织的制度活动，通过内化与外化双向机制，变成稳定的制度化行为模式，化为学校制度生活，通过学校制度生活来培养学生品德。① 从本质上看，制度德育论是从学校制度重建、优化的角度主张加强教育生活意义上的民主与法治教育。

3. 推进“人类命运共同体”教育——促进全球公民责任和团结

当代社会，人类生活已经是一个相互依存的整体。一国人民的“美好生活”，一定与其他国家有直接和间接的关联。所以近年中国一直大力倡导构建“人类命运共同体”（a Community of Shared Future for Mankind）。“人类命运共同体”这一理念的提出，既是为了维护中国人民的尊严，维护国家的核心利益、主权、安全及发展，也是为了更好地承担国际义务，反对单极化霸权，推动建立更加公平正义的全球治理新秩序。“人类命运共同体”，是一种政策宣示、一种社会理想，更是一种客观现实。②

“人类命运共同体”理念之所以成立，首先是因为世界经济的“全球化”

---

① 杜时忠．制度何以育德？［J］．华中师范大学学报（人文社会科学版），2012，51（4）：126 − 131 + 4.

② 据中国外文局当代中国与世界研究院 2020 年 9 月 15 日发布的《中国国家形象全球调查报告 2019》，已有六成以上海外受访者认可“人类命运共同体”这一理念对个人、国家、全球治理的积极意义。

已经是一个具有突出现实性、普遍性的客观事实与发展趋势。市场经济的发展已经使得全球化市场成为当代各国经济面临的客观现实，产业、市场、资本的全球化分工会使得资源配置更好地实现优势互补，世界经济的发展也更有效率与活力。所以尽管在理论上一直存在对于全球化进一步加剧了国家间的贫富差距，加重资本对于普罗大众的经济剥削、政治压迫，导致政治、文化、生态危机日益严重等广泛的批评，尽管近年一些发达国家出于一己之私也采取了许多“逆全球化”的政策干预，经济全球化仍然是一个不可阻挡的历史潮流。

经济全球化除了使得世界变小、成为“地球村”，还加快了科技、文化、教育的交流，互联网的产生与发展，新媒体尤其是智能化的社交媒体的涌现和全球化覆盖，也使得整个世界在信息交流方面实现了前所未有的相互开放，而更加开放的世界反过来又使得全球化的范围和程度不断加深，“人类命运共同体”建构的现实性也因此得到进一步强化。

此外，当代世界还面临着许多亟待解决的现实问题，如战争与冲突、环境和气候问题、发达国家与发展中国家的贫富差距等。这些问题也都具有全球性，非一个国家或者某一国家集团可以单独解决。因此，各国如何和平相处、各国国民如何作为“全球公民”参与国际秩序的重建，迫切需要我们努力在德育上开展“人类命运共同体”意识的教育或者“全球公民”身份的培育。

联合国教科文组织 2015 年发布的《反思教育：向“全球共同利益”的理念转变》(*Rethinking Education: Towards a global common good*, 2015)[①]明确指出，虽然“目前关于公民的定义仍以民族国家为核心，但在全球化

---

① 中文版已经由教育科学出版社于 2017 年出版。原文“common good”应译作“公共善”而非“共同利益”(common interest)。公共善着眼于社会正义，共同利益强调利害关系。联合国教科文组织的这一报告强调应该重新思考教育的使命，将教育视作在全球范围内促进公平正义、培育全球公民身份的事业。

的影响下，这种概念和相关做法正在改变”①。跨国社会和政治共同体，民间社会和行动主义都是新型“后国家”公民的表现形式。全球化创造出了超越民族国家的新型经济、社会和文化空间，正在促成超越民族国家界限的新的身份认同和动员模式。而“国家教育”面临挑战，人类社会要“重新思考多元互联世界中的公民教育”。②

超越民族国家层面的“人类命运共同体”教育，与国际上通行的“全球公民教育”（Global Citizenship Education，简称 GCE）相通。总结联合国及世界各国全球公民教育的政策与实践经验，为了真正“促进全球公民责任和团结”，“人类命运共同体”教育，或者“全球公民教育”至少应当包括如下几个重要的教育主题：第一，文化理解与和平教育。第二，经济发展与可持续发展教育。第三，全球治理与公民的建设性参与。

以上基础道德教育、民主法治教育、“人类命运共同体”教育，刚好构成了一个由近及远的逻辑系列。只有在教育内容上不断扎实强化这些主题的教育，我们的世界才可能更加美好，中国德育也才能满足人民群众对于美好生活的向往。但无论是基础道德教育、民主法治教育还是“人类命运共同体”教育，在内容选择、界定和有效开展上，都有许多需要德育理论工作者勇敢面对、深度回应的重大课题。

（三）新时代应当建构的德育形态

实现优质、公平的教育供给这一新时代中国教育事业发展的基本逻辑，不仅要求有高品质的德育内容安排，也要求有高品质的德育形式保障。让中国德育在教育形态上更加美好、让新时代少年儿童有更多接受优质德育

---

① 编译自 TAWIL S. Education for ‘global citizenship’: A framework for discussion［C］// ERF Working Papers, Series No. 7. Paris: UNESCO, 2013.

② 联合国教科文组织．反思教育：向“全球共同利益”的理念转变［M］．联合国教科文组织中文科，译．北京：教育科学出版社，2017：57.

的幸福感，具体说来，让中国德育成为专业的德育、审慎的德育、美好的德育，理应成为新时代德育形态变革的主要方向。

1. 让德育成为专业的教育——对德育规律的严格遵循

立德树人是教育的根本任务，故在教育上“人民日益增长的美好生活需要”也就自然表现为人民群众对于德育实效提高的广泛期待。而要让中国德育实效提高、让德育形态更为美好，这就需要严格遵循德育的客观规律，实现经验型德育向专业化德育的历史转型。

首先，由经验型德育向专业化德育的历史转型，要求德育实践充分尊重儿童道德发展的客观规律。

关于儿童的道德发展，劳伦斯·柯尔伯格（一译科尔伯格）曾经在道德认知发展上有过经典的描述。柯尔伯格不仅通过实证研究归纳出了儿童道德判断三水平（前习俗、习俗、后习俗）、六阶段（奖惩与服从定向、工具主义的相对主义定向、好孩子定向、法律与秩序定向、社会契约定向、普遍伦理原则定向）的发展轨迹，而且通过图利尔等人的试验得出结论：发展性道德教育的第一个心理学原则是，儿童只能同化在发展意义上合乎他们自身水平的那些道德说理；第二个心理学原则是“道德发展上的向前运动不仅依赖于向儿童揭示下一阶段的思维，而且要使儿童体会到运用他们自己当前的思维水平到道德问题情景中发生认知冲突的经验，如果经验不到足够多的认知冲突和不确定性，道德发展就不会发生”。[1]柯尔伯格的道德认知发展理论及其生发出来的两难讨论、公正团体等德育方法至今仍然有重要的应用价值。当然，儿童道德发展并不只有道德认知发展一个维度，精神分析理论、社会学习理论、积极心理学等许多品德发展理论都从

---

① KOHLBERG L.Cognitive-developmental theory and practice of collective moral education［M］// WOLINS M, GOTTESMAN M. Group care: the education path of youth aliyah. NY: Gorden & Breach,1971 : 367.

人格发展、道德情感、亲社会行为等方面补充了儿童道德发展的其他维度。即便是儿童道德认知发展理论本身，通过图利尔、努奇等人的努力，也发展出了社会认知领域理论，将道德发展领域与社会习俗、个人生活领域的发展严格区分开来，人们对儿童道德认知发展图景的描绘也越来越具体、准确。吉利根、诺丁斯等人则以他们在关怀教育理论上的杰出贡献，从性别视角补充了我们对于儿童道德发展的认识。道德发展理论的不断发展已经告诉我们的基本常识是，儿童道德发展的阶段性特征是客观存在的，发展的逻辑也是有规律可循的。而要求得德育实效提升，教育实践只能遵循这些规律。若我们将“德育”定义为思想、道德、法治、心理教育等更广泛的领域，则思想、道德、法治、心理教育等教育实效提升的前提，也一定是对儿童思想、道德、法治、心理发展实际与客观规律的敬畏与遵循。

其次，由经验型德育向专业化德育的历史转型，还要求德育实践充分尊重德育活动的客观规律。

在当代中国德育实践探索中，德育的课程改革一直是德育实践改进的重点领域，而德育课程改革的一大进步，就是在课程理念上对于德育规律的尊重。其中最重要的就是鲁洁所倡导的“生活德育”理念对于课程改革的巨大贡献。鲁洁指出：“道德学习的本质，不是知识学习，而是生活的、实践的学习。”① “当代的教育却无视道德之知的实践特性，同其他知识一样也把它放在科学理性主义的过滤器中筛选成普遍化、客体化的知识，彻底割断了它长在母体身上的脐带，断绝了它与生活实践的联系，也就使它再也回不了自己的家。”② 因此，“新德育课程的基本理念是回归生活。德育课程要‘源于生活，通过生活，为了生活’，在课程的实施中，不仅要关注课程的内容贴近生活，

① 鲁洁．江苏社科名家文库：鲁洁卷［M］．南京：江苏人民出版社，2015：18.

② 鲁洁．边缘化　外在化　知识化：道德教育的现代综合症［J］．教育研究，2005（12）：11－14＋42.

还要努力促使课程学习能真正改变生活”[1]。德育课程改革的具体目标应当表现为“道德观：从知识道德向生活道德转变”“课程观：从唯知识论走向生活经验论”“学习观：从单向传输转向交互作用”[2]。

不管德育课程标准与课程实践如何发展，我们可以肯定的是：不仅德育课程，而且全部德育实践，在坚持中国特色社会主义德育方向的同时，如何克服德育内容“假大空”、德育方式“强制灌输”等违背规律的德育惯习，始终是中国德育追求进步的重要方向之一。

再次，由经验型德育向专业化德育的历史转型，在教育实践上必然要求德育工作专业化水平的全面提升。

“德育专业化”既是历史的趋势，也是逻辑的必然。在进入现代社会之前，包括德育在内的所有教育活动都是经验型的。从事个体化教学工作的教师，其教育实践与手工艺人师傅带徒弟的模式并无本质差异。其基本逻辑在教育内容上都是“会什么，教什么”，在教育形式上也都是借助经验探索教育的有效性。尽管中外都不乏杰出的教育家和教育思想家，但是他们的教育实践、教育理论都是经验性的探索。以机器大工业为代表的现代生产的迅猛发展以及义务教育普及运动所催生的大规模学校教育，特别是“师范教育”的产生，是经验型教育到专业化教育的一个重要分水岭。师范院校的产生，意味着人类社会在制度上认可了教育工作两种专业性：一是在教育内容上，现代科学各学科知识意义上的“学科专业性”得到进一步认可；二是在教育方式上，教育学、心理学、教学法等所代表的“教育专业性”得到了体制性的认可。如果说“学科专业性”是旧式教育“会什么，教什么”逻辑的延续与升级，那么“教育专业性”则是现代教育与古代教育的根本区别所在。从此，包括德育在内的全部现代教育，都必须

---

① 鲁洁．江苏社科名家文库：鲁洁卷［M］．南京：江苏人民出版社，2015：18.

② 鲁洁．德育课程的生活论转向：小学德育课程在观念上的变革［J］．华东师范大学学报（教育科学版），2005 (3)：9－16＋37.

兼顾“学科专业性”和“教育专业性”。在这一意义上，现代教育、德育必须实现由经验型到专业化的范式变革，当然就是一个历史的必然。

之所以说“德育专业化”不仅是历史的趋势而且也是逻辑的必然，还因为：若全部教育都要承认“学科专业性”和“教育专业性”，实现由经验型到专业化的范式变革，德育作为教育的“根本任务”当然也要完成这一历史的转型。而要完成这一历史转型，德育就必须在研究、决策和教师的德育专业化等方面做出应有的努力。

完整的“德育专业化”无疑应当包括德育研究的专业化和德育决策的专业化。因为没有研究的专业化，德育决策及实践就没有“专业”的基础，专业化也就无从谈起。而德育决策的专业化则是德育事业专业化发展的关键。因为没有对于儿童道德发展规律的把握，没有对于德育原理、德育规律的尊重，就不可能有教育政策所追求的德育实效的取得与提高。“文革”时期一些政策对于德育规律的否定直接导致了德育内容的混乱以及德育方式非理性，其结果是灾难性的。“文革”结束后，“五讲四美三热爱”运动在全国范围内广泛开展，其实就是因为绝大多数国民已经意识到基本德性丧失的灾难性后果。20 世纪 70 年代末 80 年代初出现的青年一代的“信仰危机”更是意味着强制灌输无法建构真正的信仰。而新世纪伊始开启的德育课程改革之所以取得重要进步，最为根本的经验无疑也是教育决策对于德育专业或德育规律的应有尊重。

“德育专业化”还应当包括教师德育专业化。[①] 迄今为止，日常教育生活中人们常常将教师专业化理解为课程、教学意义上的专业化，这是一个严重的“概念的缺损”。其结果，“一方面，教师大学毕业拿到教师资格证书时基本没有学习过如何进行德育，在继续教育过程中对德育的学习也是偶然和不系统的，故所有教师都在以‘摸着石头过河’的方式

① 蓝维．德育专业化的关键：德育教师的专业发展［J］．教育研究，2007 (4)：26 − 27.

从事德育；另外一方面，现代教育与心理科学已经在德育理念、德育基础理论、德育策略与技能、品德及德育心理等许多维度都累积了十分丰富的研究成果，但这些成果只在教育研究者圈子里面循环，而较少与一线教师和其他实际教育工作者联系”①。因此，如何分门别类让所有实际承担着德育使命的从教人员都获得相应教育岗位所必需的德育观念、德育理论与德育事务等方面的专业知识与能力，是新时代中国教育事业尊重德育规律，实现德育实效、品质提升的关键之关键。

2. 让德育成为审慎的教育——对后真相时代的理性应对

当前，由于经济全球化的不断深化以及媒介生活形态的突飞猛进等原因，社会生活的复杂性、价值观的复杂性都已经空前提高。如何应对“后真相时代”的挑战成为全球性话题。

2016 年，《牛津英语词典》将“后真相”（post-truth）一词选为年度词汇，并将之定义为“诉诸情感与个人信仰比陈述客观事实更能影响民意的一种情形”。尔后《经济学人》在一篇文章中将“后真相”解释为：“真相并未被篡改，也未被质疑，仅仅是变得次要了。”②也就是说，“后真相时代”的公众在求真相没有希望的情况下，往往不再“较真”，人们更趋向于相信他们在情感上愿意相信的“事实”。概括说来，“后真相时代”的突出特征有二：一是由于种种原因，尤其是基于各种利益的考量，与过去相比，当代社会已是一个真相更难把握的社会；二是由于媒体发达、信息爆炸，人类很难像过去那样轻易获得真相，因此许多人便“方便行事”“反求诸己”，只相信自己愿意相信的“真相”。后者不仅让形形色色的民粹思维大行其道，也让真相的求索、共识的形成变得更为困难。而“未经反思就接受的观点

---

① 檀传宝. 再论“教师德育专业化”［J］. 教育研究, 2012, 33 (10): 39－46.

② NOGUEIRA J. Post-truth politics: art of the lie［J］. The Economist, 2016 (9): a27－a33.

和草率作出的决定有可能给我们的家庭、朋友、同事、社会、环境以及星球造成破坏性的灾难”[①]。

虽然“后真相时代”的到来,也有碍于自然世界里真相的发现,但是“诉诸情感与个人信仰比陈述客观事实更能影响民意的一种情形”肯定更多地发生在社会领域，尤其是价值观及其教育领域。故在当代社会，德育不可避免地面临两大维度的时代挑战。

首先是在教育目标、内容上，当代德育会面临不同价值观的同台竞技，其次是德育的形式方面，如德育的方式、方法等，同样会在不同制度、不同意识形态的国家间竞争，这都要求德育能够帮助道德学习主体在复杂的当代社会生活中作出明智且经得起考验的价值选择。此外，在“后真相时代”，人们对情感与信仰的服膺往往超过了对事实真相的究问。批判性思维有助于人们基于事实追求道德生活的真相。故在“后真相时代”，德育要理性应对上述挑战,批判性思维（Critical Thinking,又译作“审慎性思维”）就显得前所未有地重要。

所谓批判性思维，不过是“做出有目的、自我监督的判断的过程”，是“就观点和行为建构一个合理且公正的判断”。[②]批判性思维的关键能力，包括质疑能力和理性思考能力。[③]与彼得·法乔恩的前述定义相似，诺希克列举过另外三个有代表性的定义：“批判性思维是合理的、反思性的思考，着重于决定相信什么或做什么”（来自恩尼斯）；“批判性思维是熟练的、可靠的思考。因为它对背景很敏感，依赖于标准，并且是自动调整的，所以有助于形成有效的判断”（来自李普曼）；“批判性思维是你

① 法乔恩．批判性思维：思考让你永远年轻［M］．李亦敏，译．北京：中国人民大学出版社，2013：6.

② 同①7.

③ 美国学者恩尼斯的观点，转引自 COTTRELL S．批判性思考：跳脱惯性的思考模式［M］．郑淑芬，译．台北：寂天文化，2007：12.

在思考的时候，考虑自己的想法，以使自己更好地思考”（来自理查德·保罗）。[①]

批判性思维所要求人的，不过是严肃反思自己的判断和行动，不过是“讲理”（reasoning）——依据“理”（依据可靠标准并推理）、“据”（客观事实）作出理性的抉择并服从真理。批判性思维是一种明智的思维方式，其本身并不等同于某种道德上的善或恶。换言之，一些邪恶之徒也可能具有某种批判性思维的能力并让这一能力为犯罪服务。但对于德育而言，批判性思维要求分析信息来源与背景，依据一定标准，通过重新组织概念、展开逻辑推理，从而合理反思、评估所获取的信息及其附着的价值观，这不仅会帮助个体获得事实意义上的真相，更有利于帮助个体在置身于价值信息的洪流时能够以公正客观的态度作出理性的道德判断，避免无意中被未经反思的道德情感带来的猛烈冲击俘获而成为无脑的“乌合之众”。很显然，当代人要在纷繁复杂的价值世界中真正安顿自己、安顿年轻一代的精神生命，与其在眼花缭乱的价值观面前无所适从，不如在德育实践中强化批判性思维的培育，让德育对象在“风吹雨打”中自由、理性地选择并牢固建构起自己的价值观。由于批判性思维具有特别强调反思、强调标准、强调真实、强调理智等特性[②]，批判性思维的培育当然也一定会让合理的德育活动在内容、形式的竞争中拥有更强大的竞争力。

“物质丰裕的时代”和“后真相时代”无疑是同一个时代。前者意味着精神需要的凸显和德育对于这一需要高质量回应的必要；后者则要求高品质的德育，应该将批判性思维纳入日常德育生活，不仅提升德育的实效，而且因为实效的获得而让德育对象体会自主、自由地接受德育的美好。

---

① 诺希克．学会批判性思维：跨学科批判性思维教学指南［M］．柳铭心，译．北京：中国轻工业出版社，2005：2.

② 同①3－5.

3. 让德育成为美好的教育——主体自由的真正实现

如果用发展批判性思维的方式去应对“后真相时代”的德育的挑战是一种相对“防守”的策略，那么更为积极的教育战略就是让德育成为一种最“美好”的教育事业。当代德育应当成为一种能让道德学习主体自由真正实现的德育，一种自主、生活和审美的德育。

与自主的德育相反，在德育领域最不美好的学习体验，当然就是蔑视学习者的主体性、“按着马头让其喝水”（杜威语）式的强制灌输了。关于“灌输”，或者“强制灌输”，柯尔伯格曾经有过一段十分精辟的论述：“灌输既不是一种教授道德的方法，也不是一种道德的教授方法。说它不是一种教授道德的方法，是因为真正的道德应当包含对可能出现的价值冲突作出审慎的抉择；说它不是一种道德的教授方法，是因为合乎道德的教学必然意味着尊重儿童正在发展的对所学内容进行推理与评价的能力。”[①]

与灌输式的德育相反，让道德学习主体自由真正实现的德育，一定是自主、生活的德育。“唯物辩证法认为外因是变化的条件，内因是变化的根据，外因通过内因而起作用。”[②]因此自主的德育不仅是现代教育学、心理学的主张，也符合唯物辩证法的基本原理。就像石头不可能孵化出小鸡一样，没有德育对象内在学习动机的发动，没有对特定价值观念的情感接纳、认同，没有学习者学习经验（生活）、发展阶段等“内因”条件的支持，就没有任何有效学习发生的可能性。由于涉及情感、态度、价值观的改变，与一般文化课知识学习相比较，强制灌输在德育上会更加无效。也正是因为这一点，柯尔伯格才说灌输“不是一种教授道德的方法”。自主的德育、自我建构的德育不仅是教育“效益”的要求，而且是教育伦理的要求。现

① POWER C, KOHLBERG L. Using a hidden curriculum for moral education [J]. Education Digest, 1987 (2) : 12.

② 毛泽东选集：第一卷 [M]. 北京：人民出版社，1991 : 302.

代德育乃至全部教育之所以区别于古代德育、教育，一方面是彻底的人身依附的否定，另一方面是教育基于人是目的而非手段的伦理基础。因为无视学习主体的尊严，将学习者看作达成某种目的的工具或者器皿，所以“按着马头让其喝水”式的强制灌输意义上的德育才“不是一种道德的教授方法”。就是说，由于违背现代教育伦理，德育的强制灌输范式在本质上是反德育的。

自主的德育可能面临价值观教育的强制与放任之间的矛盾；强调生活的德育也可能面临德育对生活的适应与超越之间的张力。而促成价值引导与自主建构的矛盾解决的“中庸之道”，在于德育内容与形式的审美化。因为“道德教育的内容与形式如果可以处理成一幅美丽的画、一曲动听的歌，那么与这幅画、这首歌相遇的人就会在‘欣赏’中自由地接纳这幅画、这首歌及其内涵。道德教育的价值引导与道德主体的自主建构两个方面就可以在‘欣赏’过程中得以统一”[①]。所以，让道德学习主体自由真正实现的德育更一定是审美的德育。

正如自主、生活德育的意义不仅在于德育绩效的提升，也在于教育伦理的落实一样，审美化的德育最为重要的也不仅仅在于通过对德育内容、形式、师生关系等的审美化改造而使得德育更为生动、克服道德规范之于学习者的“顽强的疏远性”，审美化的德育最重要的意义，也在于席勒所言的“在有文化教养的圈子里，在审美的国度里，人就只需以形象显现给别人，只作为自由游戏的对象而与人相处”[②]这一极富美感的教育境界的达成。由于道德及其学习自由的真实获得，德育才可能让学习主体摆脱奴隶式的被动道德规训状态，也脱离“人和人以力相遇”的丛林法则所支配的

① 檀传宝．德育美学观［M］．北京：教育科学出版社，2021：224.

② 席勒．美育书简［M］．徐恒醇，译．北京：中国文联出版公司，1984：145.

野蛮生活。因此，审美化的德育实践是一种能使道德主体的意义求索和学习自由兼得的当代德育之道。

无论是自主的、生活的、审美的德育，或是其他许多浪漫、理想的中国当代德育理论主张，本质上都是在主张让德育成为因道德学习主体自由的真正实现而变得更加“美好”的教育，而这正是“物质丰裕的时代”中国社会对于德育最核心的要求。

依据新时代的发展逻辑，我们需要什么样的德育实践、德育研究？

我们认为，加强基础道德建设、开展民主法治教育、促进“人类命运共同体”的形成，应该成为新时代必须坚守的最重要德育主题；让中国德育成为专业的德育、审慎的德育、美好的德育，理应成为新时代德育形态变革的最重要的改革方向。如果上述德育主题（内容）、德育形态（形式）的发展方向的确是新时代发展逻辑的必然，那么新时代的德育研究理所当然服从这一时代转型的逻辑去求得自身的发展。新时代的中国需要高品质的德育，相应地也就需要与之相应的更高品质的德育研究。换言之，如果中国德育理论工作者要“将论文写在大地上”，就一定要投身于以高质量的学术研究推进中国德育在内容与形式维度的品质提升这一伟大的事业之中。

在这一时代背景之下，《中国德育研究大系》可谓当代中国德育学人对于高品质德育实践与理论建构这一时代责任的一次集体性的学术承担。

四、《中国德育研究大系》的缘起与编撰历程

湖北教育出版社是一家情系教育、志存高远的专业出版社。自 2002 年以来，出版社曾经与多位德育研究者一起合作研制、出版国家义务教育新课程标准教材《品德与生活》《品德与社会》（鄂教版），为基础教育课程改革添砖加瓦。在愉快而高效的合作过程中，出版社与德育专家们不仅加深了了解，而且获得了高度互信。2020 年 10 月，全国德育学术

委员会第 29 届学术年会在海南召开，湖北教育出版社方平社长专程与会，提出与全国德育学术委员会合作出版《中国德育研究大系》的详细设想。《中国德育研究大系》选题价值也受到了全国德育学术委员会许多专家的高度肯定。会后，我们就立即着手谋划书系的框架、邀请和遴选作者、商讨编撰工作的日程安排。

2021 年 6 月，《中国德育研究大系》启动会在华中师范大学召开。长江出版传媒股份有限公司领导、湖北教育出版社领导和多位编辑参加会议，全国德育学术委员会时任理事长檀传宝教授、副理事长杜时忠教授，以及十位作者：孙彩平教授、卜玉华教授、齐学红教授、唐爱民教授、程红艳教授、班建武教授、叶飞教授、刘长海教授、李敏教授、刘春琼副教授参会研讨。为了认真总结中国当代德育研究的重要成果、应对德育研究面临的时代挑战、回应社会对德育实践的重大关切，与会专家一致认为在“两个一百年”的历史交汇点，编写《中国德育研究大系》适逢其时。在这次会议上，大家对《中国德育研究大系》的编写思想、风格定位、内容体例等问题进行了深入讨论，并形成如下共识：第一，丛书要成为高水平研究成果的集成，要优先考虑德育研究的学术性、专业性。第二，要突出时代气息和中国特色，充分反映中国德育发展和德育理论进步的整体风貌。第三，要具有国际视野、中国立场，要成为一个具有民族特色和世界眼光的德育研究精品系列。

最终呈现的《中国德育研究大系》由《德育基本理论研究》《学生品德发展研究》《教师道德研究》《德育课程研究》《班级德育研究》《家庭与社会德育研究》《德育方法研究》《德育评价研究》《中国传统德育研究》《中国德育研究新进展》十个分册组成，基本实现了预期目标。为了确保《大系》的学术水准与出版质量，在十册图书编写、审校完成后，我们又特别邀请了十位学者分别对上述十部书稿进行了审阅，他们分别是：周小李教授、张添翼副教授、蔡辰梅教授、郑航教授、李家成教授、李太平教授、朱晓宏教授、唐汉卫教授、冯永刚教授、郑富兴教授。十位审稿人认真阅读了书稿，并提出了大量中肯而有益的建设性意见，各册作者在此基础上进行了修改完善。

在此，我们对十位审稿人表示衷心感谢！

这十册图书汇集了中外德育研究的最新成果，在深入探讨德育基本理论、中国传统德育及面向未来的中国德育等诸多理论课题的同时，也系统分析、回应了教师道德、品德发展以及影响青少年品德成长的课程、教材、教学评价等德育领域的重大实践课题。《中国德育研究大系》既是汇集当代德育研究成果的百科全书，更是推进中国特色社会主义德育理论建构的工作平台。它不仅为中国特色社会主义德育理论的建构提供了一个系统、深入的崭新起点，更为构建方向正确、内容完善、学段衔接、载体丰富、常态开展的新时代德育工作体系，大力促进德育工作的专业化，提升德育的创新性、实效性，落实立德树人的根本任务，奠定了重要的教育理论之基。再加上作者团队——全国一批深具专业实力的德育研究者的积极参与和倾情奉献，我们有充分的理由相信：这是一套集权威性、公益性、原创性和实用性于一体的集大成之作。其出版，无论对于中国德育理论的建设还是德育实践品质的提升，都具有十分重要的时代意义。

汇集一批好学人，做成一桩大事情。在《中国德育研究大系》即将出版之际，作为主编，我们由衷感谢出版社有关领导、编辑团队对于本书系的有力支持，真诚感谢十位作者在百忙之中的积极响应、倾情投入和高品质的产出。与此同时，我们更是和全体作者一样，由衷地希望与更多的读者们同行，携手迎接一个中国德育研究更加美好的新时代！

檀传宝　杜时忠

目录

导　论

德育方法是德育理论和德育实践中的一个重要问题，任何德育活动都需要借助一定的德育方法才能进行。然而相比我国丰富的德育方法实践，有关德育方法的理论研究和学术史研究均较为薄弱。纵观我国古代社会至新中国成立以来德育方法的演变，德育方法在种类、数量、内涵等方面都有所发展。受社会变迁和教育进步的影响，德育方法从以身体为媒介、无意识的简单模仿、口耳相传，逐渐发展到有目的、有意识的综合身心内外、直接或间接的多种形式，呈现出由单一到多元、复合的发展形态。

在古代，教学方法和德育方法是未分化的。随着生产的发展、科学的进步，特别是造纸术和印刷术的发明和应用，阅读指导法被引进学校德育实践①，与讲授法相结合，成为学校德育的主要方法。社会和家庭层面的德育方法则融于环境陶冶、仪式活动、宗教习俗之中，各种仪式和习惯日复一日，以一定的程式固定下来，持续对德育对象产生影响，并形成我国古代的整体德育氛围。古代社会的德育方法被部分保留了下来，部分经过改造得到沿用。随着社会的进步和发展，德育被寄予越来越重要的功能和期待，社会思想的丰富和德育内容的扩充也进一步推动了德育方法的多样化发展。近现代以来，德育工作成了学校教育的重要组成部分，德育更加注

---

① 胡厚福．德育学原理［M］．北京：北京师范大学出版社，1997：286.

重个体自身道德的发展和完善，德育方法在注重指导教育的同时，也提高了对自我教育的认识，通过两种方式的结合，以促进个体自律，发展其理解能力，增强批判意识，尊重真理，热爱知识为特征，显示出对道德主体的高度关注[①]。

进入新世纪，德育方法更加生活化、多元化。人们普遍认可，德育不应该固守于学校这一场所，需要在学生的生活世界中进行。我国的德育方法研究也陆续出现了朝向心理学、测量学方向的发展，如心理咨询法[②]、品德评价法[③]，还出现了反映和回应现代媒介生活的德育方法，如可视化德育法[④]、网络德育法[⑤]等。在德育方法发展和分化的过程中，学界对德育方法的认识也逐渐形成了大小不一的范畴，出现了方法上自然且必要的分类，除了传统德育方法研究中按照时间线分类的古代德育方法、现代德育方法，和按照空间线分类的中国德育方法、国外德育方法之外，近年来出现了专业色彩更鲜明的分类方式，如依循德育方法主体的分类、依循品德心理结构的分类、依循不同德育方法作用方式的分类等。

---

① 班华．现代德育论［M］．合肥：安徽人民出版社，2004：223.

② 心理咨询法偏向于在心理方面给学生以帮助、劝告、启发、开导，在探讨这一方法时，已开始关注儿童的心理问题与思想品德问题有所不同。见严正．中小学德育原理与方法［M］．武汉：华中师范大学出版社，1989：110.

③ 早期对品德评价法的关注主要围绕思想品德教育，这种方法主张通过对学生的思想品德给予一定的评价从而对学生进行教育。见胡守棻．德育原理 [M]. 北京：北京师范大学出版社，1989：181.

④ 可视化德育法是新近在学校德育实践中提出的一种德育方法，指在学校德育工作中采用可视化的研究思路和思维方式，突出直观呈现的道德教育，实现知情意行整体德育过程的可视化。见马福兴．可视化德育［M］. 北京：现代出版社，2020：10 － 15.

⑤ 近年来，一些研究者开始关注网络生活中儿童的道德发展，也有研究者提出了要关注网络生活中儿童的道德学习，将网络情境作为德育的新路径、新方法。如：严耕等．网络伦理［M］．北京：北京出版社，1998；王经涛，王俊英．青少年网络道德教育［M］．北京：开明出版社，2001；蔡丽华．网络德育研究［M］．哈尔滨：黑龙江人民出版社，2007.

在对有关德育方法的认识基础之上，本研究对德育方法的定位和理解取中观层面的五大分类以及在分类下指向实践微观领域的具体方法，据此对新中国成立以来我国德育方法的已有研究进行分门别类的阐述。

五大分类的确定主要依循了德育方法之主体的差异与特点，在凸显教育者主体价值的指导教育方法下，聚焦了说服教育法、情感陶冶法、活动育人法三类德育方法。这三类方法各自侧重品德心理结构中"道德认知""道德情感""道德行为"三种成分。某一种方法只是侧重于培养品德心理结构中的一个方面，绝不是说这一方法只是完成某一任务。实际上，任何一种德育方法都可能同时具有知识、情感、意志、行为培养等方面的作用。而在凸显受教育者主体价值的自我教育方法下，聚焦了自我修养法和实践锻炼法两类德育方法。自我修养法和实践锻炼法各自侧重"道德意志""道德行为"两种品德结构要素，同时两类方法除了更为强调道德学习者自身的主体性外，也在知、情、意、行等方面更为强调结构的完整性和综合性。

在实际德育工作中，对德育方法的识别和应用多与多样化、具体化的德育方法的实施密切关联。因此，本书对于每一类德育方法的呈现与探讨，最后都会指向具体的方法应用与指导，如在说服教育法这一大类下，指向微观实践领域又展开了对说理教育法、正面管教法、道德两难故事法、启发自觉法、心理换位法五种具体方法的阐释与应用。由此，本书体现出鲜明的"德育方法理论探究"和"德育方法实践规范"相统一的研究主旨。

回望德育方法研究的历史发展，德育方法的实践形态相对丰富一些，这似乎说明了德育方法仅是一个实践议题，实则不然。在研究中，确实有许多研究过多关注了德育方法的手段价值和工具价值，但随着一些重要德育理论的再度活跃与发展，如"灌输论"的争辩、"知行合一"理论的变迁等等，德育方法在近一二十年间的研究中显现出越来越重要的理论属性，它成为研究者思考德育概念、价值以及目标的重要内容。新中国成立以来的德育方法研究，不仅优化了德育实践，也进一步繁荣了德育理论。

第一章
德育方法的界定与分类

德育方法是实现德育目标、完成德育任务的重要条件之一。在不同时期的文献和著作中，“德育方法”也称“教育方法”“道德教育方法”“品德教育方法”“思想政治教育方法”“德育策略”“德育方式”等。在学术研究中，德育方法在不同学段也有不同的称谓，如义务教育阶段称“品德教育方法”“思想品德教育方法”或“道德教育方法”，高中及大学阶段多表述为“思想道德教育方法”或“思想政治教育方法”。不同称谓所蕴含的内容侧重有所不同，使用上也略有差异，但是都一定程度上体现“德育方法”的内涵和要求。在我国，对这一概念的使用主体主要包括专业研究者、教研人员以及一线教师。

本章第一节将从“方法”这一基本概念入手，从理论研究者对“德育方法”的定义中梳理其研究脉络，通过揭示德育方法的内在构成，辨析“德育方法”与“德育方式”“德育手段”“德育途径”几组概念之间的异同，以深化对德育方法内涵的理解。在此基础上，针对其在道德教育过程中的意义与功能问题进行深入讨论。第二节通过梳理历史上对德育方法的分类研究，在前人的基础上提出本书对德育方法的分类设计。本书首先以德育方法的概括程度为依据，将德育方法自上而下分为三个层次：作为指导思想的德育方法，作为德育方式与手段总和的方法，作为具体工作策略、操作技能的方法。同时，在中观层面择取“师生关系”这一角度，将德育具体方法在大方向上分为指导教育方法与自我教育方法两大类，并对两大类下的五种德育方法专题进行分门别类的阐述。最后，探讨德育方法在德育实践中的选择与应用问题，以不断提高德育方法的运用艺术。任何一种教育活动都需要方法。本章在主要讨论德育方法概念与内涵的基础上，进一步针对其理论分类和实践应用作了深入探讨。

在实际的道德教育活动中，德育工作者在理解德育内涵的前提下，要重视德育方法运用的科学性，既体现时代性，又讲究艺术性，谨慎地选择德育方法及其组合，以达到优化德育活动的目的，从而推动德育方法实践样态科学化、多样化发展。

第一节　德育方法的界定

要深入研究德育方法，首先需要清晰地界定德育方法的基本概念，以确立研究的域界。因此，对德育方法及其相关概念进行阐释就成为德育方法研究的首要问题。本节将从“方法”这一基础概念说起，从研究者们的已有研究中梳理“德育方法”概念内涵，同时在明晰“是什么”的前提下进一步辨析德育方法的相近概念，并针对其在德育过程中的地位与作用进行深入讨论，以在历史研究中更清晰地澄清德育方法的概念内涵。

一、方法的内涵

方法与德育方法具有类属关系，也即一般性与特殊性的关系。因此，要理解德育方法的概念内涵，首先需要对“方法”的概念内涵进行深入分析，通过归纳和提炼有关“方法”概念的内涵意旨，为划定德育方法概念的学理范围指明方向。

（一）古代中外学者对“方法”概念的考察

在古代西方，“方法”一词最早出现于古希腊时期，意为“研究和认识的途径、理论或学说”[①]。从其语义上讲是指人们选择某条道路或朝着某个方向行进，对人们的行进过程具有指引性意义。在我国，可以从《辞源》中找到对方法定义的依据。《辞源》在解释方法时，给出了三种定义[②]：①量度方形之法。《墨子 · 天志中》：“中吾矩者，谓之方，不中吾矩者，谓之不方。是以方与不方，皆可得而知之。此其何故？则方法明也。”这也是我国最早论述“方法”一文，此语境下的方法是确定方形的规则，其指向在于方法如何运用实践工具作用客观对象这一事关操作性的问题。②办法。韩愈《送韩侍御归所治序》：“而又为之奔走经营，相原隰之宜，指授方法。”这里的方法与墨子的相比更具有普遍性，意指耕作的办法。③方术、法术。唐代张籍的《书怀》诗：“别从仙客求方法，时到僧家问苦空。”此时的方法亦指技术、技巧。

通过梳理可知，古代中外学者对方法内涵的定义既有共性，又有差别。共性在于，两者对方法的定义都体现出一定的“规定性”。据此可知，方法具有指导人们开展社会实践的目标导向属性，为人们开展社会实践活动指明了方向和路径。差别在于，两者对方法“规定性”的指向不尽相同。古希腊所定义的方法，其指向在于方法对社会实践活动的导向性、方向性；而在古代中国对方法的定义更多从实用性角度出发，即如何运用方法解决实际问题。

（二）近现代国内外学者关于“方法”概念的解读

进入近现代以来，随着人类实践工具的不断改进，人类文明发展成果也日益丰硕，这些因素都促使人们对方法概念的认识日益深化，由经验性

---

① 孙小礼．科学方法中的十大关系［M］．北京：学林出版社，2004：1.

② 广东，广西，湖南，河南辞源修订组．辞源：第2版［M］．北京：商务印书馆，1988：1382.

认识向科学性认识发生转变。在近现代，国外很多学者都表达了自己对“方法”一词的认识。

瑞士学者鲍亨斯基在《当代思维方法》中认为，“方法是任何特殊领域中实施程序的方式，即组织活动的方式和使对象协调的方式”。最基本的可以分为“体力活动的方法和智力活动的方法”两类。在智力活动领域，还能再区分各类方法，而作者在此书中更多地“只关心思维方法，即关于正确思想的指南”①。德国哲学家黑格尔在《逻辑学》一书中谈到哲学方法时曾说，“在探索的认识中，方法也同样被列为工具，是站在主观方面的手段，主观方面通过它而与客体相关”②，同时他认为“方法不是像外在反思那样对待自身，而是从它的对象本身去采取规定的东西，因为这个方法本身就是对象的内在原则和灵魂”③。这里所谓的“对象”，其实是指绝对理念，而方法所采取的内在原则也正是绝对理念的逻辑运动形式。可见，黑格尔对方法的认识是十分深刻的，已经意识到哲学方法、思维方法是有客观根据的，这种根据或原则就是对象自身的逻辑、自身的规律性。方法既是“站在主观方面的手段”，具有主体性，同时，它本身也具有客观性，事物的客观规律正是方法的客观基础。如上所见，尽管哲学家们关心和研究的“方法”更多指向的是一种“思的方法”，是作为头脑中思维规律应用的思想方法，但已然认识到这种哲学方法具有对象性的客观规定，它实际上是“知识移入、内化为人们头脑中的事物的客观规律，是由事物客观规律转化而来的主体思维活动的规则和手段”④。

此外，部分哲学与语义学词典也对“方法”进行了具体阐释。德国《哲学和自然科学词典》定义“方法”是“人的一切有意识、有目的活动的调

---

① 鲍亨斯基．当代思维方法［M］．童世骏，等译．上海：上海人民出版社，1987：9－10.

② 黑格尔．逻辑学：下［M］．杨一之，译．北京：商务印书馆，1982：532.

③ 同② 537.

④ 屠春友．试论社会科学研究方法多元化原则［J］．学术研究，2000（5）：30－34.

节原则所组成的体系；达到业已精确陈述目的的途径”①。美国《哲学百科全书》中的“方法”是指“某种步骤的详细说明”，且“这些步骤是为了达到一定的目的而必须按规定的顺序进行的”②。苏联《哲学词典》认为“方法，就一般意义说，是达到目的的方式，是按一定方式进行的有次序的活动。在专门的哲学意义上，作为认识手段的方法，就是在思维中复制研究对象的那种方式”③。我国修订的《哲学大辞典》将方法定义为“研究自然界、社会现象和精神现象的方式、手段”④。而在英语词典中常用“method”一词表示方法，根据《韦氏新世界大学词典》（第四版）的解释，method的含义为① a way of doing anything; mode; procedure; process; esp., a regular, orderly, definite procedure or way of teaching, investgating, etc. ② regularity and orderliness in action, thought, or expression; system in doing things or handling ideas. ③ regular, orderly arrangement⑤。可见，方法是一种有规律的、系统的安排，既包括思想的方法，也包括行为方法。我国所编写的《方法大词典》认为，方法是“人们认识世界和改造世界所应用的行为方式、程序及手段的总和。在主观认识客观的活动中，是指获得、收集、整理关于对象的经验材料以及对所获得的信息进行加工的方法。在改造世界的实践活动中，是指对某一对象进行现实的物质变革的方式。在科学研究中，是指借助于思维取得新信息、新成果的方式和手段”⑥。综上可见，国内外学者从语义学、哲学的视角对方法的概念进行深入探讨和研究，认为所谓的方法就是以实现一定目标为指向的，关于实践手段、方式和程序的操作运用。不同点在于：

---

① 转引：孙国瑞．德育科学方法论［M］．北京：光明日报出版社，1994：15.

② 转引：李承贵．20 世纪中国人文社会科学研究方法问题［M］．长沙：湖南教育出版社，2001：6.

③ 列宁全集：第 55 卷［M］．北京：人民出版社，1990：189.

④ 金炳华．哲学大辞典［M］．上海：上海辞书出版社，2007：347.

⑤ 阿格纳斯．韦氏新世界大学词典：第 4 版［M］．沈阳：辽宁教育出版社，2001：906.

⑥ 刘蔚华，陈远．方法大词典［M］．济南：山东人民出版社，1991：9.

语义学对方法概念的研究重在具体性描述，而哲学则侧重于进行高度的抽象性概括。

（三）对“方法”一般特性的分析

从上可知，在不同领域，对“方法”有着不同的解释与定义，各个学者对“方法”的规定既有相似之处，也有差异。“方法”这一概念普遍存在于人们的头脑以及生活中，但正如美国科学家爱因斯坦所说：“一个概念愈是普遍，它愈是频繁地进入我们的思维中，它同感觉经验的关系愈间接，我们要了解它的意义也就愈困难。”[①] 尽管难以对上述学者的观点进行逐一分析，进而对方法进行严格定义使其具有普遍概括性，但可以尝试总结出“方法”一词的一般特性。

第一，方法具有中介性。人的活动是多种多样的，按照人同周围世界的关系，可以分为认识活动和实践活动这两种最基本的活动。而人们在认识和实践的过程中，总是要通过一定的中介与客体发生作用，否则，任何的主体活动都不可能发生。方法作为人与对象的中介物，本身并不属于主体和客体对象的任何一方，而是使主体与客体发生联系的关系性存在，是连接实践目标与实践对象的桥梁。如果缺乏方法中介，主客体之间就会处于分离状态，主客体双方就不会发生相互联结、相互影响、相互渗透的过程。惟其如此，方法的中介性正是方法的属的规定。

第二，方法是主观性和客观性的统一。方法作为关系性范畴，具有主体性属人规定以及对象性的客观规定，反映的是主客体之间动态的辩证关系。这一反映实质上是主体从自身生存与发展的目的出发，对人与物的关系所进行的创造性设置和把握[②]。但与此同时，方法并不是人主观意志的自由创造，而是在人们认识活动和实践活动的基础上，对事物发展的最一般

① 爱因斯坦．爱因斯坦文集：第 1 卷［M］．许良英，译．北京：商务印书馆，1976：245.

② 张曙光．方法的哲学实践论诠释［J］．河南大学学报（社会科学版），1991 (3)：63 − 71.

的客观规律的正确概括与总结。事物自身规律根本规定了它被认识、被改造的规则，这也是方法遵循理性原则，保持科学性的深层根据和要求。因此，方法一方面与人相联系并且体现着人一定的能力和需要，对同一客体，不同的主体可能因目的不同会采取不同的方法加以认识和改造；另一方面，方法又与作用对象相联系并且体现着对象的特点和客观规律。换言之，“方法是人们依据对事物的特点和客观规律的认识而为自己规定的活动方式”[①]。

第三，方法具有抽象性。方法是实现目的不可缺少的条件和实现形式。但在主体活动中，主体实现目的除了依托方法，还需要工具。因为方法本身是一种思想、一种智慧，是作为非实体性的因素存在的，是一种抽象概念存在于人的头脑，是看不见、摸不着的东西。因此，方法不能孤立存在。作为联结主体与作用对象的中介因素，方法的运用需要借助一定的实体工具，依托一定的载体（语言、文字等），通过恰当的渠道并细化为具体程序才能实现。

第四，方法具有复杂性。方法的复杂性主要体现在其内在构成与类型上。对于方法的构成要素，学界至今未达成一致。归纳起来，主要有以下三种观点：四要素说（目的性要素、合乎规律性的活动要素、工具要素、对象要素）；五要素说（目的、途径、策略手段、工具、操作程序）；七要素说（目的、知识、程序、格式、规则、工具、对象）。对于方法的类型，依照不同标准，可以提出不同的分类方法（表 1–1）。首先，按照性质分类，可以把方法分为思想方法与实践方法。思想方法也称思维方法或智力活动的方法，即关于正确思想的指南。实践方法又称体力活动的方法，主要指实践主体在面向实践对象的过程中，对其发生影响所采用的方法。“实践方法”的创造在于它有利于改造世界的社会实践，其本质上是思想方法在

---

① 张曙光．方法的哲学实践论诠释［J］．河南大学学报（社会科学版），1991 (3)：63 – 71.

实践中的现实展开，是一种操作意义上的方法。从认识过程的角度对方法进行分类，主要可以把方法分为认识方法和实施方法。一般来说，人们有意识的活动和行动概括起来可以分为两种，一种是认识世界，一种是改造世界。人们在认识世界的过程中所采用的方法，称为认识方法，人们在改造世界的过程中所采用的方法叫作实施方法，或工作方法、行动方法。而以这种最普遍的分类为起点，又可以在此基础上加入评估方法和调节方法。按照层次分类，可以分为哲学方法、一般方法和具体方法。对于方法的层次，即方法的结构体系，是对方法适用领域及范围大小的划分。通常将方法的层次分为三层，第一层次是一般哲学方法，适用于一切领域；第二层次是一般方法，适用于某一类学科，如管理方法、教育方法等；第三层次是个别方法，只适用于某一领域的某一特定活动，不同层次的方法之间是相互依存的。

表 1-1　方法的类型

类　型	方法构成
按照性质	思想方法、实践方法
按照过程	认识方法、实施方法、评估方法、调节方法
按照层次	哲学方法（指导方法）、一般方法、具体方法

综上所述，我们尝试将“方法”的概念概括为：主体在认识世界和改造世界的实践活动中，按照活动目的和实践对象的客观规律建立起来的，作用于客体的行动规则和活动程序。

二、德育方法的内涵及相关概念辨析

由上可知，在不同学科领域，对“方法”都有着不同的解释与定义。而对于德育方法的解读不仅需要依据“方法”的一般特性，还需要从历史的线条中根据不同时期、不同学者对德育方法的具体研究，深化对德育方法内涵的认识。

（一）不同时期对德育方法的理解

关于德育方法，历史上许多教育家都有过论述。其中，苏联教育研究者在德育方法的概念使用及研究上对我国影响较大。

1. 苏联教育研究者对德育方法的界定

1947年苏联教育部批准、1948年修订出版的苏联教育学家凯洛夫的《教育学》论及德育方法时，认为德育方法是教师为了达成德育的某种任务而采用的教育手段，这种手段“是和所有的学与教的过程相互密切联系的”，“最重要的是它们都应当服务于一个基本目的——共产主义道德教育”①。20世纪50年代中期，苏联学者对德育方法的认识有了发展。1956年德育理论专家恩·伊·包德列夫在《学生的共产主义道德教育》中界定德育方法时提到“道德教育方法是为了形成学生的道德品质和养成学生的共产主义行为习惯而对学生施加教育影响的各种方式的总和”，“跟教学法一样，道德教育方法不仅说明教师活动的特征，而且说明学生活动的特征”，认为“道德教育方法不能只归结为教师的教育影响，而必须以学生自己的活动为前提”②。20世纪50年代的表述与40年代相比，有所不同：一是明确了德育方法既包括教育者一方活动的方法，也包括受教育者一方活动的方法，且到了20世纪80年代，这种认识基本达成共识；二是提出了德育方式的问题。方法与方式同属于方法范畴，但学者对两者作了不同层次的区分，且这种区分一直延续到目前。

20世纪70年代，巴拉诺夫等人主编的《教育学》在分析教育概念时指出：“教育方法和教学方法一样，在生动的教育过程中分解为它的各个

---

① 凯洛夫. 教育学［M］. 沈颖，等译. 北京：人民教育出版社，1953：232.

② 包德列夫. 学生的共产主义道德教育［M］. 李渊庭，译. 北京：人民教育出版社，1958：47－48.

组成部分，这就是所说的教育方式。”[①] 至 20 世纪 80 年代，哈尔巴拉莫夫在《教育学教程》中对“方式”问题作了进一步阐明。他认为教育方式包括三方面，即在实现某种教育方法的过程中所用的具体办法、活动方式及活动用具[②]。1983 年巴班斯基主编的《教育学》也指出：“在苏联学校里，人们将教育者和受教育者相互联系着的活动方式理解为教育方法”，“教育方式对方法来说带有局部、从属的性质”，在不同的教育情境条件下，教育方法和教育方式“可能互相转化，互相替代”[③]。囿于当时德育方法与教育方法尚未有学理区分，所以，以上虽然是在讨论教育方式与教育方法的关系，但用于理解德育方法与德育方式的关系同样适合。

2. 我国学界对德育方法的界定

新中国成立初期，受苏联教育模式的影响，我国将德育原理学科的相关知识和理论研究放在了“大教育学”的研究之中。受此影响，德育方法的研究也主要出现在教育学的著作中，这种现象一直持续到 20 世纪 80 年代。此后，随着德育原理学科的恢复与重建，不少德育学专著对“德育方法”作出了专门的阐释，他们对德育方法的理解大体上是一致的，即在定义德育方法时都强调了以下三个要点：德育方法服务于一定的德育目标，主要是为了进行思想品德教育；方法包括教育者与受教育者两方面的活动；方法包括了各种具体的方式。表 1–2 梳理了具有代表性的德育原理著作以及德育辞典对德育方法概念的描述：

① 巴拉诺夫 . 教育学［M］. 李子卓，译 . 北京：人民教育出版社，1979 : 217.
② 哈尔巴拉莫夫 . 教育学教程［M］. 丁酉成，等译 . 北京：教育科学出版社，1983 : 308.
③ 巴班斯基 . 教育学［M］. 李子卓，等译 . 北京：人民教育出版社，1986 : 373.

表 1-2　我国不同时期不同学者对德育方法的界定

德育方法概念及内涵	来源
德育方法是为进行思想品德教育而采取的各种影响方式的总和。德育过程既是教育者和受教育者双方面活动的过程，因而，德育的方法也包括教育者的活动方法和受教育者的活动方法	南京师范大学教育系编：《教育学》，282 页，北京，人民教育出版社，1984
德育方法是为完成德育任务所采用的手段	《德育原理》编写组：《德育原理》，115 页，北京，北京师范大学出版社，1985
德育方法是为完成德育任务所采用的手段。既包括教育施教者的方法，也包括受教育者形成品德的方法	胡守棻：《德育原理》，164 页，北京，北京师范大学出版社，1989
德育方法是思想品德教育所采取的各种影响方式的总和，包括教育者和受教育者两方面的活动方法	顾明远：《教育大辞典 · 教育学》，12 页，上海，上海教育出版社，1989
德育实施的方法，就是教育者为了把反映特定阶级的立场、观点、思想意识、行为规范、价值观念等社会意识形态，转化为教育对象个体的经验、品质、评价和行为习惯而采取的方式和手段	仇春霖：《德育原理》，294 页，北京，中国青年出版社，1993
我们所说的德育方法，实际上是指德育过程中采用的认识方法和工作方法。德育方法是德育客体(受教育者)在认识世界和改造世界的前提下，使得自身活动政治方向的确定、思想道德素质的提高和进步的功能活动的手段，包括精神的和物质的手段	孙国瑞：《德育科学方法论》，16 页，北京，光明日报出版社，1994
德育方法是道德主体人格建构过程中，受教育者与教育者采取的诸方式的总称	班华：《现代德育论》（第 2 版），217 页，合肥，安徽人民出版社，1996

续表

德育方法概念及内涵	来源
德育方法是为达到既定教育目标，教育者、受教育者参与德育活动所采取的各种方式的总称。德育活动方式既包括外显的动作方式或操作方式，也包括内在的思想活动方式或道德思维的操作方式	鲁洁、王逢贤：《德育新论》，386页，南京，江苏教育出版社，2002
德育方法是为了达成德育目标、完成德育任务，师生双方共同的活动方式（程序、策略等）的总和，包括教师影响学生、促进其品德形成的方法和学生在教师指导下的自我教育的方法	郑航：《学校德育概论》，88页，北京，高等教育出版社，2007
德育方法是以德育过程的规律为理论依据，为完成德育目的、任务和实施德育内容所采用的具体手段。或者说，德育方法是为了进行思想品德教育，教育者和受教育者参与德育活动所采取的各种方式的总称	韩传信：《德育原理教程》，127页，合肥，安徽大学出版社，2009
德育方法有广义和狭义之分。广义的德育方法既包括教育者为完成德育任务、实现德育目标所采取的各种方式的总和。同时也包括受教育者为了提高自己的思想道德素质所采取的各种方式的总和。或者说一是指教育者教的方法，二是指受教育者自我教育的方法。狭义的德育方法仅指前者	易连云：《德育原理》，144页，武汉，武汉大学出版社，2010
德育方法是指在德育活动中将师生关联起来，促使他们之间发生道德信息、道德情感、道德精神、道德行为的沟通和互动，最终实现师生道德共同发展的各种德育方式及其综合体	刘济良：《德育原理》，173页，北京，高等教育出版社，2010
德育方法是指在受教育者思想和道德主体人格建构的过程中，为了实现德育目标、完成德育任务，教育者、受教育者共同参与德育活动所采取的各种方式方法的总称。具体包括教师影响学生、促进其思想品德形成的方法和学生在教师指导下自我教育的方法	戚万学、唐汉卫：《学校德育原理》，258页，北京，北京师范大学出版社，2012
德育方法是教育者在德育活动中为促进与教育对象在品德修养方面的互动发展所运用的方式与手段的总称	赵志毅：《德育原理与方法》，149页，北京，人民教育出版社，2013

续表

德育方法概念及内涵	来源
德育方法可以定义为教师和学生在德育过程中，为达成一定的德育目的而采用的、有一定内在联系的活动方式与手段的组合	檀传宝：《德育原理》（第3版），241页，北京，北京师范大学出版社，2017
德育方法是指为形成学生的世界观和道德品质而对他们施加教育影响的各种方式和手段的综合。德育方法的选择和使用不是主观随意的，必须遵循一定的规律，要同德育目的、内容和原则相一致；同德育过程的规律相符合；要根据具体的德育任务和客观条件。德育方法包括教师与学生双方的活动，因此还要考虑学生的年龄特征与个性差异	李燕杰：《德育辞典》，576页，武汉，湖北辞书出版社，1987
德育方法是指为达到德育目的、实现德育内容所采取的活动方式。它包括教育者的施教方式和受教育者的受教方式。德育方法受德育目的、内容、对象特点和德育原理、原则的影响和制约，具有相对独立性、历史继承性、多样性等特征	《德育百科全书》编委会：《德育百科全书》，202页，天津，天津大学出版社，1994
德育方法是为完成德育任务所采用的手段。具有以下三点内涵：(1) 德育方法受教育的目的、任务和内容的制约。(2) 德育方法要以德育过程的规律和德育原则为理论依据。(3) 由于德育过程是一个多因素的相互影响多层次的发展过程，它决定了德育方法的多样性和多变性。既包括教育者施教的方法，也包括受教育者形成品德的方法；既有侧重于提高学生思想认识的方法，也有侧重于培养学生情感、意志和行为习惯的方法；既有明示的方法，也有暗示的方法	国家教委中央教科所德育研究中心：《德育实用全书》，71页，北京，中国民主法制出版社，1997

（二）德育方法的内涵

从时间轴上看，不同时期、不同学者关于德育方法概念的定义，经历了一个不断丰富、完善的过程。对德育方法的理解可以从以下四个方面考量。

第一，德育方法服务于一定的德育目标和德育任务，具有目标指向性。德育目的相较于德育方法以及其他德育要素，是一个比较活跃的因素，它会随着社会要求的变化而变化，德育方法也因此受到制约。在阶级社会里，德育的任务和内容都带有鲜明的阶级性，所采用的德育方法也随之带有一定体罚的色彩。当代社会的德育在于培养学生的主体意识、公民意识、社会意识，所采用的方法也具有启发性、主动性、自觉性的特征。由于社会对德育的要求是在不断发展的，因而若想德育方法实现预期的德育效果，在实际运用中须与德育目标的方向性保持一致。为此，在定义德育方法时应深入理解，把握德育的目标指向，将体现时代性的合理因素纳入到德育目标体系当中，推动德育方法不断切合时代发展。

第二，德育方法反映了一定的德育思想，以哲学、心理学等理论为其方法论基础。任何科学研究都要以一定的理论基础为指导，德育方法是由德育主体具体实施操作活动所体现的，这样的活动效果，不是取决于方法的目的性要素和特征，而是取决于方法的合乎规律性。德育方法的合乎规律性特征，一定程度上在于方法的选择和使用并不是主观随意的，而是契合了当今体现时代发展的德育理念，遵循了德育过程的规律，受到德育原理、原则的影响和制约。此外，当代德育方法能够及时地汲取自然科学、社会科学和思维科学研究中不断涌现出来的新理论和新方法，使道德教育方法逐步改变过去侧重于经验描述，忽视科学分析的落后状态，建立在更加科学的基础之上①。

第三，德育方法从构成主体上是教育者与受教育者两方面的有机结合，在活动实施上是两者相互作用的过程。20 世纪 80 年代以前，受到当时苏联教育学、德育理论的影响，我国学界认为德育方法的构成主体仅限于施

---

① 孙振芳．道德教育论［M］．北京：社会科学文献出版社，2006：71.

教者一方，忽视了受教育者在德育过程中的自主作用。而当前多数学者都表明德育方法既包括教育者施教的方法，又包括受教育者在自我教育下形成品德的方法，从整体上说，它是在教师的德育影响下师生共同活动的方法。与此同时，学界对德育方法实施过程的把握也不断趋于完善，经历了转化说——建构说——互动生成说的演变过程，体现了对德育过程本质的深入理解。

第四，德育方法由不同层次的方式和手段组成。在最初阶段，学者们将“德育方法”概念的外延范围确定为实施德育的手段或方式。这种外延范围的确定比较笼统。随着研究的深入，研究者将外延进一步规定为各种手段和方式的总和、程序与策略的集合体，一定程度上实现了对先前定义的具体化。此外，从某种意义上讲，德育方法不仅包括外显的操作方式，主体内在的思想活动同样对道德人格建构具有一定作用，因此有学者对德育方法的显现方式作了补充，将“内在的思维方式”[①]也列入德育方法的研究范畴之中。

从学界对“德育方法”的界定随着时代发展而出现的微妙变化中，我们能明显感觉到我国德育理论建设在不断发展。尽管目前研究者对德育方法的内涵已达成了一定共识，但同时也存在某些分歧，对德育方法概念作出更为精确、严密的界定还需要深入探讨。主要有如下四点有待商榷：

第一，在界定德育方法时对“德育”概念外延的指向存在分歧。在德育方法的界定中，多数学者将德育目标笼统表述为“为完成德育目的任务或实施德育内容”，少数学者将其具体化为“思想品德教育”，还有学者在此基础上加入了“政治方向”“社会意识形态”。不难看出，德育方法概念界定不清也体现在对“德育”这一概念的理解上。狭义的德育概念反映了

---

① 鲁洁，王逢贤．德育新论［M］．南京：江苏教育出版社，2002：386.

学界对道德教育基础性质的强调，而广义德育概念的使用则是考虑到中国传统思想的影响以及中国政治革命的历史轨迹使然。因此，对德育概念不同的解释，实际上是反映了对于德育范畴理解的角度和价值取向上的差异。但本书认为，从学术研究的规范性角度看，在研究德育方法时依旧有必要从学理的角度对“德育”的概念作出解释。正如陈桂生所指出的，我国所实施的广义上的德育，实际上是由“几套性质不同的价值规范体系与目标，各自经由相应的途径才可能实现，然而我们事实上并不关注这些价值—规范体系与目标之间的区别，而试图以一套德育内容、一套德育方式方法，笼统地实现德育目标，从而使具体的德育目标与具体的德育内容之间、具体的德育内容与具体的德育方式方法之间的关系相当模糊”①。惟其如此，只有深入探明广义德育中所内含的各项内容自身的推进历程与规律特点，并提炼归纳其各自不同之处，才能切实提高德育的实际效果。

通过文献梳理发现，最模糊的是德育方法与思想政治教育方法之间的关系。由于德育与思想政治教育目标上的相似以及广义概念之间的类同，在具体方法层面也有许多交叉之处，导致研究者在研究中常常对二者不加区分。在此，简要论述两者最突出的两点区别，以及映射到方法上的特征（以下所指的德育取其狭义概念，专指“道德教育”）。

首先，两者所体现的价值形态及内容有所不同。思想政治教育作为阶级社会的产物，其目的在于通过统一思想、凝聚人心，以维护社会稳定，引导社会发展。比较而言，其社会性价值更明显，个体功能是在社会功能的发挥中实现的。同时，由于党和国家在不同时期工作的侧重点不同，因而思想政治教育的内容要根据国家政策方针作出及时的调整。而德育的重点在于“育人”，是为个人提供成长成才的导向和动力，所要完成的任务偏重对个体自身利益的调整、态度的改变以及行为的约束，因此更注重个

① 陈桂生．中国德育问题［M］．福州：福建教育出版社，2007：127.

体性价值，这其中所具有的社会性功能是通过个体性功能的实践而实现的。同时，尽管德育内容必须紧密联系社会生活实际，但它总体上要保持内容的连贯性、系统性和稳定性，不会因社会发生重大形势变化而作出较大调整。以上因素反映在方法层面，呈现出以下特点：以“德育方法”“道德教育方法”为检索词进行篇名检索时，多聚焦于学校场域且针对中小学段的研究明显增加。而以“思想政治教育方法”为篇名检索，更多围绕在高等教育，研究对象集中在高校、高中高职的学生及社会人员，针对基础教育阶段的探讨相对较少。与此同时，这一主题在文献发文量上的变化以及具体的研究内容都与同时期国家召开的重要会议、出台的政策文件密切相关。这说明思想政治教育方法在研究对象上面向的不仅是学校，还有更广泛的社会群体，强调教育对象的全员性以及教育过程的全程性；在研究内容上,多以党和国家的重要时间节点为背景,体现出“因时而进”“因势而新”的内在要求。

其次，从教育特性、教育过程以及对教育者的素质要求上看，思想政治教育是受政治制约的思想教育，是侧重于思想理论方面的政治教育，其核心是政治思想、政治理论的宣传教育。由于深刻的思想政治理论观点和体系不是人们头脑中自动生成的，所以思想政治教育的方式是以疏导、转化、宣传、灌输为主导方式。从某种意义而言，思想政治教育的过程就是教育者以真理的力量，以逻辑的力量感染人、震撼人的过程，这其中教育者说理的准确性、透彻性具有重要意义。这也解释了在众多思想政治教育方法研究中对“理论教育法”的论述占据了较多篇幅。而道德教育是教育者按照一定社会或阶级的要求，有目的、有计划地对受教育者进行思想、道德的引导和影响，主要是满足个体道德人格完善的需求，使个体获得自我人格的提升。从教育过程看，道德教育的起点具有多端性，如激发教育对象的道德需要、提升教育对象的认知发展、引导教育对象的情感发展、培养教育对象的道德行为等都可以作为道德教育的切入点。这种运作形式上的多端性，并不是说只要从某一开端入手，就可以直接产生相应的道德教育的成效，而是要通过个体道德品质诸构成要素的和谐运作才能真正促进个体道德的发展[①]。正因如此，道德教育不仅要关注到诸如讲解、讨论等通过语言理性说服以培养受教育者道德认知能力的方式，还需要关注陶冶、感染、体验等方式手段，引导受教育者在德育活动中积极地认识、体验、身体力行，从而促进个体道德品质各种要素综合运作、协调发展。此外，从方法运用对教育者的素质要求来看，如果说思想政治教育对教育者素质要求的侧重点是教育者的理论素质、政治素质，那么道德教育的侧重点就是教育者的道德素质。道德教育作为一种品德塑造活动，以各种教育形式为手段，同时更以人格感染为手段，教育形式的效力在相当程度上取决于教育者的人格形象对其所讲的教育内容的印证。由此可见，道德教育更加突出身教重于言教，教师健全的道德人格是道德教育活动有效开展的前提性条件以及生发教育力量的重要因素。

概念严谨是学科发展的重要前提。在研究德育方法时，对德育及其相关概念进行适度区分，可以避免教育方式方法上相互替代、相互越位的现象，有利于增强各自学科的针对性和实效性。目前，完全厘清道德教育与思想政治教育之间在教育内容上的交集，是不现实的。因为道德有历史性，在阶级社会有阶级性，道德与政治是密不可分的，同时在实践中，德育与思想政治教育也一直具有相互关联、彼此支持的关系。也正因为如此，从学术研究开始，有必要厘清现代意义上的“德育”概念，从而聚焦德育目标所指，既不可将其含糊概括，也不该将德育外延简单相加。本研究通过对涉及德育方法相关著作及文献分析后发现，学界在讨论“德育方法”时，尽管并未明确指明其外延即道德教育方法，但已有部分学者将德育方法的目标规定为“提高受教育者的思想道德素质”，且对方式和手段的选择普遍关注到了道德教育过程的独特性。因此，本书对“德育”的理解将取其

① 沈壮海．思想教育、政治教育、道德教育过程之比较分析［J］．教学与研究，2004（6）：83－88.

狭义概念，“德育方法”专指“道德教育方法”，一方面有利于学术研究的规范化，另一方面也便于开展中外德育方法比较。

第二，对德育方法实施过程本质的把握以及确立教育者与受教育者之间的角色关系，还不够精准。德育方法作为德育过程的构成要素之一，对德育过程的理解往往会影响德育方法的选择。传统的观念认为，道德价值基本上是靠成人对儿童的传授或教化去完成的，道德教育意味着一定意义上的“灌输”；现代德育观认为，道德教育不可能通过单一的灌输去完成，有效的途径只能是学生的道德自主建构。这种观点一定程度上深入地把握了德育过程的本质，但过分强调价值及其掌握的个人相对性，对价值引导的重要性估计不足，容易导致价值的相对主义，也影响了德育的效果[①]。对此，有必要对德育过程的特征做更深入的分析。本质而言，德育过程是形成思想道德主体的过程，也就是受教育者形成个体思想道德的过程。从这一论断中我们可以揭示出德育过程具有价值引导和自主建构活动相统一的特点[②]。据此可知，道德内在地要求德育过程既要有教育者的价值引导，这是德育过程区别于个体品德自发发展过程的鲜明特征；更要有受教育者的自主建构，因为受教育者的思想品德是其自主地、能动地生成的，而不是教育者强制灌输和模塑的结果。质言之，德育过程应该是教育者价值引导与受教育者自主建构生成相结合的互动过程。

再来看德育方法中教育者与受教育者的角色关系问题。首先，明确方法包括教育者与受教育者双方面的活动并不容易。有的德育学论著论及受教育者活动的方法，但在界定德育方法概念时并未明确这一点。其次，对于德育方法的运用，由教育者单方面主导转变为教育者与受教育者共同参与，对尊重受教育者的主体性具有进步意义，但仍需进一步明确二者在共同参与德育活动中的角色关系。第一，教育者与受教育者并不是传统意义

① 檀传宝. 德育原理：第 3 版［M］. 北京：北京师范大学出版社，2017：234.

② 范树成. 德育过程论［M］. 北京：中国社会科学出版社，2004：42.

上的主客二分关系。因为在这种“主体—客体”关系的思考框架中，主体往往是一种单子式个体，而与个体主体相异的他者往往处于被支配的地位，但无论是在德育抑或是教育过程中，教师和学生都是作为完整的、具体的人而存在，在这种人对人的活动中任何一主体被物化、客体化、对象化，都会导致整个过程的僵化。第二，两者之间也不是互为主体的关系。这是因为双主体说看似在主体问题上更加全面，实质上则是回避了教育主体的问题，同时也模糊了教育者的责任意识。本书认为，在确立德育方法中主体角色关系时，应引入实践论意义上的主体间性教育理论，从主客体的对立关系走向主体间交往关系。主体间性教育理论就是对以往迷恋单子式主客体取向的主体性教育的纠偏，强调主体与主体之间的相互作用，重视二者的合作共在关系，在新的哲学范式上还原了教育的本真[①]。在主体间性德育中，教育者与受教育者是共在的主体间的存在方式，两者是处于平等地位的主体，构成了“主体—主体”的关系。对这一关系可以做如下理解：正如上述对德育过程的分析，由于受教育者往往不可能一开始就对德育的目标和内容形成自发的认同和践行，也缺乏对道德教育内容的选择与判断能力，这给教育者开展主导性德育活动提供了重要依据。同时，人是道德的主体，人的主体性是一切道德活动的内在依据，故道德教育还有赖于受教育者主体性的发挥。因此，教育者是德育过程中的主导主体，受教育者则是作为主动主体，而以课程、教材、活动等为载体的德育内容、道德规范构成他们共同作用的客体，德育过程就是两者以共同客体为中介的“主体—客体—主体”多极主体交往过程。能够看出，主体间性在认识论上超越了传统主体与客体之间的二元对立，既尊重受教育者的主体地位，也重视教育者在活动过程中的预见性和引导性作用，能动地避免了因走向价值虚无主义而导致的主体性异化。在这种共同交往的意义关系下，教育者

① 冯建军．主体教育理论：从主体性到主体间性［J］．华中师范大学学报（人文社会科学版），2006（1）：115－121.

要实现自身角色的转化，从传授者、独白者转变为引导者、对话者，通过与学生平等对话、双向交流，达成认识上和情感上的共识与融合，并最终促进受教育者以自我教育的方式积极、主动地接受、内化和外化德育内容与要求。

第三，对“德育方法”的研究角度存在差异。目前，学界普遍将德育方法的研究指向道德主体人格的建构过程，也就是在具体德育活动过程中，如何将师生关联起来以促进受教育者思想品德形成而采取的诸方式的总称。此时对“方法”的理解是一种操作意义上的实施方法。也有学者根据认识论的逻辑建构，认为德育方法是德育过程中采用的认识方法和工作方法（实施方法）的总和。德育的认识方法即德育的决策方法，是关于就实现某一特定的德育目标而提出的若干可行性方案，进行比较并作出最优选择过程的方法[①]。可见，对“方法”认识的角度不同，德育方法研究也会存在较大差异，这实质上涉及的是对“方法”类型的不同理解。本书认为，对德育方法的研究需要我们回到教育学的立场以及学界所关注的具体德育问题之中去审视。本质而言，教育学是一门实践学科，因此需要的是实践智慧而不是头脑中理论化的单一知识形式，而德育学作为教育学的一门分支，研究者目前关注的是如何在德育活动中将教育者与教育对象关联起来，促使他们之间发生道德信息、道德情感、道德精神、道德行为沟通和互动的方法。因此我们首先确定下来的是：“德育方法”中的“方法”按照性质来分指向的是一种“实践方法”，而非哲学意义上的“思想方法”；按照过程分类指向的是一种面向教育对象所使用的“实施方法”，而对于涉及德育决策的认识方法以及德育效果的评估方法、调节方法方面则不是本书重点研究的内容。

第四，对“方法”这一概念本身的理解还有待进一步考量。从上述种

① 孙国瑞．德育科学方法论［M］．北京：光明日报出版社，1994：243.

种德育方法含义的描述中，我们可以看出其定义方式主要有三种：一是用方式来定义德育方法。例如……影响方式的总和；……活动方式的总称。二是用手段来定义德育方法。例如……手段的总和；……手段的组合。三是用方式与手段等的集合定义方法。如……方式与手段的总称，……各种德育方式及其综合体，还有学者在此加入了程序、策略、步骤等。不难看出，目前对德育方法界定不清很大程度上在于对其上位概念"方法"一词本身理解存在差异，多数定义中提到的"方式""手段""程序"这三者之间是否都是并列关系，是否都是属于方法的构成要素，这些都是亟待澄清的问题。但在事实上，人们几乎都回避了这个问题，都是在实践中根据自身不同的理解来掌握，这导致了对德育方法的概念界定看似一致，实际上却存在着较大的差别。学者何玉海就曾在《我国德育方法概念的理性反思》[1]一文中指出，在我国教育理论与实践中，把"方式"看成"方法"，把"手段"看成"方法"，把"途径"也当作"方法"，甚至把"原则"当成"方法"等现象普遍存在，影响了对德育方法的认识与德育实效。

由上述对"方法"一般特性的分析可知，"方法"作为一种表征人类认识成果并进一步作用于实践的知识，并不是漫无目的在主观随意性驱使下的简单步骤，而总是遵循着一定的思想观念和行为准则。这些观念、准则是人对实践对象及与其相关的其他事物在运动、发展过程中所固有的本质规律和内在联系的认识和反映，遵照这些观念和准则，就是对这些本质规律和内在联系的应用。惟其如此，并不能把德育方法理解为简单意义上的操作步骤，而是更具思维含量、一种遵照理性原则、具有内在目的性的培养学生思想品德的方式。与此同时，由于方法本身的抽象性，因而唯有借助于一定的实体工具，依托一定的载体，并细化为具体的活动细节才得

① 何玉海．我国德育方法概念的理性反思［J］．黑龙江教育（高教研究与评估），2013(3)：3－5.

以显现与操作，而这些正是手段和方式所要解决的问题。

综合以上所述，我们尝试给德育方法下这样一个定义：为促成学生思想品德形成，在德育规律和各种理念原则指导下，在德育过程中将教师和学生关联起来，促使他们之间发生道德知识、道德情感、道德意志、道德行为的沟通和互动而采取的各种方式与手段、操作程序与技巧的总和。它既包括教师指导学生道德学习的方法，也包括学生自我教育的方法；既包括外显的动作方式或操作方式，也包括内在的思想活动方式或道德思维的操作方式。

（三）德育方法的内在构成

研究者在对“方法”的不断探究中发现，方法具有稳定的一般结构。但囿于“德育方法”更多是指向操作层面的概念且工作领域中的教师也缺少对“方法”概念思辨的兴趣，进而德育方法在他们意识中更多是他们认为行之有效的、基于个体教育经验的行为方式。然而，若仅依据实践中具体的德育问题而展开研究，其结果多是基于经验和情境之中的合理陈述展开对德育方法的思考，而缺乏深入的学理揭示，这会使得教育者难以获得对德育方法本质的清晰理解与可迁移的操作形式。惟其如此，本书关注“德育方法内在构成”这一问题，若论其实践效用，则有益于德育工作者形成必要的方法运用理性；同时也是对后文方法分类分层问题的必要关照。

通过上述对“方法”的解读以及分析“德育方法”的内涵可知，作为一个相对独立的事物，德育方法由相互关联的内在构成要素组成，是一个由表及里，有着层次结构的立体体系。也正因为如此，我们将德育方法分为表层、浅层与深层三层结构。

1. 德育方法的表层结构

在德育方法的最表层，是承载方法的各种符号。方法作为人类认识的成果，是需要依托符号来表达的。这些符号本质上是作为独立自在的物质实体而存在的，是人类肉体器官的延伸，如语言、文字、手势、图形或其他物质性媒介。在方法外层所有的符号都代表着一系列指称事物或意义的概念，这些概念经由人以一定的规则或方式组织后赋予各种符号所代表的概念间关系一种新的解释性意义，便构成了我们所说的各种德育手段，包括语言、榜样、情境、环境、制度等等，进而再通过一系列的主观操作形成各种有联系的组合便构成了实践操作意义上的各种活动方式以及相应的程序化步骤。由此可见，对这些符号（手段）的探索与解读也就成为德育方法研究与创新的关键。

2. 德育方法的浅层结构

德育方法的浅层结构体现的是人作为主体的意识。方法存在的意义不仅仅是局限于解释体系内概念和符号的关系，最表层的符号只是作为提供解读方法真正内涵的入门工具，是表达方法意义的“外衣”，而方法真正存在的意义是人借由其实现改变世界的目的，是为了解决实践活动中遇到的问题。概言之，德育方法的这一层次想表达的是教育主体运用方法对主体活动实施规范和控制从而能够达成德育活动目标的一种主观意向，反映的是方法的内在目的性。一定的德育方式、手段之所以以这样或那样的模式组合起来，主要的依据是德育的目的和目标。德育方法的浅层结构作为方法体系中的中层规定，与上下两层相联系：它对于表层结构是主观性的内容，由人的意志、情感与目的等主观成分赋予；而对于深层结构又是由其所决定的，即是对象性客观规律的主观表达。

3. 德育方法的深层结构

德育方法最深层次的结构是对象性的客观规律。任何方法在经历“主观化”的过程之前，都需要经历主体对主体活动内在规律的觉察和反映，是主体“对于内容的内部自己运动的形式的觉识”[①]。具体而言，人们在认

---

① 列宁．哲学笔记［M］．北京：人民出版社，1974：95.

识和实践活动中把客观规律从对象中揭示出来，并以理论化的方式加以建构，使其成为方法的内在依据，而且这种规律也根本规定了客体能够被认识、被改造的可能性。不同于方法的浅层结构带有主观目的性的色彩，规律所表达的是“实然性”的客观存在，是德育方法在制定与运用的过程中一种必然的东西，无所谓正确与错误之分，反映的是德育主体对德育过程诸要素之间必然联系的把握，而按照客观规律办事，根据德育过程的规律制定、应用德育方法也是德育活动有效开展的前提条件。也正因如此，在德育方法的结构层次中，深层结构领导并根本决定着方法的浅层结构和表层结构，德育方法之所以能够在理论上正确，在实践中有效，均源于对客观规律的正确反映。由于德育方法是运用于具体德育活动过程之中的，因而我们认为德育方法所要揭示和反映的正是德育过程的规律。

（四）德育方法相关概念辨析

“德育方法”作为一个专业术语，为准确把握其概念内涵，还有必要进一步探讨与其他相近概念之间的关系，通过厘清交叉地带，化解概念上的模糊之处。

1. 德育方法与德育方式

在我国古代辞书中，并没有对“方式”一词作明确界定。而在现代汉语词典中,对方式与其近义词的处理上存在“以词释词,辗转训释”的情况。结合本书研究指向,以下将从教育学视角及日常语义上考察“方式”的内涵。

苏联的教育学者倾向于认为方法与方式同属于方法范畴，但又分属不同层次，方式从属于方法。还有一部分学者认为，方法与方式并无本质区别，在一定程度上两者可以相互替换。这种层次区分一直延续至今。本书认为在学理层面上,二者之间仍存在差别,有必要针对差别予以辨析。首先，从日常使用来看,与“方法”搭配使用的都是“研究方法”“教学方法”“科研方法”“实验方法”等相对比较系统、完整的工作活动，特别是带有一定科学的、理性的色彩。一般而言，说起与“方式”有关的活动，大概能想起具体的操作步骤。例如，我们通常会说利用游戏、唱歌等具体方式展开教学。因此“方法”重在“法”，是一种理性的体系性的东西，而“方式”重在“式”，突出的是形式化[①]。其次，从上述对“方法”概念一般特性的分析中可知，“方法”的内在构成较为复杂且有层次的区分。由于方法本身是作为一种抽象概念存在于人的头脑中，因此若想运用于实践活动，需要细化为一系列具体的活动细节或组成部分。这也可以看出“方式”是“方法”内在构成要素之一，方式对方法来说带有局部的、从属的性质。需要指出的是，也有学者将“方式”与“程序”或“步骤”作为同一层次的概念，但“方式”并不同于具体的操作步骤，它是一系列形式化或程序化步骤的概括性表达，对具体操作程序起着规范和统筹的作用。因此“程序”“步骤”对“方式”而言则是从属概念。

据此，本书认为，在生动和具体的道德教育过程中，德育方法可以分解为一系列具体的活动细节或组成部分，我们称之为德育方式。德育方法可以理解为具体德育方式的合理组合。由此可见，德育方法是一连串有目的的活动，它能独立完成某项德育任务，其作为一个主干性的体系，以一个独立的单位统领着内部的诸多要素。虽然，某一种德育方式本身并不能独立完成一项德育任务，但也并不能因此否定德育方式的独立意义，因为没有具体的方式，也就无法形成由这些方式组成的有联系的组合，即德育方法。同时，德育方式和方法在一定教育情境中又是可以互相转化、互相代替的。在某种情况下，一种方法是达成德育目标的独立途径，而在另一种情境中，它又可能成为带有局部工具效应的教育方式。例如，谈话法是形成一定价值观念的基本教育方法之一，但在另一种情况下，比如实施情境陶冶或讲授法的过程中，它可能只是组成整个大的德育方法的具体教育方式之一[②]。

---

① 毛雪.“办法”“方法”“方式”辨析及其词典注释问题[J].语文知识，2016 (21)：37－40.

② 檀传宝.德育原理：第 3 版［M］.北京：北京师范大学出版社，2017：241－242.

2. 德育方法与德育手段

在辞书中，对于“方法”与“手段”二者也常常不加区分，互为注释，如将“手段”解释为“为达到某种目的而采取的方法和措施”①，“办事的方法、本领”②，这也造成了不少学者将“德育手段”的最后落脚点放在方式与方法等词上，存在互相注释的现象。同时，在许多教育论著中对手段的理解也缺乏严谨性，将使用某种教学手段就命名为某种教学方法的现象较为普遍。例如，在教学中运用了多媒体，就称之为多媒体教学法，从而造成教学手段与教学方法概念间的混淆。

目前学界对德育手段内涵的理解主要分为两种：一种认为德育手段即为提高德育方法效果而采取的一切物资设备。如教科书、阅读材料、直观教具、黑板、实物等传统德育手段，以及幻灯片、多媒体、电影、电视、互联网等现代化媒介手段。这种理解更多是从教育手段出发，主要是指各种电化教育器材和教材。另一种是从德育过程出发，强调德育手段是教师传递德育内容所依赖的工具、载体或中介等物质性媒介。在当代德育实践中，常见的德育手段主要有六种，它们分别是：语言、榜样、情境、环境、体验、奖赏与惩罚③。例如，说理教育法是在利用德育手段——“语言”的基础上形成的；陶冶法的基本德育手段是环境和情境；示范法是在运用榜样这一德育手段形成的。不难看出，第二种解读把握住了德育过程的独特所在，同时该手段下其运用所蕴含的意义不仅是教育者可以掌握和把控的，而且也是受教育者可以理解的。

尽管两种理解不尽相同，但细致分析它们对“手段”的内涵所指都偏向于将其作为一种“工具”，这种工具是人借以反映对象规律，表达主体意识并改变客观对象所采取的实物或物质性媒介的集合，进一步讲是承载

---

① 夏征农，陈至立．辞海：第6版［M］．上海：上海辞书出版社，2009：2083.

② 广东，广西，湖南，河南辞源修订组，辞源：第2版［M］．北京：商务印书馆，1988：1204.

③ 黄向阳．德育原理［M］．上海：华东师范大学出版社，2000：114－146.

方法的各种符号。方法作为人类认识和实践的结果，本质上是以观念形态存在的人脑思维意识的反映，不能以独立自在的实体存在，是要借助符号来表达的，这种符号可以是文字、图画，也可以是语言、数码等，其实质都是作为人类肉体器官的延伸。这些符号在天然形态上自在地与他物相联系，但并不具有直接的表意功能，当人们在实践的历史发展中，自然或自觉选择某些符号作为方法构成的物质外壳，就使其成为可判读、可交流、可理解、可使用的工具。概言之，它们是人作用于对象时的凭借，是方法存在的外在形式，属于方法最表层结构之中的要素。而我们所说的德育手段，是符号集合化的呈现。以“文字”这种表达符号为例，文字本身作为人类文化的载体，其创造本质上是作为人类交流的工具，但原始意义上的文字对于道德教育而言并不直接具有表意性功能，经由教育者按照一定的规则或方式组织，赋予其一种具有描述性和解释性的意义后，便构成了以教科书、阅读材料或以制度等呈现的一般意义上的德育手段，从而具有传递道德知识与规范的作用。同时，方法与手段并不是一一对应的关系，一种方法可以借助不同的手段达成目标，而有时候一种方法必须同时运用多种手段。以侧重于传授道德知识的说理教育方法为例，教育者可以借助语言文字直接讲授，也可以通过树立榜样、运用事实，组织受教育者接触社会实际，用具体生动的典型实例进行说服教育。而对于道德两难故事法而言，既需要教育者借助语言带动受教育者思考，同时还需要创设两难问题情境，两者缺一不可。与此相对应，同一种手段也可以从属于不同的德育方法，为不同的方法所采用。在理解德育手段时，我们还需意识到，由于德性是在生活中、在实践中、在体验中形成的，因而仅借助于教科书、直观教具、多媒体等手段难以激发受教育者的学习动机，未能引导学生真实感受并体验道德生活。因此，在现当代德育实践中，为提高德育方法的整体效能，我们必须精选德育手段，克服道德解释中的权势专断与硬性灌输倾向，诉诸并利用如情境、环境、体验等现代德育手段，以力求实现德育活动的预期目的。

3. 德育方法与德育途径

为准确认识“德育途径”这一概念，首先要澄清“途径”的含义。仅从词语的意思上看，汉语中的“途径”具有多种含义，“路径”“通道”“路线”等均是“途径”的同义词。而在英语中与“途径”相对应的词有“approach”“channel”“path”。作为途径解释，“approach”意思是“通向一个地方的路或径”;“channel”意为“向其他人表达想法、感受的一种方式”;而“path”是“能够实现某事物的一种生活或过程的方式”①。可以看出，中英对“途径”的理解都较为丰富，这就使得研究者对“途径”有了较大的解读空间和使用范围，同时也产生了一定的模糊性。在这种情况下，在学术研究中，对“途径”进行解释和界定成为必要的工作。

结合当代人文社会科学的相关研究，对“途径”进行辨析。如《论公民道德建设的实施途径》②一文中，这里的“途径”实际上是指实施的主体，如家庭、学校、机关企事业单位等；《论思想道德教育价值的实现途径》③一文，提出了灌输引导途径和接受选择途径两种途径，这里的“途径”实际上不光包括了“路径”的意思，还有“方法”的意思；《在线信息素质教育实现途径探讨》④中提出了远程教育平台、开放式课程等路径，这里的“途径”则更多强调手段。从这些案例中可以发现，社会科学研究中的“途径”多是比喻的用法，且根据研究对象和内容的不同而具有了不同的含义。

本书主要是围绕着德育方法展开研究，因此对“途径”的理解将紧密围绕它和“方法”的关系来界定。由于方法本身的抽象性，对方法的使用

---

① 梅里亚姆-韦伯斯特公司．韦氏高阶英语词典［Z］．北京：中国大百科全书出版社，2009：69，264，1186.

② 谭明方．论公民道德建设的实施途径［J］．马克思主义与现实，2003 (2)：104 － 109.

③ 项久雨．论思想道德教育价值的实现途径［J］．教育研究，2003 (10)：46 － 51.

④ 宋琳琳．在线信息素质教育实现途径探讨［J］．情报理论与实践，2009 (6)：90 － 94.

除了需要依托一定的载体，并细化为具体方式，还需要借助各种渠道。因此，本书将能够传递德育信息和内容，连接载体和方法的通道视为“途径”。“德育途径”即实现德育目的、任务和内容的具体活动渠道、活动形式，既包括教育者主导的途径，还包括学生互相影响的途径和学生自我教育的途径。“德育方法”与“德育途径”的区别在于：德育途径是在长期的教育教学实践活动中形成的较为成熟稳定的教育组织形式，其主要特征是稳定性和独立性；而德育方法是在某种途径中的具体应用，且德育方法的使用是一项具有艺术特点的创造性活动，因而它是德育工作中复杂、多变的因素。同时，德育方法的使用会受到具体德育途径的制约和影响。一方面，途径是方法借助的渠道，是实现某一目标“路径”的抽象集合，若没有成熟的路径作为前提条件，再好的方法也都无从施展。另一方面，某一种方法可以通过不同渠道实施出来，尽管各种途径之间是有差异的，但其最终都是围绕同一目标，彼此之间具有一致性，我们所说的殊途同归正是指途径的多样性。结合 2005 年颁布的《教育部关于整体规划大中小学德育体系的意见》、2017 年教育部印发的《中小学德育工作指南》等政策文件以及相关文献著作，按照空间特点和性质特点，学校德育途径主要分为课堂教学、校内活动、校外实践、党团组织、环境育人、管理育人、辅导咨询、协同育人、网络传媒等。单一途径的作用是有限的，学校德育只有全面认识这些途径的总体构成，认识它们内部各因素的关系和各自特点，才能发挥德育途径的整体效益。

三、德育方法的意义与功能

德育活动由诸多要素构成，如作为德育要素的德育目标、德育内容、德育方法、德育环境、德育管理等；作为德育主体的教师、学生等，而整个德育活动就是由这些要素协调运转、相互配合，最终达到预期德育效果的过程。在整个过程中，德育方法是其关键构成要素之一，它不仅是实现德育目标的基础，而且还是组织德育内容，构建德育活动的基本工具。同时，在德育活动中，德育方法是衔接德育过程的两大主体（教师和学生）、调控德育活动过程、决定德育活动效能的能动要素之一。具体而言，德育方法的功能集中体现在三个方面：

其一，德育方法是实现德育目标的基础。

德育目标是教师和学生通过德育活动所希望达到的预期结果，是整个德育过程的“灯塔”。然而，德育目标具有一定主观性，需要道德教育方法的参与，才能将其付诸实践并产生具体的实践形态。通过组织德育内容、利用德育资源、协调德育影响等方式，德育方法将德育的主观目标转化为生动、具体的德育活动，从而直接对学生产生现实影响。纵观我国德育的历史发展脉络，我们可以清楚地看到，无论在古代还是现代、战争时代还是和平环境下，正确的德育方法是实现德育目标、促使德育活动顺利开展的前提。然而，由于缺乏正确的德育工作方法，往往使德育工作陷入被动，甚至导致消极的后果。所以，德育方法是德育目标必须依靠的力量。缺失了德育方法，德育目标对德育实践的导向功能、调控功能难以体现。

其二，德育方法是“激活”德育内容的重要工具。

德育目标的实现需要德育方法，德育内容的“激活”也需要德育方法的参与。德育内容是国家和学校及德育工作者根据不同阶段的德育目标，以及受教育者思想道德发展的特点与规律所选择的用以培养学生思想道德素质的以观念形式存在的各种信息的总和①。德育包含着丰富的内容，这些内容并不是简单机械地相加或组合，而是多类型、多向度、多层次地构成一个内容体系或系统。在这些丰富的德育内容中，其中的道德精神、道德观念和道德意识却是潜在的，它需要教师和学生用自己的智慧去诠释和理

---

① 易连云．德育原理［M］．武汉：武汉大学出版社，2010：133.

解，揭示道德教育的意义。只有这样，德育内容的教育功能才能得到体现。这个过程就是对德育内容进行“活化”与“解释”的过程。德育方法的功能之一就是激活静态的德育文本和动态的德育活动内在的德育意义，并将其转化为能够直接促进学生发展的教育影响。

其三，德育方法是将教师与学生关联起来的桥梁。

根据现代道德教育理论，德育过程的本质是教师和学生在道德学习过程中的相倚性和共在性。因此，如何使教师和学生在德育活动中紧密联系，是德育活动有效开展的关键所在。德育方法就是将师生关联起来，使之相互沟通的一种方法。从某种意义上说，这种联系和沟通是否畅通，是德育活动能否顺利有效进行的重要因素。良好的德育方法可以加快师生互动的频率，提高师生之间的沟通水平，加强德育信息的流动，从而提高学生的道德学习质量；相反，德育活动就会受阻，德育过程就可能会受到影响，道德教育的效能也会降低。

第二节　德育方法的分类和运用

德育方法的分类是德育方法研究中的重要问题。所谓“分类”，是以对象的本质属性或显著特征为根据所做的划分，具有相对稳定性和科学性的特征[①]。历史上，对德育方法的分类研究关注到不同时期德育活动的特征，以及德育主体、德育目标等要素的现实发展，有较为丰富的研究成果。对德育方法的分类认识，有助于了解不同方法的普遍性和特殊性，掌握其特点、应用范围及规律，以自觉地运用各种方法达到预期的德育要求。

---

① 夏征农，陈至立．辞海：第 6 版［M］．上海：上海辞书出版社，2009：606.

一、德育方法的分类

（一）已有德育方法的分类研究

20 世纪四五十年代苏联教育理论界对德育方法的论述，对我国德育方法的研究产生了深远影响。1948 年凯洛夫著《教育学》把德育方法分为说服、练习、儿童的集体组织、奖励和惩罚等几种[①]。这样的分类比较简单，且没有明确的划分依据，把儿童的集体组织混同于方法也是不妥的。20 世纪 50 年代包德列夫认为，对方法的分类是"很困难的"，但指出各类方法有各自的特点，并把它们分为教育手段、教育方法、教育方式三类。他认为，教育手段"是保证形成学生的道德品质、性格特征、行为技巧和行为习惯的基本活动形式"，包括教学、社会生产劳动、社会工作、游戏、体育运动和课余表现等形式。他所说的道德教育方法，"是对学生发生教育影响的各种方式的总和，是借助各种不同的、相互联系的道德教育方式对学生产生教育影响的办法"，常见的教育方法有说服、练习、奖励和惩罚等。此外，"教育方式是道德教育方法的一个组成部分。例如，说服的方式有论理性谈话、报告和演讲、辩论会和读书会"[②]。在前人经验的基础上，1986 年巴班斯基编写了《教育学》，把德育方法分为作用于学生的意识、情感和意志的方法；组织活动和形成社会行为经验的方法；行为与活动的鼓励方法三种类型，每一类中又包括若干子方法[③]。

关于德育方法的分类问题，在我国德育研究中大致呈现以下三种情况：

---

① 包德列夫．学生的共产主义道德教育［M］．李渊庭，译．北京：人民教育出版社，1958：50.

② 同 ① 50−51.

③ 巴班斯基．教育学［M］．李子卓，等译．北京：人民教育出版社，1986：374.

1. 直接陈述具体的德育方法

关于德育方法的分类问题，在我国的早期德育研究中没有引起人们的注意，多数学者不提分类标准，直接陈述德育方法。大多提及六种分类方法：说理教育法、情感陶冶法、实际锻炼法、榜样示范法、修养指导法、品德评价法。

2. 在已有分类基础上提出了新的分类方法

20 世纪 90 年代以后，德育方法的分类问题逐渐引起学者们的关注，研究开始呈现出系统性、全面性的特征。其中，比较有代表性的观点如下：

受苏联巴班斯基《教育学》的影响，多数学者意识到在实践中具体的德育活动都是有一定目标上的侧重点的，因此从德育方法赖以使用的手段和具有的功能这一角度进行划分，将德育方法分为侧重于提高受教育者道德认识和道德思维能力的方法；侧重于增进道德体验、培植道德情感的方法；侧重于养成道德行为习惯的方法；侧重于受教育者自我道德修养的方法；侧重于对受教育者品德进行评价的方法。这种分类是对早期研究中所提及的六种分类方法的系统化呈现，也是在德育方法研究中出现最多的分类方式，但各个学者对侧重培养目标下的具体方法，以及方法所体现的方式和手段的认识有所不同。

从系统论、信息论的观点出发，陈利提出了以传递符号、传递方式、传递方向、传递载体为标志对德育方法进行分类[①]。

崔相录主编的《中小学德育方法》以德育工作对象的共性、特性和个性为根据，将德育方法划分为划一教育的方法、类别教育的方法、个别教育和生活指导的方法。其中，划一教育的方法按照多数德育工作者的思考方式以及受教育者心理发展的共性，又可分为借助理性的、情感的、意志的、示范的、实践的、制度的六种方法，各维度下又依据借助的手段和

---

① 陈利．关于中小学德育方法的分类［J］．教育科学，1990 (4)：38 － 43.

具体方式不同划分为各子方法群[①]。

在前人分类的基础上，孙国瑞在《德育科学方法论》一书中尝试构建德育方法体系，重点关注了德育科学方法论的理论基础、规律、原则问题，在方法上大体可分为自我教育和修养的方法以及德育教育的方法。与此同时，不同于其他学者直接论述德育的实施方法，该书从教育者认识过程的角度着手，将德育方法又分为道德教育的决策方法体系、道德教育的具体方法、德育效果评估方法、德育教育总结方法[②]。

早在20世纪80年代，国内学者就提出德育中应用暗示法问题，主张明示法与暗示法结合。1994年出版的《德育新论》一书中论及“德育方法分类”时，再次提出德育方法从其对受教育者影响作用的特点与心理机制看，又可分为明示教育方法和暗示教育方法两类。认为明示法和暗示法是德育方法的两个方面。但在以往的德育理论和实践中，主要是研究和运用明示法，而忽视了暗示法的研究和运用。此书对暗示法的优点做出了肯定，并认为暗示法的具体运用有多重形式，包括语言暗示法、榜样暗示法（行为暗示法）、权威暗示法（信誉暗示法）、艺术暗示法、情境暗示法、气氛暗示法、活动暗示法以及自我暗示法等[③]。

从现代教育是教育者施教和学习者自教二位一体的教育观出发，赵志毅于1996年在班华主编的《现代德育论》一书中提出德育方法分类的新尝试，将现代德育方法分为自我教育的方法与指导教育的方法两大类，并全面论述了自我教育与指导教育的内涵及其所包含的各类具体德育方法。自我教育的方法，强调受教育者在自我意识基础上产生进取心，并向自己提出道德学习任务，具体包括自我认识、自我体验、自我控制、自我评价、自我修养以及自我批评等。而教育者指导教育的方法，强调受教育者在教

---

① 崔相录．中小学德育方法[M]．延边：东北朝鲜民族教育出版社，1991：53－93.
② 孙国瑞．德育科学方法论［M］．北京：光明日报出版社，1994：273－319.
③ 鲁洁，王逢贤．德育新论［M］．南京：江苏教育出版社，1994：317－320.

育者的指导下达到预期的德育目标，具体包括说理教育法、榜样示范法、陶冶教育法、实际锻炼法、品德评价法、生活指导法和心理咨询法[①]。

苏振芳在其所著的《道德教育论》一书中，对德育方法分类研究的已有成果进行了梳理和反思，指出德育方法的 10 种分类方法：一是从德育过程角度进行的分类，主要有收集道德信息的方法、分析道德信息的方法、处理道德信息的方法、检验德育效果的方法、确定德育目标的方法、建立德育保证体系的方法和培养德育队伍的方法；二是以使用的方法在现代科学系统中应用的范围作标准进行的分类，主要有世界观意义上的方法论、应用于某一领域或某一学科的特殊方法和个性方法（具体方法）；三是从方法的产生和发展阶段进行的分类，主要有传统德育方法和现代德育方法；四是从方法来源的不同途径进行的分类，主要有来自德育过程中创造的方法、移植的方法和借用其他学科的方法；五是从德育领导的角度进行的分类，主要有道德方法、决策方法、管理方法、工作方法、选人用人方法和组织方法；六是依据心理学和教育学方法功能进行的分类，主要有说理方法、感化方法、示范方法、扬长避短方法、预防方法、矛盾转化方法、对症下药方法、循序渐进方法、自我教育方法、群众帮助方法和舆论宣传方法；七是依据方法本身的不同功能和作用进行的分类，主要有说服教育法、对比法、熏陶法、示范法、竞赛法、褒贬法、调查法和修养法；八是根据德育工作对象的共同特点进行的分类，主要有正面引导的方法、比较借鉴的方法、感情陶冶的方法、实践锻炼的方法和批评与自我批评的方法；九是从过程与系统的整体出发，把德育方法全部纳入方法分类系统表，使分类有利于德育方法的择优和运用，主要有计划制订与决策方法、刺激道德活动与完善认识方法、激励内在动力与完善信念方法以及检查、调节、控制和总结方法；十是从德育过程的基本顺序和德育方法的功能进行的分类，

---

① 班华．现代德育论［M］．合肥：安徽人民出版社，1996：191－200.

主要有道德信息获得法、道德信息分析法、德育决策法、德育实施法、综合德育法，德育的检查调节与总结法和教育者自我提高法①。

詹万生在其所著的《和谐德育论》中提出了依据不同德育途径划分德育方法，认为应从课程类、组织类、环境类、管理类、辅导咨询类、传媒类等各条途径入手整体构建德育方法体系，并重点对课程类和管理类两类途径中的德育方法进行了详细研讨②。在此之后，易连云所著的《德育原理》也以德育途径为主要纬度，结合内容、手段、目标等纬度介绍了当前我国中小学德育的基本方法，分别为讲授法、讨论法或辩论法、陶冶法、自我教育指导法、疏导法、评价法以及活动法③。

针对德育方法的各种分类方案比较零散且不一致的现象，张忠华提出了加强德育方法分类研究的设想。他认为“德育方法分类应从两个维度进行思考，一是德育方法的纵向分类（层次分类）；二是德育方法的横向分类（类型分类），两个维度交叉形成德育方法论的立体体系。就纵向而言，德育方法论可以分为德育哲学方法论、一般具体的德育方法论、德育具体方式的方法论。这种方法论反映了从抽象到一般到具体的思维路径。从横向来说，就学校教育活动而言，有教学活动、课外活动、后勤服务活动和校园环境营造活动几个方面。其德育方法可以分为德育教学方法论（包括德育课程教学方法论、其他学科教学渗透德育方法论）、课外活动德育方法论、管理服务活动方法论和校园环境熏陶方法论等方面”④。

当前，由于中小学生心理问题越来越突出，不少学者如韩传信、王荣德等人将心理咨询法补充作为新形势下思想道德教育新的方法⑤。此外，由

① 孙振芳 . 道德教育论［M］. 北京：社会科学文献出版社，2006：66－68.

② 詹万生 . 和谐德育论［M］. 北京：教育科学出版社，2008：232－233.

③ 易连云 . 德育原理［M］. 武汉：武汉大学出版社，2010：145－157.

④ 张忠华 . 我国新时期德育方法的研究与反思［J］. 教育学术月刊，2010（4）：55－59.

⑤ 韩传信 . 德育原理教程［M］. 合肥：安徽大学出版社，2009：136；王荣德 . 现代德育论［M］. 北京：中国社会科学出版社，2016：206.

于传统的德育方法表现出诸多弊端，使得当前德育工作面临诸多挑战。部分学者借鉴心理学、经济学、伦理学乃至物理学等相关学科理论丰富了德育方法的分类，提出了如无意识教育法、登门槛技术法、利益调节法、自发对称破缺法等新型德育方法[①]。

3. 以德育方法的概括程度为依据，构建德育方法体系

对于教育者来说，以德育方法的概括程度为依据来区分德育方法，对于理解、把握德育问题具有重要意义。在这里，有必要扼要介绍有关德育方法的此种分类。

在《德育新论》中，鲁洁、王逢贤首次提出以概括程度为依据对德育方法进行分类的方式。按层次将德育方法分为三种类型：第一层次作为指导思想的方法，第二层次作为德育方式总和的方法，第三层次作为具体操作技能的方法。其中，作为指导思想的方法，带有方法论意义，是概括了德育实践经验、反映了德育规律，为实现既定的德育目标必须遵循的一些基本准则，也就是通常所说的德育原则。根据学习者思想品德的规律和德育过程的本质特性，通过对我国德育实践的经验总结，理论界概括出许多德育原则：坚持共产主义方向性和社会主义现实性；知行统一；正面教育与纪律约束相结合；发扬积极因素，克服消极因素；热爱尊重与严格要求相结合；集体教育与个别教育相结合；因人因境施教；以身作则；教育影响的连续性与一致性等。第二层次作为德育方式总和的方法，即多数学者论述德育方法时所提及的六种分类方法：说理教育法、情感陶冶法、实际锻炼法、榜样示范法、修养指导法、品德评价法。第三层次是作为具体操作技能的方法，属于这一层次的德育方法又称德育方式。例如，说理教育这一方法可以包括通过语言文字、事实、榜样等不同的方式，语言文字的说理方式又包括讲解、报告、谈话、讨论辩论、阅读书籍报刊等具体形

① 冯文全．论新时期学校德育方法的变革［J］．中国教育学刊，2005 (5)：16－20＋24.

式[①]。

在此之后，相继也有不少著作提及这种分类方法，如郑航所著的《学校德育概论》、刘秋梅编著的《学校德育论》、周玫主编的《德育与班级管理》等。在这些著作之中，值得注意的是，李康平主编的《德育发展论》认为，对德育方法分类要根据时代的特点和德育目标、德育内容的变化，把握德育基本方法的内在规律，并构建了以德育哲学方法、德育原则方法、德育具体方法三个层次间有序衔接、动态发展的现代德育方法体系。其中，德育哲学方法，主要指世界观和方法论层面，具体地说就是唯物辩证法。德育原则方法，是一定的德育理论体系的集中、概括和规定化，但不是一套具体的程序和操作方法。对于一个具体的德育方法来说，在它之上至少有一个德育原则起着支配和制约的作用。这一层次的方法可等同于鲁洁提出的第一层次作为指导思想的方法。关于德育具体方法，该书认为应当依据德育的不同过程，划分为德育的认识方法、德育的决策方法、德育的实施方法、德育的调节评估方法、德育的研究提高方法等等[②]。檀传宝主编的《德育原理》也将德育方法从抽象程度上进行划分，分为方法论意义上的德育方法和具体做法上的德育方法，但其方法论意义上的方法并非指向德育原则，而是重点探讨了启发法、塑造法、雕琢法、树人法、系统或综合法五种理念性的德育方法[③]。

（二）已有德育方法的分类研究述评

从已有成果可以看出，研究者在德育方法分类方面进行了卓有成效的探索。开始关注方法的分类分层问题，意识到德育方法与策略的选择与确定背后，有着德育理念的支撑，而不只是技术性问题。其次，对具体方法

① 鲁洁，王逢贤．德育新论：新世纪版［M］．南京：江苏教育出版社，2002：388－400.
② 李康平．德育发展论［M］．北京：中国社会科学出版社，2004：122－123.
③ 檀传宝．德育原理：第3版［M］．北京：北京师范大学出版社，2017：246－249.

下的德育方式论述逐渐细化，能够将现代德育手段与途径融入到已有方法体系中。但尽管如此，在德育方法分类的问题上，目前的研究依旧存在一些局限和逻辑上有待进一步讨论的问题，这种局限是由于研究者对方法的内涵，对德育目的、内容、过程与德育方法选择的分类分层问题方面的认识存在差异造成的，使得学界在德育方法分类的认识上存在着较大不同，且这种矛盾在如今德育方法分类研究中仍需给予关照。

第一，对某一方法所具有的功能存在分歧。例如，我国德育学、教育学教材或论著提及的"榜样示范法"，部分将其放入说服教育之中，也有研究认为这是侧重于激发道德情感的方法，还有的将其作为一种综合性方法。

第二，对培养同一目标下所涵盖的各种方法的称名与理解有所不同，以及对各种方法下所体现的方式和手段的认识也有较大差距。在此以同样是侧重培养道德行为的方法为例。孙国瑞在《德育科学方法论》中将其分为劳动教育方法、参观访问和社会调查方法、社会实践方法、军事训练方法；檀传宝所著的《德育原理》称之为行为训练法，分为道德实践与奖励与惩罚两种方法，其中道德实践又分为模拟活动、社会实践与日常规范训练；郑航编著的《学校德育概论》将其分为实际锻炼法、行为训练法、社会学习法；而易连云所著的《德育原理》则是以途径为主要维度进行的划分，既包括校内活动育人中的模拟活动、文体活动、纪念或庆祝活动、主题演讲或辩论、集体劳动等方法，又包括校外活动育人中的参观、访问、调查与实际锻炼等方法。

第三，对"方法"一词内涵的理解存在差异。如针对"社会实践活动"有学者将其作为德育方法理解；有的作为德育途径理解。又如在论到我国古代德育遗产时，大多把"知行统一""因材施教""长善救失"等作为德育方法。而目前的教育学，德育学论著一般把这些作为"德育原则"加以论述。通过分析方法的内在构成可知，原则应该是方法所遵循的指导思想，是"方法"的上位概念，原则下应该还有具体的方法，但如果把原则看成方法，就穷尽方法，没有下位概念。同时，方法应易于操作，而把原则当作方法来使用就难以实施和实现。研究过西方发达国家教育方法的研究者会发现，他们所说的方法都比较具体，如赫尔巴特提出的教学过程四阶段论（明了、联想、系统、方法）；杜威根据“做中学”原则提出的具体教育步骤与方法；斯金纳的程序教学法；布鲁姆的掌握学习法；奥苏伯尔的先行组织者方法等等。除此之外，在近些年出版的由德国道德心理学家格奥尔格 · 林德所著的《怎样教授道德才有效——德育心理学家给教师的建议》一书中，提供了培养学生道德能力的两种方法——康斯坦茨两难困境讨论法与公正社区方法，这两种方法都有具体的教学原则与操作步骤，并给出了检验两种活动效度的方案[①]。由此可见，受实用主义思想的影响，西方发达国家提出的教育方法、德育方法都相对具体，且能够操作与评鉴；而中国传统教育注重的是以内隐、渗透的方式将合理的道德规范理念融入到人们的日常学习和生活之中，彰显的是用主流意识形态的道理、理论实施道德教育的方式。

第四，学界所提出的某些方法并非专指道德教育方法。目前，相较于道德教育领域，我国思想政治教育的发展已较为成熟，出版了多部专门研究思想政治教育方法的著作，思想政治教育方法论已形成了比较公认的以认识论为逻辑基础建构的思想政治教育方法体系。可以看出，我国部分学者在研究德育方法时，尝试直接借鉴思想政治教育的某些方法，并以思想政治教育方法论的已有思路和成果尝试构建德育方法体系。前文已有论述，道德教育与思想政治教育无论是在所体现的价值形态还是教育过程都存在较大区别，因而在实施上也应各自经由相应的途径才可能实现，但现有的德育方法研究却很少探讨德育概念的内涵和外延、德育所要达成的目标等原初性问题，更多是铺设一些或许可以实现德育涵盖的所有目标的“通道”，

① 格奥尔格 · 林德 . 怎样教授道德才有效：德育心理学家给教师的建议［M］. 杨韶刚，等译 . 北京：中国轻工业出版社，2018.

而非指向各种既定目标的“专线”，将各种方法放在一起一概而论，这导致现有的德育方法看起来琳琅满目，令人目不暇接，但冷静思考后却发现特定的方法与其所要达到的目标之间缺乏直接的、具体的关联。事实上，任何“方法”若不与目标相联系，任何“活动形式”若不成为某种活动内容适当的外在形式，都失去了其本身的意义。惟其如此，在德育方法分类研究中有必要厘清现代意义上的“德育”概念，明确德育目标所指，若采用广义上的德育概念，需要基于各项教育自身的逻辑，分别确立不同的目标内容方式方法体系，才可谓是教育研究的专业思考。

（三）本书对德育方法分类的设定

本书的研究任务是基于相关文献基础，梳理和呈现我国德育方法的历史发展、变化与进步。这一任务需要基于已有研究成果对德育方法进行再分类，以支撑对相关文献的再研究。结合前人已有研究，我们认同以德育方法的概括程度为依据来区分德育方法，这是因为这种分类方式关注到方法论意义上的德育方法，它对具体的德育方法的思考与应用具有重要的指导意义。然而在实践操作中，我们常常注意后者，而忽视了前者。至此，本书尝试将德育方法的分类体系自上而下分为以下三个层次：作为指导思想的德育方法，作为德育方式与手段总和的方法，作为具体工作策略、操作技能的方法。

1. 第一层次：作为指导思想的德育方法

作为指导思想的德育方法，其实就是一定德育理论体系的集中、概括和规定化，其概括性、统摄性程度高。从功能角度方面说，它不是具体指导某项德育活动如何开展，不是为某一次德育活动提供具体的操作程序与技术，但它对各种德育活动具有普遍的指导意义，是确立德育方法的理论依据，是在实施具体德育方法前须考虑的问题。目前学界对这一层次的方法多定位在为实现既定德育目标必须遵循的一些基本准则，即通常所说的“德育原则”。但仅将一些德育原则作为指导思想的方法并不能全面反映出这一层次对德育方法普遍概括性的指导意义。首先，原则在方法的内在结构中属于中观层面的要素，德育原则作为一种人们对德育的主观要求与愿望，有明显的价值倾向，其在根本上还受到方法结构中的根本内容——客观规律所决定，正确的德育原则本质上也是依据德育过程的规律提出的，因而绕过德育过程的规律问题直接谈德育原则不利于教育者把握德育过程的本质，也就难以在应用德育方法时做到科学合理。其次，目前学界所列举的诸多德育原则并未体现出德育过程的独特性，也很难反映出新世纪德育的时代走向。为全面体现出第一层次的方法对整个德育方法的应用具有导向性、约束性的方法论意义，并在逻辑上清晰合理，本书认为这一层次应关涉德育过程的规律、德育理念与德育原则等方面。

2. 第二层次：作为德育方式与手段总和的方法

作为德育方式与手段总和的方法，是指以某种标准或特性，对作为承载方法各种符号的集合（德育手段）、方法具体的活动细节或组成部分（德育方式），以及与此相应的一系列形式化或程序化步骤策略的合理组合，概括而成的一类方法，即通常在研究中所提出的德育实施方法，如说理教育法、情感陶冶法等。德育方法的第二层次与第一层次相比，它概括化程度较低，是对方法指导思想的具体运用和表现形式；但又比第三层次的方法概括化程度高，统筹规范着方法在实际运用中的具体操作程序与操作技巧。目前国内的德育学、教育学论著，有关德育方法的分类研究主要体现在这一层级上，已有分类研究从多学科、多角度提出了对德育具体方法分类的构想，提出了诸如按照方法的功能、实施途径、德育对象的主体作用、共性与特性等分类标准，分类标准的不一样，可能就会导致对具体德育方法的列举不同。

从个体品德发展的过程来看，人的思想品德的形成是在外界多种多样的影响下，通过自我体验感悟、主动建构生成的。这其中整个活动过程变化的态势是先由教育者指导教育开始，通过传授知识技能引发自我教育萌芽，并最终导向学习者自我消化、自我实践、自我建构。与此同时，现代教育观认为，教育是一个积极的、人性化的范畴，体现着对学生能力、人格的尊重。因此，现代德育方法的运用是与培养学生自主人格，促进学生个性化发展联系在一起的。正是从上述理论出发，本书在第二层次的分类中将以教育场域中一组最基本的关系“教师－学生”为主要切入点，按照教育者与受教育者双方作为德育主体的介入程度，划分为由教育者施教为主导的指导教育方法和以受教育者自我主动建构为主导的自我教育方法两大类。在指导教育的方法中聚焦了说服教育法、情感陶冶法、活动育人法三类德育方法专题；在自我教育方法下，聚焦了自我修养法和实践锻炼法两类德育方法专题，这五类方法专题下又会有一些指向微观实践领域更灵活、更细致的德育方法群。需要指出的是，将德育方法分为自我教育与指导教育的分类只是相对的，这种划分更多是从理论思考的结果，是从原理性的角度对德育方法进行划分。事实上，在生动、复杂的教育实践中，指导教育和自我教育是紧密相连，互相交叉影响的，没有离开自我教育和自我参与的指导教育，也没有独立于指导教育之外的自我教育，德育工作者应做到全面理解与灵活运用两种方法。

3. 第三层次：作为具体工作策略、操作技能的方法

第二层次的方法（作为德育方式和手段总和的方法）经历了从具体到抽象的过程，具有广泛的意义，但其实际的应用，又需经历一个相反的过程，即从抽象到具体，这也就是第三层次的德育方法。作为具体工作策略、操作技能的方法，体现的是德育工作者在具体德育活动中的操作程序与技巧。在德育方法的分类体系中，操作程序位于基层位置，通过设计某一种或多种手段或方式的操作步骤作用于德育过程，对认识和解决人的思想行为问题发挥着重要作用。同时，由于德育工作的复杂性和独特性，还应注意德育方法的操作技巧，即运用某一种或多种手段、方式时体现出的操作技艺和技法，强调对手段或方式具体操作的灵活多样性，这是教育者在长期教育实践中的经验积累与实践智慧，是德育艺术性的体现。对于这一层次的

讨论将在本书第三至七章中每章的最后一节、指向实践微观领域的具体方法中予以重点说明。

（四）作为指导思想的德育方法

作为指导思想的德育方法，也就是德育方法的指导思想。本书认为，这一层次应深刻反映德育过程的规律、德育理念及德育原则等方面，德育方法的使用，应当以遵循这些规律、理念、原则为基本前提。

1. 关涉德育过程的规律

研究德育方法的指导思想，首先需要弄清德育方法所内含的规律问题，而德育方法作为德育过程的关键构成要素之一，因而研究德育过程的规律就成为首要任务，它既是人们制定德育目标，提出德育理念与原则的根本依据，也是教育者从事德育实践，实施具体方法有效性的重要保证。

在对德育过程规律的研究中，学者们以不同的理论为依据，从不同的视角提出了许多看法。如学生思想品德的形成是知、情、意、行的培养过程；德育过程具有多端性；德育过程的实践性和社会性规律；德育过程的教育与自我教育相结合的规律；德育过程的反复性和渐进性规律。这些观点有的将德育过程的特征当作德育过程的规律，有的将德育的实践原则作为规律，不难看出，学界目前对德育过程的规律的研究尚存在较大的争议。基于此，范树成在《德育过程论》一书中基于对“规律”内涵解读的基础上详细讨论了德育过程的规律问题。“规律”原意上是指自然界和社会诸现象之间必然、本质、稳定和反复出现的关系，它所表明的是一种联系或关系范畴，必须有两个或两个以上的要素单位构成，且规律作为一种客观存在，不以人的意志为转移，是客观事物发展过程中的本质的、必然的联系。在对德育过程中存在的诸多因素及其相互关系进行系统分析之后，德育过程的基本规律主要包括两条：一是德育活动与受教育者思想品德发展相互制约的规律，二是德育过程及其构成要素与社会历史条件相互制约的规律[①]。德育方法的运用应首先把握这两条基本规律。

对德育方法而言，第一条规律揭示的是德育方法的运用与受教育者思想品德发展之间本质的、必然的联系及其矛盾运动的必然趋势。首先，德育方法影响着受教育者品德发展的水平和速度。教育者既要认识到适合受教育者思想品德发展水平的德育方法，可以促进受教育者思想品德的发展，也要认识到不科学的方法对受教育者思想品德的发展收效甚微，甚至产生负向影响。其次，受教育者的思想品德发展状况也影响着德育方法的选择。例如，小学阶段，儿童以形象道德思维为主，模仿心理较为突出，且情绪情感易受感染，所以小学德育运用语言讲述、榜样示范、情感陶冶比较多，而运用演讲、辩论、自我修养等方法很少甚至不用。而当学生步入青少年，会经历一个明显的自我意识凸显的时期，此时道德思维开始形成，他们会不自觉地对自己的内心和行为作出反思、反省，开始有意识地评价自己的思想品德状况，并且会不自觉地约束自己的行为，因此对于这一时期的学生而言，最适合的德育方法则是讨论法、自我教育法、行为训练法等。

第二条规律对德育方法揭示的是社会历史发展状况（如社会生产力、政治经济、文化传统等）制约着德育方法的选择，同时德育方法的运用也会对社会历史发展具有反作用。以政治模式为例。所谓政治模式是指“社会政治制度与政治结构的形态以及由此表现出的政治特性”[②]，在古今中外大体上可以分为专制型与民主型两大类。不同的政治模式决定着不同的德育方法，德育方法的使用一定程度上受到政治模式的制约并与一定社会的政治模式保持一致。正因如此，我国古代奴隶社会和封建社会专制体制下的德育方法带有明显的“专制”色彩，强制灌输、机械输入是常用的德育方法。而随着社会的发展，专制模式开始向政治民主模式转变，因而以启发、

① 范树成．德育过程论［M］．北京：中国社会科学出版社，2004：71－102.

② 鲁洁．德育社会学［M］．福州：福建教育出版社，1998：351.

激励、说服等与民主政体相适应的德育方法开始不断涌现。其次，德育方法的使用也会对政治制度产生影响，主要表现为加速或延缓政治制度的发展，维护或改变现存的政治制度。但这种影响并不是由德育方法单个要素发挥影响，而更多是由德育过程各要素相互作用整体发挥效果。

2. 反映德育理念与德育原则

教育者运用德育方法不仅需要把握德育过程的规律这一客观性、实然导向的要素，还需要在此基础上形成对德育发展指向性的理性认识，即对未来德育发展或德育面貌的一种理想期望，是一种对德育"应然状态"的把握。而德育理念和德育原则解决的正是此类问题。德育理念是指"人们经过长期蕴蓄而形成的关于德育发展的一种理想性、精神性、持续性的相对稳定的价值追求，是德育的根本指导思想"①，是作为一种指向德育发展未来的价值追求和精神范型，对推动德育实践、开展德育工作具有思想前瞻性的指导意义，是教育者选择、运用德育方法的行动理念。近二十年我国德育学界的理论工作者对德育问题不断深入探究，通过对德育实践经验的概括和升华，总结抽象出了如终身德育、和谐德育、生态德育、人性化德育、民主化德育、具身德育、整体性德育等具有更高指导意味的理论层面的德育理念，并在此基础上又提出了主体性德育、生活德育、情感德育、体验性德育、制度德育、活动德育、公民德育等指向现实德育问题实践层面的德育理念，这两者的区别在于，"理论层面德育理念重在探索和回答'德育是什么'的问题，而实践层面德育理念则重在思考和解决'如何进行德育'的问题"②，是德育理论工作者与实践工作者面向实践进行理论思考而形成系统理性认识的结果，更注重对德育实践发挥指导作用。但总体而言，这些理念都是德育工作者经过长期德育实践和理论探索而形成的关于德育本质、德育价值的根本性看法和观点，共同反映了我国新世纪德育发展的

---

① 赵勇.论德育理念的内涵、分类与建构[J].学校党建与思想教育，2013 (22)：31－33.

② 张典兵，赵志恒.德育理念的本质、分类及形成[J].湖北社会科学，2013 (9)：176－178.

走向与主流价值取向，对我国当前德育改革和德育实践产生了深远影响。

德育原则是对教育者在德育过程中应用德育方法提出的要求。相较于德育方法规律及德育过程特征而言，德育原则和德育理念相似，是人们对德育的主观要求，有明显的价值倾向，表达的是人们的愿望。但德育原则与德育理念又不同，原则不是教育活动的最高理想，而是教育活动的基本要求，同时它是对理念的具体化，侧重于操作层面，对德育方法的运用具有更直接的指导性作用，对于一个具体的德育方法来说，在它之上至少有一个德育原则起着支配和制约的作用。现当代我国教育学、德育学研究中提出了多种德育原则，在这些德育原则中，有的是在对德育过程规律自觉认识的基础上提出的，有的是依据实践经验提出的；有些原则带有时代性，同一定的德育目标、德育理念相关，有些原则并不反映时代的特点，如“循序渐进”“因材施教”等原则，不同时代为了不同教育目的都可以采纳。

尽管这些具体的德育理念与德育原则在侧重和表述上不尽相同，但都是在特定德育实践中通过分析德育现实，借鉴先进教育理论、德育理论，经过对德育过程规律的觉察而形成的对德育发展具有指向性的科学认识，是德育深层次改革的需要，也是德育方法在应用时的指导思想。这些已有的理念与原则在现有的教育学、德育学论著中已有较多论述，因此本书对这些若干理念与原则所共同体现出的指向性作一些说明。

（1）方向性

道德教育的方向性本质上指向的是德育的目的目标问题。现代德育观认为，道德教育本质上应坚持社会取向与个体取向相结合的辩证观点，即德育是道德教育规范与个人德性发展相统一的过程。社会取向与个体取向实质上是两种不同的道德教育观。社会取向的道德教育将社会、政治、经济的发展作为道德教育的出发点和归宿，重视如何将社会的思想、道德规范转化为个体的思想意识和行为习惯，以保证社会秩序的稳定与和谐运转，在这种理念下，德育的目的在于使个体接受既定的道德规范和道德内容，在德育目标的设置上也趋向于以社会的要求和标准囊括学生的个体道德需要，用统一的标准来衡量个人的道德行为，因此往往忽视了个体自我完善的需求。随着我国改革开放进程的深入，以及中国由计划经济向市场经济转型所带来的冲击，传统社会取向的道德教育理念已难以适应，个体人格要求由计划经济下的被动人转向主体人、自由人，因此以人为本的个体取向的道德教育理念开始引起人们的关注。个体取向的道德教育强调人自身生存发展的意义和价值，重视教育对人的发展性功能，主张将个体德性的完善作为道德教育的目的和归属，但这种理念导向也往往存在由于弱化道德教育本身的规约功能，引起德育中的相对主义，致使个体道德责任感和义务感降低。概言之，社会取向与个体取向的关系，反映的正是道德教育过程中内化与外化相互依存、相互制约的关系。而科学合理的德育目标应该将两种不同的指向结合起来，既要回应社会的发展需要，也要注重个体自我发展的需求；在方法上既要注重对个体外在行为的调控和规约，也要注重道德教育的人文关怀与个体德性的自由发展，不断寻求两种价值取向之间的平衡与张力。

（2）主体性

如果说道德教育的方向性理念是由社会教育目标所客观决定的，那么道德教育的主体性理念则是由道德本身的主体性特殊本质所决定的。道德是人的道德，对于人而言，是为人的需要而产生的，它“不是社会对付个人的工具，而是在个人与社会之间造成一种特殊的关系，这种关系不是压制人的，相反，它保证个人获得肯定和发展自身的条件”①。惟其如此，道德的真正存在是以个体的认可和自觉服膺为前提的，如果没有主体自愿接受道德的约束，道德就不能发挥其应有的规范和约束作用。然而，在历史发展的一定阶段，“我们把道德作为调节人与人之间、人与社会之间关系的行为规范，作为社会的一种意识形态，因而把道德混淆

① 冯建军．人的道德主体性与主体道德教育［J］．南京师大学报（社会科学版），2002(2)：84－89.

于政治伦理,成为凌驾于个人之上的外在统治力量”①。建立在这种道德观下的道德教育，特别强调个人从属于集体，从属于国家，忽视个体道德的自主性，推行的是秩序化的道德约束，以奖惩、评定为道德教育形式，培养出来的更多是一种缺少反思意识，循规蹈矩式的单一型人格。而在当今这种价值多元、冲突的社会,以往教会顺从、听话的教育已不合时宜,取而代之的应当是教会学生如何面对冲突并作出最恰当的选择。正因如此，主体性道德教育的提出既是道德教育过程规律的客观要求，同时也是基于对社会现实问题的反思，对传统道德教育忽视学生主体地位，忽视培养学生自主精神的回应与纠偏，强调的是要站在受教育者发展的角度进行道德教育实践反思。贯彻主体性道德教育的要求，要站在个体发展的角度，真正把学生作为确实的道德主体，教会学生能够在真实情境中自主选择，培养其能够独立作出道德判断的能力，使之成为能够自我约束、自觉践行道德的独立行为主体。对此，首先要反对强迫的、命令式的道德教育模式，转而诉诸开放的理性对话。道德教育过程中的师生交往关系，不单是教学过程中的知识传递关系，而是两者作为完整、独立的精神实体不断相遇的过程,主体之间只有通过平等交往、对话、理解,那么这种交往对人的精神生长才具有教育意义。其次，应该将学生现实的生活世界作为道德教育的原始起点。道德在本质上不仅源于生活，为了生活，而且个体的道德也是在生活中发生发展的。在道德教育中对学生的生活世界给予关照，就是要将道德学习与学生的生活密切联系起来，把原本单一、有限的课堂教育延伸到学生真实生活的现实情境中，利用学生在生活世界中的道德困惑和价值冲突，培养学生在日常生活中就过一种“有道德的生活”，这是他们形成主体性道德人格，获得道德实践智慧的有效路径。

---

① 金生鈜.学校道德教育理念的反思[A].南京师范大学道德教育研究所[Z].2001 (1).

（3）科学性

这里的道德教育的科学性指向想要说明的并非仅仅是教育者对上述德育过程规律的明晰与了解，而是在此基础上通过了解品德形成的具体过程、品德形成的影响因素、品德形成的特点、师生关系的特点等而对道德教育自身特征的理解与把握。如果说规律反映的是一种联系或关系范畴，那特征就是使一事物成为它自身并区别于其他事物的内在规定性，是一个存在范畴。因而德育过程的特征就是指德育过程更区别于智育过程、体育过程、美育过程的内部规定性，是其本身所具有的独特属性。当前，我国德育学者从多个角度揭示了道德教育的特征，主要包括：德育过程具有长期性、反复性、曲折性；德育过程具有多种开端；德育因素的广泛性和德育过程的社会性；德育过程是教育者价值引导与受教育者自主建构活动的统一，是生活性与实践性的统一等[①]。教育者只有正确认识并掌握德育过程的特点，才能科学地运用德育方法组织德育活动。

（4）系统性

德育方法的系统性原则是由道德教育的复杂性质所决定的。道德教育之所以具有长期性、复杂性，是因为学生的品德培养是一个多层次、多因素的发展过程。在道德教育体系中，人对价值观念与道德内容的认同与信奉不仅需要知性的理解，还需要情感的牵引与驱动，同时由于学生作为未成熟的道德主体更容易受到外界不良因素的影响，因此还需要以规范约束学生的行为，反复练习，才有可能最终转化为习惯化、自动化的道德行为。这就需要教育者树立系统思维，在系统性要求的指导下，教育者一方面要树立联系、整合、系统的观点，注意德育方法的组合，通过多种方法的协同作战达到育人实效。另一方面也要警惕德育方法的综合运用可能存在形

① 主要参考：北京师范大学教育系资料室．德育过程论文选编［M］．北京：中国社会科学出版社，1983：7－21；范树成．德育过程论［M］．北京：中国社会科学出版社，2004：42－50.

式大于内容的潜在风险。各种方法虽然都是为德育目标服务的，但各有其职能范围、使用条件，只有方法之间融为一体，协调一致时才能发挥其应有的作用。正如杜威所指出的，道德教育中“常常有一种危险，即这些方法变得机械僵化，统治着人们，而不是为了达到他自己的目的而自由使用的力量”[①]。惟其如此，在选择、运用道德教育方法时，要以教育有益性为第一标准，考虑各种方法之间的联系，发挥各种方法的优势互补作用，从而避免方法因机械运用而成为人们达到目的的异己力量。

（5）立体性

如果说系统性理念强调的是道德教育中具体实施方法的系统组合问题，那么立体性则指向方法实施途径的完整性。当前，学校的道德教育主要诉诸专门的课程，这种课程更多还是依托专门的德育课程，对道德教育的这种处理方式可能会存在两种潜在的风险，一是夸大了教学式的道德教育在青少年道德品质形成中的作用和功能，忽视了其他德育途径对道德教育的现实意义；二是道德教育仿佛成为学校中一项专门的工作，一些道德教育领域以外的其他教师因此有理由“卸掉”自己的道德教育义务，而仅依靠少数学校道德“专业人士”来经营。鉴于传统的学科课程日益知识化、科学化，现行德育课程对于发展学生理性和智慧的意义可能有限，学生行为习惯的养成和情操的陶冶并非课程这一独立途径专门解决，所以为学生搭建道德实践路径，让学生在真实的社会中实践锻炼，推动学生自我道德意义的建构仍然非常重要。也正因如此，学校道德教育要调动学校教育场域中所有方面的积极因素，用整体、全方位的德育途径代替专门的德育课程活动。与此同时，为形成协调、有序的生态管理系统，还应该注重发挥家庭、社会多方力量的协同作用，使学校教育和家庭教育、社会教育有机结合，形成纵横联结的立体德育网络。在这种思路下，道德

---

① 杜威．道德教育原理［M］．王承绪，译．杭州：浙江教育出版社，2003：15.

教育方法要注意校内外协调一致，力求建立学校、社会、家庭整合一致的德育系统。

（五）作为德育方式与手段总和的方法

作为德育方式与手段总和的方法，即通常在研究中所提出的德育实施方法，探究的是如何进行道德教育的问题。本书从教育者施教和学习者自我教育两种不同偏向的教育观出发，将德育具体方法在大方向上分为凸显教育者主体价值的指导教育方法和凸显受教育者主体价值自我教育方法两大类。

1. 偏向指导教育的德育方法

偏向指导教育的德育方法，即教育者指导学生道德学习，促进其思想意识、行为习惯发生预期变化的方式方法。这种“指导教育”和以往的“道德教育”的区别在于，它所体现的不是让学生依据教师的“教育”而听话和行动，而是教师要参照学生的“学习”而施教，反映的是以讲求实效的教育取代注重形式的教育的尝试，只不过在这一过程中为了加速个体的社会化进程，更加强调学校教育与教师的角色作用。结合当前学界研究指向、方法功能侧重，本书在归类偏向指导教育的德育方法中聚焦了说服教育法、情感陶冶法、活动育人法三类德育方法专题。在此，简要论述这三类基本的德育方法专题以及在各专题下所内含的在实践中常用且有影响力的微观领域的具体方法。

（1）说服教育法

在我国的德育系统中，说服教育法是最常用的德育方法，是一种侧重于价值传递，使学生理解并接受某种道德观念的方法。在众多德育学著作中也称之为说服、说理教育法、主知型德育方法、借助理性的方法、思维训练法等。这种称名上的变化也反映出了说服教育因适应时代发展而在培养目标上的改革与创新。传统的说服教育法是以灌输理论为理论基础的一种自成体系的德育方法。在传统社会里，人们面对的是有着共同的文化基础的区域经济，因此可以用普遍的价值观对人们进行灌输，因为这时的价值观具有鲜明的一元化特征，灌输也就具有其权威性与合理性。但随着世界的开放性发展，各种文化、价值观不断发生碰撞与交融，社会逐渐失去了统一的价值观基础，致使道德教育面临着多元化的处境，单一的以传授道德知识为主的灌输法也就失去了其合理性。正因如此，现代的说服教育提倡灌输与启发相统一的原则，在帮助学生正确理解和掌握道德概念的基础上，重在发展包括道德理解、道德判断与推理以及道德选择等在内的道德认知能力。可见，说服教育在多元文化社会里是一种基本的德育方法专题，它首先能够解决个体的道德认知问题，在获得道德知识、提高道德认知能力方面，具有其他方法论不具备的优点。在实践领域中，说服教育法这一大类下，又包括说理教育法、正面管教法、道德两难故事法、启发自觉法、心理换位法五种具体的方法。

（2）情感陶冶法

情感陶冶法是站在人的活动与环境和谐统一的哲学高度上，主张创设各种教育情境，营造一定的德育氛围，使受教育者在道德和思想情操方面潜移默化地受到感染、熏陶，进而促进学生人格素质全面提高的方法。在实践研究领域，情感陶冶法在学校德育管理、德育活动、课堂教学等方面都得以广泛应用，具有环境陶冶、情境体验、榜样教育、激励等多样化的情感陶冶实态。如果讲说服教育法是一种明示教育法的话，情感陶冶法则是作为暗示教育，间接地、内隐地通过受教育者无意识的心理活动而发生的方法，其目的和手段较为隐蔽。在以往的德育理论和实践中，学者主要是研究和运用明示法，而忽视了暗示法的研究和运用。因为它是内隐的，其作用常常不为人们所“看见”。其实暗示法有着独特的优点：首先，暗示法是通过学生的无意识起作用，学生在不知不觉中接受，因而不会产生抵抗心理。其次，暗示法的教育过程具有自然、轻松的特点。暗示法往往运用优美的环境、优秀的艺术作品影响受教育者的思想、情感，教育是在自然的、和谐的、愉快的气氛中进行的。而单一的强制的注入式、命令式则会使人紧张、不愉快，易为直觉所抵制[①]。但暗示法的短处就是不能在短时间内传递大量道德规范内容等知识性的信息，因此须与其他德育方法结合起来，以发挥最大的德育功效。在这一专题下，本书聚焦了情感联结法、环境陶冶法、榜样示范法、美感欣赏法、理想激励法以及诗性陶冶法六种实践方法，以期呈现更具操作性、多样化的情感陶冶法样态。

（3）活动育人法

活动育人法是指在学校德育过程中，充分利用学校各种德育资源，在活动中进行德育渗透，使学生在亲历、体验中获得相应的认识和情感，并养成良好行为规范的方法，反映出一种由道德学习的“教”转向活动过程中“自主体验”的进步发展。活动育人，意在一切活动本身都具有德育功能，但本书所指的“活动育人法”中的“活动”，既不同于人类一般意义上的具有改造和创造目的的活动——劳动，也有异于走向了真实的道德情境，基于学生现实生活的——实践，更区别于从教学意义上出发的——课堂教学活动与学习活动，而是发生在校内，以学生的兴趣和需要为前提，通过教师精选德育资源，由学生主动参与以促进个体道德整体发展的操作实践活动、探究活动、交往活动等。言下之意，尽管活动育人法受到学校资源的深度限制，未能让学生基于直接经验、密切联系学生实际生活和社会生活，但已突出强调通过借助真实发生在学生学校生活中具有道德教育意义或功能的个人外部活动，让受教育者在各种实际活动中获得道德认知，养成道德行为习惯，培养亲社会行为。在实践研究中，本书将分别从仪式活动、游戏活动、主题活动、团队活动四个方面阐述活动育人的具体实践方法。

2. 偏向自我教育的德育方法

偏向自我教育的德育方法，即强调学生个体作为主动主体，在自我意识的支配下产生积极进取心，通过积极体验将理论知识转化为身体力行的

① 鲁洁，王逢贤．德育新论：新世纪版［M］．南京：江苏教育出版社，2000：413－414.

道德实践，并在此基础上把自我作为教育对象而向自己提出任务，并进行自觉的思想转化和行为控制的方法。自我教育法的合理性建立在两大基础之上。第一，任何道德教育过程的实质都是主体道德自我建构的实现。不通过主体自身的价值体悟与实践，任何道理真理都无法让学生真正接受。按照辩证唯物主义的观点解释，就是内因是变化的根据，外因通过内因起作用。第二，学生，尤其是青少年时期的学生会有一个自我意识凸显的时期。他们会自觉不自觉地对自己的内心和行为做出反思、反省，有成为一个道德高尚的人的愿望，并且会自觉不自觉地约束自己的行为[①]。在凸显受教育者主体价值的自我教育方法下，本书主要聚焦了自我修养法和实践锻炼法两类德育方法专题。

（1）自我修养法

自我修养法是指个体在产生自我意识、自我控制的前提下，主动进行自觉学习、自我反省、自我改进等一系列修养活动的方法。其内涵是使人通过多方面的自我教育和自我塑造，最终能促进个人道德修养能力的发展和自我道德的完善，最终走向独立的道德人格。在理解自我修养法时需要注意以下两点：第一，自我修养法不是让学生漫无目的地消极发展，而是主张学生的自我发展需要遵循一定的品德规范。从学校德育工作角度来看，自我修养法是指受教师引导的一种有目的、有计划的道德修养方法。第二，中国古代道德修养中的“反省”“慎独”，主要是通过对自己行为的回顾，藉以鞭策自己，虽也属于自我调节、自我克制，但不一定是基于个人理性判断力的克制，更多强调的是对既定道德规范或权威的遵从；而当代的自我修养法凸显的是学生的主体地位和学生的自我意识，通过不断发展自觉性和学会反思，以基于个人心理和意愿层面，寻求对道德规范的尊重和认同，在这其中蕴含着一定的道德智慧。本书在自我修养法一章中侧重生命

① 檀传宝．德育原理：第 3 版［M］．北京：北京师范大学出版社，2017：260.

叙事法、正念冥想与冥思教育、批评与自我批评法、修养指导法四种实践方法，以呈现自我修养法的实践路径。

（2）实践锻炼法

实践锻炼法是将道德理论与道德实践结合起来，提高个人道德修养的重要方法。这一方法要求受教育者走出校园、走进社会，在与他人的交往中和其他社会实践中，把道德知识应用于实践活动中，通过亲身实践体验，形成自我教育，提高思想觉悟，使自身行为逐渐符合社会要求。如果说活动育人法囿于学校资源的影响而限制在学校场域中进行，实践锻炼法则是泛化了资源背景，强调德育需要走向学生的生活世界，在实践中实现道德的自主成长与发展，凸显出实践主体的地位和价值。不难看出，实践锻炼法突出强调了将学校之外的社会、生活等多种情境视为儿童道德发展的课堂，强调在真实的生活情景中对学生进行的实践教育，从而使个体养成良好的道德品质。本书在实践锻炼法的具体实践路径中着重对服务学习、社会实践学习、生活实践学习、研学旅行等进行分析，并针对其特点、实施流程及功能进行具体阐释。

二、德育方法的选择与运用

德育方法的构建是一个系统而长期的工程。苏联教育家马卡连柯认为，具有教育意义的不是孤立的教育手段，而是和谐组织起来的手段体系。[①] 换言之，在德育方法上也是如此。不同的德育方法往往依据不同的德育目的，遵循不同的德育原则，并且是在相异的情境下选择的结果。上文已讨论德育方法的分类问题，如何将各类方法应用到具体的德育活动中，使得德育方法达到最优化的效果，这也是我们需要考虑的问题。因此，现代德育实践

---

① 巴拉诺夫．教育学［M］．李子卓，译．北京：人民教育出版社，1983：198.

须了解德育方法选择、运用的注意事项，从而不断提高德育方法的运用艺术。

（一）德育方法的选择

1. 选择德育方法的基本准则

有学者指出德育方法的选择需要建立一种综合性抉择标准。这一标准可以表达为“最为经济地达成最大、最佳的预期道德教育效果”[①]。具体包含两个有机联系的方面。其一是最大、最佳的道德教育效果。这主要是指在德育目标的完成上取得最大的正面成效，同时使负效应控制在最小的程度。例如，在德育方法中，惩罚有时是必要和有效的，在一定程度上也有利于完成德育目标。但是，在怎样的条件下使用这一手段，使用何种程度的惩罚，却是教育工作者必须认真考虑的问题。许多教师倾向于用惩罚去对付顽皮的学生，有时也能取得一些即时性的教育效果，但这一惩罚如果不同其他教育方式结合，短期内的成效就可能是虚假的，从长期效果上看并不值得肯定。其二是用最为简单、负担最轻，即最为经济的方式去取得上述成果。具体而言是指在完成特定德育目标时，使用的德育方法所耗费的物力、人力、时间最少，所使用的程序最为简单，等等。

2. 影响德育方法选择的因素

德育方法是德育活动目标达成的中介，所以德育方法的选择往往会受到道德教育过程内外各方面因素的影响。从宏观的角度看，德育方法会受到一定社会的经济、政治、文化、科学技术发展水平和体制等因素的影响。例如，由于原始社会生产水平极端低下、社会结构较为松散，原始状态的教育方式往往采用口耳相传和无意识的简单模仿，人们主要通过如参加宗教活动、礼乐等习俗性德育形式接受道德教育。近代以来，随着生产的发展、科学的萌芽和发展，特别是造纸术和印刷术的发明和应用，阅读指导

---

① 檀传宝．德育原理：第 3 版［M］．北京：北京师范大学出版社，2017：244.

法引进学校德育实践。在现代，由于社会生产和文化科学技术的发展，电影电视等现代化手段的出现，视听工具进入学校和家庭，应用于教学过程和德育过程，使德育方法出现了新的变化。上文已有论述，社会经济政治制度对德育方法的性质和特点起着根本性的制约作用。历史上的统治阶级为了维护他们的政治经济利益，达到他们各自的德育目的，德育内容往往带有一定的非科学性和反动性，因而在德育方法上也往往具有强制性和盲目性的特点。在当代，社会主义经济政治制度要求培养自觉的社会主义建设者，德育内容是科学的社会主义、共产主义思想道德，因而必须运用具有启发性、积极性和自觉性的德育方法。同时，德育方法还受到哲学世界观的影响和德育原理原则的指导。例如，脱离实践的"闭门修养"是同唯心主义哲学相联系的，知行统一的德育原则和方法是同唯物主义哲学相联系的，唯智派德育论着重读书修养，行为派德育论强调行为训练①，如此等等。从微观的角度分析，直接影响德育方法选择的主要因素可以概括为以下几点：

第一，教师和学生因素。

在教师方面，必须考虑的是教师作为具体德育活动主体的特点，如年龄性别差异、专业水平和人格特征，还有师生关系等。从事德育活动的教师宜选择那些能够发挥自身特长的德育方法，尽力避免选择那些因自身条件不足而可能为某种方法所累的德育方法②。在学生方面，首先需要考虑的是特定学生及其群体的道德发展水平、实际的道德经验、身心发展状况、文化背景、兴趣、个性和特长等。例如，情境陶冶法对低年级学生和认识水平较低的学生来说比较奏效，而对于具有独立思维能力和丰富实践体验的大学生而言，则不易发挥作用。对他们来说，最适合的德育方法是讨论法、理想激励法等。同时，班级规模和班级整体水平也是影响德育方法选择的又一重要学生因素。实践表明，在运用讨论法时，班级人数必须少一些，

---

① 胡厚福．德育学原理［M］．北京：北京师范大学出版社，1997：286－287.

② 檀传宝．德育原理：第3版［M］．北京：北京师范大学出版社，2017：243.

最好在 15 人以下；而运用讲授法时，班级人数以 30—50 人为最佳。此外，如果全班学生的认识水平有限，则不宜采取两难问题法、讨论法，最好采取实际锻炼法，采取以培养学生的道德行为习惯开始，然后逐渐提高学生道德认识的策略①。

第二，对德育过程的理解与设计。

德育过程观不仅影响对德育过程的解释，而且影响对具体德育活动过程的设计，从而影响到德育方法的选择②。当一个教师将德育过程看作把一定的社会思想和道德转化为个体思想意识和道德品质的过程时，就有可能会在道德教育中常用直接讲授法，这种方法是以道德理性主义为其理论基础，正如苏格拉底"美德即知识"的命题一样，认为学生的大脑犹如盛装美德的袋子，教师把一系列美德装进学生的"袋子"中，学生就理解并掌握了道德知识，就能够根据这些知识作出正确的判断，并采取相应的道德行为。然而，当教师接受杜威道德生活体验式的德育过程观时，则会让学生在道德生活中体验与学习，或者提供必要的材料，引导学生理解、选择和自主行动。那么所谓价值体验、价值澄清等方法就会成为教师的首选。与智育方法相比，德育方法除了要解决知与不知、会与不会的矛盾之外，还要解决信与不信、行与不行的矛盾。为此，要解决个体与个体、个体与社会的问题，除了要使用各种物质手段以外，更重要的是教育者如何理解和设计德育过程，并能够将其人格、知识、才能、情感、意志等因素注入这一过程中。

第三，德育过程其他要素的影响。

这里的"其他要素"，主要指德育目标、德育内容和德育资源。如上所述，德育方法的选择要以德育目标为最根本的依据。同时，德育方法为了完成一定的德育目标，还必须与德育内容相适应。也就是说，要根据具体教学内容选择适当的德育方法。

---

① 左建莉．论德育方法及其综合应用［J］．理论导刊，2008（12）：93－94＋98.

② 檀传宝．德育原理：第 3 版［M］．北京：北京师范大学出版社，2017：243.

所谓德育资源条件，就是指那些影响德育活动顺利进行的软件和硬件的统一，其中“软件”主要是指教师自身的素养，“硬件”主要是指德育活动赖以进行的时间、空间以及现代化德育手段等。对于德育资源的“软件”条件，前文已有所论述。在“硬件”条件上，需要考虑如下问题：首先是德育活动的时间和空间问题，它们也是选择德育方法时所必须考虑的因素。一般而言，在时间上，讲授法比较节约时间，而讨论法、实际锻炼法比较浪费时间；在空间上，以发展学生道德认知为主的德育方法需要的德育活动空间较小，而实际锻炼法所需要的德育活动空间较大[①]。

最后，现代化的德育手段、途径也影响着主要德育方法的选择。德育手段是教师传递德育内容所依赖的工具、载体或中介等物质性媒介，德育途径是德育实施的具体活动渠道。教师应当考虑不同的教育手段、途径的实际来设计德育方法。如采取现代化的视听设备是使用情感陶冶法的重要条件，也是选择讲授法时必须考虑的一个重要因素。随着计算机辅助教学及教育网络化时代的到来，教育技术迅速变化，对传统的教育方法提出进一步改进的要求。综上考量，在选择道德教育方法的时候，应当以德育过程的所有条件和要素为依据。

（二）德育方法的运用

1. 遵循德育过程的规律与原则

德育方法的使用，首先应当以遵循第一层次中各种规律、理念、原则为基本前提。德育活动之所以被局限于日常经验，其原因之一就在于对德育方法的理解缺少形而上的思维。以德育方法运用的系统性原则为例。在德育实践中，德育方法很少单独使用。正如角色扮演经常夹杂着讨论，榜样示范往往伴随着言语上的说服，说服中也时常有讨论和角色扮演。相对

---

① 左建莉.论德育方法及其综合应用［J］.理论导刊，2008（12）：93－94＋98.

而言，说服重在提高学生的道德认识，示范重在向学生展现适当的行为方式，道德讨论特别有利于提高学生道德判断力，角色扮演则有助于培养学生的道德敏感性。每一种方法在实施学校德育的某个方面都具有一定的优势，在另外一些方面则可能有局限性。单单依靠其中的任何一种方法，都不足以实现学校教育全部的道德目的。学校德育有赖于教师根据学生的道德发展水平和道德发展规律，灵活机动地使用各种教育方法，并把它们有机地结合起来。

2. 打破方法认识上的思维定势

在实际德育过程中，人们常常会形成方法认识上的思维定势，其结果是对某一些方法的认识和运用方式产生僵化的理解。例如，学界在论证德育方法时大多都是以学生的知情意行为着手点和培养点，但事实上，知、情、意大多都是关于心理学的概念，是心理过程的抽象，而现实中人的知、情、意，无不同一定的对象相联系，也就包含一定社会—文化的内容。只是由于德性形成的过程中，包含个人知、情、意之类的心理成分，才发生以理服人、以情感人之类的需要。因此，运用德育方法的一个重要维度是要知道各种德育方法充其量只能成为触发学生行为转化的契机，不见得就能使学生的行为发生实质性变化。但与此同时，德育方法的运用也并非无章可循的。由于教育方法本身会直接成为德育的隐性课程，所以我们必须十分慎重地选择德育方法及其组合。

第二章
德育方法的发展与研究历程

回顾我国德育方法的发展与研究历史是进行再研究的基础和前提。在前章德育方法的概念辨析与分类的基础上，本章回溯德育方法的历史发展和研究脉络，并结合当下的研究进展及国内外比较研究进行尽可能完整全面的考量，观照不断发展变化的德育方法形态。

本章第一节总结了我国传统德育方法，主要关注了中国历史上的教育家提出的道德教育方法，以指导教育法与自我教育法两大类为分类线索呈现传统德育方法的主要论点。第二节介绍我国当代德育方法研究发生的变化，主要梳理了自新中国成立之后，尤其是改革开放以来我国的德育方法在观念、实践等层面的转变。第三节对不同国家的德育方法进行梳理和比较，旨在为我国德育方法研究提供借鉴与参考。

本章对德育方法的历史与未来、国内与国外的发展状况进行了较为具体的论述。不同时期、不同社会背景下的德育方法呈现出不同的样态和特点，串联德育方法的古往今来、分析德育方法实施重点的转变、对各国德育方法进行比较研究均为我国德育方法的发展指出了新的着力点，有利于完善我国德育体系，推动我国德育方法在汲取有益经验与融合借鉴中开拓创新、不断发展。

第一节　我国古代德育方法发展的历史追溯

中华优秀传统文化孕育了悠久丰厚的道德教育思想，传统的道德教育思想对现今我国德育方法的演变和构成产生了重要影响。本节根据第一章中对德育方法的分类设计，以第二层次德育方法主体的不同作为展开论述的依据，主要介绍自先秦时期至近代以来，各历史时期具有突出代表性的学说或主张的集大成者，对其有关德育方法的思想进行阐述。

一、指导教育法的历史追溯

指导教育法是以施加教育影响的教育者为主体的教育方法。指导教育法通过外部施加影响的方式促使个体进行自我教育，进而达到以外促内的作用。历史上有许多教育家都对指导教育的方法进行了阐述，包括"因材施教，循序渐进""言传身教，榜样引导""启发诱导""诗乐、环境熏陶"以及"多措并举，全面发展"等。

（一）因材施教，循序渐进

孔子有教无类的教育思想使得道德教育成为了人人皆可接受的教育，然而，由于学生的学识存在差异，所以因材施教的道德教育方法就显得格外重要。

孔子因材施教的原则主要有以下几方面：第一，意识到学生存在个体差异，深入了解学生的具体情况，例如学生的性格特点等，以便对不同的学生开展个性化教育。第二，在进行道德教育时，根据学生实际情况、需求的不同，教育者应对不同学生的问题给予不同的回答和指导，并鼓励和启发学生发表自己的意见，再抓住学生所问问题的根本进行教育[①]。孔子对不同学生的要求与指导都是不同的，以其能够达到的标准要求他们，使学生更好地达到自己所能达到的最高境界，增强了道德教育的有效性。在孔子的基础上，孟子又对因材施教的道德教育方法进行了一定程度的延伸，并强调对不同的层次要采取不同的教育方式，提出“教亦多术也，予不屑之教诲也者，是亦教诲之而已矣”[②]，这就是有名的“教亦多术”。同时，他提出了“君子之所以教者五：有如时雨化之者；有成德者；有达财者；有答问者；有私淑艾者。此五者，君子之所以教也”[③]，认为教师的教授方法要根据学生的特点而有所区别，这样才能充分发挥他们的潜力和才能。

在先秦时期因材施教的基础上，朱熹进一步提出了循序渐进的道德教育方法，在关注学生本身特点的同时，也关注到了教育的规律性。对此，朱熹将道德教育分为两个阶段，认为每个阶段皆有其不同的教育目标与任务。“在道德教育的初级阶段，主要是对道德规则和道德规范的认识。这是小学阶段。小学阶段要注重人的道德行为训练”[④]。包括“教之以洒扫、应对、进退之节，礼乐、射御、书数之文”[⑤]。与小学阶段不同，在进入大学后，则要鼓励他们去“穷理”，在行为上要注重大节，最后达到“格物、致知、诚意、正心、修身、齐家、治国、平天下”的境界。此外，朱熹强调“不习之于小学，则无以收其放心，养其德性，而为大学之基本。及其长也，不进之于大学，则无察其义理，措之事业而收小学之成功”[⑥]。他认

① 梁秋英，孙刚成．孔子因材施教的理论基础及启示［J］．教育研究，2009 (11)：87 － 91.

② 王瑞．孟子［M］．成都：四川人民出版社，2019：290.

③ 同 ② 320.

④ 姚进生．朱熹的道德教育思想及其当代价值［J］．中共福建省委党校学报，2013 (9)：103 － 108.

⑤ 朱熹．四书章句集注［M］．北京：中华书局，1983：1.

⑥ 朱熹．朱子全书：第 6 册［M］．上海：上海古籍出版社，2010：505.

为道德教育无论是在大学阶段还是在小学阶段都是极为重要的，并且具有一定的连续性和递进性。因此，朱熹将循序渐进法看作是“对不同层次的教育对象，应当提出不同的培养目标，采取不同的培养方法，以使道德教育由浅入深，循序渐进，收到实效，培养出德行高尚的人”[①]。

（二）言传身教，榜样引导

孔子在道德教育中尤其重视“有言之教”与“无言之教”,也就是“言”和“行”。通过《论语》的写作体例可以看出，孔子对弟子的教育大多是通过言语来进行的，“言传”的重要性不言而喻。但是，仅仅通过言语的教化并不能使学生产生更加深刻的理解，因此孔子注重将“有言之教”与“无言之教”相结合，二者相互辅助，共同施教。孔子认为品德高尚的人要时常把自己当作榜样，以自己的行为举止时刻去激励、引导学生，从而对学生人格的形成起到潜移默化的作用。孟子在他的思想中也有很多关于身教示范的论述，表明用行动进行道德教育的示范比用仁厚的言语更有作用。孟子主张施教者要首先注重自己的道德修养，并以此影响他人。他强调教育者只有具备接受教化的意愿并有进行自我教化的能力，才能不断完善自我，进而有资格和能力实施教化，真正实现言传身教。荀子对于身教示范法的作用也给予了肯定。在荀子的道德教育思想中对于身教示范法极为推崇，他强调了教师的身教示范作用，明确提出身为教师要“身为正仪”，在道德教育过程中对学生起到示范标杆的作用。同时，他也肯定了教师对于学生的示范引领的重要性，提出“礼者，所以正身也;师者，所以正礼也。无礼何以正身？无师，吾安知礼之为是也？”[②]

蔡元培在言传身教的基础之上，提出了榜样示范与舆论评议相结合的

---

① 佘仕麟.中国古代道德教育思想的历史演变及其思想精华[J].西南民族学院学报(哲学社会科学版),2001(1):187－194.

② 荀子[M].沈阳:万卷出版公司,2009:21.

方法，进一步扩大了身教的意义，增强了评价的作用。蔡元培认为在道德教育过程中，父母和教师言传身教的示范比纯粹的道德教化和道德知识灌输效果要好得多。榜样引导的过程更多的是个体自身的道德修养不断内化生成的过程，而运用将榜样引导与舆论评议结合的方式进行道德教育，增加了从外部进行评价的机制，更有助于加强道德教育的效果。蔡元培认为通过“舆论来褒扬善行，贬斥恶行，使个体在舆论评价过程中反省自身的行为，从而达到弃恶扬善的修德目的，他特别指出，家人和朋友有义务帮助其改正行为，提高道德素质”①。榜样引导与舆论评议相结合不仅能够共同促进个体的道德发展，同时二者也能起到相互补充的作用。

（三）启发诱导

“通过启发诱导，调动德育对象的学习兴趣，引导德育对象主动思考，使德育对象变被动学习为主动学习”②。这种启发式的教育方法是孔子最先倡导的。“不愤不启，不悱不发”意味着在教育过程中，教育者要善于抓住道德教育的时机，根据学生的心理特点引导学生形成道德认知，发展道德情感，养成道德行为。面对学生产生的疑惑与问题，孔子通常不主动问询学生，而是让学生主动向自己询问，留给学生充分思考的空间，并予以循循善诱。

朱熹认为在道德教育中，教育者需要适时地对学习者进行适当的引导与启发。关于如何启发诱导，朱熹则指出“读书无疑者，须教有疑，有疑者却教无疑，到这里方是长进”③。所谓“读书无疑者，须教有疑”，就是要启发那些“无疑”者变得“有疑”，即启发受教育者积极思考问题，使其

① 周宏军，陈剑旄．蔡元培道德教育思想初探［J］．伦理学研究，2005 (3)：26－29.

② 张凤池，胡守钧．道德教育的方法与实践［M］．上海：上海社会科学院出版社，2019：44.

③ 黎清德编；王星贤点校．朱子语类［M］．北京：中华书局，1986：186.

具备问题意识；所谓“有疑者却教无疑”，就是教育引导那些“有疑”者变成“无疑”者，即通过教育引导学习者积极地解决疑难问题，使其再达到“无疑”的境界。朱熹的启发诱导法更注重于引导学习者形成善于思考的能力，通过外部的影响使得学习者能够意识到自身存在的不足，进而不断突破现有的道德水平。

（四）诗乐、环境熏陶

孔子肯定优秀的文艺作品带给人的正面影响。他强调“兴于诗，立于礼，成于乐”①，认为艺术与道德是相互影响的，诗歌、音乐等对人的道德情感和品格的形成、完善具有重要的作用。他提出诗乐熏陶，提倡用诗歌、音乐等优秀文艺作品来陶冶学生的性情，对其产生潜移默化的影响。孟子通过观察弟子在不同环境中的表现，注意到不同环境对人的道德品性的影响有所不同。因此，他注重环境熏陶对人的道德教育，即利用外界环境对人的品格的形成产生积极的影响②。孟子不仅重视环境对人道德品行的影响，并且还把环境的教育范围广泛扩大，运用于对国家的治理。在继承了儒家传统思想的基础上，荀子独树一帜地提出了“性恶论”这一主张，认为“人之性恶，其善者伪也”③。他主张通过后天教化来改造人们“恶”的本性，既肯定了后天教育的必要性，也看到了后天教育对人进行改造的可能性。他通过比喻论述“蓬生麻中，不扶而直；白沙在涅，与之俱黑”④，表明了环境影响对人的重要性，阐述出优良的环境对人的影响是积极的。因此，在实施道德教育的过程中，教育者要营造良好的环境氛围，通过积极的环境影

① 孔子著；杨伯峻，杨逢彬注译；杨柳岸导读．论语［M］．长沙：岳麓书社，2018：102.

② 冯文全，冯碧瑛．论孟子对孔子德育思想的传承与弘扬［J］．教育研究，2013 (1)：131 − 138.

③ 荀子［M］．沈阳：万卷出版公司，2009：353.

④ 同③ 3.

响受教育者，促进其规范自身道德行为，进而形成良好的道德品质。

（五）多措并举，全面发展

董仲舒提出“必仁且智”的道德教育方法，旨在促进智育与德育的相互发展。他强调“不仁而有勇力材能，则狂而操利兵也；不智而辩慧獧给，则迷而乘良马也。故不仁不智而有材能，将以其材能，以辅其邪狂之心，而赞其僻违之行，适足以大其非而甚其恶耳……仁而不智，则爱而不别也；智而不仁，则知而不为也。故仁者所爱人类也，智者所以除其害也”①。“对于道德修养中情感和认知两种不同因素之间的关系，即要求品德教育与智育相结合的原则。董仲舒指出智慧关系到行为规划的当否、是非、利害与成败”②。虽然在道德教育中，自身的智力作用起着很大的影响，但在道德教育过程中，应该兼顾品德与智力，将二者有机地结合起来。“仁智统一是以仁为体，以智为用，智从属于仁，其作用是行仁。比较辩证地看到了德育和智育的辩证关系”③。

蔡元培同样也提到了进行道德教育需要其他教育的辅助。只注重德育的方法是不够的，还需借助其他方面的教育对德育进行补充和完善，才能成为品格健全、全面发展的人。蔡元培在其文《对于新教育之意见》中首次提出了“五育”的教育思想，分别是军国民主义之教育、实利主义教育、德育主义教育、世界观教育以及美育主义教育，并对其进行了划分，“以教育界之分言三育者衡之：军国民主义为体育，实利主义为智育，公民道德及美育皆毗于德育，而世界观则统三者而一之”④。与德育与智育、体育、

---

① 董仲舒．春秋繁露［M］．上海：上海古籍出版社，1989：53.

② 郭炳洁．浅析董仲舒的人学思想与道德教育思想［J］．菏泽学院学报，2008（6）：83－86.

③ 姜碧纯．董仲舒的德育思想及其现代意义［J］．十堰职业技术学院学报，2006（6）：65－67.

④ 高平叔．蔡元培教育论著选［M］．北京：人民教育出版社，2017：6.

美育、劳育相对应，且认为诸育之间是相互联系、相互作用、相互促进的关系，各育之间的发展应是充分和谐、互不偏颇的。道德教育固然要以德育为本，但其他“四育”的作用绝不可忽视，“四育”对于道德教育起着促进和生成的作用，是相互连接，不可分割的。蔡元培“五育并举”的道德教育思想至今仍对我国现代化教育体系建设有重大影响。

二、自我教育法的历史追溯

自我教育法是凸显教育对象主体价值的德育方法，这种方法为教育对象提供进行自我指导的动力和目标。教育对象通过由内而外的感知进行自我道德教育，并经过不断地自我要求与革新，达到更为理想的道德状态。将历史上诸多学者的观点进行概括总结，自我教育法具体分为“立志”“学思并重，知行合一”“慎独自省”“改过迁善”和“意志锻炼”五种方法。

（一）立志

“立志”这一道德教育方法自先秦以来就被历代的教育家所推崇，并不断创新发展。关于“立志”的层次，孔子认为人不能仅局限于现实的物质生活中，还要对精神世界有更高的追求。他认为道德修养的最高境界是“仁”，因此教导学生要树立远大的理想目标，将“仁”作为自身的志向和人生理想。同时，孔子还要求学生坚定个人志向，强调立志就要立恒志，不为外界环境所动摇。在孔子提出立志法的基础上，孟子进一步阐述了“立志”如何促进人的道德发展，提出了“持志养气”“由博返约”。孟子认为“志”是人的一种志向、信念或者追求，而“持志”则是始终坚持伟大崇高的志向。人一旦有了崇高的志向，他就会不断地滋养生命之“气”，也就是精神。树立远大崇高的志向能够帮助人们滋养精神，不断地提高道德修养。因此，持志养气需要立恒志，并通过积善成德不断提高自身的道德意志。此外，在孟子看来，弘善是修养的目的，持之以恒地向道德理想前进，便能够成为仁者、圣人，最终成为“大丈夫”。在实现“圣人”的道德理想的过程中，个体需要从小事入手，将对理想的不断追求与坚实的现实基础相联系，才能学有所成，从而实现自己的目标，由博返约。

朱熹所提倡的立志躬行法，强调了立志的重要性。立志躬行法包括两个方面，分别是“立志”与“躬行”。朱熹认为，要想具备崇高的道德修养，就要树立远大的志向。在道德认知与道德行为之间存在着道德意志，这是将认知落实于行为的必经之路，要想形成自觉的道德行为与高尚的道德修养，就需要树立远大的志向。作为道德教育过程中的关键纽带，道德意志受到朱熹的高度重视，他要求学生在进行道德修养的过程中明确志向并且要坚定不移地追寻志向，养成吃苦耐劳的精神。朱熹将“明志”作为其进行道德教育的首要方法，并指出“专在人自立志。既知这道理，办得坚固心，一味向前，何患不进！只患立志不坚，只听人言语，看人文字，终是无得于己”①。

在前人立志教育的基础上，王阳明更加重视主体性的道德教育②。主体教育与立志法都是针对人本身的一种道德教育法，它们都强调人的主体性。主体性的道德教育将人看作是独立的个体，一方面是强调主体在道德认知与实践中的重要地位，另一方面是肯定主体在道德认知与实践过程中的作用。

（二）学思并重，知行合一

孔子提出了学思并重的道德教育方法，强调了学习和思考二者之间的辩证关系。他强调“思”是“学”的基础，要先思后学，不能只思不学，也不能只学不思。孔子认为“学”与“思”并重，学是外部知识的获取，是对他人经验的积累过程，而思则是将所学知识与自身经验相结合，从而形成自己的认知体系，获得批判性思考的能力。在《论语 · 为政》中，孔

① 黎清德编；王星贤点校 . 朱子语类［M］. 北京：中华书局，1986：131.

② 张勇 . 王阳明的道德教育思想探析［J］. 当代教育理论与实践，2010（6）：18－20.

子提出“学而不思则罔，思而不学则殆”[①]，明确指出了学与思是解决个人认知问题的主要方法和基本途径，是辩证统一的关系[②]。在“学”与“思”二者之间,荀子更倾向于“学”对道德教育的作用。对于“学”,荀子有“强学而求”的思想。他认为品德和人格的铸就和形成,是与学习分不开的。“学不可以已。青,取之于蓝,而青于蓝”[③]。个人修养作为自我教育的特殊途径，持续的学习在其中能够产生巨大作用。

在学思并重的基础上，朱熹进一步将学与思合并为“格物致知”。朱熹认为进行自我修养，首先就要“格物致知”，进行道德认知上的提升。在道德教育的过程中，朱熹主张教育者要向学生传授儒家经典“义理”，鼓励学生多读书，让学生通过学习道德规范，进而主动提高自身道德认知水平，在具有坚实的道德认知的基础上，有意识地约束和改善自己的行为，转化自己的思想，从而提高自身的道德素养。在强调“立志”的同时，朱熹还十分注重“躬行”，认为“知”与“行”是统一的。朱熹道德教育思想的基本特征之一就是在道德教育过程中坚持知行合一，这也是构成朱熹认识论的基础。“知行合一”进一步深入探讨了格物致知的问题，进而揭示出朱熹认识论中“知”的目的在于“行”。由此看出,对于“知”与“行”的主次关系，朱熹认为“行”重于“知”。

王阳明同样重视“知行合一”的道德教育方法，这也是王阳明思想体系中很重要的一部分。正所谓“知中有行，行中有知”，道德认知与道德实践是同一个过程中辩证联系的两个方面，是不可分割的。当人们具有一定的道德认知时，要想实现从认知层面到行为层面的跃升，就需要经历“知行合一”的过程。“知其如何而为温清之节，则必实致其温清之功，而后

① 孔子著；杨伯峻，杨逢彬注译；杨柳岸导读．论语［M］．长沙：岳麓书社，2018：23.

② 万美容．中国古代思想道德教育方法及其当代价值［J］．广西教育学院学报，2008 (4)：1 – 5.

③ 荀子［M］．沈阳：万卷出版公司，2009：1.

吾之知始至；知其如何而为奉养之宜，则必实致其奉养之力，而后吾之知始至，如是乃可以为致知耳”[①]。此外，“知”和“行”融合一体，彼此不分先后，不可分离。“知是行的主意，行是知的功夫。知是行之始，行是知之成。若会得时，只说一个知，已自有行在，只说一个行，已自有知在”[②]。王阳明认为“知”与“行”应该是辩证发展，相互统一的。但王阳明“知行合一”的思想也有偏误之处,过于强调“知行一体”,忽视了“知”与“行”的区别，导致了概念上的混淆。

蔡元培认为道德教育的首要方法便是进行知识的学习。他指出“修学”是一个人道德认知与道德意志形成的必然要求和重要手段。蔡元培认为知识与道德的关系非常紧密，“世之不忠不孝、无礼无义、纵情而亡身者，其人非必皆恶逆悖戾也，多由于知识不足，而不能辨别善恶故耳”[③]。如果没有足够的道德知识就不足以明辨善恶，也就不能够提高自身的道德素养和水平。在强调道德知识的重要性的同时，蔡元培也十分重视道德行为的实践作用，他认为在道德教育中，践行道德知识比道德知识本身更为重要。他强调，“道德不是记熟几句格言，就可以了事的，要重在实行。随时随地，抱着实验的态度。因为天下没有一劳永逸的事情，若说今天这样，便可永远这样，这是大误。要随时随地看形势的情形，而改变举措的标准。去批评人家时，也要考虑他人所处的环境怎样，而下断语才是”[④]。因此，德育教育要在道德认知的基础上，开展与道德认知联系紧密的道德实践，从而实现道德品质的提升。

通过以上对道德教育方法的解读，可见学者们对于学与思的重视程度

---

① 王守仁撰，吴光等编校.王阳明全集·卷八书诸阳伯卷［M］.上海：上海古籍出版社，1992：277－278.

② 王阳明著，张怀承注译.传习录［M］.长沙：岳麓书社，2004：10.

③ 蔡元培全集：第2卷［M］.北京：中华书局，1984：183.

④ 高平叔编.蔡元培教育论著选［M］.北京：人民教育出版社，1991：206.

不尽相同，但总结来说，学与思的目的与意义皆在于促进人的品德发展。

（三）慎独自省

孔子认为“自省”需要“克己”。“克己”，顾名思义就是要克制和约束自己的行为和思想，使自己的行为符合“礼”的规范。“自省”则是要求个体对自己的言行进行反思和自我批评，严格要求自己，在发现错误后及时改正。孔子认为只有通过持之以恒的自省，人们才能认识到自身存在的不足，加强对自身的认识，进而提高道德修养。同时，孔子还强调“自省”需是自觉的行为，不能为外界环境所干扰，并且应该将其当作一种习惯。在孔子“克己自省”的基础上，孟子提出了“反求诸己”这一更有针对性的反省方法。“反求诸己”是指反过来追究检查自己,从自身寻找原因,加以改正，而不责怪别人，并且对任何出现偏差或没有达到预期效果的行为，都应当躬身自省，从自身查找原因。

荀子进一步提出了“慎独法”。他提出“君子博学而日参省乎己，则知明而行无过矣”①。“慎独”是一种自我省察和自我教育的方法，强调在没有别人监督的环境中，仍然能够自觉遵守社会道德规范，严格要求自己。相比于自省，它进一步加深自身的反省程度。慎独是建立在主体自觉自省的基础上，时刻反省自己的行为是否符合道德要求，它不仅体现了一个人的道德自觉性和主体性，而且还反映了一个人的道德觉悟和道德修养的水平。

董仲舒明晰了“仁”与“义”各自的意义并厘清了两者之间的关系，提出“以仁安人,以义正我”的思想。他强调“仁之法在爱人不在爱我……人不被其爱，虽厚自爱，不予为仁”②，从中可以看出，“仁”强调的是爱人。“义”最根本的解释在于自我修正，“义之法在正我，不在正人。我不自正，

---

① 荀子［M］. 沈阳：万卷出版公司，2009：1.

② 董仲舒. 春秋繁露·仁义法［M］. 北京：中华书局，1992：250－251.

虽能正人，弗予为义。”[①]“这是教导人们修己待人的态度，重视道德主体的自我修养，为善从自身做起，以身作则，身先示范”[②]。董仲舒将严己与宽人相结合，教导人们要严于律己，宽以待人。此德育方法是用仁义作为协调社会的纽带，既修养了自己，也促进了人际交往，是对孔子“见贤思齐”、孟子“反求诸己”、荀子“慎独”等思想的继承和发展[③]。

（四）改过迁善

“改过迁善”是克己自省的目的。孔子认为错误是客观存在的，关键在于对待错误的态度。不能明知犯错而不悔改，犯错误是正常的，犯错而不知悔改才是真正的犯错。“君子之过也，如日月之食焉；过也，人皆见之；更也，人皆仰之。”[④]他强调要通过总结自己的经验教训，发现自身的不足之处，并时刻提醒自己不再犯同样的错误。孟子继承了孔子改过迁善的思想，主张“闻过则喜”“见善则迁”。他更加重视人的改过自新，把这个方法的重点放在改正错误的过程之中，鼓励积极进行改过。孟子还主张“与人为善，虚心学习别人的长处”[⑤]。同时，在看待一个人时，孟子强调不应只注重其过去的不足，而要看重他现在是否在进步，要用发展的眼光看待别人，发现并学习他人的善行。荀子对于改过迁善同样也是十分重视的。他强调要以更加积极的态度面对别人的批评，正确对待外界否定的声音。

① 董仲舒．春秋繁露·仁义法［M］．北京：中华书局，1992：259.

② 姜碧纯．董仲舒的德育思想及其现代意义［J］．十堰职业技术学院学报，2006（6）：65－67.

③ 刘奕，刘晓波．董仲舒的德育方法及其现代价值［J］．中学政治教学参考，2018（36）：58－59.

④ 孔子著；杨伯峻，杨逢彬注译；杨柳岸导读．论语［M］．长沙：岳麓书社，2018：242.

⑤ 刘志宁．先秦教育家的道德教育原则、方法及其意义［J］．甘肃理论学刊，1989（6）：58－62.

他说“非我而当者，吾师也；是我而当者，吾友也；谄谀我者，吾贼也”[①]。

（五）意志锻炼

在重视思想与精神层面的方法的同时，孟子关注将道德意志落实到行为上，进行意志的锻炼。他主张进行道德教育要经过艰难困苦的磨练，才能够培养锻炼人的意志，形成良好的道德行为。同时，他还强调“道德修养要靠在实际行动中不断积累，逐步前进”[②]。

王阳明发展了孟子的意志锻炼法，将其与实践相联系，提出了“事上磨练”[③]。“事上磨练”是王阳明非常看重的一种道德教育方法。这种道德教育方法提倡将自我认知付诸行动，不断通过道德实践进行锻炼，进而将内知外化于行。他认为只有“通过不断在一件件具体事务上反复锤炼与检验，才能分辨何为有用之知识，何为多余之知识，心境才能不断趋于沉稳，见识才能不断变得通透，达到动静之时均能保持本心的境界”[④]。个体需要通过实践不断检验自身的道德认知是否充足，发现认知上的偏差或疏漏之处，并通过实践进行修正和发展，才能不断接近圣人之道。

三、古代德育方法研究的特点

无论是以教育者为主体的指导教育法还是以教育对象为主体的自我教育法，其发展都具有一定时代特征和道德教育发展的阶段特点。

---

① 荀子［M］. 沈阳：万卷出版公司，2009：13.

② 刘志宁. 先秦教育家的道德教育原则、方法及其意义［J］. 甘肃理论学刊，1989（6）：58－62.

③ 王学斌. 王阳明教育思想及当代价值［J］. 河北师范大学学报（教育科学版），2019（5）：28－34.

④ 同②.

（一）以德育为中心，强调道德教育及其方法的运用

我国古代各个时期的教育家都主张以道德教育为中心，实行德育至上的原则，即任何其他的教育都要为培养符合统治阶级人才的德育而服务。自古以来，教育相关记载中都揭示出道德教育的重要性。在我国的历史上，道德教育有着举足轻重的作用，其比重远远超过知识教育，并且持续占据着主导地位。因此，德育至上的理念是我国古代教育思想的重要组成部分。孔子、孟子、荀子、董仲舒等著名教育家，先后编纂了大量的道德教育思想的著作。在这些著作中，都不同程度地反映了他们德育至上的思想。如《论语》记载："子以四教，文行忠信"①。

同时，德育至上的原则还来源于我国古代的社会环境。"我国古代社会是以家庭为本的封建宗法制社会。历代统治者特别重视这种以血缘为纽带的个人与家庭、宗族、国家的伦理道德关系的建设和强化，而伦理道德也在论证和巩固这种政治社会结构方面发挥着巨大的作用。所以，在中国古代，从统治阶级到庶民百姓都特别重视道德教育"②。

对道德教育的重视还体现在以道德教育的方式反映社会道德理想。道德教育一直以来被看作是儒家学说的体现，通过使受教育者增长道德知识而促进其道德完善。儒家学说之所以能够在两千多年的封建社会中占据着无可替代的地位，其根本的原因是历代的儒家学者都肯定它的道德教育价值。传统道德教育主张"知识教学的目的不在于对客观真理的认识和探索，而是使人认识封建人伦道德规范，形成坚定的道德信念和掌握修己治人之道，教学过程的不断深入是对本性道德的逼近，而且这种教学过程是与道

---

① 项久雨. 关于中国古代思想道德教育的思考［J］. 理论月刊，1999(9)：17－21.

② 余仕麟. 中国古代道德教育思想的历史演变及其思想精华［J］. 西南民族学院学报（哲学社会科学版），2001(1)：187－194.

德修养过程合二为一的”[①]。道德教育正是通过这种知识与道德相融合的方式，在某种程度上体现社会道德理想。

（二）道德教育的目标明确

自古以来，道德教育的目的都是比较统一的，古人进行道德教育多旨在成为圣人君子，进行道德教育的目的就是为了实现理想化的人格。“孔子的理想人格是有道德，有智慧，有勇气，也就是智仁勇‘三达德’。孟子的理想人格是‘大丈夫’:‘富贵不能淫，贫贱不能移，威武不能屈’，即奉行正义，始终不渝。荀子和以后的儒家，又给圣人增添了新的内容，对理想人格所具有的‘气象’，理想人格的精神境界，作了具体描述。……至宋明理学，剔除了道家理想人格中的超人性质，把理想人格安放在平实的、现世的基础上:理想人格是人世中的一员，他不超人的存在，理想人格既切近，又难以企及”[②]。历代的名家都对“圣人”进行了解读,这与当时的社会背景有着极大的关系，相同的是他们都认为这是道德教育的理想与最终目标。

“成圣成贤”的目标树立了道德榜样，也在某种程度上成为进行道德教育的方法。推选典范楷模集中体现在士人和百姓的层面上，每一次对楷模和典范的推选，实际上都是一次现实的教育过程。推选要有推选的标准和条件，明确这些标准的过程也是对人们进行教育的过程；而按照这样的标准去选择对象的过程同样也是一种教育。谁成为典型和楷模，是因为他具备了什么条件；谁在推选中落马则是说明他不具备什么条件。古代社会的道德楷模教育作用很重要的一个方面就是通过推选过程实现的[③]。在进行

---

① 郭齐家，毕诚．试论儒家教育哲学的基本特点［J］．华东师范大学学报（教育科学版），1988 (4) : 85.

② 项久雨．关于中国古代思想道德教育的思考［J］．理论月刊，1999 (9) : 17 － 21.

③ 傅琳凯．中国古代思想道德教育内容方法及其现代借鉴［J］．思想教育研究，2011 (4) : 60 － 63.

推选的过程中，被推选者的事迹会被不断地宣扬和昭示，为民众提供一个较好的道德学习平台。同时，被推选者在不断推举的过程中也会不断加强自身的建设，严格约束自身行为。中国古代社会通过树立楷模的形式，不断深化人们对道德的认识，从而潜移默化地影响人们的行为。

（三）注重自我道德修养的建立

在古代社会的道德教育中，自我道德修养占据着很大的比重，是人们不断进行自我革新和自我锻炼的重要方法。“修身是古代社会的思想家和统治者们找到的有助于人们按照社会要求去做的有效方法和途径。修身突出的是自我教育或自我修养，它是通过自我对社会价值理念和行为规范的理解体悟,从内心生成的按照社会要求做事的自觉性”①。“优良的道德品质不是生来就有的，而是后天逐渐培养起来的，即使是圣贤也概莫能外。道德品质的养成，不仅要靠社会、家庭的教育，更要靠自我教育、自我磨练，这就是修养的功夫”②。教育家们强调自我道德修养的建立，是为了向人们传达修身是成人之本，想要成就一番大事业就必须进行自我修炼。只有从自身做起，不断进行自我反思，才能成就更大的事业。

中国古代历史上有“性善论”与“性恶论”两种对立的观点。无论是“性善论”中认为的人的善性需要不断扩张与发展，还是“性恶论”所认为的人具有总结自身经验的能力，都强调了人自身修养的重要性。“中国的传统伦理道德思想中，有着深信人性中已具道德的一切要素与可能的信念，认为只要反躬内求，便可以完成道德，‘为仁由己’。由此形成以向内探求、修身律己为特征的道德修养学说，强调自主自律、自我超越，达到道德完美的境界。自孔子、老子以来的中国古代思想家，都重视道德修养，

---

① 傅琳凯．中国古代思想道德教育内容方法及其现代借鉴［J］．思想教育研究，2011(4)：60－63.

② 罗国杰．中国传统道德·名言卷［M］．北京：中国人民大学出版社，1995：11.

提出了比较丰富的关于修养方法与修养境界的理论。……在中国思想史上，不同学派所讲的道德修养方法不同，但是有一个共同的基本观点，即认为要提高思想觉悟、达到人格完善，必须进行自我道德修养”。[①]

（四）具有一定的历史局限性

先秦至近代，我国有很长一段时间处于封建专制统治下，由于长期受到封建思想的统治，遵循封建的社会秩序，普通民众通常被看作是一种需要统治的目标，其在封建社会所处的底层地位决定了道德教育为统治阶级服务的特性，在这样的道德教育背景下培养的人是服从与驯良的。

封建社会的特性决定了其道德教育的发展与方向。“封建纲常礼仪规范教育是中国古代社会思想政治教育的主线。一个社会得以运行的基本条件之一，是社会生活中要有规范来约束人们的行为。没有规范的约束和对行为的规范，社会生活就不能正常运转，社会秩序就无法保证。封建纲常即‘君为臣纲，父为子纲，夫为妻纲’和‘仁、义、礼、智、信’，是中国古代社会经过长期积淀和总结提炼出来的处理上下尊卑关系和人与人关系的基本准则，类似于现代社会中的道德原则或原则性的规范”[②]。因此，在封建社会儒家的纲常名教，以臣忠、子孝、妻顺为代表的三纲五常成为中国社会道德教育的核心内容[③]。这些道德教育的思想曾是统治阶级的工具，或多或少地带有封建社会的腐朽思想，具有一定的历史局限性。

自先秦以来，道德教育一直是指导我国规范社会秩序、提升人格修养

---

① 余仕麟．中国古代道德教育思想的历史演变及其思想精华［J］．西南民族学院学报（哲学社会科学版），2001 (1) : 187 － 194.

② 傅琳凯．中国古代思想道德教育内容方法及其现代借鉴［J］．思想教育研究，2011 (4) : 60 － 63.

③ 陈学恂，金忠明．中国教育史研究［M］．上海：华东师范大学出版社，2009 : 204.

的良好方法。从儒家学说的创始人孔子至近现代以来我国著名的教育家蔡元培，他们不断发展与传承着我国优秀的传统道德教育思想，并结合当时的社会背景与个人经验加以创新，使得我国的道德教育方法呈现出多样态与时代性的特点。回顾我国道德教育方法的历史发展，有利于今天的研究者和实践者在反思、甄别、扬弃中传承与创新，不断发展符合现代社会要求、贴合当前实际的道德教育方法。

第二节　我国当代德育方法研究脉络

我国德育自古以来包含了政治教育成分，而新中国建国初期的政治需要决定了当时的德育理念强调思想政治方面的教育，强化意识形态教育，其道德教育内容也具有鲜明的政治性，注重消除非社会主义思想，培养认同和拥护社会主义的接班人。这一时期的德育方法主要是通过开展各类政治学习和社会活动，树立榜样，从理论和实践两方面增强人们对社会主义的认同和拥护[①]。但这一时期的德育方法在后期发展中不断显现出局限性，许多道德的、心理的问题都被划为政治问题，德育方法在整体上表现为简单化和缺少理据。改革开放后，我国德育方法研究逐渐走向学理化，并在理论与实践的磨合中不断丰富发展。改革开放以来，我国由传统的计划经济向市场经济转化，与市场经济相适应的就是强调主体性与能动性的主体性精神和个体的价值。市场经济造就的是多样化的社会，产生的是对个性、主体性的肯定。[②] 进入新世纪以后，德育进一步强调回归学生的生活世界，学生主体地位彰显。伴随着德育目标和德育内容由“无人”到“有

---

① 李丽．从建国以来我国德育模式发展看现代德育模式的构建［D］．广州：华南师范大学，2007.

② 班华．现代德育论［M］．合肥：安徽人民出版社．2004：222.

人”、由单一到多元的变化与发展，德育方法也在不断进行调整与改进。本节主要梳理了从社会主义建设时期到改革开放以来我国德育方法研究的发展与变化。

一、改革开放前我国德育方法研究的特点

社会主义建设时期是指 1949—1956 年新中国成立初的社会主义改造时期以及 1956—1978 年社会主义探索时期。在这一时期，我国主要学习苏联的教育学，德育原理成为教育学理论体系中的一部分，德育方法蕴含在教育方法之中，同时我国在改造旧社会、接管与改造旧教育的过程中，开始探索符合我国国情及德育规律的德育模式与方法。

在新中国成立的前几年里，我国在政治、经济、文化、教育等方面的基本方针是“以俄为师”，因此苏联社会主义建设的各个方面都成为我国学习的对象。在教育领域，由于当时苏联的教育采用“大教育学”模式，教育学的分支被“大教育学”所囊括，因而德育原理学科也包括在了教育学之中。在此基础上，对于德育方法的处理，我国学习苏联，把德育方法分为教育手段、教育方法和教育方式三类。教育手段主要包括教学、社会生产劳动、社会工作、游戏、体育运动和课余活动；教育方法主要包括说服、练习、奖励和惩罚；教育方式是教育方法的一个重要组成部分，例如说服的方式包括伦理性谈话、报告和演讲、辩论会和读书法。各种不同的教育方式可以保证教育方法的灵活运用[①]。与此同时，尽管这一时期的德育原理是作为教育学的一部分内容被研究的，但这丝毫没有弱化德育问题。早在中国共产党第一次全国代表大会上，中央局就确定了由李达同志负责党的宣传工作，强调对广大人民进行政治宣传和政治教育，以唤醒人民进行革

---

① 包德列夫．学生的共产主义道德教育［M］．李渊庭，译．北京：人民教育出版社，1958：50－51.

命的觉悟。因此，在学习苏联德育理论的同时，我国在德育方法上也继承了老解放区的经验，理论联系实际，把政治课教学与各种社会政治运动相结合，寓德育于各种社会活动之中，创造了政治课、政治报告、政治讨论、干部政治培训等灵活多样、行之有效的德育方法[①]。同时，通过榜样示范、实践锻炼，把提高道德认识与付诸实际行动结合起来；通过参观、访问、调查与民主辩论等方式，在德育过程中注重教育与自我教育相结合[②]。但由于这一时期我们简单移植老解放区经验与借鉴苏联经验，对德育概念的本质、德育过程等问题缺少深入探究，德育方法在整体上呈现出简单化和缺少理据的倾向，主要表现为主知型的"传递—接受"模式，一定程度上忽视了德育对象的接受意愿和接受水平，在后期的发展中不断显现出局限性。

1958 年，由于中苏关系发生变化，我国开始反思学习苏联带来的一些不足，并提出了"教育学中国化"的口号，尝试探索符合我国国情的德育模式与方法。在 1959 年中共中央提出了《关于对学生进行政治教育中几个问题的报告》，对改进学校思想政治教育工作提出了四条意见：一是学校工作以教学为中心，不能事事搞运动、天天搞运动，而应当经常进行深入细致的思想教育工作；二是要善于运用各种思想工作阵地多方面地对学生进行教育；三是要具体分析，区别对待，严格区分两类不同性质的矛盾，在进行教育的时候坚持说服的方法，不能采取简单粗暴的压制办法；四是要注意在学校中营造民主的、自由争论的风气，培养学生敢想敢说敢干和勇于坚持真理、修正错误的精神。在此背景下，我国学校德育模式与方法呈现出以下特点：一是积极拓展德育途径。首先，强调德育与生产劳动相结合，通过劳动促进学生思想革命化。同时充分利用社会活动对学生进行社会主义的政治思想教育。这一时期，学校一方面重视德育课程的理论教

① 魏贤超 . 现代德育原理［M］. 杭州：浙江大学出版社，1993：6 − 9.

② 张忠华 . 共和国教育学 70 年 德育原理卷［M］. 北京：北京师范大学出版社，2020：56.

学，注重各学科教学的德育渗透；另一方面充分利用社会活动，把活动与德育有机结合起来，让学生在劳动中受到教育，运用调查、参观、走访等方式广泛接触社会，在社会的大背景下接受教育。二是在德育方法上充分利用榜样示范法。在社会主义建设时期，中国人民自力更生，创造了许多奇迹，涌现出了许多英雄楷模。学校充分利用这一资源，大力推进榜样教育，对学生的道德发展起到了巨大作用。其中的道德模范主要有雷锋、王进喜、王杰、焦裕禄等等，此时期规模最大的榜样教育活动是“学习雷锋”活动。通过这些榜样示范，学校对学生进行社会主义思想教育、共产主义思想教育，对青少年一代形成良好的道德品质产生了深远的影响[①]。

总之，在社会主义建设时期，学校德育方法收到了较好的效果，形成了一套较为完整的德育方法体系。但由于当时学校德育受到特定社会政治经济的影响，过于强调教育为无产阶级服务，把阶级斗争作为德育的重要内容，使得政治成为德育的主要价值。在德育方法与途径上，学校广泛地参与社会上的各种运动和活动，利用群众运动的方式解决思想问题，客观上忽视了学校的独立地位和特有功能，也未凸显出道德教育的独特育人过程。

二、改革开放后我国德育方法研究的特点

改革开放以来，我国教育事业蓬勃发展，不断迈上新台阶，在德育方法研究领域也取得了显著成果。梳理改革开放以来我国德育方法研究脉络对德育方法向前发展具有重要借鉴意义。本节从德育方法种类与称名变化以及不同种类德育方法的发展着手，通过文本研究法与文献检索法对改革开放以来的相关书籍、国家颁布的政策文本、期刊与网络资源等资料进行分析，根据分析结果揭示改革开放以来我国德育方法研究的变化和特点。

---

① 张忠华．共和国教育学 70 年 德育原理卷［M］．北京：北京师范大学出版社，2020：87－90.

（一）德育方法的种类与称名变化

我国在不同时期对德育方法的分类与称名研究有所区别。通过查阅相关书籍，不难发现自改革开放以来我国对德育方法的称名及种类介绍随时间发展呈现出以下趋势和特点。

1. 德育方法的称名逐渐趋于规范化

20 世纪 80 年代，我国学者对德育方法的命名存在多种表述形式，尚未形成规范的格式。例如，1983 年华中师范学院教育系教育学教研室编写的教学参考资料《德育论》中将几种德育方法表述为：怎样给学生讲清道理，道德教育应如何发挥榜样的作用，谈“爱”在教育中的作用，德育与实践，表扬与批评，马卡连柯论纪律教育中的惩罚问题，自辨 · 自学 · 自锻 · 自管；1985 年北京师范大学出版社出版的《德育原理》[①] 中介绍的德育方法为：说理教育法、情感陶冶法、实际锻炼法、榜样示范法、修养指导法、品德评价法；1986 年，陕西人民教育出版社出版的《德育学》[②] 认为德育方法有：说服教育法、榜样示范法、情感陶冶法、自我教育法、行为实践法、品德评价法。以上三种表述中，后两种形式逐渐发展为德育方法的常规表达形式，但同一时期尚有其他多种形式存在。例如，1986 年河北省教育学会、河北师大教育系编印的《新时期德育探讨》中把德育方法归纳为：说服，榜样，陶冶，疏导，实际锻炼，参观、访问、调查，奖励和惩罚；1987 年赵翰章在《德育论》[③] 中这样表述：“晓之以理的说服教育法、动之以情的陶冶教育法、导之以行的实际锻炼法、持之以恒的修养指导法、对品德给予强化的品德评定法”；1988 年李意如、

---

① 《德育原理》编写组 . 德育原理［M］. 北京：北京师范大学出版社，1985：114 － 134.

② 华中师范大学教育系，陕西师范大学教育系，杭州大学教育系，等 . 德育学［M］. 西安：陕西人民教育出版社，1986：168 － 196.

③ 赵翰章 . 德育论［M］. 长春：吉林教育出版社，1987：117 － 119.

胡筠若编写的师范教育丛书《学校德育》[①]将德育方法表述为：说理教育，实际锻炼，指导自我教育，表扬和批评、奖励和惩罚，评比，利用节日、纪念日组织主题教育活动。

自20世纪80年代以后，学者们对各德育方法称名的表述趋近于规范化，体现在这一时期德育方法的称名大多以“法”字结尾。同时，学者们对同一方法的命名也大多集中在一种或少数几种典型的表述形式。例如，对于说服、说理一类的德育方法，主要有两种相近的表述方式。在1989年胡守棻的《德育原理》[②]、1990年吴先正等的《中小学德育工作手册》[③]、2002年鲁洁和王逢贤的《德育新论》[④]、1996年班华的《现代德育论》[⑤]及2001年班华的《现代德育论（第2版）》[⑥]和2016年王荣德的《现代德育论》[⑦]等图书中，将其表述为“说理教育法”；而在1993年古人伏的《德育学教程》[⑧]、鲁洁和王逢贤的1994年版《德育新论》[⑨]以及2016年戚万学的《道德教育的视界》[⑩]均将这一方法称为“说服教育法”。对于在实践中开展德育的方法，也有两种主要的称名形式，分别为“实际锻炼法”“实践锻炼法”，少数文献将其表述为“实践教育法”“实际训练法”等。“品德评价法”也是学者较为关注的德育方法，与其相近表述有“思想品德评定法”“道德评价法”。此外，“情感陶冶法”和“修养指导法”也是常见的德育方法中比较有代

① 李意如，胡筠若．学校德育［M］．北京：人民教育出版社，1988.
② 胡守棻．德育原理［M］．北京：北京师范大学出版社，1989.
③ 吴先正，刘文，姚力．中小学德育工作手册［M］．成都：四川人民出版社，1990.
④ 鲁洁，王逢贤．德育新论［M］．南京：江苏教育出版社，2002.
⑤ 班华．现代德育论［M］．合肥：安徽人民出版社，1996.
⑥ 班华．现代德育论：第2版［M］．合肥：安徽人民出版社，2001.
⑦ 王荣德．现代德育论［M］．北京：中国社会科学出版社，2016.
⑧ 古人伏．德育学教程［M］．上海：华东化工学院出版社，1993.
⑨ 鲁洁，王逢贤．德育新论［M］．南京：江苏教育出版社，1994.
⑩ 戚万学．道德教育的视界［M］．北京：北京师范大学出版社，2016.

表性的表述形式。

2. 德育方法的种类逐渐趋于稳定

经研究发现，自改革开放以来我国德育方法的研究种类逐渐趋于稳定，说服教育法（说理教育法）、榜样示范法、情感陶冶法、实践锻炼法（实际锻炼法）在早期研究频率较高且始终为德育方法研究中的主要研究对象。此后，对奖惩法、修养指导法、活动育人法、品德评价法、自我教育法、心理咨询法等几种方法的系统研究也较多且趋于稳定。其间，还伴随着一些对理论灌输法、思想疏导法、文化涵育法、正面引导法等方法的研究。

（二）德育方法研究的文献分析

尽管我国的德育思想源头可以追溯至孔子时期，但对德育方法的系统研究起步较晚。德育方法的系统研究兴起于 20 世纪七八十年代，在此之前的论文发表量与图书出版量极少。在已出版的图书中，德育方法相关内容多出现在德育或教育类图书的某一章节中，直接涉及德育方法主题的专著有 2 本[①]。再者，关于德育方法的介绍形式，在现有图书中多为直接提出已有方法，未见针对各种具体德育方法的溯源及其发展历程研究。此外，已发表的论文也大多将现有德育方法作为依据指导教育教学实践，对德育方法发展脉络的研究极少。

文献的增长量是衡量研究发展阶段水平的一个重要指标，任何研究都会经历增长缓慢的萌芽期、高速发展的成长期、达到研究顶峰的鼎盛期以及增长速度变慢的成熟期。[②]这里拟根据德育方法研究相关文献发表量的变化趋势，探究改革开放以来我国的德育方法研究脉络。通过对相关文献

---

① 李敏，薛荣堂著:《德育教育实施方法》,1998 年由中国人事出版社出版；崔相录著:《中小学德育方法》,1991 年由东北朝鲜民族教育出版社出版。

② 卢玉红，侯艳，刘川 . 我国碎片化阅读文献研究进展[J]. 图书馆理论与实践，2017 (6)：49 − 53.

进行梳理与分析，并结合当下德育方法的实施现状，本研究发现并选取了五种较为典型的德育方法大类，即说服教育法、情感陶冶法、活动育人法、自我修养法和实践锻炼法，并以中国知网数据库为数据源，对德育方法进行总体检索,再针对每种德育方法分别进行检索。本研究的起点为 1978 年，研究终点为 2023 年 6 月。

1. 对“德育方法”进行主题检索

首先，利用中国知网资源总库检索平台，在高级检索的“主题”字段执行“德育方法”，共得到文献 5768 篇，就得到的检索结果按照发表时间进行统计分析，如图 2-1 所示（横轴表示文献发表时间，纵轴表示文献发表数量）。

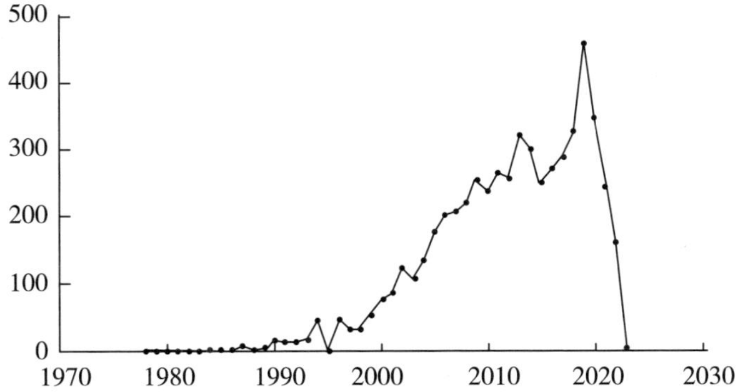

图 2-1　德育方法总发文量变化趋势

文献的发表数量和年份分布从侧面反映了德育研究者就德育方法这一领域课题的研究热度和深度。研究结果显示，改革开放以来我国学者对德育方法的关注与研究总体呈上升趋势，新世纪前我国德育方法研究领域文献发表数量较少，2000—2013 年文献发表数量平稳上升，随后经历了小幅下降，2016—2019 年又以相对较快的速度增长，尤其是 2019 年，文献发表量相较于前一年增长 135 篇,并且在这一年文献发表数量达到了峰值——462 篇。从 2020 年起，德育方法的文献发表量出现下滑趋势。由于截至本研究的检索时间节点——2023 年 6 月时,2023 年度的发文量尚未统计完全，因此目前的检索情况不能代表 2023 年文献发表数量的最终情况。但从已有的数据推测，相较于 2022 年，2023 年的发文量仍有下降趋势。

论文数量的变化恰好印证了我国德育方法研究的发展趋势和特点。张忠华在 2010 年通过“中国期刊全文数据库”以“德育方法”（含道德教育方法）为篇名进行检索，时间锁定在 1978—2009 年，检索得到文献 385 条。根据 30 年的研究状况，张忠华将我国新时期德育方法研究划分为三个阶段：1978—1992 年为德育方法研究的初探阶段；1993—2003 年为德育方法的平稳研究期；2004—2009 年为德育方法研究的相对繁荣期。[①] 结合本次文献检索情况，本研究将改革开放至今的我国德育方法研究重新划定为三个阶段：1978—1998 年为德育方法的初步探索阶段；1999—2011 年为德育方法研究的相对繁荣阶段；2012—2023 年为德育方法研究的深化发展阶段。相关文献发表数量的变化可能与同时期国家重要会议和政策文件的出台有关。

（1）初步探索阶段（1978—1998 年）

1978 年，邓小平在全国教育工作会议上的讲话中，强调“学校应该永远把坚定正确的政治方向放在第一位”[②]。同年，刘舒生在《人民教育》上发表《动之以情　晓之以理》一文，“坚持说服教育，使学生明辨是非，坚持真理，修正错误”[③]，这是我国第一篇有关德育方法的文章。1988 年，中共中央发布《关于改革和加强中小学德育工作的通知》，强调“教育工作中要十分重视中小学教育工作，中小学教育工作中要十分重视德育工作”，强调德育的重要性，促进了德育领域的相关研究。1990 年，国家教委印发了《关于进一步加强中小学德育工作的几点意见》，指出要落实德育在学校教育工作中的首要地位，进一步优化校内校外育人环境，有计划地组织德育活动，从具体实施途径的角度有力推动了德育方法研究的

---

① 张忠华．我国新时期德育方法的研究与反思［J］．教育学术月刊，2010（4）：55－59.

② 邓小平文选：第 2 卷［M］．北京：人民出版社，1994：104.

③ 刘舒生．动之以情　晓之以理［J］．人民教育，1978（9）：64.

发展。1998 年，教育部发布《中小学德育工作规程》，要求“小学、初中、高中阶段具体的德育目标、德育内容、德育实施途径等均遵照国家教育委员会颁布的《小学德育纲要》《中学德育大纲》施行”。同年，教育部发布《面向 21 世纪教育振兴行动计划》，提出“加强爱国主义、集体主义、社会主义理想教育，遵纪守法和社会公德教育，进行中华民族优秀传统和革命传统教育”。整体而言，随着德育政策不断演进，学者们逐渐开始关注德育领域的相关研究，德育方法开始得到学者们的关注。

（2）相对繁荣阶段（1999—2011 年）

2004 年，国务院批转教育部《2003—2007 年教育振兴行动计划》，提出将学校德育工作作为“新世纪素质教育工程”重点实施对象之一，为新时期德育工作者指明了方向。德育成为这一时期教育研究领域关注的热点问题，关于德育方法的讨论也逐步增多。2005 年，教育部出台《关于整体规划大中小学德育体系的意见》，对不同教育阶段学生的德育目标、内容、课程、活动、渠道进行了系统规划，进一步促进了德育工作者对各学段德育的相关研究。2006 年，教育部发布《关于大力加强中小学校园文化建设的通知》，强调组织开展形式多样的校园文化活动，重视校园绿化、美化和人文环境建设，大力推动了学者们对情感陶冶法的关注与研究。2010 年，教育部发布《国家中长期教育改革和发展规划纲要（2010—2020 年）》，提出坚持德育为先，立德树人，构建大中小学有效衔接的德育体系，创新德育形式，丰富德育内容，增强德育工作的针对性和实效性。随后，德育方法研究领域发文量明显增加。总而言之，这一时期德育方法相关研究得到了国内学者的广泛关注，德育方法的开展形式愈加丰富。

（3）深化发展阶段（2012—2023 年）

党的十八大提出“把立德树人作为教育的根本任务”，随后教育部出台了一系列文件，全面贯彻落实立德树人的精神。2014 年，教育部《关于培育和践行社会主义核心价值观　进一步加强中小学德育工作的意见》提出改进课程育人、实践育人、文化育人、管理育人等中小学德育的关键载体，探索德育工作的新途径、新方法。随着德育政策的针对性逐渐加强，德育方法有了较为稳定的政策支持，引起了德育工作者的广泛关注。为了使德育工作更扎实有效，教育部在深入调研基础上，整合完善并充实了前期相关政策文本的核心内容,形成了《中小学德育工作指南》(以下简称《指南》)，并在党的十九大召开前夕印发了《指南》。《指南》对如何落实立德树人进行了具体阐述，要求各地要将《指南》作为学校开展德育工作的基本遵循，将德育工作落细、落小、落实。《指南》强调开展节日纪念日活动、仪式教育活动、少先队活动；要广泛开展社会实践，组织研学旅行，与学生年龄、智力相适应的志愿服务活动。同年，国务院印发《国家教育事业发展"十三五"规划》，指出"广泛运用情境教学、社会实践等方式，关注学生情感体验过程，引导和组织学生开展自我教育；加强网络环境下的德育工作，引导学生全面理解、正确对待重大理论和社会热点问题"。

2018 年 9 月 10 日至 11 日，中央召开全国教育大会，这次教育大会对德育给予了前所未有的重视。总书记不仅强调了德育的重要性，还全面阐述了德育的内容和方式方法，对学校的德育工作具有重要指导意义，也为德育方法的研究提供了方向。德育是学校工作中的一个薄弱环节，在实践中面临许多困难。一方面，德育是一个系统工程，学校教育只是其中一个环节，德育效果受诸多社会因素影响；另一方面，德育涉及认知、情感、实践等多个层次，学校德育能较好地解决道德认知问题，但不易形成情感认同，要转化为学生的道德实践就更加困难。因此，要全面落实立德树人，针对德育薄弱环节，学校需要健全德育工作体系，除了关注德育目标与德育内容之外，还必须讲究德育方法的有效运用[①]。为落实《中小学德育工作指南》、2018 年全国教育大会精神，同时满足时代、社会发展需要，寻求最适宜儿童身心发展的德育方法，研究者们积极探索、改进学校德育方式方

---

① 戴八一．落实立德树人根本任务，抓好中小学德育工作：学习习近平总书记在全国教育大会上的重要讲话（七）[J]．中国德育，2019 (4)：7 − 9.

法，开启了深化学校德育改革的全新探索时期，其对德育方法的关注热度在2018年、2019年的文献发表数量上有所体现。总体而言，这一时期学者们对德育方法的研究产生了质的飞跃，关注到不同学段德育方法的异质性，强调德育活动的重要性，注重德育方法的日常化、生活化。在此基础上德育方法的实践路径呈多样化发展，且德育方法的时代性和针对性更加突出。

2. 对几种德育方法分别进行主题检索

除上述检索方式之外，研究者还在中国知网资源总库检索平台中高级检索的“主题”项下对说服教育法、情感陶冶法、活动育人法、自我修养法和实践锻炼法分别进行检索，以期为新世纪我国德育方法的研究脉络提供更多线索。鉴于各种方法不仅具有多种不同的称名，而且包含一些更加具体的子方法，因此在检索时需将多个主题检索项组合，以确保检索的完整程度，避免文献遗漏。通过反复尝试与验证，最终确定了针对每种具体方法适宜的检索式，其中各检索项之间用逻辑“或”连接，必要时用“道德”“德育”或“德育方法”加以限定并执行逻辑“与”操作，以去除不相关文献。例如，应用主题检索“说服教育法”时检索结果包含调解纠纷、侦查讯问、法院强制执行、安全管理、医学有效沟通等无关德育方法的其他领域的文章。

本研究针对五种德育方法的检索式分别为:①说服教育法，检索词:“说服教育 or（灌输教育 and 德育）or（灌输教育 and 道德）or 说理教育 or 价值澄清法 or 正面管教 or 启发自觉 or 心理换位 or 两难问题讨论法 or 道德两难故事 or 正面灌输 or 语言说理”；②情感陶冶法，检索词：“情感陶冶 or 陶冶教育 or（情境体验 and 道德）or（情境体验 and 德育）or 榜样教育法 or（榜样示范法 and 德育）or（榜样示范法 and 道德）or 示范教育法 or（心理沟通 and 道德）or（心理沟通 and 德育）or 理想激励法 or 陶冶法 or 情感渗透法 or 环境熏陶法 or 榜样激励法 or 校园活动激励”；③活动育人法，检索词：“（仪式活动 and 德育）or（仪式活动 and 道德）or（少先队活动 and 道德）or（少先队活动 and 德育）or（游戏活动 and 德育）or（游戏活动 and 道德）

or（活动育人 and 德育）or（活动育人 and 道德）or（活动渗透 and 德育）or（活动渗透 and 道德）or（节日 or 纪念日 and 德育）or（节日 or 纪念日 and 道德）or 游戏育人 or（主题活动 and 德育）or（主题活动 and 道德）or 共青团活动”；④自我修养法，检索词："（自我修养法 and 德育）or（自我修养法 and 道德）or 生命叙事法 or（自我管理 and 道德）or（自我管理 and 德育）or（自我认识 and 道德）or（自我认识 and 德育）or（批评与自我批评 and 德育）or（批评与自我批评 and 道德）and（自我修养 and 德育）or（自我修养 and 道德）or 正念冥想 or 冥思教育 or 修养指导；”⑤实践锻炼法，检索词："（生活实践 and 德育）or（生活实践 and 道德）or（社会实践 and 德育方法）or（服务学习 and 德育）or（服务学习 and 道德）or（研学旅行 and 德育）or（研学旅行 and 道德）or 实践锻炼法 or 实践教育法”。

在得到初步检索结果后，研究者对全部文献逐一进行筛选性阅读，主要通过阅读论文摘要、引言等内容辨别论文研究的领域，从而剔除不相关文章、小幅新闻报道和重复文章（重复的文章以发表时间在前的一篇列入统计）、会议、报纸、专利，最终确定有效文献数量：说服教育法 592 篇、情感陶冶法 374 篇、活动育人法 338 篇、自我修养法 108 篇、实践锻炼法 305 篇。随后，研究者对这些文献进行分析和统计（图 2-2），以期了解我国德育方法研究的发展与趋势，从而为进一步研究提供参考。

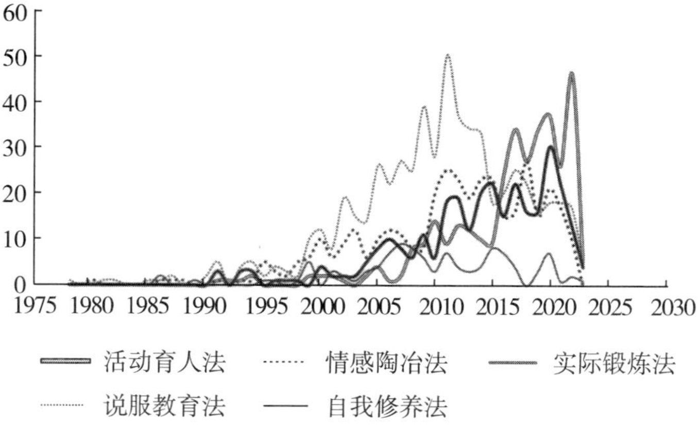

图 2-2 各德育方法发文量变化趋势

图 2-2 反映了各德育方法论文发表量的年度分布情况及发展变化趋势，从中可以看出，我国学者对说服教育法的研究居多，在 1978—2011 年关于说服教育法的文章发表数量总体呈现上升趋势，2011 年其发文量达到峰值 50 篇，从 2012 年开始呈现下滑趋势。总体来看，其发文量的活跃期是在 2009—2014 年。在 2010 年之前，自我修养法、实践锻炼法和情感陶冶法的文献发表数量相近，且均逐年螺旋式递增。论文数量的增长，说明德育界对其重视程度的提高。2011 年经历了小幅上涨之后，自我修养法于 2014 年又恢复到了上涨前水平，此后论文研究数量呈现小幅波动，每年发文量维持在 10 篇之内，其最大发文量是在 2007 年，共发文 9 篇；实践锻炼法发文量呈螺旋式上升状态，自 2011 年之后，其年发文量在 15—30 篇范围内波动，其峰值出现在 2020 年，达到 30 篇；情感陶冶法自 2010 年经历了小幅增长后，其年发文量至今仍趋于稳定，维持在每年 15—27 篇；活动育人法的文献数量总体呈上升趋势，其发文量的活跃期出现在 2016 年之后，为每年 24—46 篇。

通过梳理可以看出，我国德育方法研究以说服教育法为主，辅以自我修养法、实践锻炼法、情感陶冶法、活动育人法等，各个方法的活跃期多在 2010 年之后。究其原因，2010 年 7 月，我国发布《国家中长期教育改革和发展规划纲要（2010—2020 年）》（以下简称《纲要》）。《纲要》凸显了立德树人的地位和重要性，提出“坚持德育为先。立德树人，把社会主义核心价值体系融入国民教育全过程”。

一方面，《纲要》把“实践”作为学校德育工作的践行模式，更是将其作为未来教育发展的总体战略、指导思想与工作方针，从教育的宏观视角与顶层设计高度对实践予以重视，这必将对学校德育方法的应用与变革产生重大影响，生活德育被提高到了至关重要的地位[①]。而在此之前，学校

① 鲁洁．生活·道德·道德教育［J］．教育研究，2006 (10)：3－7.

德育曾一度远离生活实践，它关注的是一个先于学生个体存在的、以社会宏大价值为中心的理念世界，试图通过德育理性把预设的价值世界灌输给学生，借以改造学生的世界观与人生观，培养他们成为社会宏大价值的真实体现者，由此形成了以说教式或灌输式为主的德育范式[①]，这样的德育范式造成我国学校德育应然状态与实然状态之间的差距不断拉大。随着研究者们的持续探索以及相关政策文件的出台，一种适应我国社会发展的全新的学校德育范式——生活实践范式走进了学校德育的视野。实践锻炼法也因此获得了更多的关注与研究。另一方面,《纲要》中对学生“主体”与“主动性”的认识有助于在学校德育工作中释放出学生自我教育的张力。《纲要》要求“要以学生为主体，以教师为主导，充分发挥学生的主动性……促进每个学生主动地、生动活泼地发展”；同时还要求“鼓励学生利用信息手段主动学习”“促进学生主动适应社会”“充分调动学生学习积极性和主动性”。因而在这一时期以后，促进学生自我教育成为新时期我国学校德育工作的新动力，鼓励学生自我管理、自我教育的自我修养法也得到了更多的重视与应用。

除了前文提到的相关政策文件，教育研究者们也致力于开拓创新，基于理论与实践研究提出了适应学生和社会发展需要的新型德育方法，例如利益调节法、登门槛技术法、自发对称破缺法、无意识教育法[②]等。2019年,史兵峰将传统的德育方法归为两类,一类是“以提高学生道德认识为主”的德育方法，另一类是“以训练学生的道德行为为主”的德育方法，并指出这两类德育方法在相当长的时间里发挥了重要作用。但是随着时代的发展也暴露出了不足，即在德育教育中忽视对学生个体道德情感内在心理的需要，对利用和满足学生个体道德情感、内在心理需要和调动学生内在动

① 李德全.新时期我国学校德育工作的新思考：基于对《国家中长期教育改革和发展规划纲要（2010—2020年）》的解读［J］.社会科学家,2012(11):118－121.

② 冯文全.论新时期学校德育方法的变革［J］.中国教育学刊,2005(5):16－20＋24.

力重视不够。由此，他提出了“以促进学生个体道德情感的内在心理需要为主”的德育方法（简称“内需德育方法”），在研究内需德育方法的基础上，主张在学校德育的过程中将三类德育方法结合起来，相互作用、相互融合，多元发展①。“内需德育方法”与情感陶冶法存在异曲同工之处，两者都关注学生的内在情感，强调调动学生的内在动力，这对于学生的道德品质的影响是至关重要的。正因为内在情感在德育工作中不可替代的重要作用，多年来，我国德育教育工作者对于情感陶冶法的关注热度不减。

（三）新世纪以来我国德育方法的转变

20世纪末期，有学者指出了我国德育方法存在的偏颇，主要包括：重灌输，轻引导；重外炼，轻内化；重正面教育，轻反面教育；重共性，轻个性；重显性教育，轻隐性教育；品德评价重质轻量②。针对德育方法存在的偏颇与问题，理论研究者与实践工作者们不断调适与改善，致力于提出更加适宜的德育方法。戚万学曾针对新时期我国德育的发展提出了几点设想：第一，必须正确处理社会、国家的政治目的和学校道德教育的具体目标之间的关系；第二，道德教育的目的应该从培养具有他律道德的人转向培养具有自律道德的人；第三，道德教育应该从只注重迫使学生接受、服从具体的道德规则，转移到重视培养学生的道德判断和道德选择的能力；第四，建立一种无灌输的道德教育；第五，发展学生的自我评价能力③。德育方法应推动德育更好地发生和发展，两者的发展具有一致性，因而关于我国德育发展的设想对德育方法的发展同样具有指导意义。

进入新世纪以后，德育方法更加生活化、多元化。新世纪初出台的中

① 史兵峰．我国中学德育方法多元化发展研究［D］．石家庄：河北师范大学，2009.

② 江桂珍，赵庆华．德育方法的偏颇与调适［J］．教育管理，1996 (1)：26 － 27.

③ 戚万学．道德教育的视界［M］．北京：北京师范大学出版社，2016：63 － 71.

小学德育课程标准[①]文件中强调了德育要在生活中开展。与之配套的《道德与法治》课程教科书也是围绕学生的实际生活展开。随着德育目标与德育内容不断回归学生的生活世界，德育方法也更加注重落细、落小、落实。纵观近二十年研究不难发现，我国对德育方法的理解、研究与应用正在持续发生以下转变。

1. 变单一德育方法为复合德育方法

德育效果的好坏，在很大程度上取决于教师是否割裂了各德育方法之间的内在联系，是将其灵活适度地运用还是将之教条化、形式化、过度使用都会对德育效果产生巨大影响。在全球化、多元化的今天，德育方法越来越呈现出复合趋势，德育方法的选择和运用更加注意各种方法之间的相互渗透和相互补充。

2. 变封闭德育为开放德育

道德品质的形成动力来源于新的道德需要，新的道德需要产生于具体的生活实践。传统的封闭式课堂教学对学生情感、意志、信念和行为的培养相对薄弱。近年来，无论是国家政策文件的导向还是德育学者的研究方向，都体现了对落实德育实践性的重视，倡导学校德育方法改变过去封闭的德育模式，加强实践锻炼环节。许多学校为学生提供机会参与班级甚至是学校的管理和校园活动的策划、组织工作；或者鼓励学生走出校园，走向社会，参与社会服务、承担社会义务、讨论社会事件，投身于火热的社会生活，体验复杂多变的社会道德情境，尝试进行道德抉择，使学生在与人交往中体验情感，在克服困难中磨炼意志，在解决具体问题时践行道德责任。

3. 变注入式德育为启发式德育

在传统的德育模式中，教师往往以权威者的身份，以训诫的口吻，要

① 《品德与生活课程标准（2011 年版）》《品德与社会课程标准（2011 年版）》《思想品德课程标准（2011 年版）》以及《道德与法治课程标准（2022 年版）》。

求学生服从、忍让、遵守规律，学生只能被迫接受注入式的德育要求。但近年来，随着德育工作已经成为学校教育的重要组成部分，德育更加注重个体自身道德的发展和完善，德育方法在注重指导教育的同时，也提高了对自我教育的重视程度。通过两种方式的结合，以促进个体自律、发展其理解能力、增强批判意识、尊重真理、热爱知识为特征，显示出对道德主体的高度关注[①]。德育工作者们逐渐意识到要想通过实施德育促使学生奋发向上，德育方法就必须与学生生活和社会实践相联系。这就要求教师运用的德育方法必须做到情理交融，教师要从学生外在的变化中洞察学生内心世界的变化，找到德育要求与学生精神需求的契合点，利用这些联结由内而外地启发学生，促使其发生内在道德认知、道德情感、道德意志和外在道德行为的建构和转变。在今天，我们大力提倡启发式德育而摒弃注入式德育。启发式德育区别于注入式德育最显著的标志在于：一方面充分发挥教师的引导作用，另一方面充分调动学生的主动性，保障德育民主性。启发式的德育方法能够激发学习者的思维和创造性，调动学习者的学习积极性和主动性，从而达成良好的德育效果。

4. 变单向讲授为平等交流

随着德育民主化的观念在师生心中不断加强，教师越来越能够深刻认识到教师和学生都需要不断学习和提高自己以适应快速发展的社会。教师应充分认可学生的认识能力和分辨能力，相信他们在某些问题的认识上能超过自己的思考，并主动与学生交流，虚心接受学生意见，平等沟通，共同提高。在此过程中，学生的自主意识也逐渐提高，认识到自己是个人道德生活的主体，以对本人负责的态度和责任感，主动进行道德学习，自觉磨练道德意志，积极投身道德实践，以一种积极进取、自觉成长的生活观，与教师相互探讨，共同思考，日益走向道德成熟。以这样的德育观为指导

① 班华．现代德育论［M］．合肥：安徽人民出版社，2004：223.

的学校德育方法的总体特征是以学生为主体、教师为主导，以情感为纽带，注重调动双方积极性，通过双向互动，实现道德的共同进步①。

5. 变模式化教育为个性培养与人格塑造

以往学校德育以培育“听话的好学生”“模式化的人”为目标，忽视学生的个性发展与良好的个性心理品质的培养。这种教育模式中的学生是被动的、机械的，其兴趣、爱好的发展得不到支持，思想受到禁锢，自主性和创造性被压抑，德育脱离了学生的现实生活。学校德育承担着塑造青少年人格的历史使命，德育方法必须重视学生的个性培养与人格塑造，使学校德育走出单纯传递知识的误区。以促进个性发展、塑造健全人格为目标是学校德育方法改革的核心，也是近年来德育方法转变的重要路径与方向。德育个性化旨在培养个性充分发展的、人格健全独立的、会做人、会做事、懂生活、精工作的社会公民。实施德育个性化要求教师在德育过程中尊重学生主体个性，注重个性化人格的培养，帮助学生发展优良的个性品质，抑制和克服不良的个性和特点，使学生得到和谐发展②。

6. 变理论抽象为实践直观

过去忽视德育实践活动而只注重单纯讲授、理性强化的德育方法是德育中的一个误区，如今在学校德育工作中教师们越来越注重在实践中开拓创新。实际锻炼法、活动育人法和情感陶冶法等具有较强的直观性，是为受教育者喜闻乐见的德育方法，也是当下在德育工作中的常见方法。

追溯过去是为了更好地把握未来，本节梳理了改革开放以来我国德育方法的研究脉络及其研究与实践重心的转变，旨在借鉴以往成功经验，吸取教训，改进不足，为后续研究与应用提供一些有益的参考。

---

① 李伟民．试论学校德育方法的重心转移［J］．辽宁农业职业技术学院学报，2005 (2)：57－58.

② 周国宝．论新课程下的德育方法改革［J］．黄冈师范学院学报，2008 (S1)：1－2.

第三节　比较视野中的德育方法研究

不同的国家或地区，德育概念不尽相同，德育方法也有区别，但学校德育都不是独立的教育行为，都要受到特定的政治、经济、文化、历史等条件的制约，各国各地区都会采用更加符合自身利益的德育方法。由此，比较视野中的德育方法既有相同之处，同时必然也存在着差异。分析研究异同及其背后的原因有助于我国德育方法的发展与创新。本节对不同国家和地区的德育方法进行梳理，并将中外德育方法进行比较，旨在通过比较进行鉴别和相互借鉴，为我国德育方法的研究与实践提供有益参考。

一、国外德育方法研究

经过综合考量，本节选取了与我国地域相近且在教育领域具有代表性的三个亚洲国家（新加坡、日本和韩国）与我国德育方法进行比较。同时以美国、英国两个国家作为代表，综合比较分析中西方在德育方法上的差异，通过比较寻找差异，吸收借鉴有益成果，为今后我国德育方法发展提供新的视角与着力点。

（一）新加坡的学校德育方法

新加坡学校德育具有多元统一性、国家意识主导性、传统价值观的创新性、东西文化融合性等特点[1]。由于地处东西方文明的交汇处，新加坡受多元文化、多元种族和多元宗教等因素的影响。在德育方法上，新加坡十

① 李萍，林滨．比较德育［M］．北京：中国人民大学出版社，2009：186－196.

分注重东西方文化的结合，其学校德育既体现了儒家伦理的精华，也蕴含着西方文化传统。面对急剧变化的社会及价值观日趋多元化的状况，新加坡的教育工作者们认为，如果学校的道德教育继续采用传统的教学方法，已不能适应时代的要求。新加坡课程发展署何子煌先生指出：过去道德教育实施的最大缺点是“偏重道德习惯的型铸，而忽略了道德认识的启发，往往以教师为中心，以直接说教和典范仿习法，遵守德目的指导，培养学生的道德观念。这种教法对低年级的学生或许有效，但对高年级的学生而言，这种以强硬的方式灌输教条，以型铸成人所定的社会价值观念，缺乏主动思考性的教育法，往往不容易被学生所接受”，“过去德育实施的结果，是将孩子培养成社会赞许的乖孩子”但忽略了培养学生独立思考及解决问题的能力，以及教导他们如何在生活中作出道德判断并建立价值观。因此，当他们一旦走出校门，失去老师的依靠时，往往会无所适从。正是出于这一原因，新加坡教育界积极探讨，借鉴西方各种先进的理论，并结合自身实际情况和本国学校教育的特点，予以创新，建构新的德育方法，得到了适应学生发展要求的，更加自主、开放，注重过程性和差异性的多样化德育方法，以适应当代青少年发展的要求。其中最典型的是文化传递法、设身处地考虑法、价值澄清法以及道德认知发展法。在德育课堂中，教师通常是将几种方法扬长避短地结合使用①。

1. 文化传递法

文化传递法，是新加坡课堂教学中运用最多的方法，这种方法是对传统教学方法的变革，旨在通过教学，把过去累积下来的知识、规则或道德标准、价值观念传递给学生。新加坡教育者十分重视维持新加坡发展的精神遗产，并强调教师要将其作为价值观传递给学生。这些精神遗产包括学习的榜样、族群的风俗习惯和规范纪律等。教师利用真实事例、生活事件、

① 李修超．新加坡学校德育对我国的启示［J］．教学与管理，2014(6)：154－156.

故事、诗歌等，引导学生进入所呈现的生活情境或由历史事件、寓言故事等构建的道德情境中，并通过启发、思考、问答、讨论等活动教学法，使学生通过讨论辨别是非，树立起正确的道德思想，传递正确的价值观念，进而在适当的道德情境中采取适当的行动[①]。例如，对于多元文化、种族文化教育，新加坡学校规定有种族和谐日，在那一天各种族的教师要穿上别族的传统服装，在礼堂集合，学习各种种族文化、传统生活习惯。值得注意的是，这种德育方法尚存一定的争议。新加坡教育界指出，实践证明这种教育方法对于低年级学生是有效的。但由于这种方法不重视道德情绪、动机或认知，对于高年级学生是否有效，则有待商榷。

2. 设身处地考虑法

新加坡学校德育积极引入现代道德教育理论所推崇的一些方法，如体谅德育模式的设身处地考虑法。设身处地考虑法是指培养学生通过换位思考学会关心他人、体谅他人、宽容他人、接纳他人的方法。在使用这种方法时，教师需要注意引导学生不仅要从自己的立场出发，还要从他人的立场思考问题，要了解别人的感受、需要或利益，从而能够更全面地考虑问题，即从了解别人的动机、立场开始，培养每个人关怀他人的良好情操。在教学过程中，老师设法引导学生进入道德情境，让学生假设自己身处当时的困境中，并通过角色扮演、提问和分享经验等形式来扩展学生的道德视野，解除学生心中的恐惧和不信任感。教师通过给学生创设一定的道德情境，鼓励学生设身处地考虑、理解和感受他人的需要和利益，帮助他们建立良好的人际关系，养成关怀他人的高尚情操。

3. 价值澄清法

新加坡是一个开放、多元的国家，在日常学习和生活中学生经常遇到各种需要作出抉择的道德问题和价值冲突，而传统的教育方法往往偏重教

---

① 刘培军，商秀梅. 新加坡中小学德育方法及其启示[J]. 教学与管理，2008 (1)：79－80.

条的灌输和道德习惯的培育，导致学生在走出校门后面对真实的道德冲突时不知所措。价值澄清法的运用既向学生传递社会既有的、符合社会标准的道德或价值观，同时又“澄清”学生的非道德的、不正确的价值判断，因而增强了德育的实效性①。价值澄清法强调道德或价值观是经过自我反省和行动澄清而得出来的，因此，该方法重视道德或价值观的形成过程，在实施时主要通过认清问题、衡量利弊、考虑后果、珍惜选择和采取行动五个步骤来完成②。在教学上，强调发挥教师的主导作用，要求教师给学生以指导，指出符合社会标准的道德或价值观，以“澄清”学生非道德的、不正确的价值判断，避免学生缺乏考虑、仅仅以自己的好恶去做选择。在这个过程中，学生的道德和价值观得以形成，学生的道德判断力和道德决策力得到培养。

4. 道德认知发展法

新加坡所提倡的道德认知发展法源自美国儿童发展心理学家劳伦斯·科尔伯格的道德认知发展理论，主要是通过讨论道德两难问题了解学生的道德认知发展，并将学生的认知水平提高到下一层次。根据科尔伯格的理论，人的道德认知发展分为三个水平六个阶段，由低层次循序渐进，个体在每个阶段都以不同的观点作出道德判断。在使用该方法时，教师要预估班上学生的道德发展阶段，然后提出比学生现阶段高一阶段的价值判断的取向。在教育过程中，教师常常组织学生围绕道德两难问题进行讨论，促使学生从不同的角度思考，提出解决办法，说明原因，并倾听及参考其他同学的意见，以便和自己的想法相比较，而后作出选择。该方法的特点是通过教学刺激学生认知结构的改变，提升道德认知层次，以增强学生解决问题的能力③。

---

① 师建龙. 新加坡道德教育的方法与途径［J］. 教学与管理，2004（6）：94－96.

② 夏兰，但堂渊. 新加坡中小学公民道德教育及其启示［J］. 阿坝师范高等专科学校学报，2008（2）：111－113.

③ 同①.

（二）日本的学校德育方法

日本与中国是一衣带水的邻邦，两国都是现代化后起国家。自近代以来，日本走上了一条教育与经济同步发展、以教育促经济发展的道路。日本的经济崛起，无疑有道德教育的推动作用，其道德教育的理念、实践培育了古代忠君爱国的臣民，打造了现代的为国家、为社会、为企业尽职尽力的公民。日本的道德教育在其民族精神、国民素质等培育方面都起过积极作用。与此同时，日本的道德教育也并非一成不变，而是积极适应不断变化的日本社会经济发展的需要，并作出积极的调整和应对。针对道德教育中出现的问题，不断出台新的方案和对策，充分显示出日本政府道德教育方针、政策的灵活性和应变的鲜明特征[①]。其道德教育经验对于同属东方国家的中国具有重要借鉴意义。

日本的德育方法具有体系化，实践化，课程化，重视德性养成、实践训育，注重体验，注重学校、家庭和地域社会“三位一体”教育的特点[②]。在日本德育的实践过程中，产生了立体、多面的教育方法。综合来看，日本学校注重理论与实践相结合，重视道德体验，讲求实效，强调学生主体地位，强调优良德育环境的创建，注重德育课程的开设，重视对学生的思想指导并积极启发学生的思维，通过采取“三位一体”的方法将学校、家庭、社区教育活动紧密联系在一起[③]。日本在长期的德育实践中积累了丰富多样的实施方法，其中除了包括与新加坡学校德育相同的设身处地考虑法、道德认知发展法外，具体还有以下几种。

---

① 李萍，林滨．比较德育［M］．北京：中国人民大学出版社，2009：199－200.

② 王威．中日中小学德育教育的途径与方法之异同及对我们的启示［J］．黑龙江教育学院学报，2008(9)：37－38.

③ 武佳乐．中日中学德育方法比较研究［J］．山西农经，2017(10)：96.

1. 主题指导法

日本中小学设立有“道德时间”课程，课程围绕不同主题展开，不同的主题相互构成统一整体，因此主题在道德课程中至关重要。由于道德具有主观性、整体性、系统性等特点，因而道德课程必须也是有主题性的，其主题是以人类为中心的课题。具体的道德课程主题有：习惯形成性主题，即对日常生活中基本行为的理解；心情性主题，即道德情感的培育，实践能力欲望的培养；判断性主题，即道德性思考，根据道德价值观进行判断能力的培养；理解性主题，是以对道德的自觉性的深刻理解为前提的；生活主题，即以身边的生活为起点的问题；心理性主题，主要是解决心理问题;思想问题，即爱国心、爱人类、国际理解等方面[①]。一般而言，小学低年级以健康、安全及在良好规范引导下的生活为重点，中、高年级则过渡至以自由、秩序、责任及对团体生活应抱有的态度（包括公德心、家乡爱、爱国心）为重点[②]。道德课上具体的指导方法有交谈、讲授、提供读物资料或视听资料、演戏法等。

2. 实践体验法

实践体验法又称“实践锻炼法”。这种方法是指在特定的环境中，引导学生通过体验有所感悟。例如，通过模仿家长的言行来树立自身正确的道德观念、养成文明礼貌的习惯；通过劳动体验学习养成勤劳的美德；通过社区服务培养奉献、友爱的公共服务精神；通过组织纪律严明的参观活动培养集体归属意识等。由于体验是人从经历过的事情中获得的直接经验，是融认知、情感等因素为一体的思维活动，所以更能使学生留下深刻的印象，更能触动学生的心灵，从而在一定程度上预防由灌输带来的知行不合现象。日本中小学在实施道德教育的过程中，强调学生在不断实践和反复训练中养成良好的行为习惯，有效地将认识转变成实际生活中的日常行为

---

① 刘彦玲．中日中小学德育方法比较研究［D］．保定：河北大学，2011.

② 朱炜．日本“道德时间”课程设计与实施［J］．外国中小学教育，2006(12)：42－46.

表现。因此，日本在德育教材中提供了大量且形式多样的实践活动内容，鼓励教师带领学生进行德育实践。另外，日本中小学注重将道德教育内容细化为行为规范，使学生在具体实践和行动的过程中能够有规可依、有章可循。

3. 多感官体悟法

日本学校道德教育课程强调学生对道德价值的感悟和体会，注重学生在学习过程中的思考与表达。课堂上，教师会给学生提供声像、文本等道德资料，并依据内容提出问题，引导儿童深入思考和讨论。教师会给学生留有专门的时间来思考，也积极引导学生调动多感官进行学习，同时鼓励学生将自己的想法以文字或表演等形式表达出来[①]。这种遵从信息输入—提取加工—表达输出的德育方法，可以加深学生对道德价值的感悟和体会，进而提高其在道德问题判断与解决方面的自觉能力。

4. 心理咨询法

日本中小学设有谈话室，以加强教师和学生之间的沟通与交流。教师通过一对一的心理辅导，来了解学生的心理状况，从而疏导学生的心理障碍，这种方法有利于学生的健康成长[②]。在解决学生问题的同时也能促进学生的道德内化，培养其自我教育的能力。

5. 挫折教育法

日本十分重视人的意志磨炼，尤其重视人在困难、挫折中汲取勇气和力量的能力。他们认为，思想上的压力和肉体上的痛苦都可能成为精神上的强心剂，困难与挫折既可以激发学生的潜能，使其养成坚毅的意志，也有助于培养优良的品质。因此，日本学校在德育工作中很重视挫折教育法，主要教授学生遇到逆境时如何奋勇直前，并从中学习勇敢、掌握力量、战

① 王迪，孙承信．关注学生实际获得：日本中小学德育方法及启示［J］．中国教师，2016(22)：90－93.

② 武佳乐．中日中学德育方法比较研究［J］．山西农经，2017(10)：96.

胜弱点、击溃思想压力、克服身体痛苦。在这个过程中，让学生领悟到挫折可以锻炼顽强的意志，培育优秀的品质，激发自身潜能[①]。

6. 言传身教法

日本的“言传身教法”类似于我国的“榜样示范法”，即教育者通过自己的言语及行动去影响、感化受教育者的观念和行为，用高尚的道德品质和道德实践为受教育者提供一个榜样示范，去感染受教育者，以达到教育的目的。在这个过程中，教育者要用自己的热情、关爱和耐心帮助、引导学生，激发学生思想上的共鸣，进而引发其积极正向的道德行为。

（三）韩国的学校德育方法

与新加坡和日本一样，在继承传统德育方法合理因素的同时，韩国也积极引进各种有益的理论加以创新，建构新的德育方法，主要有情景教育法、“明星”教育法等。韩国学校德育工作强调道德教育和道德实践相结合，在坚持系统的道德知识教学的同时，非常注重实践活动的开展，重视把活动引入课堂，配合形式多样的课外活动，让学生在角色扮演中接受相应的教育，在活动中完成相应的教学任务，进而培养学生分析、思考及处理道德问题的能力[②]。韩国也拥有多种德育方法，其中韩国的实践教育法[③]、情景教育法[④]分别与前文提到的实践体验法、道德认知发展法属于不同称名的同一方法。前文提到的价值澄清法、言传身教法在韩国也被广泛应用。除此之外，韩国还有两种具有本国特色的德育方法。

---

① 徐小涵，张艳灵. 比较中日学校意识形态教育的差异[J]. 中学政治教学参考，2016 (9)：59－60.

② 李琳. 新加坡和韩国德育的特点及其启示[J]. 教学与管理，2013 (18)：152－154.

③ 张晴晴. 韩国道德教育的方法借鉴[J]. 吉林省社会主义学院学报，2016 (4)：45－47.

④ 王涛，谭菲. 韩国中小学道德教育的途径、方法及评估标准[J]. 教学与管理，2011 (15)：156－158.

1. 民族精神教育法

民族精神教育法是具有韩国特色的德育方法，教育者以韩国传统民族精神和以儒家思想为主题的传统道德为核心，引导学生加强个人道德、家庭美德、社会公德建设。这一德育方法突出了儒家的爱国思想[①]。

2. "明星"教育法

"明星"教育法是韩国德育的一大特色。娱乐业发达的韩国，产生了众多的歌星、影星，这些明星在高校学生中的影响巨大，其言语、行为和穿着都会引发学生的频频效仿。"明星"教育法正是利用了这种明星效应，通过邀请明星来校演出或演讲的形式，对学生进行道德教育。在现场互动中，被邀请演出的明星会对学生提出一些中肯的意见，鼓励学生坚持自己的梦想，努力学习等，还会通过演讲的方式，讲述自己成功的历程，以此来激励学生[②]。

（四）美国的学校德育方法

美国学校主要通过各科课堂教学进行道德教育，通过心理咨询培养学生健全人格，通过参加课外活动与社会服务增强德育的实效性，通过大众传媒和社会公共环境对学生进行德育渗透。其德育方法强调德育工作的个人本位性。由于美国所宣扬和奉行的是个人本位主义，因此，在选择方式方法的时候，也就必然会考虑到教育对象个人的需要且要迎合他们的特点，受教育对象在整个德育工作中占有主体地位，而教师在整个过程中仅仅是起到一个组织者的作用。[③] 以美国为代表的西方德育方法的特点还表现

---

① 赵琳．儒家思想对韩国大学德育的影响启示［J］．河南理工大学学报（社会科学版），2016 (4)：524 − 528.

② 王京，王颖．高校思想政治理论课实践教学长效机制的构建［J］．北京教育（高教），2015 (Z1)：113 − 116.

③ 冯益谦．比较与创新：中西德育方法比较［M］．北京：中央编译出版社，2004：93 − 99.

在以下几个方面：其一，宗教方法影响较大。通过宗教精神的内化，使学生实现思想和行为的自我约束，以此来实现道德教育。其二，隐性德育力量强大。有许多西方国家反对向学生灌输既定的伦理道德思想和原则，倡导学生通过自己的实践和认知来选择自己的思想价值观念，所以他们通常采用隐性德育方式对学生进行引导和渗透。其三，注重社会实践对德育的作用。许多西方国家鼓励学生积极参加一些社会实践活动，如社区服务活动和公益劳动。他们认为道德行为、道德意识都要通过实践体验才能逐步内化，经过亲身体验的事物更容易被接受、理解，从而形成积极的道德品格。下面列举了美国在长期教育实践中积累的几种典型的德育方法。

1. 学科渗透法

美国著名哲学家、教育家、心理学家约翰·杜威提出学校就是道德训练的场所，学校要模仿社会的相关环境，让学生在这样的模拟环境中进行道德训练。美国学校在学科教学中积极设计、开展各种活动以营造典型的社会环境，使学生在集体生活中受到道德上的刺激，提高道德判断能力。同时，由教师对学生进行指导，鼓励学生自由地发展对道德问题进行判断的能力，允许学生犯错误并及时引导他们重新思考、修改自己的判断，以达到教育的效果。

2. 自我教育法

自我教育，是指受教育者在其主体意识的基础上，发挥主体性作用，根据社会标准及道德规范，通过自我认识、自我评价、自我控制等过程，有目的、有计划地调整自己的行为，从而提高自身品质的一种自觉活动。由于多元化的社会背景，美国推崇个人至上、自由选择，因此美国的学校德育十分注重自我教育。美国学校在向学生教授一些特定的、相对稳定的道德规则和国家倡导的价值观的同时，采用讨论、辩论及课后小结等多种形式，引导学生积极参与教学过程，从而达到自我教育的目的。此外，美国学校还积极开展社团活动、鼓励学生参与学校管理、积极宣传各种典型和英雄模范人物的事迹，从多方面推动学生自我教育，不断完善自己[1]。与此同时，自我教育不是自发形成的，它需要教育者的指导。因此，美国的自我教育法强调将自我教育与指导教育相结合。

3. 心理咨询法

美国的心理学应用广泛并且理论成果丰富。在美国的德育中，心理学扮演着非常重要的角色。在学校心理咨询工作的开展中，美国投入了雄厚的师资和设备支持。课程教学、讲座、影视、面对面交流等是心理咨询的主要方式。美国高校已经形成了以心理指导为主的较为完善的心理咨询体系，主要表现在：设置专门的心理辅导机构；采取多种多样的心理咨询方法，包括集体上课、召开各种研讨会、单独谈话等。除此之外，还辅之以电影、电视教育等方式帮助学生在无形中缓解或释放自己压抑、失望、痛苦、悲观等不良情绪[2]。实践证明，美国高校的心理咨询指导工作富有成效，它不仅能够解决学生的心理问题，而且对提高学生的思维及问题解决能力、促进人际交往等方面都发挥了重要的作用，是美国高校德育的有效途径和方法之一。美国的中小学校一般都有心理咨询师或者顾问，专门负责调解学生的心理疑问。在这个过程中，学生的自信和自我认知、自行解决生活问题的能力得以提高，学生的思想、情感以及人格也不断成熟和健全。

4. 实践教育法

美国学校十分重视将校园活动与社会活动相结合。美国高校的校园活动和社会活动丰富多彩，而且具有很强的德育功能。大学校园活动主要包括体育竞赛和学生自我管理，其中体育运动和竞赛如篮球、棒球或橄榄球赛等深受大学生们的欢迎，观看全美的大学球类联赛是大学校园里最重要的业余生活之一。参与、观看体育比赛有利于培养学生的团体意识和公共观念，在体育比赛过程中出现的问题往往能够引发学生对道德问题的讨

① 郑红莺．美国学校德育途径方法借鉴研究［D］．重庆：西南政法大学，2005.

② 王熠晔．当代中美两国高校思想政治教育方法比较［D］．兰州：西北师范大学，2010.

论[1]。通过对道德冲突的理解与处理，学生的道德价值观念会得到较快的改变与发展，学生可以以自己有意识的道德行为接受社会检验和评价，进而获得对自我价值的确立与升华。

5. 宗教教育法

宗教教育法在美国德育方法中占据着重要地位。美国人民相信可以凭借宗教的力量来培养新一代的美德，伦理与宗教结合也一向是西方国家道德教育的特点。美国的公立中小学虽然不开设宗教课程，但学校允许学生每周在特定的时间离开学校到教堂中接受宗教教育，纽约州还曾发布“放学制度”，为学生去教堂接受宗教教育提供便利[2]。

6. 价值澄清法

20 世纪 60 年代，美国的教育专家、改革者针对当前社会道德状况持续恶化、社会秩序堪忧的状况而提出了一种革新的德育方法——价值澄清法。它包括谈话法和价值单填写法。

美国道德教育的谈话与讨论是教师以既有的评价体系设置标准化的问题，通过学生的作答分析，明确其固有的价值观念。现下美国使用最多的澄清应答是通过教师与学生一对一的交谈，让学生自我发掘潜能、认识自我，并形成直接的行为判断。在这个过程中，教师作为问题提供者并不引导学生回答抑或对学生的回答进行评价，也不能给予供学生参考的回答标准和评价尺度。同时，教师要保证学生在问答过程中进行充分和深刻的思考，实现个人的启发。此外，教师要避免让学生感觉到这一过程涉及价值的灌输与思想的引导，因为这一方法的实质就是让学生完成自我反思而非接受知识技能的教育[3]。

---

① 王岩 . 中美高校德育方法比较研究［D］. 哈尔滨 : 哈尔滨工程大学 , 2009.

② 孙永贺 . 比较与创新 : 浅析中美德育方法之异同［J］. 边疆经济与文化 , 2009 (4) : 51 － 53.

③ 方鑫 . 美国道德教育方法的当代发展研究［D］. 长春 : 东北师范大学 , 2018.

价值单填写法与谈话法的目的一样，也是为了帮助学生澄清价值观，但两者在开展形式与问题的内容上有所区别。价值单填写法是一种经过精心设计的并指向深层次的价值观思考的方法，主要用于那些不大适合于口头交换意见的场景和问题，如性、政治、宗教等问题。价值单填写法是由教师选择某一能引起深思的社会问题，并设计一系列相关问题，复制后分发给学生。先由学生独立完成价值单，并将答案写在纸上，然后学生之间或师生之间可以就这些答案进行交流[①]。通过让学生填写价值单，将学生所学知识提升到知识所涉及的价值观上来，有利于引导学生关注社会问题，同时也能使教师了解学生的真实想法，提高德育的针对性和有效性。

7. 道德讨论法

道德讨论法在美国德育课堂上扮演着至关重要的角色。道德讨论法可以促进伦理道德规范的认同和个体道德品质的发展，大部分的道德问题都没有确切的答案，尤其是针对社会现实的道德问题，并且这不只涉及个人观点，而且会影响社会价值观。道德讨论法就是通过思考和分析将不同的观点予以表达的过程，经过支持或反对不同声音的表达，即使道德问题没有解决，也能够通过进一步的思考，找到巧妙的方法化解道德争端，同时不损害各方利益[②]。在美国学校课堂中采用道德讨论法的基本过程是：教师为学生提供能够引发道德认知冲突的问题或道德两难情景故事，引导学生思考讨论，从而提升学生的道德思维，提高其道德判断能力。需要注意的是，教师提供的故事要符合学生的道德认知发展水平，不能一概而论；师生之间所讨论的问题是要能够引发学生进行思考，进而产生认知冲突的问题；教师对学生的引导要与学生的道德认知发展水平相一致。

---

① 洪棋文，陈红．美国学校德育的价值澄清理论评析［J］．衡阳师范学院学报，2007 (4)：123－126.

② 刘兴璀．美国高校德育方法研究［D］．武汉：武汉大学，2018.

（五）英国的学校德育方法

英国是一个具有悠久历史和深厚人文传统的国家，拥有众多实效性高的德育方法，其德育方法具有古典性、宗教性、注重德目主义等特点。古典性是英国学校德育的一大传统特色，主要反映在注重学究式的绅士风范，偏向讲授和热衷古习等方面。如果说西方学校德育是以宗教基本教义为基础的话，英国则是一个典型的反映，不仅至今还规定在所有学校实行宗教教育，而且在一般的德育课程中仍然有浓厚的宗教意识，所选用的材料和行为规范许多都来自教义。

宗教教育法是英国学校教育中尤其重要的方法。英国学校崇尚向学生直接传授必要的道德行为规范和美德，然后要求在实际上加以反复应用从而形成习惯的方法，这种德育观比较符合英国人的学习传统，为师生所接受；无论是宗教教育、一般道德教育还是其他科教学，主要仍采用这种教育形式。榜样示范法在英国学校德育中具有不可忽视的地位。英国德育理论家麦克菲尔通过研究认为，教师的品行是对学生生活方式和态度最有力的教育手段。英国历来崇尚古典主义的传统，非常注重教师个人品行和修养对学生人格的影响，对教师的职业道德也有严格的要求。任何教师都必须经过一个严格的试用期，试用期内，教师是否起到为人师表的风范作用，直接影响聘用决定[①]。前文提到的文化传递法在英国也得到了很好的应用。英国具有源远流长的历史和深厚的人文底蕴，其德育工作注重对传统文化精髓的汲取。在教学活动中，教师通过讲述历史故事、人物事迹以及现实生活中的事件、事例，引导学生思考、问答、讨论，将过去积累下来的优良的文化价值观和道德标准传递给学生[②]。此外，英国教育界普遍认可价值澄清法，认为在道德教育上，应该学习、吸收和运用价值澄清法，反

---

① 董小燕.比较德育研究［M］.杭州：浙江大学出版社，2000：203－204.

② 张鸿燕.英国学校道德教育的特点及其对我们的启示[J].教育探索，2007(2)：92－93.

对从理论到理论的说教或灌输，提倡让学生回归现实的生活。在实施价值澄清时要尽可能避免被学生觉察到正在进行有关道德方面的正式而严肃的教学。价值澄清既有利于道德和价值观的形成，也有利于学生养成一定的道德判断力和道德决策力[①]。在德育工作中，英国学校广泛运用道德两难问题讨论法。在教学过程中，教师优先采用当下英国社会中存在的一些道德问题的事例或有价值的主题事例，又或者虚构一些故事，然后设计出一定的道德两难问题情境，并在课堂上引导学生对这些道德两难问题开展讨论。在讨论的过程中，教师充当着引导者的角色，负责帮助学生正确理解所讨论的道德问题，并引导学生的讨论在正确的方向上进行。通过对道德两难问题的讨论，引发学生的道德认知冲突，促进学生在道德思维上的发展或转变，进而促进其道德判断能力的提高[②]。

除了宗教教育法、榜样示范法、文化传递法、价值澄清法、道德两难问题讨论法等常见的方法之外，英国学校还拥有行为矫正法、关心体谅法、社会行动法等具有代表性的方法。

1. 行为矫正法

英国学校倡导行为管理，作为推动学校德育工作的途径之一。其主要观点有：一种行为如超出或未达到常规标准，就是问题行为；不良行为是一种社会标签，应调整学生的一般社会期望；一切行为都是习得的，应改变问题行为的学习机制；教师是主要的矫正人，父母要适当予以配合。

2. 关心体谅法

关心体谅法主要是鼓励学生关心、体谅他人，多为他人着想，注重道德感染力和榜样在德育中的作用。在课堂教学过程中，英国教师常常倡导学生要多关心、多爱护他人，鼓励他们学会换位思考，遇到事情要善于体

---

① 曾祥书．初探英国德育方法论对我国大学生道德教育的启示［J］．佳木斯职业学院学报，2017（3）：99－101.

② 同①.

谅他人的动机与难处。同时，这也要求教师在学校德育工作中对学生要“多关心，少评价”。

3. 社会行动法

除了开设传统的德育课程外，英国学校结合了自主式的教育方式，鼓励学生在自主的实践中开展互助式教育。学生不仅能从主观思维中掌握道德教育的理论及要领，还能在日常学习生活中充分实践，从而达到渗透式的教育成效。社会行动法即是以实践为基础，从学校、家庭、社会的行动出发，弥补学校道德理论知识的不足之处，注重个体社会道德行为的养成。它提出道德教育必须注重公民社会行动方面的教育，注重个体社会道德行为的培养。这种方法在实践上发展了一套比较完整的教育实施方法和程序，要求教师对某些社会议题精心把握，然后促使学生投身其中，使学生在对社会活动的参与中提升道德认知、升华道德情感并强化道德行为，具有较强的实效性①。

二、中外德育方法比较研究

在德育方法比较研究中，既要注重社会性分析，又不能忽视阶级性分析；既要进行系统比较，又要进行综合分析；既要理性分析现状，又要前瞻发展趋势；既要重视历史阶段审视，又要将其与本土特点分析相结合。中国传统德育方法强调向内用功。孔子的克己内省，朱熹的存养省察，陆九渊的道不外索，都认为道德养成只需内求于己。这种道德的内在认识路径，一方面受到中国传统“人性善”的影响，另一方面也与“天人合一”的宇宙观有关。既然人的行为是天意的表达和体现，人的认识活动就不必舍近求远去依赖人身之外的自然，因而也造成了中国德育忽视向外（尤其是自然界）进取的倾向。而西方则强调“进取”“外求”，如强调自由竞争、

① 罗骋．试析英国学校道德教育的方法和途径［J］．湖北社会科学，2005 (7)：162 － 163.

享乐至上等。中国传统德育思想中的“内省”和“慎独”与道德的社会价值取向之间看似矛盾，实则相辅相成。达则兼济天下，穷则独善其身，最终都是以不违背社会规范为目的。而这里的社会规范是以人类的普遍原则为指导并相一致的。作为人类社会的普遍现象，以及道德教育自身规律的作用，中西道德教育也存在着一些共性的东西。比如，它们都与一定的社会生产关系相适应，在实践中都积累了一套行之有效的经验，强调“审慎”在道德教育中的作用，强调“理智”在道德发展中的作用。作为人类文明进步的产物，中西德育在调节人与社会关系，维护社会秩序与稳定等方面各有所长，都发挥了重大的作用。中西道德教育的历史为我们昭示了发展的方向。如今当世界再次呼唤道德教育之时，历史依然是现实的镜子。在构建具有中国特色社会主义的德育体系中，吸收和借鉴中外德育经验中合理、先进的因素，古为今用，洋为中用，显然是十分必要的。中外德育方法比较研究是我们对各国研究成果加以借鉴和再研究的前期重要工作，对完善我国德育体系具有积极意义。

（一）各国德育方法的共性

德育是培养人的活动，是关于人的内在品质和修养的教育。尽管不同的政治、经济、文化、历史等因素孕育了不同国家和地区各自不同的德育，但是由于各国学校德育均是围绕培养人来广泛开展活动的，而有效开展这些活动的前提是必须遵循人的思想品德发展变化的一般规律。并且，随着经济全球化的发展，人类的道德教育价值观日渐趋同，它有可能超越国界，超越不同的社会性质，为整个人类所共有。因此，在不同国家和地区的德育方式和方法上存在着共性。通过分析与比较研究发现，各国在德育方法上存在以下相同之处。

第一，都注重在实践活动中发挥德育的渗透作用。如今各国都十分重视德育实践活动，注重多渠道教育与广泛渗透，倡导通过各种实践进行直接的体验，在真实、直接的体验中内化德育思想和理论。道德教育不仅是认知问题，同时也是情感和意志问题。只有通过多渠道教育和广泛渗透，唤起学生的内心自觉，增强学生的道德责任感，并藉以使社会规范由外部强制变为学生的自觉观念，才能真正全面地促进学生的道德发展，避免言行不一、知行脱节等问题；也只有让学生作为主体，参与到学校社会的各项活动中去，才能养成主人翁精神、集体荣誉感和社会责任感，使学生最终做到道德自律。

第二，德育方法都与各自的德育目标、德育内容相一致。无论是国外还是我国的德育方法都与德育目标、德育内容相一致。因为德育目标的实现都离不开德育的实践环节——德育途径和方法，客观上就要求德育方法与其特定德育目标、特定德育内容具有一致性、吻合性。

第三，都注重现代多媒体等教学工具的使用。随着科学技术的不断进步，丰富多样的新多媒体技术被应用到了学校的德育工作中来。教学手段与技术的现代化，大大辅助提高了教学效率、教学效益和教学效果。

（二）各国德育方法的差异性

中外学校德育方法既有共性，呈相互吸收、互相融合的趋势，又由于文化背景、教育思想的迥异，表现出差异性。尽管各个国家社会制度不同，意识形态迥异，但都同样重视德育的力量，在德育方法上更是不断完善。通过比较各国德育方法的差异性，有利于我们更好地理解和运用德育方法。具体来看，我国与其他国家在德育方法上存在以下不同之处。

第一，与宗教的结合程度不同。宗教教育在西方学校德育中占有非常重要的地位，学校通过宗教将道德标准神圣化，从而极大增强了道德的感召力、说服力和约束力，并通过宗教课程和活动培养学生的民族精神、社会信仰和传统道德价值观。因此，宗教教育在很多方面发挥着德育的功能。我国实行宗教信仰自由政策。在我国，宗教与学校的教育是相互分离的。我国培养的是坚定的马克思主义者。我们宣传的是辩证唯物主义和历史唯物主义思想，主张学生形成科学的世界观、人生观和价值观。因此，在我国学校德育方法中看不到宗教教育的痕迹。

第二，隐性德育的工作力度不同。各国都意识到了学生除了在课堂上接受教育之外，还受到学校制度、朋辈群体、课外活动、校园氛围等因素的影响，这些因素更多体现的是一种隐性德育的理念和做法。隐性德育会在无形中使学生的态度、动机、观念、价值判断等发生变化。我国德育工作者在这方面进行了许多有益的尝试。作为活动的主体，学生参与校内外各种活动，并通过校内外各种有形无形的文化环境、氛围接受渗透教育，收到许多显性德育难以达到的效果。总体而言，各国在显性德育与隐性德育的张力把握上仍有不同，隐性德育的工作力度仍有差异。

第三，对心理辅导、心理咨询的重视和运用程度不同。心理健康教育是德育的重要内容，加强心理健康教育对于促进学生发展具有重要作用，因为只有健康的心理才会产生健康的人格。随着社会的迅速发展、生活节奏的加快和竞争的日趋激烈，学生的心理问题日益突出，心理咨询辅导也就显得更加重要。西方国家非常重视心理辅导，他们的心理辅导工作不仅开展得早且广泛，而且做得卓有成效，成为学校德育的一个重要途径。日本也格外重视心理咨询法，在 20 世纪 90 年代中期，日本全国绝大部分高等院校设立了心理咨询机构，这些机构的主要工作，就是通过小组咨询和个人咨询等方式来解决学生在思想、学习、生活及心理等方面遇到的问题。相较于这些国家，以心理辅导作为学校开展德育的有效方法在我国还需要受到更多的重视。

第四，德育方法的可操作性不同。例如，美国由于较长时期受“无灌输教育”“个人相对主义”“道德主体性”“形式主义”“道德教育中立”等道德教育理论影响，在具体教育方法中仍存在只强调过程而忽视基本道德知识和规范的教育。但是，美国的德育方法可操作性较强，效果较明显。例如强调讨论是品德教育的一个重要方式，倡导不使用某些真实姓名以保障学生无忧无虑地展开讨论。把角色扮演作为向学生提供设身处地思考问题的机会和发展社会意识的一个重要方法，以及把学生分成若干个互助合作小组等等[①]。我国德育的具体方法也是较多的，有说服教育法、情感陶冶法、自我修养法、实践锻炼法、活动育人法等。尽管各国偏好的德育方法各有优势与侧重，但在具体实施时，由于受到各个国家制度与文化背景等因素的影响，各种方法的可操作性存在较大差异。

（三）对我国德育方法发展的启示

对中外先进德育方法的综合比较，既有利于科学把握其发展规律，又可以与我国学校德育方法相互借鉴和融合。需要注意的是，即使在各国看来合理有效的看法和做法，由于各国文化传统、社会制度等因素的差异，也未必都适合于我国国情。我们应以我国学校德育的实际情况为立足点，对我国学校德育方法进行宏观上的理性思考与创新。通过对中外德育方法的研究和比较，可以在下列方面获得一些有益的启示。

1. 注重学生的道德认知发展情况

注重发展学生的道德认知是当代西方学校德育的重点和实践经验，这点也对我国德育方法研究具有启迪作用。美国学者科尔伯格系统地提出道德认知发展方法成为当代西方学校德育方法发展的转折点和催化剂，彻底地改变旧德育注重背记道德知识，满足于一般行为训练的做法。西方学校因此开始强调培养学生的道德推理能力，发展学生的道德判断力，其学校德育由此发生了根本的转变：一是改变了背记知识、注重说教和成人化的传统德育方式，再也不把某些书面知识或社会规范作为全部德育；二是加速了对道德知识的整合，知识学习成为动态的学习，所学习的知识得到很好的消化吸收，行为训练不再是机械重复，而成为个体能力的表现。西方德育成果证明，这样的德育方法有助于个体适应多变的社会，以超越知识的局限，把握更广更复杂的情境；有利于促使个体有能力对复杂的新的社

---

① 宋春宏．比较德育新论［M］．重庆：西南师范大学出版社，1999：268－270.

会问题作出重大判断，表现出对重大道德问题的理解和较高的行动自主性。可以说，强调能力发展是当代学校德育的重心之一，能较好地提高学生道德水平，把培养道德推理能力引入德育，发展中国化的道德两难故事体系，并作为一个突出的重点，对改造我国德育无疑是有积极意义的。然而，应注意克服为培养能力而培养能力的做法，避免脱离实践而囿于各种无意义的道德“两难”问题讨论之中。

2. 将培养民族精神作为学校德育的核心目标

西方许多德育学家都极力阐述学校德育的核心目标，科尔伯格认为德育就是培养超习俗的第六阶段的人，即自觉遵循人类普遍价值原则的人。但是最后他也不得不把德育目标放在培养社会公民，即遵循社会习俗法规行事的好公民上。西方国家强调人权，主张挖掘人类共同的价值观，但仍明确规定德育必须培养忠诚于本国的公民，即必须具备本民族精神的公民。日本、新加坡等国也不例外。历史也证明，民族精神培养越突出的国家，德育越有成效。许多国家将民族精神看作德育的灵魂，认为德育本身是一定民族文化的产物，是民族文化发展的需要，也只能在参与本民族文化实践中实现。人本身总是作为一种特定的文化存在来接受特定的德育。德育越成功，个体的民族精神就越强烈，就越能激励他为民族的事业而奋斗；否则个体就可能丧失文化依托，没有归属感或产生强烈的失落感。民族精神是一种激发向上的动力，它使所有成员的文化贡献都得到认可和充分体现。人的道德价值观总是具体地生长于民族文化之中，人的道德水平是特定文化与人类道德认知力的统一体。民族精神也体现了人类群体间最大的凝聚力和向心力，是人类这一群体性动物的最根本需要和结合纽带。从现代社会来说，没有民族精神就没有民族、国家，最后也就没有人类[①]。因此，德育必须致力于培养民族精神，这为西方学校德育所

① 冯益谦．比较与创新：中西德育方法比较［M］．北京：中央编译出版社，2004：150－154.

证明，也对我国学校德育的发展提供了参考。

3. 提倡“养成教育”，重视对学生行为规范的训练和指导

养成教育强调在品德形成的过程中，注重道德行为习惯对品德结构整体发展的意义。我国目前的“养成教育”还存在一定偏向，如教育内容的可操作性不强；忽略对不同层次的个体行为分层次进行道德指导；理论知识讲授多，联系学生道德生活实际少，难以帮助个体对社会现象作出独立的价值判断等。因此，探索新的“养成教育”思路，变个别方法为完整、系统的方法体系对我国德育方法的发展十分必要。

4. 重视心理教育，注意对学生健康心理的培养与锻炼

心理教育既是德育的内容，又是学校德育的方法。当前，针对青少年的心理素质发展及现状，作为德育重要组成部分的心理教育应当受到更多的重视。参考国外心理教育的有益模式，我国心理教育可以从以下几个环节展开：其一，制定一套从小学到大学分层次性的心理教育系统规划。其二，把心理教育的正面施教与解决学生的实际心理矛盾这两方面的心理教育重点相结合。其三，建立学校德育中的专兼职心理教师队伍，设立心理卫生、心理咨询机构，开展以“一对一”为主要形式的咨询指导工作。

5. 积极开展系统的德育方法研究

由于我国德育方法科学研究起步较晚，20 世纪 80 年代后才开始受到重视。尽管经过十余年研究，初步提出了中国的德育大纲，有力地促进了新时期学校德育的发展，但相关研究仍显得有些薄弱，如研究成果可操作性不强，具体成果丰硕但基础理论创新很少，攻关科研很多但没有形成具有独特理论色彩的学术流派等等。今后，我国教育界应大力推进德育研究，积极开展德育方法研究，为我国德育方法研究领域现存的种种问题提供解决办法，推动我国德育方法研究科学化、体系化。

第三章 说服教育法研究

说服教育是传统德育行之有效的方式，几乎所有教育学或德育学教材都将说服列于德育方法之首。这是对说服教育重要性的一种肯定。但依据什么作出这种肯定，根据什么认为它是首要或最重要的还无法回答。

有学者认为，是因为说服解决的是知的问题，而知是具有决定意义的品德构成要素；还有人认为是因为说服涉及知如何带动情意并引领行为。在这些说法的背后不仅有德育的原理，还有一切教育共同的原理，这类问题是仅依据说服教育的经验探讨所无法回答的。

本章将对说服教育法进行学术史梳理，从说服教育法的概念、理论研究、实践研究三方面进行阐述。第一节，从“说服”“说服教育”两组核心概念出发，通过辨析“说服”与“压服”“说教”“说理”几组概念间的异同，明晰说服教育法的内涵。在此基础上，分析说服教育法的构成要素，发展脉络，以求在历史的研究中明确说服教育法的未来发展方向。第二节对说服教育法的理论基础进行梳理,包括说服教育法的理论根源“灌输论”，以及影响说服教育法现代发展的“价值澄清理论”。第三节阐述说服教育法这一方法大类中的说理教育法、正面管教法、道德两难故事法、启发自觉法、心理换位法五种具体方法，为德育工作者提供说服教育法的具体实践路径。

“教育是国之大计、党之大计。”说服教育法不仅贯穿了我国千百年来教育发展的始终，也贯穿了中华民族文明传承的始终。“以德服人者，中心悦而诚服也，如七十子之服孔子也”，先秦诸子在两千年前开启了说服教育法的漫漫征程，其间虽有过诸多形式的发展与变化，但说服教育法发展至今仍然是我国道德教育不可或缺的重要组成部分。今天的说服教育法不断朝向符合现代道德教育要求的方向发展，更加重视以合理、恰当、公平、正义的方式使学生心悦诚服。这一过程，是教师提高学生道德素养、培养学生良好品格的过程，更是师生双方共同成长的过程。

第一节　说服教育法的含义与发展

本节从“说服”基础概念出发，通过分析不同学者关于“说服教育”的解读，辨析“说服”与“压服”“说理”“说教”概念之间的异同，进一步阐明在教育领域中“说服教育法”的意涵，并深入分析说服教育在运行过程中所内蕴的构成要素及其相互关系，以期提高说服教育在实践中的效用。在此基础上，梳理说服教育法的发展脉络，探析说服教育法在不同阶段的重点及其意义，体会说服教育在道德教育中的发展性与时代性。

一、说服教育法的含义

长期以来，德育学界有关说服教育法含义的认识众说纷纭。什么是说服？什么是说服教育？简言之，说服是用理由充分的话使对方心服。说服教育就是教育者通过口头等方式使受教育者态度改变达到心悦诚服。对于说服教育法的界定，不同的角度往往得出不同的结论。对说服教育的不同态度背后是不同理论背景与观点的反映，对德育实践也会产生不同的影响。

（一）说服教育法的概念

1. 何谓“说服”

“说服”一词最早源自《礼记·学记》,“夫然后足以化民易俗,近者说服，而远者怀之,此大学之道也”[①]。此时的“说服”是指使人心悦诚服。《辞海》中对“说服”的解释是:“用充分的理由开导对方，使之心服”[②]。在日常用语中,“说服”通常被当作动词使用,“说”与“服”两个语素间呈偏正结构，“说”表示动作，“服”补充表示“说”的结果。若从历史上考究，说服的历史并非是从教育方法史开始的。在中国，说服成为一种职业技艺始于说客。在西方，说服成为一种职业技艺始于古希腊的智者。与中国古代的说客不同，智者是“一批收费授徒，传授辩论、演说、诉讼、修辞以及治理城邦知识的职业教师”[③]。在智者教授的技艺中，辩论、演说与诉讼是说服者所需要的雄辩口才，而修辞术则是作为如何雄辩说服的理论。

“说服”成为一种可研究、可学习的方法或技巧，是从智者把修辞术作为一门课程开始的，“说服”转化为一种有理论基础且自成体系的方法，则是从苏格拉底开始的。古希腊哲学家苏格拉底与智者学派提出了相反的观点，因为在他看来，“修辞学是非理性的，仅是一种雕虫小技。构成德性的知识不仅仅是相信如此这般的事情是事实，而且也是一种认识相应区别的能力和一种行动的能力”[④]。正是在这种前提下，苏格拉底区分了建立在对结论的支持理由理解基础上的信服（真说服）与对理由缺乏理解情况下的被说服（假说服）,并在此基础上建立了自己的一套说服体系——反讽、定义、助产。亚里士多德也曾提出过关于说服的理论，他的《修辞学》就

---

① 礼记·学记［M］. 北京：中华书局，1989：76.

② 辞海编辑委员会. 辞海彩图珍藏本（全9卷）［M］. 上海：上海辞书出版社，2003：131.

③ 汪子嵩，等. 希腊哲学史2［M］. 北京：人民出版社，2004：63－64.

④ 阿拉斯代尔·麦金太尔. 伦理学简史［M］. 龚群，译. 北京：商务印书馆，2004：49－50.

是一部经典的关于说服学的著作。亚里士多德认为修辞演说就是一种对观众的说服，让听众了解说服者的理念并逐步转变自身态度。他通过分析把修辞学解释为说服艺术，并将修辞术的概念阐述为“一种能在任何一个问题上找出可能的说服方式的功能”①。“任何一个问题”可体现出修辞术的使用在当时已经较为普及。

从上可知，说服的运用并不限于教育领域，在任何存在观念冲突和思想沟通的地方都可能有说服的运用。与此同时，我们能发现古代学者对“说服”的研究与解读已经能够明晰说服的目的。说服的目的是听者能够运用自己的理智判断用以说服他的理由或论据，并使自己的态度发生转变，也即通过理性获得的信服。

2.“说服教育法”的内涵

“说服”是大众熟知的交流方式之一，当它与教育相结合的时候，“说服教育”就诞生了，并成为德育工作中常用的方法之一。关于说服教育的概念，学界也有不同的界定。多数学者把说服教育视为一种说服者的言语行为。如 1986 年由华中师范大学等编著的《德育学》将说服教育界定为“通过摆事实、讲道理使受教育者明辨是非、善恶，提高品德水平的一种方法。它的基本精神是重视向教育者进行正面教育，从提高品德认识入手，以理服人，启发自觉，调动内在积极因素，引导他们不断进步。”② 洪明认为说服教育是说服者通过某种交际方式（通常为语言），将他认为正确的道理或者真理，讲给那些他认为不懂或者不知道这个道理或者真理的人听，并希望听者可以接受或者理解他讲的道理或真理③。也有学者将说服教育视为一种说服对象的态度改变过程。以口头语言为主要方式，使得对方服从、

① 亚里士多德 . 修辞学［M］. 罗念生，译 . 北京：三联书店，1991：24.

② 华中师范大学教育系，陕西师范大学教育系，四川师范大学教育系，等 . 德育学［M］. 西安：陕西人民教育出版社，1986：169.

③ 洪明 . 说服教育：讲理与会讲理［J］. 少年儿童研究，2016（9）：10 − 14.

接受自己的观点或规定，包括道德品质、行为习惯和意志传达，使孩子在服从的基础上达到某种预期的变化。第一层变化是接受教师或家长的意见，第二层变化是让其内心发生某种变化，即让孩子成为一个明理懂事的人①。针对说服教育在真实德育工作中的实践困境，石鸥进一步区分了“开放性说服教育”与“控制性说服教育”的不同之处，阐明“真正的说服教育是通过说明道理和提供事实信息而使对方自觉服从或使对方自动出现某种服从性的或预期性的变化的一种教育方式”②。

从以上观点看，学者们对于说服教育概念的认识还比较统一，有的是站在说服者的角度，有的是从说服对象的角度出发，但目的都是使说服对象能够听从、理解道理，达到心悦诚服。总之，说服教育是教育者通过讲明相关道理，提供相关事实，使得受教育者在积极思考过程中自动自发接受并服从教育者的观点并内化，从而提高认识水平与道德品质的教育过程。整体而言，“说服教育”有四个要点③：第一，通过“说明道理”使对方发生变化；第二，通过提供信息使对方发生变化；第三，对方的变化是“主动”发生的;第四，所有变化都达到或趋近说服者的期望目标。“说明道理”的实质是向对方指明为什么这样做以及应该怎样做，“提供信息”的实质是在告诉对方事实是什么。前者体现了德育工作者的主观意愿，后者则仅仅展示客观事实真相；前者带有一定诱导性，后者则由受教育者自己根据事实抉择。而为准确把握“说服教育”的概念内涵，还有必要进一步探讨与其他相近概念之间的关系。

3.“说服”相关概念辨析

尽管学界目前对说服教育的认识较为统一，但提起“说服”仍然备受

---

① 江峰．论教育中的说服原理［J］．北京大学教育评论，2007 (2)：46 － 58 + 189.

② 石鸥．德育困境中的病理性说服教育及其诊治原则［J］．湖南师范大学社会科学学报，1994 (6)：112 － 116.

③ 石鸥．论德育说服教育的类型及其意义［J］．上海教育科研，1994 (10)：11 － 14.

争议，有人将其简单理解为压服或说教，归根结底往往是因为缺乏对“说服”真正意涵的理性分析，以至于消弭了说服教育的价值所在。惟其如此，有必要从学理层面对“说服”及其相关概念予以辨析,进而更好地定位“说服”的本质与价值。

（1）说服与压服

首先，说服与压服截然不同。说服强调以说理的方式使人心服，而压服则采用权威、权力、暴力、专制、威胁、恐吓等强制性手段迫使人屈服。然而，压服并非一无是处。用强制手段压服，在对象的力量不足以反抗的情况下，一时可以奏效，但学生在此情况下毕竟是迫于压力而屈从，内心并未理解更未接受压服者的要求，当压力消减时，这种要求的约束力也随之减弱。

相较于压服，说服从长远看更加有效，这是因为它诉诸学生的理性。由于人具有理性思维的能力，所以人和人交流要说理。对学生说理，以理服人，暗含着一种假设与目标——把说服对象视为有理性的人，并且希望他们更具理性。教师用说服的方法进行道德教育，本身具有示范作用，潜移默化之中，学生逐渐倾向于用理性的方式待人处世①。由此可见，尽管压服之类的非理性的方法有时能更迅速地改变学生的立场和态度，取得一时之效，但说服基于个人理性的判断力，具有长久深远的影响，而事实上也只有通过理性建立起来的道德，才是自觉的。

（2）说服与说教

说服与说教也有显著不同。说服教育强调对学生讲道理，但说理不等同于说服。在说理的过程中，有时即使证据充分，推理合乎逻辑，也并不足以使学生心服。这是因为类似于社会—政治价值观念与行为规范等，与学生的个人阅历、经验、领悟水平颇有距离，若要使学生接受，陈述的道

① 黄向阳．德育原理［M］．上海：华东师范大学出版社，2000：156－157.

理以及说理的方式必须能为学生所理解。由此可见，脱离学生的生活经验，超越学生的认识水平，说理就会变成空洞的说教。不顾学生的接受能力，一味地向他们讲述远远高于其发展水平的人才能理解的道理，这些大道理即使被学生背得烂熟，也难以被他们的认知结构同化，自然也不能作为一种内在的道德价值观体现在学生的实际行动上。

为了避免“说服”“说理”变成“说教”，教师需要针对学生已有的态度和认识水平，选择说服学生的理由及陈述理由的方式。据研究，师生原有的态度之间的距离，是影响学生态度改变的一个重要因素。如果双方态度差距小，学生容易发生同化判断，即具有自觉地缩小自己与教师之间态度差距的倾向，其态度容易改变。如果双方态度差距大，那么学生具有不自觉地扩大自己与教师之间态度差异的倾向，即容易产生异化判断，而使态度改变发生困难。所以，为了有效地改变学生的态度，必须先了解其原来的态度,估计与说服者态度的距离。若两者差距悬殊,就从较低要求开始，然后逐步提高，不断缩小两者的差距。急于求成，一开始就提出不切实际的高要求，不但难以改变学生的原先的态度，还容易产生对立情绪[①]。

（3）说服与说理

除“压服”与“说教”外，目前学界对于“说服”与“说理”这组概念也存在内涵边界不清的问题。很多学者把“说服”与“说理”相混淆，在一些著作中经常会发现说理教育法与说服教育法的概念等同的现象，但实则“说服”与“说理”具有相似性却不可一概而论。所谓说理教育法，就是通过阐述某种思想理论去说服人和教育人的教育方法[②]。从概念中可以看出，说服与说理都是以和平的方式——“说”作为主要手段来影响教育对象的，两者既是方式又是过程，与传统的命令式教育不同。黄向阳在其《德育原理》中也指出，说服强调以说理的方式使人心服，使学生听从教导，

① 黄向阳．德育原理［M］．上海：华东师范大学出版社，2000：167－168.

② 陈秉公．思想政治教育学［M］．长春：吉林大学出版社，1992：295.

说服的关键在于说理[1]。因此可以说“说理”是“说服”的一种方式，通过说理可以达到说服的结果。说服，“说”而使之“服”，前面的“说”是二者的相似之处，那么后面的“服”就是二者的不同之处。“说理”仅体现教育者的“说”，运用说理的方式，而“说服”既体现教育者的“说”，又体现教育对象的态度“服”。与说理相比，说服更多地关注于目标的实现，如果说说理是一种方法或工具，那么说服不仅是一种方法，也可以是一种结果。说理只能通过“理”来实现，但说服可以通过说理以外的手段来实现，例如通过情感、日常行为示范以及人格感染。

通过进一步解读可知，真正意义上的说服教育与压服、说教等概念不可同日而语。总体而言，说服教育可以理解为说服者为了一定的目的，用有说服力的理由和适当方法，打通对方的思想，使其在思想上和行动上接受自己的正确主张或要求。从这种观点出发，“说服”的目的就是运用理由和情感使得他人的行为、对问题的判断在深思熟虑的情况下发生变化。其次，在说服教育的过程中，说服者不是操纵或强制说服的对象，而是用有说服力的论点、事实性的信息或提出问题的机会来引导他们；说服对象也并不是简单地接受说服者提出的观点，而是经过反思、争论去重组自己的知识或重构自己的图式。根据这种解释，“说服”在教育和教学上就具有更积极、更有价值的作用。

（二）说服教育的构成要素

为提高说服教育的有效性，还需从说服教育的构成要素入手，探明说服各要素之间的作用关系与运行方式，以及运用说服的条件和限度等一系列基本理论问题。根据霍夫兰德的说服模型及其理论研究成果（图 3-1）[2]，说服教育的构成要素分为说服者、说服对象、说服内容、说服情境。在德

① 黄向阳．德育原理［M］．上海：华东师范大学出版社，2000：156.

② 沙莲香．社会心理学［M］．北京：中国人民大学出版社，1987：239.

育过程中，这四个要素分别对应教师、学生、说服内容和说服场域。

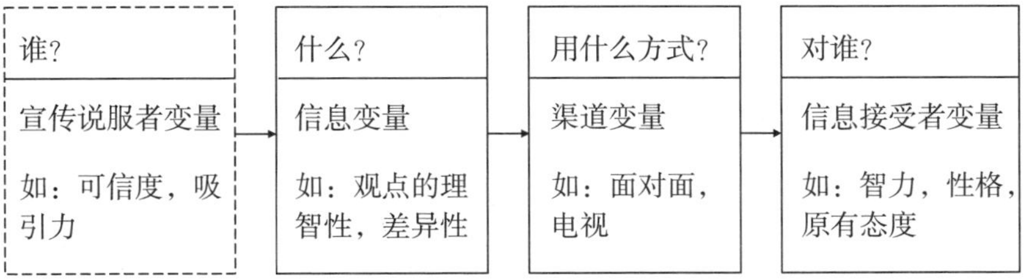

图 3-1　霍夫兰德说服模型

1. 说服者：说服教育的主导

说服者是进行说服教育过程中的承担者、发动者和实施者，与说服对象相对应。在说服教育过程中，说服者引导学生的思想和行为、营造良好说服教育氛围、组织说服教育内容等。不同的场域有不同的说服者，如在学校场域，说服者基本以教师为主；在家庭场域，说服者以父母为主。在当前互联网发展的背景下，说服者也可以是媒介。概括地讲，说服者的特点主要包括以下两点：其一，主导性。说服者，是指说服教育的领导者、启动者和组织主体，其特殊地位也决定了其具有主导性。从说服教育的过程来看，说服者一直处于重要的战略地位，对于说服教育的进行与发展产生了引导性的影响。其二，示范性。说服者的示范性，是指说服者本人的言行及其具有的品德情操，具有可供说服对象学习的榜样特质。教师的道德教养、态度以至仪态行为、习惯，往往对说服对象形成至关重要的影响。教师言行所展现出的理论境界主要构成了说服的内容和教学内容，对于说服对象产生了直观的示范作用①。

本章谈及说服者，特指说服教育过程中的教师。教师的自身条件、道德素质及教师对学生心理状况的把握都会成为影响教师进行说服实践中的

① 马能义．说服的艺术：德育工作方法初探［J］．南通师专学报（社会科学版），1996（1）：44－45.

重要因素。

（1）教师自身条件

首先，教师的自身条件是说服教育的根本。同样的道理来源于不同的教师，就可能产生不同的说服力。教师的可靠度、权威性和吸引力对于说服教育过程的进行和发展具有决定性的影响。教师的声望、地位、职业特长以及对所传授知识的熟悉程度，会直接影响学生对教师的知觉可靠程度，从而产生“权威效应”。然而，“权威效应”不仅仅体现在教师的职业、地位和年龄上，还与教师的修养、学识、才能以及对说服信息的理解程度密切相关。需要警惕的是,说服者的权威地位可能造成类似于培根所说的“洞穴假象”，即被说服者出于对说服者地位的敬畏或崇拜，而相信他所说的任何事情，哪怕自己实际上还未想明白，在这种情况下，似是而非的轻信就有可能产生[①]。

其次，教师的吸引力也是说服效果的重要因素。学生对于自己喜爱的教师更加注重其理性、合理性，更容易被说服；而对于忽视或者厌恶的教师，则更多关注其错误之处，容易产生反感。教师的真诚度也同样具有动人的吸引力。如果学生感受到教师的不真诚，即使教师具有权威性和吸引力，学生也会自然而然地拒绝其影响。因此，教师应该真诚地对待每一位学生，以便使学生信服并认同。

（2）教师道德素质

教师的道德素质是说服教育的前提。说服教育不仅要靠说服信息的力量，还要靠教师人格的力量，教师崇高的人格是一种强大的力量。在说服教育中，学生首先接受的是教师这个人的品质，而后才是说服信息。所以，教师首先应该是一个道德高尚的人，只有这样才有可能去感染学生，只有这样教师所传授的道理才有可能被学生接受，说服教育才有可能成功。高

---

① 江峰．论教育中的说服原理［J］．北京大学教育评论，2007 (2) : 46 − 58 + 189.

尚的道德要表现在行动上，教师要用实际行动去影响学生，因为学生不仅要聆听教师讲的内容，还要观察教师做的内容。所以，教师不但要有高尚的道德，还要亲自践行道德。教师只有具有高尚的道德并付之以实际行动，才能真正做到以德服人，才能令学生口服心也服①。

（3）对学生情况的了解程度

把握学生的心理状况是说服教育的关键。教师是主动的，学生是被动的。教师一定要主动地去了解每位学生的心理状况，了解问题产生的原因和影响其心理状况的因素，只有这样，教师才能真正做到知己知彼、对症下药，依据学生的实际情况针对性地进行说服教育②。

2. 说服对象：说服教育的主体

说服对象和说服者相对，亦即说服教育过程中的接受者与受动者。说服对象的主要特点有如下两点：其一，独立性。说服对象的独立性包含说服对象的受动性和可塑性。受动性，指说服对象要在说服者的说服教育下受到影响；而可塑性是指说服对象的思想和行为在说服者的言传身教下出现说服者期望的改变。其中必须说明的是，作为有思考、有情感、有意志的人，说服对象在被说服的过程中，并非完全被动的，也很富有积极性。说服对象可以自发能动地从主观的角度，去选择、内化说服者所传递的说服内容，并实践说服内容中所具有的行为指令。其二，可变性。所谓说服对象的可变性，是指说服对象因为接受了内外在各种因素的影响，而表现出的倾向和状况。正是由于具有了这些变化，说服教育法才能产生育人价值，才能够达到预想的效果。在说服机制的运行过程中，引起说服对象思想改变的主要因素有两种：一是外部环境的不断改变。由于说服对象长期生存于特定的时代与地域中，他的思想学习过程无时无刻不在接受着时空和环境的影响，而这种影响也会导致说服对象自身思想发生变化。二是随

---

① 张耀灿．思想政治教育学原理［M］．北京：高等教育出版社，2001：18－20.

② 刘畅．德育教育中要善用说服教育［J］．贵阳市委党校学报，2008（2）：63－64.

着社会环境与思想的改变。说服内容也要配合着社会环境与人的思想发展而不断更新[①]。

此外，作为说服教育中的主体，说服对象是否具有自主性，其年龄、性格、原有知识等因素都会影响教育说服活动的开展与良性运行。

（1）说服对象的自主性

说服对象是否具有自主性，以及具有何种程度的自主性，这关系到说服的定位与性质。前文已有讨论，真说服的目标是基于个体理性的信服，相较于口服与心服，信服更加强调用以说服的道理能够充分被说服对象所理解并内化为其信念。为此，要给予说服对象以怀疑、质疑、反驳以及参与交流和讨论的机会与权利。这些机会或权利确保说服对象可以充分运用自己的理智能力，以便自主地判断用以说服他的道理是否正确。

（2）说服对象的年龄

说服教育在改变学生态度上，还受到学生成熟度的制约。不同年龄阶段的人接受心理各不相同。青少年在生理和心理上各方面均处在从未成熟到成熟、从不定型到定型的迅速转变的过渡时期，他们精力旺盛，情绪波动性大。与此同时，伴随自我意识的觉醒，青少年会形成更强大的自尊与独立性，希望独立地认识世界和得到社会的承认和尊重，但尚不够客观和全面，有明显的主观色彩和理想色彩。因此，想要说服这一阶段的青少年，首先就要尊重他们的人格和自尊意识，鼓励他们的独创性，从感情上关心他们，以平等的姿态去引导他们客观而全面地分析问题[②]。

（3）说服对象的性格

在说服过程中，教师还需考虑到学生的不同气质和性格特征。不同的学生在面对说服教育时，可能会有不同的反应和接受程度。一般说来，胆

---

① 赵康．让说服教育落脚于“服”［J］．山西教育（管理），2021 (1)：65－66.

② 朱智贤．心理学大辞典［M］．北京：北京师范大学出版社，1989：65.

汁质的学生神经过程属于强而不平衡型，其在处理问题时情绪容易波动，所以在说服他们时，教师需要保持冷静，表现出理智和耐心，帮助他们缓解情绪，让他们更加理性地思考问题。多血质的学生神经过程属于强而稳定的灵活型，他们的思维较为灵活但是也比较随意，教师应需要提醒他们注意问题的严重性，让他们认识到自己的责任和义务，从而更积极地参与到教育和学习中。黏液质的学生属于安静型，冷静持重而灵敏度弱，外柔内刚，情绪含而不露。他们看似不太容易激动，但是内心深处却有很多感受和想法。在说服他们时，需要让他们感觉到来自教师的关心和理解，从而鼓励他们敞开心扉，表达自己的想法和意见。抑郁质的学生神经过程属于弱型，性格稳重内敛、感情细腻丰富。他们通常较为沉默寡言，需要更多的耐心和关心。教师在说服他们时，需要给予他们足够的时间和空间，让他们感到被理解和被尊重，从而更加愿意分享自己的想法和感受[①]。

（4）其他特征

除了上述提及的诸多因素外，学习者的原有知识、相关信念和个体处理给定信息的能力都影响着说服的过程。因此个体的综合能力越强，越是能够在更高的水平上处理说服的内容。有证据表明，个体获取相关信息的能力越强，越是可能很好地处理呈现的观点，被说服的可能性越大。学生对于相关主题的背景性知识或者与之相关的原有观念同样有益于说服的过程。[②] 同时，在进行说服教育的过程中，也要考虑到受众范围。针对学生群体进行说服教育的方法可以是组织报告、讨论、参观、访问、调查等。针对学生个体的说服教育方法可以是谈话、故事、示范、暗示等。但要使这些说服方法具有说服力，就要科学把握说服教育的内容，使说服过程更具针对性，掌握丰富的事实道理，运用灵活的启迪办法，才能最终让说服

① 马晴 . 探究学生四种气质类型如何因材施教［J］. 侨园，2020 (3) : 76.

② Marilyn J. Chambliss. Analyzing Science Textbook Materials to Determine How “Persuasive”［J］. Theory into Practice, 2001 (4) : 255 – 264.

对象心悦诚服。

3. 说服内容：说服教育的媒介

说服内容是说服者与说服对象实现对话的必要条件。为保证说服教育的有效性，教育者开展说服所依据的内容本身应具有真理性，即所弘扬的价值观是科学的，对说服信息所做出的说明与解释是准确的，反映与体现的内容遵循事物发展规律，并能够贴近说服对象生活实际，符合其根本利益。依据现当代德育内容结构的一般趋势，从道德教育的角度出发，说服教育法所蕴含的教育内容主要包括：基本文明习惯和行为规范的教育、基本道德品质的教育、家庭美德教育、集体主义教育、爱国主义教育、民主与法制教育、信仰道德教育[①]。

4. 说服情境：说服教育的场域

情境，即场景、境地，或具体场景的情况。所谓说服教育情境，是指通过说服教育法的运用创设具体情境，是指一个人文的、精神的、心灵的、内心的、主观的感受、气氛和人际互动。它包括具体的运用说服教育法的场景，如何时、何地、有无他人在场等等。说服教育情境是为说服教育法的使用而创造的，是说服教育法的重要组成部分，并且是对说服教育法产生作用的精神氛围与物质条件的统一体。在说服教育法的使用过程中，说服教育情境为说服教育活动的进行并让说服对方初步接受说服内容提供了具体场所，其中渗透了说服教育法的目的。教师要区别对象和内容，精心地选择适当的教育场合以发挥环境效应。例如利用参观革命烈士纪念馆、祭扫烈士墓等机会对学生进行革命理想和人生观教育，其效果要比教师介绍烈士事迹要好得多。在批评教育学生时，则以办公室为宜。因为办公室给人以庄重、肃穆的感觉，这种环境师生关系次第分明，不易使学生产生反感情绪，便于达到说服教育的目的。

---

① 檀传宝．德育原理：第 3 版［M］．北京：北京师范大学出版社，2017：177 － 187.

二、说服教育法的发展

说服教育法的发展源远流长。本研究在总结前人研究成果的基础上，又依据时代发展的实际情况，对说服教育法展开了细致梳理，将说服教育法的发展划分为以下四个阶段。

（一）说服教育的萌芽时期

说服教育发展的萌芽阶段，可追溯到我国的春秋战国时期，先秦诸子的说服思想皆富有中华民族传统的说服思维，反映了强烈的中华民族风格和中国气派。在说服教育的思想源头上，孔孟留下了许多深入人心的观点。孔子说:“先行其言，而后从之。”“其身正，不令而行;其身不正，虽令不从。”即在说服过程中，最有说服力的便是说服者笃实躬行所树立的诚信，所谓“正己然后正人”“身教重于言传”。关于“何为则民服？”的问题，孔子在《论语・为政》中说道：“举直错诸枉，则民服；举枉错诸直，则民不服”，而人们是否能够用人之本，也是决定他的说服能否有说服力的关键。所以，孔子理解的说服行为其实是一个道德行为，可用“以德服人”来概括。孟子传承和弘扬了孔子的说服思想，《孟子》一书以其精辟性的阐述，可称之为说服学说的经典。孟子把说服思想总结为“以力服人者，非心服也，力不赡也；以德服人者，中心悦而诚服也”。成功说服的首要条件在于上者以身作则，言传身教。孟子尤其关注君主、贤卿大夫和普通的仁人君子在道德上起的表率作用，相信这是巨大的社会说服力。在孟子对于自己“好辩”的原因阐述中我们可以发现，孟子在说服目的方面有着明显的道德观念，即目的在于正人，继承圣贤的事业，实行王道以平天下。

墨家在争鸣、论述的活动中非常讲究理论、说服的艺术。墨子曾说：“务言而缓行，虽辩必不听；多力而伐功，虽劳必不图。”这表明，尽管说服自身的目的只是为了转变人的观念和心态，但最后的目的就是转变人的行为方式。韩非子主张说服的胜利是因为说服者应有智力、口才、胆略三项基本素质，而最难的是掌握说服对象。其在《说难》中曰："凡说之难，非吾知之有以说之之难也；又非吾辩之能明吾意之难也；又非吾敢横失而能尽之难也。凡说之难，在知所说之心，可以吾说当之。"这说明在说服活动中，对说服目标理解得越是深刻，说服过程就越是具有针对性与实效性①。另外，在中国古代先秦诸子百家中也有一些专门研究"说服术"的书籍，例如战国时代的《鬼谷子》，特别强调了研究人的内心世界对说服教育的重要性。

（二）说服教育的独立形态时期

古希腊时期，说服教育渐渐成为一种有理论基础且自成体系的德育方法，标志着说服教育的思想由萌芽走向独立形态阶段。西方的苏格拉底、柏拉图和亚里士多德探讨过说服与道德的关系，并提出了不同的观点。

苏格拉底和柏拉图均主张修辞术必须建立在道德的基础之上，而亚里士多德则认为修辞术作为一门艺术是中立的，可以独立于道德而存在。最早提出"说服"一词的是苏格拉底。在《理想国》中，柏拉图以初级和高级教育的功能、目的和挑战为素材，建立了以信服为目标的说服体系。公元前四世纪，亚里士多德编写了西方第一部"说服学"的经典著作《修辞学》。亚里士多德认为，在说服他人的过程中，恰当地使用逻辑诉诸、人格诉诸和情感诉诸这三种修辞劝说模式，能够使人在智理上信服，同时在情感上得到激励，从而实现说服的效果。他认为，说服的效力取决于说服者的道德品质、对受众产生某种态度的机会，以及论点本身的正确性。在《高尔吉亚》中，柏拉图将修辞学分为智者的修辞学和科学的修辞学两种，并对应地将说服分为没有知识的信仰和知识。他认为科学的修辞学必须建立在

---

① 袁芳．理论溯源与本质解读：思想政治教育说服机制研究［J］．华北电力大学学报，2014 (5) : 117 － 122.

真正的知识之上，唯有如此，灵魂才能获得善良和公正的滋养，邪恶和不义才能被驱逐[①]。

（三）说服教育的本土化时期

十月革命之后，马克思主义理论进入了中国，马克思主义理论正是马克思和恩格斯关于思想政治教育的重要说服理论。马克思认为："批判的武器当然不能代替武器的批判，物质力量只能用物质力量来摧毁。但是理论一经掌握群众，也会变成物质力量。理论只要说服人，就能掌握群众；而理论只要彻底，就能说服人。所谓彻底，就是抓住事物的根本。"这表明，理论要成为群众革命斗争的思想武器，就必须要说服群众，使得群众乐于接受并能够接受。理论要具有说服群众的魅力，就应论述得深刻、透彻，要抓住事物的根本，以理论的真理性来说服群众。同时，马克思和恩格斯主张，说服群众的理论必须充分考虑工人群众的实际接受水平，形成平易近人的理论语言，坚决反对把理论弄成玄奥而晦涩难懂的东西。在理论说服方式上，马克思和恩格斯认为，马克思主义理论的宣传教育应是积极引导、以理服人，决不能硬性"灌输"给工人群众，强迫人们接受。

中国共产党在建立初期开展过许多说服教育的实践活动，包括组织集会、开办党校，通过演讲、讨论、报告等形式促进群众对党的活动理解。毛泽东、邓小平、周恩来等在思想政治教育中广泛使用有效的说服教育法，特别注重在思想道德教育工作中改变传统的教育方式，加强以理服人，并落实到我国的教育发展中。

1. 毛泽东的说服理论

毛泽东拥有精湛的说服艺术，在漫长的革命生涯中其说服教育思想逐渐形成风格和体系。在党内的一次全面整风运动中，毛泽东明确强调：

---

① 柳孟盛．哲学与修辞术之争［J］．古典学研究，2021 (1)：122 － 144.

说服教育说的是“理”，对于目前现存的思想问题，只有将理讲得好，讲得对，就会起到巨大的效用并为问题的解决提供强大的思想指导力量[①]。说服教育的办法是无产阶级和全体劳动人民处理当时党的内部非对抗性思想问题的最基本方法，在教育实践中毛泽东也总是运用这一方法进行思想教育工作。

在《关于正确处理人民内部矛盾的问题》一文中，毛泽东多次提到说服教育的必要性，并主张在思想问题的解决中要以说服教育为主，以行政命令为辅。其次，他认为可以用民主的、讨论的、批判的、说服教育的方式，解决思想性质的矛盾问题以及民众内心的争议问题[②]。由于说服教育工作主要是采用心理疏导方法的形式进行，在思想政治教育中既不得封锁受教育者的思想言行，也不得对之无所谓不顾，而应当晓之以理，动之以情，通过广开言路使受教育者充分地提出建议，并同时予以指导帮助。再者，单纯地宣传说服思想也没有办法实际解答受教育者的思想疑问，而应当以生动活泼的方式展开。毛泽东曾在《反对党八股》一文中指出：“语言无味，像个瘪三。”[③]实则表明了没有生动活泼的话语和形象，会使受教育者在无形间生成了厌恶的印象，也就无法实现说服的目的。

2. 邓小平的说服理论

邓小平深刻地总结了“文化大革命”中思想问题的教训，他强调思想政治工作绝不能再走过去的老路，必须“坚持对思想上的不正确倾向以说服教育为主的方针，不搞任何运动和‘大批判’”。那些过火的“左”的教育方式，给人们留下许多恐惧和反感，因此，他主张要坚持“三不主义”，即不抓辫子、不扣帽子、不打棍子，要落实民主原则等[④]。

---

① 毛泽东选集：第 3 卷［M］. 北京：人民出版社，1991：833.

② 建国以来毛泽东文稿：第 6 册［M］. 北京：中央文献出版社，1992：316.

③ 同①37.

④ 邓小平文选：第 3 卷［M］. 北京：人民出版社，1993：145.

邓小平一贯认为思想道德品质教育不只是学校的事，更不只是思想教育工作者和教师的事，而是整个社会各方面的事。他认为：整个思想战线，包括理论界、文艺界、教育界、新闻出版界、广播电视、群众文化工作、群众思想政治工作，都要“克服软弱涣散的状态”和“忽视思想工作的倾向”①。“应当高举马克思主义的、社会主义的旗帜，用自己的文章、作品、教学、讲演、表演，教育和引导人民正确地对待历史，认识现实，坚信社会主义和党的领导，鼓舞人民奋发努力，积极向上，真正做到有理想、有道德、有文化、守纪律，为伟大壮丽的社会主义现代化建设事业而英勇奋斗。”②

3. 周恩来的说服理论

马克思主义基本原理是周恩来说服教育思想形成的理论基础，他在《抗战军队的政治工作》中指出：“民族革命军队的军风纪的建立、部队的巩固，是建筑在政治的民族的觉悟上的，而不是依靠皮鞭、军棍、打骂及肉刑的……对于犯错误犯纪律的分子，主要是要采取说服教育的方式。”③他还多次强调，“领导群众的基本方法是说服……不用行政的方法，只有在情况紧急时，才用命令的方式。”④

中华优秀传统文化是周恩来说服教育思想形成的历史基础，周恩来认为，“处无为之事，行不言之教”，这是说服教育的基本原则。他一直以堪称模范的行为和高尚的人格影响着身边的人，为后来人树立了榜样。周恩来深谙教育工作的针对性和灵活性，提出了不同的方法用于促进教育工作。他始终坚持以马克思主义伟大真理为指引，通过个人的人格风范加以说服，充分地运用以理服人、以情感人、率先垂范、批评与自我批评相结合等说服方法，遵循党性、求同存异、顾全大局等说服原则，这不仅充实了党的

---

① 邓小平文选：第3卷[M]. 北京：人民出版社，1993：47－48.

② 同①40.

③ 周恩来选集：上卷[M]. 北京：人民出版社，1980：97.

④ 同③131.

思想政治工作理论，维护了党的团结，而且对提高当时乃至当今的思想道德教育的原则性、灵活性、时效性作出了巨大的贡献①。

（四）说服教育的深化期

对于当前学校德育工作而言，说服教育法在某种程度上反而带给教育者以坚定的意念和果断的行动。在帮助学生确定正确价值导向、摒弃不良思想观念方面，说服教育法具有重要力量和价值。习近平总书记提出，“要加强对意识形态阵地的管理，高度重视苗头性、倾向性问题，敢抓敢管、敢于亮剑”“思想政治教育要以正面教育为主，灌输与疏导相结合”②。2016年，习近平总书记在谈及文化自信时提出“注重知识灌输，又加强情感培育，使红色基因渗进血液、浸入心扉”。习总书记还指出：“所谓‘教书育人’，是指授课老师在将相关知识传递给学生的同时，也应通过自身的人格和德行来影响和引导学生，正确地指引他们探寻真理，追求人生价值，形成高尚人格”③。党的十九大报告明确提出，“要加强理论武装，推动新时代中国特色社会主义思想深入人心。”2019 年 3 月 18 日，习近平总书记在学校思想政治理论课教师座谈会上发表重要讲话指出，用新时代中国特色社会主义思想铸魂育人，“要坚持灌输性和启发性相统一”。他在《求是》中强调：“思政课是落实立德树人根本任务的关键课程”。他认为，在思政课中要坚持政治性和学理性相统一，应强调思政课的政治引导功能，要以透彻的学理分析回应学生，以彻底的思想理论说服学生，用真理的强大力量引导学生。④因此，教育者在德育工作中需要挖掘说服教育思想的当代价值，实

---

① 赵国付 . 周恩来思想政治教育理论与实践研究［M］. 东南大学出版社，2013：90 － 97.

② 中共中央宣传部 . 习近平总书记系列重要讲话读本［M］. 学习出版社，2014：88.

③ 郑永廷 . 把高校思想政治工作贯穿教育教学全过程的若干思考：学习习近平总书记在全国高校思想政治工作会议上的讲话［J］. 思想理论教育，2017 (1)：6.

④ 习近平 . 思政课是落实立德树人根本任务的关键课程［J］. 求是，2020 (17)：4 － 16.

现说服教育与学校德育工作的有机统一，切实提高学生思想道德教育工作的实效性[1]。

说服教育法在我国的道德教育系统中，是最普遍、最经常使用的一种对学生进行道德教育的基本方法。说服教育法的广泛应用可以归为以下几点。第一，道德的产生和发展不是凭空自发形成的，例如社会主义思想、政治学说以及社会主义道德都不能自发产生，需要全方位系统地加以教育。第二，说服教育法是解决涉及社会关系、公共事务问题的需要。这属于政治性质的社会现实问题、群众内心的争议问题，需要通过民主的、讨论的、批判的方法以及说服教育法解决，而不能用强迫、压服的方法解决。第三，从提高学生的道德素养层面考量，说服教育法不但可以作用于学生的道德情感、满足学生主体性德育的需要、促进学生道德品格的健全与完善，还可以通过增强学生的道德评判意识，进而提升学校教育环境质量、纠正班级不良风气。因此，说服教育法具有较高的普适性，可通过提供不同程度的教育相关事实,适用于不同年龄阶段学生。作为一种德育方法应用广泛，说服教育法与其他德育方法相结合发挥更大的育人作用。例如，在教师帮助学生转变错误观念上,往往伴随说服教育法的应用。教师借助语言、事实、示例等方式为学生展示客观信息，通过解决认知冲突让学生掌握知识、形成良好道德的方法，相较于命令、强制更为学生所接受。尽管说服教育法在当前的学校教育中被广泛使用，然而在理论研究中活跃度仍然欠缺。当前我国对于说服教育法的研究还存在以下问题尚待推进和完善。

1. 研究数量较少，实践色彩浓厚

通过查阅文献可知，学术界关于“说服教育”“说服教育法”的研究较为零散，研究内容缺乏整合性。首先，从研究方向来看，研究多为实践取向，理论相较而言，落后于实践。说服教育的学理阐释缺乏整体性构建

① 邓秀华．毛泽东说服教育方法的新实践［J］．毛泽东思想研究，2016 (1)：141 − 144.

和深度剖析，多止于经验研究，研究有待深入。其次，从研究内容来看，目前已有关于“说服教育”的研究，大多是从说服教育的原则、方法等方面论述，且部分研究中提出的实践路径大致相同。研究大多集中于思想政治教育、侦查学等领域，涉及学校德育相关的说服教育研究较少，其中高校较为集中。再次，从研究层次来看，由于部分研究缺乏相关学科的知识借鉴，致使高校说服教育局限于思想政治教育学科范围内的研究，没有和其他学科相关知识真正关联。中小学领域的说服教育大多集中于一线教师的实践经验，缺乏系统、全面的整合以及以实践研究为基础的知识凝练，导致其他教师在实际借鉴过程中可操作性不强。最后，从研究主体来看，研究主体在范围上存在一定局限，较多研究以教师群体中的班主任角色为研究主体，从班主任的视角研究说服教育的应用和实施；研究中提出的针对性解决措施不够全面，在对策的理论性、层次性、整体性上有待加深。

2. 亟须提高说服教育法与时代的契合性

传统说服教育法的实效性与当时的时代背景、社会发展密不可分。在新民主主义革命时期和社会主义社会建设初期，由于社会环境相对闭塞，人们的思想观点和政治立场有待增强，说服教育与当时的时代背景相结合，在教育场域发挥较大的育人功能。但随着社会的发展与进步，以灌输为主要方式的传统说服教育逐渐无法适应时代发展的需要。伴随我国改革开放的深入推进，经济结构日益多样化，人们的生活方式、学习方式都发生了巨大的改变。在教育场域，社会环境的转变促使教师与学生之间教与学的方式、教学内容等发生变化，特别是信息时代到来后，计算机技术和网络的兴起与广泛应用，社会信息来源也日趋开放与多元，传统的说服教育法已经远不能满足当前对德育教学的需要①。信息时代，对教师将说服教育法与学生生活和发展中具有时代性、代表性的主题相结合并提高学生信息辨

① 王娟，赵志勇，李晶，汤方霄．高校思想政治教育应注重人文情怀［J］．中国轻工教育，2014 (1)：44－46＋66．

别的能力，提出更高的要求。伴随着说服教育法的不断发展，在这一过程中又拓展出与之相关的现代方法，如正面管教法、说理教育法、启发自觉法和心理换位法等。

第二节　说服教育法的理论研究

任何一种德育方法的产生其背后往往都有着深厚的理论基础和思想渊源。学界关于说服教育法的定位主要是“方法说”。从当前研究现状发现，长期以来人们常常把说服教育简单地理解为道德教育的一种方法，对说服教育的研究停留在常识应用层面上对说服的原则、条件以及说服过程的探讨，说服教育在理论上被忽视或泛化。在初步了解灌输论意涵的基础上，本节将从说服教育法的理论研究入手，深入分析说服教育法的理论根源“灌输论”，以及影响说服教育法现代发展的“价值澄清理论”。

一、说服教育的源头：马克思主义灌输论

谈及德育中的说服教育，其与灌输思想密不可分，因而说服教育的理论基础可追溯到马克思主义的灌输原理。列宁在《怎么办》一书中系统阐述了灌输原理，在马克思主义灌输论的思想体系中，灌输并非指向强制的“硬灌”，它与西方德育或教育界中的“灌输”或注入式教育有本质的不同，而且现代意义上灌输的内涵具有复杂性，因此，我们应该用全面的观点来解读“灌输”，而不是仅从某一方面去理解它。

（一）“灌输论”内涵的辩证

100年前，列宁在《怎么办》一书中对马克思主义灌输原理作了详细

阐述，系统地形成了灌输理论。在他看来“工人本来也不可能有社会民主主义的意识。这种意识只能从外面灌输进去。”[①]各国的历史都表明，如果仅仅依靠工人阶级自己的力量，那么只能形成工联主义的意识，他们不可能创立出社会主义学说，社会主义学说只能由有教养的知识分子创立。列宁认为，工人阶级和社会主义思想的任何脱离都表示着工人阶级和资产阶级的思想体系联系的加强，工人阶级自发形成的工联主义的活动就是单纯的工会的活动，工联主义活动恰巧是受资产阶级思想支配的。“因此，我们社会民主党的任务就是要反对自发性，就是要使工人运动脱离这种投到资产阶级羽翼下去的工联主义的自发趋向，而把它吸引到革命的社会民主党的羽翼下来”[②]。

从上面可以看出列宁“灌输”原理的依据：一是由工人阶级自身条件所决定的。由于受知识水平的限制，工人阶级只能自发产生工联主义的意识，不可能达到社会主义思想的境界，所以必须通过“灌输”的方式，把先进思想即社会主义思想“灌输”给工人阶级，否则，工人运动就会投到资产阶级的立场。二是由科学社会主义的科学性和先进性所决定的。马克思、恩格斯所创立的科学社会主义是在哲学、历史、经济等多种理论中和工人运动的实践中慢慢成长起来的，它的诞生为工人运动找到了目标和方向，但是要想发挥科学理论的价值必须通过传播的方式，只有这种理论得到了广泛的传播才能体现其价值，由于科学理论概念的抽象性，所以必须通过灌输的方式才能让工人阶级掌握。

由此可见，马克思主义理论所主张的“灌输”并非强制的“硬灌”，他强调要和工人的自觉性相结合。一方面，灌输者是利用各样的舆论工具传播先进思想给受灌输者；另一方面，接受灌输的一方可以通过各种方式学习从而能够接受先进思想。因此，“灌输不但没有强迫人们接受某种思

---

① 列宁选集：第 1 卷［M］. 北京：人民出版社，1995：247.

② 同 ① 246.

想的意思，相反强调和重视受灌输者的主动性、自觉性”[①]。

（二）“德育灌输”的重新审视

如上可知，灌输论是思想政治教育学的基本原理和重要命题之一；但教育界对于“灌输”目前却充斥着两种声音，一种是肯定“灌输”存在的必要性，一种是抵制“灌输”。然而，不能简单地定性各学者对于灌输是支持还是反对，分歧的根源往往只是他们从不同的学科视角或者依据不同的前提条件去认识灌输。惟其如此，澄清道德教育和思想政治教育关于灌输理论的分歧与共识，并以全面的视角理解“道德灌输”这一德育范畴，有助于把握灌输对道德教育的价值意义，进而提升说服教育的实效性。

从不同的学科背景来看，西方所批判的道德灌输与马克思主义思想政治教育灌输具有本质区别。①灌输的目的不同。西方教育界所反对的灌输是以“完善”受教育者人格，培育“合格公民”从而维护和巩固当前社会为目的。而思想政治教育活动，虽然也包含这一要求，但同时又超越了这一层次，即以实现人类最美好的共产主义社会和人的全面发展为最终目的。②灌输内容的不同。西方教育界所反对灌输的是以人格塑造为目的的道德信念和行为准则，而思政领域所要进行灌输的是马克思主义科学理论和最崇高的价值信念。它绝不是靠示范、启发、讨论、辩论、生活体验等方式能由受教育者自发形成的，须由政治上的先觉者从外面进行持续的传播和输送[②]。③灌输的内涵和指向不同。西方教育界所反对的主要是作为具体教育方式的灌输，它往往指向注入式的、封闭式的、压制主体性的教育方式，而思想政治教育则是作为宏观教育原则的灌输，其本质上就是思想理论、道德观念的系统教育和宣传，是本体和任务范畴，它不隶属于原则或方法

① 李润海，左鹏．坚持和发展马克思主义灌输原理［J］．清华大学学报（哲学社会科学版），2002 (4)：40－44.

② 赵芳．思想政治教育灌输原则再探［J］．理论月刊，2008 (12)：179－181.

范畴[1]。

从理论上看，个人本位论或社会本位论的教育目的观也影响着人们对灌输的认识。①站在个人本位论的角度，尤其是从教育学中人学的视角去看，合理的灌输是建立在个体主体性基础之上的，即更关注受教育者先前已建立起来的道德经验，不否定受教育者的主观能动性，在其已有经验的基础上去进行灌输，通过对话的方式去激发学生自己思考和生成。比如，给学生灌输什么是勇敢，要关注学生在先前是否已经有了自己对勇敢的认识和判断。因此，基于人本位的角度，合理的“灌输”应更关注学生已有的经验。鲁洁和檀传宝都是在这一立场上进而提出鲜明的“反灌输”的观点的[2]，如檀传宝在其著作中提到灌输的德育是不人道的教育，主要是因为道德和思想的灌输完全无视受教育者的存在、尊严与权利[3]。换言之，人本视角的灌输论，会更为强调学生个体在学习过程中的体验和生成，更为强调人的主观能动性。②站在社会本位论的角度，也就是从社会发展的角度去看待灌输，更关注的是把什么样的内容传递给受教育者。社会本位者是站在个体之外的更大的群体立场来审视个体。人是社会中的人，社会本位论认为人的发展与建构是基于与他人的互动过程而形成的。因此，社会本位论者会重视将什么样的内容灌输给受教育者，通过“灌输”一定的德育内容，在人群中传递价值观念和社会规则，进而通过社会交往过程实现德育的目标。

由以上的分析可以看出，对于灌输论的认识和理解，我们要看到不同态度背后的出发点或立场，要看到不同判断和做法背后观念的具体差异。

---

① 蔡连玉．道德灌输：两种不同视角的审视［J］．中国教育学刊，2008 (1)：60－63.

② 鲁洁、檀传宝等研究者否定的并不是“灌输”的本义与价值，他们实则是用“反灌输”的论点反对无视道德学习者主体性的观念和实践．

③ 檀传宝．美学是未来的教育学：德育世界的探寻［M］．上海：华东师范大学出版社，2015：53.

就本质而言,西方及我国教育界他们更多是从“方法论”的角度来批判“道德灌输”，而非否定“目的论”视角的灌输。对“道德灌输”的种种批判，其实都可以归结到“对受教育者主体性的重视与否”这一问题上来。

（三）灌输理论对说服教育法的启示意义

德育中的说服教育因在提高受教育者的品德认识方面具有其他方法所不具备的突出优势，但由于说服教育涉及要素之多，在具体实践中又面临着种种危机而一直困扰着研究者和实践工作者。对此，灌输理论首先明确了灌输及说服教育法的价值意义。从社会教化角度看，随着时间的推移带来的是灌输的内容变化，不变的是灌输的社会教育目的——维护国家和社会的安定。在此意义上，灌输等同于社会教化。此外，人类社会经过几千年的历史发展，也积累了不少普适性的价值观念，如诚实、友善、互惠、公平、协作等等。在当今社会，这些价值观念仍然具有巨大的现实意义，给年轻一代灌输这些价值观念有其合理性。从学校德育角度看，当前学校德育所面临的合法性危机和当前人类对灌输的责难是一样的。确立德育灌输的意义，在很大程度上就是在澄明和认可“道德是可教的”，德育教师也因此具有了身份的合法性和职责的方向性。这一实施“道德可教”、维护德育教师身份的学校德育过程，就势必会带有不同程度的强制色彩。随着现代学校教育的发展，学校道德教育又同时在不断反思和超越这种强制性，逐渐重视学生的道德学习主体地位，尊重学生的成长经历，并和学生的生活经验相结合。从个人社会化的角度看，一个人的品德发展过程会经历从无律、他律到自由的过程，这已被教育心理学的多位研究者和流派所论证。在无律和他律时期，必要的道德规范、行为准则的传播与教育是必要的。人并非生而知之，一个人良好道德品质的养成，离不开一定德性认知的积淀与社会道德伦理环境的影响。尤其是在当前价值多元化的社会中，个人的自主评判、自由选择变得更为关键。而理性的道德判断必然离不开相应道德知识的支持[①]。很多人终其一生也不一定能够达到道德自律的阶段，很长一段时间我们都在过着道德他律的生活，从这一点来看，我们确实需要道德灌输及说服教育。

其次，灌输理论在一定程度上丰富了说服教育法的内在意蕴。①从说服内容看，为促使德育灌输持续焕发生机，需要在掌握原有理论基础之上，结合社会现实问题，密切关注学生发展的需要和寻找时代演进的主题，增强说服内容的现实性和生活性。在说服过程中，教师可以将社会的热点问题和学生当下的生活相结合进行说服，同时给予学生表达自己想法的机会，让灌输过程朝向双向进行而非单向灌输，从而增强灌输内容的说服力，也便于学生将抽象的理论转化为具体的实践，激发学生的主观能动性[②]。与此同时，教师面对当前信息纷繁复杂的情况，要“鉴别可靠的来源，评估信息内容的可靠性和有效性，质疑信息的真实性和准确性，将这种新的知识与以往所学内容联系起来，以及根据已经掌握的信息来辨别信息的重要性”[③]，这也符合“灌输理论”中要求灌输内容所具有科学性的原则。②从说服的形式看，现代教育界中的“灌输”指灌输式教学这种教育方法，它的突出特征是教条性、强制性，这种教育方式违背了教育的本质。而马克思主义话语体系中的“灌输”是用马克思主义科学理论来开导、指引工人阶级及人民群众，以唤醒工人阶级的斗争意识和自主精神的实践活动。西方对于灌输的理解也认为，对于认知与独立思考能力发展不成熟的儿童而言，当灌输作为一种带有阻止儿童独立思考判断能力的企图或后果的方式时，是不可接受的；而当灌输作为一种由权威（家长、教师等）主导的规

① 班建武．道德灌输的本体论意义及当代危机［J］．思想教育研究，2006（9）：60－63.

② 魏震雷，钟发亮．新时代创新应用列宁“灌输论”路径探析［J］．闽南师范大学学报，2021（2）：129－133.

③ 联合国教科文组织．反思教育：向“全球共同利益”的理念转变？［M］．北京：教育科学出版社，2017：33.

范性的方式则是可以接受的，进而可以肯定灌输作为一种手段在教育当中所发挥的积极影响。[①] 因此，灌输的形式应随着社会的发展不断创新，而不是囿于传统一成不变的。在当前课程改革背景之下，就是要坚持灌输性与启发性相统一的原则，既要坚守明确的价值导向，又要坚持启发性方法，充分发挥教师主导性和学生主体性，在灌输性原则和启发性方法的有机统一中深化教育教学的改革创新。

二、说服教育的现代启示：价值澄清理论

说服教育的过程离不开价值传递，而学界关于价值澄清理论一直存在着不同的声音，部分学者从理论本身的渊源谈起，也有学者从目的谈起。价值澄清理论引入我国后，作为一种现代德育理论对说服教育有诸多启示和补充。价值澄清模式的教学方法也与传统道德灌输形式紧密结合，着眼于培育学生的道德意志、道德评判与价值选择能力，以适应现代道德教育的发展需要。

（一）价值澄清理论的基本原理

现代德育过程运用说服教育法，尤为重视培养学生学会运用批判思维以及进行自我反思和自我评价的能力。价值澄清理论为说服教育法在德育工作中的实施提供了重要的理论依据。它强调道德或价值观不是靠教导获得的，而是经过自由选择、反省和行动澄清出来的。该理论的基本假设前提是：儿童处于价值观冲突的复杂社会，这个社会没有一套公认的道德准则和价值观。这就决定了教师不可能直接把价值观教给学生，而只能通过学习、分析、讨论、评价和反思等方法来帮助学生形成适合他自己的价值

---

① 姚菁菁，王立仁．西方道德教育视域中的灌输［J］．外国教育研究，2017 (12)：79 − 89.

观体系[①]。该理论的代表人物路易斯·拉斯认为“每个人都有自己的价值观，并且，每个人都按照他自己的价值观行事”，同时，“价值观是不能也不应该被传授和灌输给某个人”，“从来没有人教会我们怎样把某个价值体系变成我们内心的信念”[②]。为此，他们提出了价值澄清方法的四大要素：以生活为中心；对现实的认可；鼓励进一步思考；培养个人能力。在此基础上，价值澄清学派认为：儿童要能够进行正确的价值选择、获得自己的价值观，必须要经历一个多环节的价值澄清过程。它包括了三大阶段共七个具体步骤：选择（自由地选择、从各种可能选择中进行选择、对每一种可能选择的后果进行审慎思考后做出选择）；珍视（珍视与珍爱、确认）；行动（根据选择行动、重复）[③]。他们认为，经历了这些步骤，儿童就能够在价值多元的社会里，减少价值混乱，增强价值选择的理性思维能力，并使儿童的价值选择能力得到持久性的锻炼和培养。

从价值澄清理论的角度出发，我国学者认可价值澄清在道德教育中的优势与合理性，认为其凸显了德育中学生的主体性，贴近学生的实际生活和社会现实问题，并且具有很强的操作性。但是，如果单纯地采取价值澄清的方法，必将会走向放任主义，并容易导致个人价值观的混乱和迷失。同时，它注重道德教育的形式而忽视了具体的教育目标和内容。由于价值澄清法反复强调对学生能力的培养和思维的训练，强调教学方法对道德问题评价的运用，却没有道德教育的具体目标和具体内容，这就不可能形成良好的道德价值观，容易使教育流于形式，本质上割裂了价值教育方式方法与价值教育内容之间的辩证关系[④]。基于此，我国需要

---

① 冯文全. 论拉斯的价值澄清德育思想及其启示［J］. 比较教育研究, 2005 (1) : 54 − 57.

② 路易斯 · 拉斯. 价值与教学［M］. 杭州：浙江教育出版社, 2003 : 83.

③ 同②65 − 69.

④ 邹绍清, 方开学. 论价值澄清模式及其对我国学校德育的启示［J］. 道德与文明, 2006 (6) : 51 − 53.

批判地吸收价值澄清模式的合理因素，在尊重学生的主体地位，发挥学生的积极性和主动性的同时，更应注意引导学生对社会主导价值观的认同。因为我国学校德育是以马克思主义价值观为主导的，这标志着我国社会主义学校的特殊性质，也是我国学校德育坚持正确方向的保证。为此，我们不能简单照搬西方的经验，而应注意社会主导价值观的一元性，克服价值澄清模式的相对主义缺陷，使教育者在具体指导学生进行价值分析、选择时，具有明确的目的和指导思想，帮助学生澄清一些错误观念，促使学生选择和逐步形成正确的价值观，并将对社会主导价值观的认同贯穿于德育全过程。

（二）价值澄清理论本土化的应用

价值澄清理论对于我国德育理论的发展起着重要的推进作用。尽管价值澄清理论起源于西方提出对待个人自由、个人权限等价值观的价值判断，但由于其尊重学生的主体地位，坚持自由选择与限制的统一，在中国德育界引起了广泛关注和推广，很大程度上补充和发展了说服教育理论与实践。对价值澄清理论的本土化应用需注意以下几个方面：

首先，道德教育要实现教育目的，必须讲究说服方法和艺术。教师应当帮助学生了解自身已有的价值观念，并使用多种说服方法帮助他们分辨不同的价值观念，使其建立清晰的、正确的价值观[①]。

其次，尊重学生的主体地位，积极构建说服教育双主体良性互动模式。价值澄清理论提倡尊重学生，启发学生的自主性，主张根据学生道德发展需要，采取各种有效的方法，使其在轻松愉快、民主平等的教学氛围中获得良好的价值教育和积极的人生体验。该理论主张“儿童应该自由地陈述他们自身的兴趣、他们自身的目的和抱负、他们自身的信念与心态等等”。

---

① 李伯泰，岑国桢．德育发展与德育模式［M］．上海：华东师范大学出版社，1999：10－12.

这启示教育工作者：第一，学校德育必须树立以人为本的理念。尊重学生的主体地位，发挥学生的主体作用，这既是增强思想道德教育针对性、实效性的客观需要，也是时代发展的必然趋势。第二，积极构建教育者与受教育者双主体的良性互动模式。现代学校教育包括教育者施教和受教育者的接受、学习两方面的活动，二者缺一不可。若没有二者的有机统一，德育活动难以有效开展。一方面，学生主体性的发挥，离不开教育者的积极引导和科学管理，因此教育者的主体性发挥是整个说服教育顺利实践的前提。另一方面，要尊重受教育者的主体地位。尊重受教育者的主体性，是教育价值追求的理想目标，因此，发挥学生主体的自主性是良好教育效果和实现教育目标的必要条件。总而言之，为促使学校说服教育活动得以顺利开展，既要强调学生的主体地位，发挥学生的主体性，也要强调学生教师双方同时作为教育和发展的主体，积极建构教育双主体之间良性互动的模式，力求双方既实现互识，又达成共识①。

最后，关注学生说服教育的现实性，努力做到“三贴近”。价值澄清理论主张价值源于经验，因为人在实际生活中可以获得经验，因而价值发端于富有变化的现实生活。价值澄清理论以“生活、实践和学生”为主要中心，其主旨是解答学生在现实生活中面临的实际问题，强调唯有在日常生活中掌握并检验适合自身的价值体系，才能适应复杂而多变的社会。陶行知先生说过：“没有生活做中心的教育是死教育，没有生活做中心的学校是死学校，没有生活做中心的书本是死书本。”远离社会生活的教育就如同无源之水、无本之木，既得不到学生的认同和接受，也得不到社会的认可和支持。当下，说服教育工作面临着一个很明显的薄弱环节就是教师不能很好地紧密联系学生的思想与生活实际，而造成了课堂教学效果的不理想。因此，为提高教学工作的针对性与实效性，说服教育工作必须努力

---

① 范颐，周利华．大学生思想政治教育对价值澄清理论的借鉴研究［J］．探索，2011 (2)：130－133.

贴近学生的生活实际，进而真正解决学生在发展、成才的过程中所面临的实际问题[①]。

事实上，灌输论与价值澄清理论不仅构成说服教育法的重要理论基础，它们同样贯穿在说服教育法的实践及具体应用之中。

第三节 说服教育法的实践研究

无论是传播或是教育，从其自身而言皆具有说服的内在目的性。说服教育一直是德育方法中的主要方式，在学生世界观、人生观、价值观的形成中起到举足轻重的作用。有效的说服方式不但有助于帮助学生树立正确的观念促进学生成长，还有助于培养良好和睦的师生关系。本节旨在针对说理教育法、正面管教法、道德两难故事法、启发自觉法、心理换位法等五个指向实践的现代说服教育方法展开分析，以提供说服教育法的具体操作建议。

一、说理教育法

由于目前学界很多学者把“说服”与“说理”相混淆，故在第一节已对“说理”与“说服”展开概念辨析，并指出“说理”是“说服”的一种方式，通过说理可以达到说服的结果。因此，本研究将说理教育法视为说服教育的主要实践方法之一，即教师通过摆事实、讲道理，以影响学生思想意识及道德认识的教育方法[②]。在学校道德教育中，说理教育法是运用最

① 范颐，周利华．大学生思想政治教育对价值澄清理论的借鉴研究［J］．探索，2011 (2)：130 － 133.

② 班华．现代德育论：第 2 版［M］．合肥：安徽人民出版社，2001：228 － 230.

为广泛且最基本的一种说服方法。该方法是运用“说理”来劝导人、教化人，它有助于增强学生的道德意识，提高学生的道德判断力。

（一）说理教育法的方式

1. 语言文字说理

（1）讲解和报告

讲解和报告既要重视知识的系统化，也要注重理论联系实际。为增强讲解和报告的有效性，需要注意以下要求：首先，教学内容、形式符合学生的需要；其次，淡化教师和学生的角色痕迹，防止居高临下以教师自居；再者，教师具有真诚热情的个性品质；最后，教师能自觉地调节自身的言语和非言语行为，致力于创设良好的氛围①。

（2）讨论和辩论

这一过程是在教师的指导下，学生围绕某个主题各抒己见，通过相互交流、共同探讨，或通过对不同观点的争辩、论证，得出正确结论的一种方式。它适用于某些专门性、人们普遍关注的理论和实践问题。为达到组织讨论和辩论的目的，首先教师应提出学生最为关心且亟待解决的问题，并指导学生搜集材料，做好发言准备；其次，教师应明确讨论与辩论的中心，充分调动学生参与的积极性，培养学生追求真理的态度；再者，教师应启发和鼓励学生勤于思考、畅所欲言，培养学生道德判断的能力；最后，教师要做到循循善诱，引导学生由浅入深、由具体到抽象、由简单到复杂、由里及外分析并解决实际问题；此外，讨论和辩论结束后，教师要做出总结或小结。学生还可以通过墙报、黑板报等形式继续发表意见，以巩固教育效果②。

（3）阅读

苏霍姆林斯基说：我的教育信念的真理之一，便是无比相信书的教育

---

① 鲁洁. 德育新论［M］. 南京：江苏教育出版社，2010：111.

② 袁元. 德育原理［M］. 广州：广东高等教育出版社，1998：136.

力量，学校首先就是书。他主张，要提出推荐给各种年龄学生阅读的文艺作品的清单，有时还要单独列一份必读书目，不做到这些就谈不上进行完全合乎要求的道德教育和审美教育。引导学生阅读可以与讲解、报告、谈话、讨论和辩论等活动结合开展，可召开读书报告会、座谈会、讨论会等。

2. 事实说理

教师可以通过参观、调查、访问等形式组织学生接触社会实际，运用具体生动的事实使学生耳濡目染[①]。事实说理的特点是直观性强，具有可信任性和感染性。由于其活动性强，情况较复杂，教师事先要做好充分准备，做到组织工作落实、目的明确，并对学生思想重视。参观、访问、调查结束后，教师应组织学生谈收获、写心得体会或调查报告，以提高和巩固效果[②]。

（二）说理教育法的要求

学界已有众多学者对于说理教育法的要求提出观点，主要分布于说理教育、心理疏导、思想政治教育方法等主题，而在开展学校德育教育过程中，说理教育法是最基础的方法。在运用该方法时，应注意以下几点：

第一，说理教育要有针对性。针对性说理是指，教师要根据每位学生的年龄特点、心理特征、身心发展差异、社会生存背景等等，决定说理的时机、内容与方式，促使说理得以循序渐进地展开。尽管说理教育法具有直观性等特点，但因学生有自己的思维方式和价值取向，教师需要对学生加以全方位的分析，针对不同的学生，采取不同的语言表达方式。只有在知己知彼的基础上，才能有效地实现说服教育的目的[③]。

第二，说理教育要有感染性。为了促使说理内容能够激发学生的内在情感，首先，教师要尊重并信任学生，设身处地地为学生考虑，采用循

---

① 鲁洁．德育新论［M］．南京：江苏教育出版社，2010：120－132.

② 袁元．德育原理［M］．广州：广东高等教育出版社，1998：138.

③ 程治国．新时代青少年法治意识教育的基本方法［J］．社会科学家，2020（6）：135－141.

循善诱的方式，而不是以体罚等手段强制学生接受。其次，教师应保证说理过程具有知识性和趣味性。教师应在说理过程中注重给予学生新的认识、理解和观念，使他们获得启发，有所感触；同时，教师在说理时所选用的内容、表达的方法也要生动有趣，促使学生喜闻乐见，并产生深刻的印象。最后，教师应使说理教育过程真实自然，不能言不由衷或装腔作势。师生之间应以诚相待，诚恳地表达自己的看法、体会，并充分给予诚挚的鼓励与赞美①。

第三，说理教育要有科学性与艺术性。教师可采用多种教学形式，通过阐述客观事实实现以理服人，从而促使学生心服口服。为了取得好的说理效果，教师必须重视说理教育的艺术性，特别是针对不同受众，应该有明确的目的及差异化的要求②。

（三）说理教育法的应用

擅长以“说理”育人的教师，都擅长把握说理的时机与尺度。说理的尺度，这里既指的是说理的分寸，又指的是说理的深度，还指的是学生的情绪。总之，教师在说理时应注重讲究说理的方式方法，图 3-2 为常见的一些说理方式：

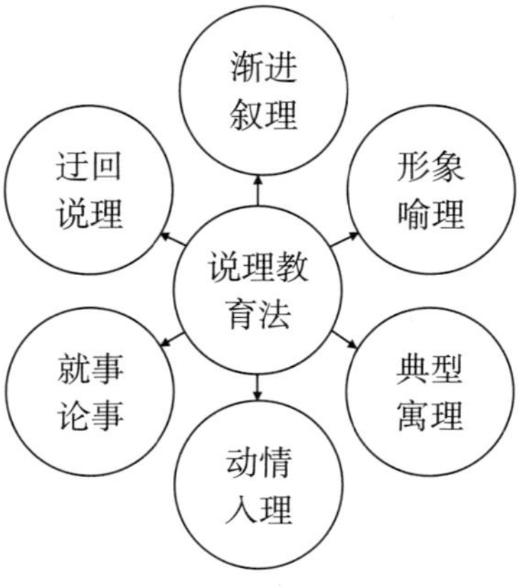

图 3-2　常见的说理方式

---

① 吴燕．“说服教育法”在特殊教育中的运用［J］．小学科学（教师版），2018 (12)：87.

② 戚静华．班主任在说理教育中的谈话艺术［D］．苏州大学，2011.

第一，渐进叙理。教师应依照学生的身心发展规律，从最容易被接受的浅显事理出发，由浅入深、由表及里地加以阐述。这一过程的关键是教师要掌握好学生的思维状态，摸清学生的思想，找到问题所在，才能对症下药，从而确立了教育说理的基本立场。

第二，迂回说理。针对一触即发的提问，教师可以采用迂回战术，从提问的最外层出发。迂回的真正目的，就是以“外传”的形式解释眼前的道理。教师必须保证迂回教学过程的方向性，避免迂回难返。

第三，就事论事。就事论理现于“论争”，归于“就事”。教师要讲实际的事、具体化的事，论理则要贴近实际、合乎实际，使得事与理相衔接。

第四，动情入理。在说理时，教师要动情入理，动情要动真情，入理要情中含理，使情中有理、理中有情、情理融通。

第五，典型寓理。教师通过讲述伟大英雄事迹或经典作品等，使传统经典作品中所蕴含的真理被学生们所认识、所崇敬，并作为今后生活、教育中的道德标准。

第六，形象喻理。形象喻理，即生动有趣并充满哲理地去自由想象社会现状，以描绘深刻的道理。在使用形象喻理时，教师表达方法要亲切，“人物形象”要真实可见，所表述的“道理”要直观清楚；表达方法要有创新，要发现新颖的喻理现象，如此方法才有魅力①。

二、正面管教法

正面管教是一种基于正面的理论教育和正面的思想引导的说服教育方法，是一种不惩罚、骄纵、批评和严厉的管教方式，它创造了一种和善而坚定的氛围，培养了学生自律、责任、合作和独立解决问题的能力②。教师

① 孙秀丽．班主任说理教育方法浅析［J］．中国校外教育，2016 (14)：35.

② 简·尼尔森．正面管教［M］．玉冰，译．北京：北京联合出版公司，2016：11 – 12.

实施说服教育，需要运用教育机智，留心观察学生的生活，善于将学生身上的消极因素转化为积极因素，针对不同的学生采取不同的说服方式。

（一）正面管教的四标准

作为比较成熟的一套理论技术，“正面管教”颠覆了以往学校长期使用的教育方式，以符合学生心理发展特征，培养其归属感和价值感为切入点，使学生愿意主动配合教师，对学生身心健康起到长期积极推动作用。检验在说服教育中运用“正面管教”的效度，有四个标准：

1. 和善与坚定并行

处理学生问题行为的时候，既不过度苛责、滥用惩罚，也不过度骄纵；既不用通过强硬严厉的态度去控制学生，也不通过放纵忽视去取悦学生；既不着急带着情绪去无效沟通，也不能无条件退让寻求当前的平静。要在尊重学生、尊重自己、尊重当前情境的基础上，采用和善而坚定的有效策略[①]。和善而坚定是正面管教的根本所在。

2. 有助于学生感受到归属感和价值感

正面管教中，贯穿整个过程的是对学生无条件的爱，带给学生归属感和价值感。归属感和自我价值感是所有人的首要目标，也是学生与教师的心灵纽带。如果学生在教师的管教中感受到了归属感和价值感，则说明管理是有效的。

3. 长期有效

奖励与惩罚可以产生一时的效果，但很难发挥长久的作用，有的学生会依赖于奖励的刺激，为奖励而做，而不是发自内心想成为负责任的人。惩罚虽在短期内有效，学生可能屈服于教师的权威，暂时性地服从教师，但是就长期而言，惩罚带来的长期后果极易造成反叛、报复和退缩等行为。

---

① 卢路路．和善而坚定的爱：正面管教视角下班主任教育惩戒权的合理运用［J］．中小学心理健康教育，2022 (22)：75 － 78.

有效管教应是长期有效，奖励与惩罚并存，同时在过程中实施正面管教。

4. 教给学生有价值的社会和人生技能，培养学生的良好品格

如尊重他人、敢于承担责任、乐于奉献等。人的本质属性是社会属性，学生终究要走向社会，学识固然会对他们的人生产生影响，为其发展提供更多的选择和可能。一旦明确了选择，决定他的发展高度和深度的一定是那些富有意义和价值的社会技能和生活技能。《礼记》上说“其德薄者其志轻”。英国史迈尔说“良好品格是人性的最高表现。好的品格不仅是社会的良心，而且是国家原动力，因为世界主要是被德性统治”。通过正面管教向学生传递正确德育理念来教会学生如何尊重和关心他人，如何用正确的方法解决问题。

（二）正面管教法的本土化应用

1. 建立正确认识——错误是学习的好机会

正面管教中有一个非常重要的理念：“错误是学习的好机会”。由于学生的认知能力还处于低级的水平，学生往往对错误并没有深入了解，过多停留在错误行为所造成的结果上。教师错误的说服方法易造成教育学生成效的不佳，因为教师多是居高临下地说教、批评，而很少考虑怎样使学生从错误中成长。这样就会使学生产生“不满、愤怒、恐惧”等不好的感觉，长此以往，学生从错误中学习的意识就逐渐淡化，只一味地被动承受，并且随着年龄的增加，也慢慢学会了隐瞒或者回避错误。所以，正视学生的问题情况，给予学生情绪处理的空间，使学生“感觉好起来”，同时，给予学生自己思考和行动的能力，这是学生“做得好”的主要条件[①]。正面管教的基本准则是，学生不管犯了什么错，都能够在错中学习。如果教师能以博大的胸怀接受学生的错误，也可以化解学生对错误的抵触与回避，把因

---

① 王瑞芳．错误是最好的成长机会：正面管教改善学生问题行为的个案及反思［J］．中小学心理健康教育，2020（19）：58－61.

犯错误所造成的同学相处由隔阂与敌对，转变为友谊与信赖。学生是问题的制造者，同时也是问题的解决者。班级对不良行为的管理应侧重于对问题的解决，而不是对原因的追溯，只有发展解决式思维，才能犹如源头活水，形成良性循环，助力学生的可持续发展①。

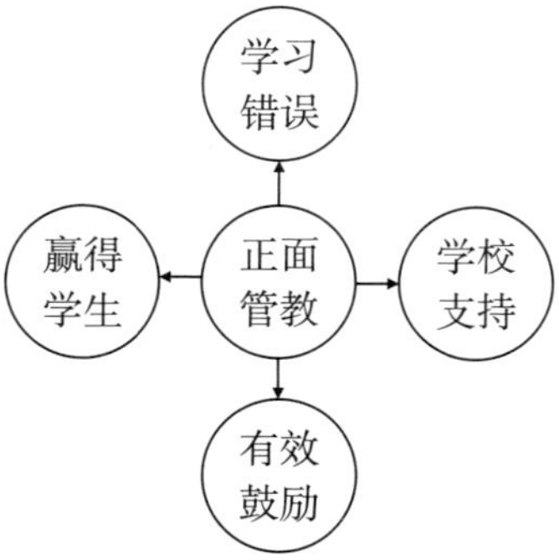

图 3-3　正面管教流程图

如何形成正确思维，从错误中学习和成长，教师的榜样可以起到很好的示范效应。了解矫正错误的三句式。矫正错误的三个“R”：承认（recognize）、和好（reconcile）、解决问题（resolve），具体如下：

（1）具体的承认：即施教者对自主的理性化认知；

（2）实质的和好：面对具体问题时，主动向学生寻求谅解；

（3）最后的解决：师生协商并优化处理实际困惑。

例如如果考试成绩不理想，是怨天尤人还是自我反省，是责怪还是理解，以及如何从错误中寻找对未来发展更好的办法：

（1）承认——“啊哈，同学们，这次有些同学成绩没有考好，我犯了一个错误！”

（2）和好——“我向大家道歉啊。”

① 黄龙君．正面管教在班级管理中的应用策略［J］．小学教学研究，2022（36）：86－87.

（3）解决——“让我们一起来想办法解决这个问题，下次把成绩提高上去。”

“没有完美的老师，也没有完美的学生。”不要求正在成长的、需要指导的学生不能犯错，要尊重学生犯错的权利，给学生自我成长的机会。说服教育是以同情和理解回应学生的错误，批评和指责却会使他们感到恐惧和抑郁，因为他们的注意力会聚焦在怎样处理压力上，而很少考虑错误本身，更别说在错误中成长。但同情和理解却会使他们感觉被接受，心灵也受到了滋润，他们的头脑也会专注于错误本身，并展开下一个探索。

2. 树立正确观念——赢得学生而非赢了学生

许多时候，教师觉得教师身份给了自己控制学生的权力，认为自己比学生更有经验。当学生依照教师所说的做法时，教师认为自己的管理方式是合理的，因为教师已经“赢了”学生，却忽略了在其中妥协的学生。教师可以通过“赢得”学生而不是“赢了”学生来创造一种积极的学习情境。所谓“赢了”学生是指教师用批评、惩罚的手段战胜了学生，而“赢得”学生是指教师维护学生的尊严，相信学生有能力与教师合作并贡献他们的一分力量。

教师可以尝试运用“赢得”学生的四个步骤：

（1）表达出对学生感受的理解，可积极对他们进行明确化的核实；

（2）表达出对学生的同情，即领悟与感知他们的行为感触，而不是宽恕；

（3）主动积极告诉学生自身的感受；

（4）有机引导学生关注于解决问题，途中可与学生探究协商，适时予以一定的客观建议（问学生该怎么做要比告诉学生怎么做，更能引起学生的注意）。

让学生体验到归属感和价值感是赢得学生的重要方式。每一个不良行为的背后，都躲着一位希望得到归属感，但受制于自身的思想水准与认知水平，而不懂得怎样正确表现自我的学生。共情，是让学生感受到归属感的最重要手段之一，即站在对方的立场上，设身处地地感受、了解别人的内心世界，形成彼此之间的共同感受[①]。渴望被“看见”是大多数人共同的心理需求。虽然学生年龄小，解释能力相对较弱，但他们的觉察能力很强。所以教师应该有关爱、耐心和较强的共情能力，愿意蹲下身子平等地倾听他们内心真实的心声，“看见”每个学生的存在。这种师生情感联结会产生立竿见影的效果。如果教师能够坦率地表达自己的想法，并且充分体现出对学生的关怀，那么这种师生关系将变得更加紧密。比如当学生表现出某种情绪感受或行为时，可以这样回应：“老师真的非常理解你，因为我像你这样年龄时，也曾经这样过，没关系，咱们调整一下学习方法，很快就会赶上其他同学，来，咱们击掌一起努力。”然后给出具体改进举措，以得到他们的理解，最终能够产生说服的效果。

3. 进行有效鼓励——真情实感

在正面管教的班级里，教师更注重学生言行背后的信念，当鼓励形成了一种风尚，每一个学生都能够表达自己的想法，也能够去不断尝试和探究。说到鼓励，人们很自然地就想到表扬，表扬是用教师的是非观来评价学生的行为，是服务于教师的需要。它让学生认为，只有得到他人的认可，自己才有价值，因此会过于在意别人对自己的看法。表扬并不等于鼓励，鼓励是站在平等的位置具体描述学生努力的行为而产生的改变，而不只是成功的结果。鼓励让学生知道自己的价值无需他人认可，就能够激发学生自己想要改变的内部动机，长期来看是更有效的。鼓励更关注学生内心积极的感受，对学生有信心，给学生力量，能够让学生领会所需价值观、品质和生活技能[②]。

一方面，教师的引导方法更具体，说服效果也更好。笼统、缺乏针对性、

① 陈菡．是“赢了”孩子，还是“赢得”孩子：基于正面管教理念下的亲子沟通［J］．中小学心理健康教育，2019（24）：77－80.

② 王瑞芳．错误是最好的成长机会：正面管教改善学生问题行为的个案及反思［J］．中小学心理健康教育，2020（19）：58－61.

不具体的表达方式，会让学生们搞不清他应该在哪几个方面进一步做更好。像“你真棒”的夸奖如同“隔靴搔痒”并不能产生良好的鼓励效果。有针对性的引导，可以在一定程度上帮助学生更好地建立信心。老师首先可利用在正面管教中的“我看到——”或“我关注到——”的表达性激励、赋能性激励乃至感恩或赞赏性激励。其次要用真情实感去鼓励学生，陶行知说过：“真教育是心心相印的活动。只有从心里发出来的，才能打动心灵的深处。”如有着“中国苏霍姆林斯基”美称的于永正老师在授课时，当学生指出了某个有价值的提问时，于教师总会走向前，抓住该学生的小手，凝望着他的双眼，夸赞道：“你有一双慧眼哟，能看到他人看不到的问题，多了不起哟！”也正是由于他总是毫不吝啬自己的赞赏之词，用恰当的话语引导着学生，才大大地激发了学生的积极性和动力①。

另一方面，教师要肯定学生的努力，通过鼓励使学生变得更加自信，要指出学生的进步，关注学生的感受。比如有的学生表现出自卑时，教师可以说：“也许你在别人眼里有很多不足，但在我眼里，你是最棒的！”运用鼓励性的话语，可以鼓舞学生有不断拼搏的勇气，也可以拉近师生距离，让学生可以更进一步地了解自我，还可以形成责任感与上进心，同时也促进更优质师生关系②。

4. 提供有力保障——学校支持

2014 年 9 月 9 日，习近平总书记在北京师范大学调研时要求，广大教师要用好课堂讲坛，用好校园阵地，用自己的行动倡导社会主义核心价值观，用自己的学识、阅历、经验点燃学生对真善美的向往，使社会主义核心价值观润物细无声地浸润学生们的心田、转化为日常行为，增强学生的

① 蔡丽君．基于正面管教理念的有效性鼓励［J］．教育教学论坛，2019（43）：254 － 255.

② 张思芳．浅谈正面管教在小学班主任管理中的运用［J］．课程教育研究，2020（15）：189 － 190.

价值判断能力、价值选择能力、价值塑造能力，引领学生健康成长[①]。教师能有效实施正面管教，除了与教师有关，还与学校制度保障有很大关系。学校要积极肯定正面管教这种教育理念和方式对说服教育的重要性；同时学校要给予制度保障，将其纳入到教师队伍建设、教师评比体系中，积极鼓励和提倡教师采用这种教育方式[②]。在学校有效开展"正面管教"培训方法如下：

首先是培训对象本土化。培训的对象不限于德育教师和班主任，其受众范围应涵盖了学校教职工，从德育教师、班主任、任课老师、后勤服务人员，乃至清洁工，他们均应承担起传授正确的价值观念、行为准则的重要职能。因此，为了使全体教职员工能够有效地实施"正面管教"的理念，可以通过设立"正面管教"理论专栏、举办家长讲座等形式，加强教职员工的知识储备。

其次是培训内容本土化。"正面管教"的理念虽然被广泛应用于美国，但是在中国不一定都能得到教师的接受和认可，在培训过程中，有时候也会遇到困难，甚至引起有些教师的反感。因此，学校应该充分考虑当地的文化，深入挖掘"正面管教"的优势，以期达成更好的效果。为了让"正面管教"的理论更好地被普及，学校可举办"正面管教"的实践培训，让教师更好地了解"正面管教"的意义。只有让教师们把"正面管教"的观点融入自己的生活，并且把它融入道德修养之中，说服教育才会真正落地生根。

三、道德两难故事法

道德两难故事法起源于皮亚杰对于儿童道德发展的研究，该研究运用

---

① 习近平．做党和人民满意的好老师［M］．北京：人民出版社，2014：6.

② 丁红英．正面管教在中小学课堂管理中的应用［J］．西藏教育，2019 (4)：62 – 64.

对偶故事法将儿童的道德发展划分为他律道德与自律道德两个阶段。20 世纪中叶，科尔伯格继承并发展了皮亚杰的道德认知发展理论，提出了道德两难故事法。道德两难故事法属于传统说服方法的实例延伸，其原始内涵为当成年人的认知发展水平高于儿童的现有认知发展水平时，才能够将新的图式同化于儿童的已有认知结构。道德两难故事法的关键意义就在于，通过讲述两难故事引发儿童的道德认知冲突，促进儿童进行积极的道德思考，并以此推动儿童的道德判断及逻辑推理能力的发展。

（一）道德两难故事法的本土化

我国的德育长期以来坚持以教学主体或社会需求为中心的教学原则，忽视了学生进行道德省思的自由与能力，从而出现了“顺从”的德育。在教学过程中，学生往往只掌握了某些现成的道德观念，而没有切实地掌握道德的真正含义，导致课堂教学缺乏实效性。我国目前在德育过程中面临的主要问题，即不注重学生判断美丑、好坏、善恶的能力，对学生的道德判断能力缺乏行之有效的培育方法，而道德两难故事法的新颖之处就在于其有助于克服我国传统德育过程的弊端，提高学生的自觉性，切实地培养学生的道德认知能力及判断力。

（二）道德两难故事法的应用

教师在运用道德两难故事法训练学生的道德认知能力及判断力时，应充分根据学生的具体情况，举出切合实际、接近现实社会、紧扣时代精神的故事。同时，教师在运用两难故事法时，还需要注意以下几点：

第一，教师不仅要培育学生的道德判断能力，还要注重培养学生的行为品格。怎样提高学生的道德判断能力和行为以及二者的转化，是以往道德教育中尚未提及却十分关键的问题。

第二，教师在严格遵从学生道德发展阶段规律的同时，还应注意学生情感发展的特点。道德情感具有评价意义，能够影响道德评判；道德情感具有心理调节作用，能够影响道德行为的形成；道德情感还具有信号功能，能够影响他人的道德行为。

注重培养学生的行为品格

注意学生情感发展的特点

为学生的道德发展提供完善民主的环境

将道德两难问题与学生实际情况相结合

图 3–4　道德两难故事法的注意事项

第三，教师要为学生的道德发展提供完善的、民主的环境，只有这样才能保证学生的全面发展与健康发展。在说服过程中，教师要力求营造出民主和尊重的班级氛围,并给予每位学生充分展示自我的机会①。与此同时，优秀环境的创建还需社区、家庭和校园三个方面的通力合作和积极协助，才能取得最佳的成效。

第四，在说服过程中，教师应当注重将道德两难问题与学生的实际情况相结合，加强说服的技巧与策略。两难问题的设计，应当以学生的实际情况为蓝本，应符合学生身心发展的实际水平。一方面，教师需要对两难问题进行合理的道德评判，对此类道德问题要有相应的敏感度。另一方面，在指导学生时，教师应掌握必要的提问技巧，引发学生的认识冲突，并正确地引导学生进行道德评判，从而提高学生的道德敏感度及道德判断能力②。

---

① 韩国海．荒木纪幸道德两难教学理论述评［J］．黑龙江高教研究，2008 (9) : 91 － 93.

② 史晓冉，杨璐燕．科尔伯格道德两难问题在教育中的运用［J］．泰安教育学院学报岱宗学刊，2011 (4) : 60 － 61.

四、启发自觉法

启发自觉，即启发学生自己教育自己。作为教师，首先要相信学生，同时也要给予学生信心，说服学生能够依靠内在的积极力量不断地提升自己、完善自己。启发自觉法是传统说服方法的重要方法之一，在启发过程中，教师应以说服教育优先，并对学生积极引导，为激发学生的自觉性指明方向。

（一）启发自觉法的原则

1. 平等性。教师应保持与学生平等的地位，同时使学生意识到师生双方具有同等地位。

2. 尊重性。在启发过程中，教师必须要尊重学生，尊重学生的行为、尊重学生的个性及尊重学生的内心世界。

3. 鼓励性。教师应引导学生积极地打开心扉，敢于展露缺点，并给予学生适当的鼓励。

4. 参与性。学生自始至终是教育过程的主体，教师要让每个学生有平等参与活动的机会。

5. 目的性。道德能力的培养必须要依据学生现有道德水平进行设计及实施①。

（二）启发自觉法的应用

教师在运用启发自觉法时，要注意诱导学生个体自觉及培养班级自觉纪律两个方面紧密结合，具体内容如下：

---

① 鲍东明．启发学生心理自觉的教育［N］．中国教育报，2001－09－04.

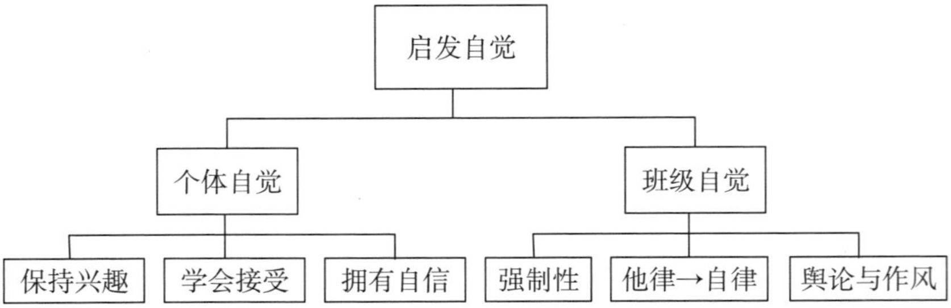

图 3-5　启发自觉法的应用

1. 启发自觉，诱导学生个体自觉

教师要让学生保持积极向上的学习兴趣，对生活充满兴致、对未来有所期待。同时，教师要让学生学会接受身边的每一个人，使学生乐于沟通并拥有自己的知心朋友。当爱挑剔别人的学生逐渐学会了包容、当自私的学生开始帮助别人，他们便脱离了自闭、离群的痛楚。此外，教师还要让学生拥有自信，懂得充分发挥自己的优势。自信可使一个人勇敢面对一切生活中的磨难，微笑自如地应对一切。当学生拥有了自信，便会愈发肯定自己的能力，实现更多的价值。因此，在启发学生的过程中，教师要通过实践、付出，才能真正地让学生健康快乐地成长。

2. 启发自觉，培养班级自觉纪律

苏联教育家苏霍姆林斯基就曾说过："只有启发自我教育的教育，才是真正的教育。"在规范班级纪律制度时，教师应注重激发学生自我教育的自觉性，使学生积极参与班级纪律制度的制定，并自觉履行。自觉纪律的养成，是一种从他律向自律转变的过程，这一过程可分为三个阶段：

第一阶段，这一阶段的纪律制度具有相当的强制性，而学生也处在相对被动的状况中，这是一个最艰难的发展阶段。此时，教师应恰当地创设情境，促使学生在纪律制度的实施中得到相对主动的体验，避免学生形成消极、否定的心态。

第二阶段，即由他律向自律转变阶段。这一阶段的学生已相对习惯纪律约束。教师应注重促使学生将学习和遵守纪律紧密联系起来，使得学生意识到完善的纪律制度才是保障学业的先决条件。

第三阶段，即纪律制度向班级的健康舆论和作风发展的阶段。此时，教师应给予学生引导与启示，以提升学生自觉遵守纪律的执行力。同时，教师还要进一步巩固及完善班级中已形成的自觉纪律。

作为教师，应自觉做到：尊重学生人格、注重自我管理、与学生彼此督促，让学生意识到教师是在帮助其取得成功。在启发过程中，教师必须以身作则，率先垂范。只有建立良好的自觉纪律，优秀的班集体才能真正产生，学生的身心发展才能真正保证①。

五、心理换位法

“心理换位”是一种以设身处地的视角来探索、分析公众内心世界的方法，它要求研究者将自己置于特定的社会背景和环境中，以便更好地感受受试者的情绪，并基于此进行分析，从而更好地预测受试者的处境和心态②。一般情况下，教师与学生在年龄、地位、知识、经验等许多方面都存在着一定的代沟。教师常常忽视这一差异，在说服过程中，只按自己的想法、凭自己的经验进行说服教育，其结果是导致说服效果不理想甚至失败。因此，在进行说服教育时，教师应该将自己放在学生的心理位置，以便更加精准地解决问题，达到最佳的说服效果。

（一）心理换位法的要素关系

心理换位法主要包括以下三种要素：角色、情境和问题。第一，角色即人物实际联系、交往的双方。在通常意义上，角色双方有一面是积极的、有一面是被动的。由于角色双方的心理关系都是相互作用的，因此任意一

---

① 任常梅．以人为本教育学生自我管理［J］．文教资料，2006(9)：136－137.

② 周朝霞．公共关系实务：第2版［M］．北京：北京邮电大学出版社，2014：55－56.

方面都能够通过心理换位洞悉对方的心理状态，也都能够通过心理换位反观自身的心理特点。第二，情境即角色所在的环境与气氛，它既可以是人物现实生活中实际出现的，也可能是人物通过真实生活中形成的；既可能与说服过程的人物双方相关，也可能仅与人物某方面相关。第三，问题即角色在现实情境中所遇到的实际情况，它既牵动着角色的行动，直接支配着角色的思想精神活动，也可以被角色所调整、修改。它既受到具体场景的制约，也可以引起场景的变化①。因此教师作为说服教育的主导，需要在说服过程中迅速明确角色关系，准确把握场景设置，深入了解问题实质，进而巧妙地运用心理换位法，以达到师生间的良性交流。

心理换位分为正向心理换位与反向心理换位。正向心理换位是指以教师为说服教育主体，以学生为客体，教师通过积极调适自身的心理角色和状况，站在学生的立场上，积极融入学生身处的现实情境，并反观学生所存在的问题，使教师可以比较深刻地认识问题并给出学生满足其现实需要的指引。使学生体验到精神的支持，并以此获得学生的信赖，与学生共同思考处理问题与困境的办法。

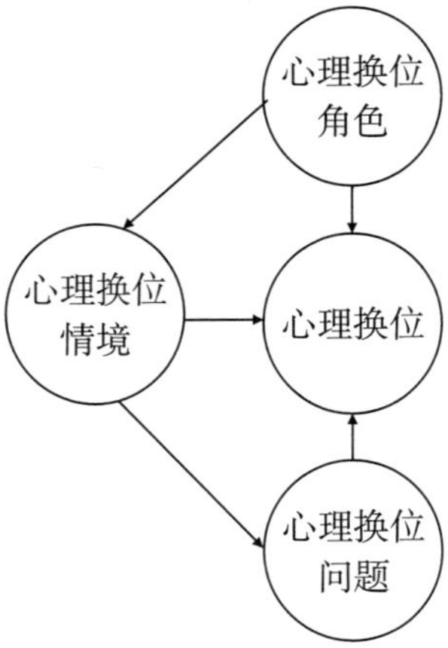

图 3-6　心理换位要素关系

① 郭佳奇．辅导员谈心工作中的双向心理换位及其应用［J］．高校辅导员，2016 (1)：77 – 79.

反向心理换位指由学生为说服过程主体，以教师为客体，学生需要通过在与教师的交流中逐步调适自身的角色与状况，通过站在教师的立场上或站在与自身相反人物的立场上，从崭新的角度和视角剖析自身所存在的问题和困境，从而建构问题解决方法。虽然说服教育仍是由教师主导的，但注重充分调动学生的积极性和反思力，让其站在他人角度，既可以关注别人的思想体验，也可以侧面看到自身所遇到的实际问题，从而建立对心理境况和实际问题的全方位分析，甚至还可独立思考并形成解决问题的办法。

（二）心理换位法的应用

1. 加强沟通交流，提高说服有效性

在说服教育过程中，为了有效提升说服教育的质量，教师要综合学生的实际需要，保障说服教育能够顺利进行。在说服过程中，要加强对心理换位理念的运用，站在学生的角度思考，做好说服过程中师生间的互动交流，准确了解其情况和状态，全面掌握其内心需求并不断调整说服内容，从而有效缩小师生间距离[①]。在说服过程中综合现实生活中经历过的事情，进行有效的拓展延伸，提高说服教育效率。

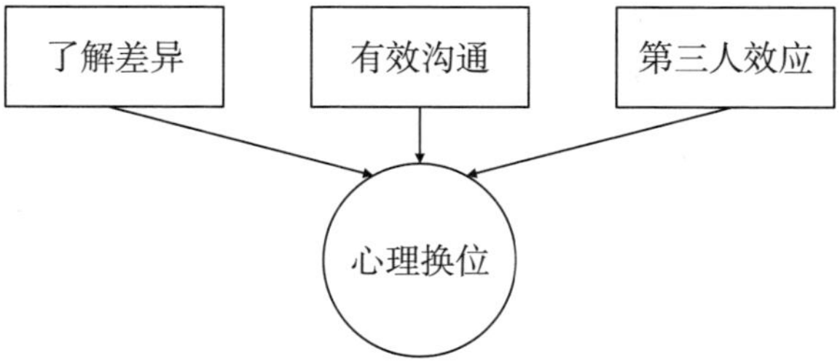

图 3-7　心理换位法应用

通过有效的沟通可以建立一种充满尊重、理解、包容的氛围，教师

① 许金霞.班主任德育工作中的换位思考实施策略分析[J].读写算，2021 (25)：69 − 70.

能够更好地引导学生，师生间能够在一起进行有意义的交流。“不能被简化为一个人向另一个人‘灌输’思想的行为，也不能变成有待对话者‘消费’的简单的思想交流……对话不能出现一些人代表另一些人命名世界的情况”[①]。教师与学生是平等的，关系是互动的。教师要尊重学生人格，开展平等对话，进行积极引导，实现学生态度的转变。教师不要一味输出，说完一段说服内容留给学生反应和思考的时间，学生如若有表达自己想法的欲望时，教师要给予学生机会让他去表达。“每个人都认真地倾听他人的意见和想法，每个人也都彻底地表达出他内心深处最真实的想法和看法，然后让不同的观点和意见之间彼此碰撞、激荡、交融，从而让真理脱颖而出”[②]。教师要站在学生的角度上去思考问题并对学生的阐述予以回应和反馈。

2. 了解个体差异，提高说服针对性

皮亚杰曾说过：“一个人不能只从自己的角度，用自己的眼光和感情去看待周围的世界，处理所遇到的问题，要设身处地从他人所处的地位、位置、环境去看待，理解和处理事情。”首先，教师要深入学生的生活，熟悉每个学生的家境、兴趣喜好、身心状态等情况，充分利用授课、指导、批改等所有有利时机接触学生。教师应该以“心诚、情浓、对症、话实”为准则，仔细观察学生的情绪，倾听他们的意愿，以便更好地理解他们的思想，并将自己的言论与他们的心灵相通，从而让说服教育更加有效。其次，教师应和学生坦诚地交流，做学生的倾听者和知心者，同时以自身的品行去影响学生，并力所能及地协助学生解决具体问题。学生的思想状况是不断变化的，教师必须了解学生的“原有态度强度”和免疫情况，并结合学生的性格对说服内容不断进行变化、扩展，以便贴近学生的需要，做到贴近实际、贴近生活、贴近学生。同时，教师也应留心观察各种类型的学生，

---

① 保罗·弗莱雷. 被压迫者的教育学［M］. 顾建新，等译. 上海：华东师范大学出版社，2002：97.

② 戴维·伯姆. 论对话［M］. 王松涛，译. 北京：教育科学出版社，2004：10.

尤其面对部分抗压低的学生，要做好对此类学生积极的心理引导，并协助学生及时调整心态，使学生可有效地应对在学业上和日常生活中出现的问题，从而减少学生消极情绪。通过针对性沟通和说服，使学生可以时时保持良好的精神状态，并以积极的心态应对日常生活和学习中的困难与挫折，充分发挥说服教育的价值和作用。

3. 巧用第三人效应，提高说服灵活性

第三人效应是美国哥伦比亚大学戴维森教授最先提出的。他认为，传播沟通的效果不在于受众的表面反应，而在于其他一些人的预期或想象中的反应。之所以称之为第三人效应，是因为第三人卷入了两种不同观察立场，按照那些试图对传播效果作出估价的人来说，它最大的影响对象不是“我”或“你”，而是“他们”———第三人。这种效应也同样适用说服教育。在说服教育中，教师常常会将说服局限在“我与你（你们）”之间，教师要把自己的说服内容传达给“我与你（你们）”，还要把“他”作为一个重要的参与者，让他们能够更好地理解“你（你们）”，这种循环信息传递，不仅能传达教师的想法，还能够更加深入地影响学生的思想，从而实现说服教育目标。“第三人”的出现大大改善了“第一人效应”的传播效果，使“第三人效应”的传播更加有效[①]。在说服教育中，教师可以利用“说服”的信息量，通过第三人的转述来增强说服力，或者让第三人直接向学生阐述自己的观点，甚至利用“第三人”的信息来表达自己的想法，从而达到说服效果。“第三人效应”可以帮助我们更有效地解决学生之间的敏感问题。但是，在使用“第三人效应”时，需要注意选择第三个人，并确保他们与第二个人之间的关系良好。这样第三个人的表达才能更加准确。此外，我们还需要确保第三个人的话是真实的，因为如果出现错误，学生对教师和第三个人的信任度将会大幅下降。

---

① 刘杰．学生劝服工作应重视“第三人效应”［J］．教学与管理，2019（1）：27－28.

第四章 情感陶冶法研究

随着现代科学与哲学的发展，情感对于人的生存发展的特别功能及其作用机制被越来越多地揭示出来，同时，随着人类文明的不断进步，道德的立体性质、道德作为人类自由精神的本质越来越被人们所认识，情感与主体道德形成的内在关系也就越来越清楚地显现出来。情感不仅是道德认识转化为道德行为的中间环节，而且在个体道德形成的完整过程中，始终具有特殊的地位、特殊的价值[①]。因此，如何基于情感、通过情感发展个体的道德品质，使社会的伦理规范、道德准则成为个体内在的道德自觉，进而形成个体持久的道德价值观，一直都是德育方法探索的重要方面，情感陶冶法便应运而生。

本章聚焦情感陶冶法，通过含义解析深入把握情感陶冶法“以情染情、以境触情、以境陶情”的基本特点，通过文献阅读梳理出情感陶冶法经历萌芽、形成、深化发展和多样态发展的不同阶段，从而形成对情感陶冶法的整体把握。通过既有研究发现，学者们多从哲学、心理学、脑神经科学等学科寻求情感陶冶法的理论依据，在此基础上，已形成较为丰富的相关理论研究，如家庭化模式、体谅关怀模式、情感性德育模式、欣赏性德育模式、道德体验范式、教育戏剧范式等。通过对情感陶冶法相关实践探索

---

① 朱小蔓．情感德育论［M］．北京：人民教育出版社，2005：41.

的梳理，发现已形成具有一定规模的实践方法群，发展出情感联结法、环境陶冶法、榜样示范法、美感欣赏法、理想激励法、情境体验法、诗性陶冶法等多样的实践探索。

第一节 情感陶冶法的含义与发展

人们对情感陶冶法的探讨及运用，既包含一些共识性的观点，也有随时代变化和社会发展不断得以丰富的认识。本节主要通过梳理既有研究对于“情感”“陶冶”以及“情感陶冶”的基本观点，尝试厘清该方法区别于其他德育方法的特质，并通过梳理情感陶冶法的发展脉络，探析情感陶冶法在不同阶段的发展重点及其价值。

一、情感陶冶法的含义

学者们关于情感陶冶法的认识，与其对“情感”“陶冶”等概念的理解紧密关联，因此，把握情感陶冶法的含义可以从这两个关键概念入手。本节通过梳理相关概念的多种含义，澄清、比较学者们的不同观点，在此基础上对情感陶冶法的意义、特质进行解读，以期相对完整地把握情感陶冶法的内涵。

（一）“情感”的意涵

情感被认为是“人类经验中最亲近的体验，也是人类行为中最复杂的感受”[①]。千百年来，人们从不同视野关注并探索人的情感。

---

① 朱小蔓.情感教育论纲［M］.南京：南京师范大学出版社，2019：3.

在中国古代哲学中，人的情感有其性善基础的部分，人的情感表达被认为有其符合道德原则的一面。儒家注重情感的正当流露，如孔子指出“惟仁者，能好人，能恶人”[①]。孟子的态度与孔子大致相同，他认为“其所谓恻隐、羞恶、辞让等，皆以情当合道德原则”[②]。中国情感教育理论的奠基人和开拓者朱小蔓认为，情感是“一种基模性的质料，它与生俱来，不断发育成为支持德、智、体、美诸方面素质发展的基础性、内质性材料”[③]。人的情感有其生理基础，又与人的社会性发展相关联，既内在地支持着人的社会性发展，又融入人的社会性，表征着人的社会性发展。另有学者指出，在哲学层面，情感可以被视为是“人生欲求的系统”，它包括情欲、情绪、感情三个不同的层次，其中，“情欲是生理性质，情绪是心理性质，感情是社会性质”[④]。

从心理学来看，“情感”与“情绪”密切关联，两者均指向人的态度和体验，如在《心理学大辞典》中，情绪被界定为“有机体反映客观事物与主体需要之间的关系的态度体验”[⑤]。在概念使用时，两者则各有侧重，“有时人们把同生物需要相联系而产生的感情反应称为情绪，而把受社会规范制约的感情状态称为情感；另一些时候人们又在标示感情形式时采用情绪，而在标示感情内容时采用情感。”[⑥]可见，相较情绪而言，情感更多地指向人的社会性方面，它意味着人对于自身所处的环境有内在的感受力，能受外部环境中积极或消极因素的影响，进而形成个体对外部环境的心理态度，简而言之，情感隐含着人具有被环境影响的内在可能。在日常生活中，人

---

① 论语·里仁.

② 张岱年.中国哲学大辞典（修订本）［M］.上海：上海辞书出版社，2014：169.

③ 朱小蔓.情感教育论纲［M］.北京：人民出版社，2007：5.

④ 同②.

⑤ 林崇德，杨治良，黄希庭.心理学大辞典［M］.上海：上海教育出版社，2003：945.

⑥ 孟昭兰.情绪心理学［M］.北京：北京大学出版社，2005：7.

们对情感的理解主要还是依循心理学的视角，例如《现代汉语词典》中对情感的定义为“对外界刺激肯定或否定的心理反应，如喜欢、愤怒、悲伤、恐惧、爱慕、厌恶等”[①]。

心理学中的“情感”侧重个体视角，社会学则更侧重社会和文化视角。社会学对情感的认识，在肯定其具有生物性的基础上，至少包括三方面内容：一是情感的社会建构；二是情感的社会表达；三是情感的文化与社会标签。在社会学中，情感被认为是社会建构而来的，具有鲜明的社会性。情感“处于微观的、宏观的、个人的、组织的、政治的、经济的、文化的以及宗教的等社会生活所有层次的中心”[②]。一个人的情感的形成，并不仅仅是个体心理或生理现象，而会受到社会文化条件的影响。由于社会资本、文化资本和经济资本的不同，个体习得的情感文化、获取的情感资本也会不同，因而会呈现出不同的情感能力[③]。体现在教育领域中，有学者认为教育活动参与主体（如学生）的每一种情感并不只是身体反应与生理应激，而是与其所处的教育环境和某一种教育情境密切相关，教育者可以通过对具体情感进行社会学阐释，由此影响教育活动参与主体（如学生）对外界事物的情感体验并塑造主体对某一情境中的事物进行评价的价值取向[④]。

（二）“陶冶”的意涵

“陶冶”这个概念早期源于手工业，据《孟子·滕文公上》记载：“以粟易械器者，不为厉陶冶；陶冶亦以其械器易粟者，岂为厉农夫哉？”[⑤]这里的陶冶意即陶工和铸工。《明史·职官志一》中也有关于“陶冶”的记载：“虞

---

① 现代汉语词典：第6版［M］. 北京：商务印书馆，2012：1061.

② 诺尔曼·丹森. 情感论［M］. 魏中军，孙安迹，译. 沈阳：辽宁人民出版社，1989：1.

③ 刘雨. 论教育社会学研究的情感转向：来自情感社会学的启示［J］. 贵州师范大学学报（社会科学版），2018 (5)：56 − 66.

④ 同③.

⑤ 方勇译注. 孟子［M］. 北京：中华书局，2015：220.

衡，典山泽采捕陶冶之事”[①]，此处陶冶意为“烧制陶器和冶炼金属”。后来，“陶冶”一词的使用从手工制作隐喻、扩展到了教育领域中，清代唐孙华在《夏日斋中读书》诗之五中有言：“陶冶发性灵，金玉出顽矿”，这里的陶冶便已具有了“教化培育”之意。

随着“陶冶”一词在教育学中的引入和运用，不同学者对其有了不同的教育学意涵的解读。例如，《中国伦理学百科全书 · 德育伦理学卷》将陶冶界定为“利用教育者与被教育者之间的感情及各种情景中的教育因素，对受教育者进行潜移默化的感化教育”[②]；卢家楣指出陶冶的内涵是“在积极推进认知活动的同时，培养学生各种高尚情感以及情感能力”[③]；檀传宝认为陶冶可以作为一种教化方法，它具有“陶情”和“冶性”两方面的含义：“陶情是一种与认知活动相互联系的情感和情趣的化育过程；冶性是与情感联系的认知上的进步乃至人格上的提升。陶冶的过程是陶情和冶性两个过程的统一。”[④]

基于学者们的观点，可以发现陶冶在教育学理解中的一些特质。首先，陶冶具有规范性的意涵，隐含着积极的价值指向。陶冶原有“塑造”之意，后来人们将在窑中烧制陶器的过程来引申比喻人受教育的过程；烧制陶器是怀着特定的目的、基于既有的模型将陶土制成精良的器皿，而育人也是如此，要朝着正确的方向，塑造人的良好品德，“陶冶”一词的教育意涵包含着要对受教育者给予正向的培养与锻炼，强调“正向塑造”。其次，陶冶侧重于教育影响的内在过程。陶冶不是一蹴而就的，它有一个塑造的过程，教育者要重视这个过程，在过程中发挥引导作用。再次，陶冶具有潜移默化的特性，更强调教育影响是给予受教育者的一种隐性

---

① 明史［M］. 北京：中华书局，2015：1775.

② 罗国杰. 中国伦理学百科全书·德育伦理学卷［M］. 长春：吉林人民出版社，1993：149.

③ 卢家楣. 论情感教学模式［J］. 教育研究，2006（12）：55－60.

④ 檀传宝. 德育原理［M］. 北京：北京师范大学出版社，2018：252.

化育，它基于人的内隐学习机制发挥作用，在润物细无声的过程中完成品德教育。

（三）情感陶冶法的基本含义

通过对已有研究中"情感"及"陶冶"意涵的梳理，可以发现"情感"为育人提供的可能性，它意味着人具有被环境影响的内在可能，教育可以利用环境或通过人为创设情境来影响个体的内在感受，进而引发其情感的转变；正是由于这种可能性，"陶冶"这一具有规范性的、隐性的化育过程才能够得以实现。

关于情感陶冶法的含义，学者们已有不少论述。例如，胡守棻在《德育原理》中指出"情感陶冶法是利用教师的爱生和各种情境中的教育因素，对学生实行潜移默化，使其耳濡目染，心灵受到感化的方法"[①]，侧重强调此种方法的暗示性。班华在界定"情感陶冶法"时强调教育情境，他指出："情感陶冶法是自觉地创设良好的教育情境，使受教育者在道德和思想情操方面受到感染、陶冶、熏陶。该法的特点表现为非强制性、愉悦性、隐蔽性和无意识性。"[②]此外，檀传宝进一步说明了情感陶冶法的两方面作用机制"陶情"和"冶性"之间的关系，陶冶的过程是陶情与冶性两个过程的统一。在德育过程中，陶冶的方法主要侧重于情感的陶冶，但其作用不止于情感的培育[③]。徐鹏辉等人认为"情感陶冶法是一种在认知活动中，联系学生的情感，使学生实现认知上的进步、情感的陶冶乃至人格上的提升的教学方法。此教学方法可将教学内容寓于生动形象的情境之中，使学生在获得知识的同时，情操得到陶冶，培养健康、高尚的人格，具有润物细无声之功

---

① 胡守棻．德育原理［M］．北京：北京师范大学出版社，1989：167.

② 班华．现代德育论：第2版［M］．合肥：安徽人民出版社，2001：233.

③ 檀传宝．德育原理［M］．北京：北京师范大学出版社，2007：252.

效。”① 吕炳君认为陶冶教育具有非强制性、愉悦性、隐蔽性和无意识性的特点②。

通过梳理相关研究，可以发现已有观点反映出情感陶冶法具有以情染情、以境触情、以境陶情的特点。除此之外，学者们对于“情感陶冶法”有一些共识：一是基本都指向高尚情操、高尚人格的培养；二是关注其过程特点，并强调“润物无声”“潜移默化”“非强制性”“隐蔽性”等；三是认为它往往需要一定教育手段的支持，如创设教育情境、营造教育环境、树立优秀榜样或依托“美”的手段等。

二、情感陶冶法的发展

从百姓日用到先贤典述，关注人的感受体验以及外部环境对人的影响，注重人为改造环境来感染、教化子弟的德育方式自古有之。可以说，情感陶冶法在德育发展的长河中一直散发着其独特的育人魅力，并随着时代发展不断深化和丰富。总体来看，情感陶冶法的发展大致可划分为萌芽、形成、深化发展和多样态发展几个阶段。

（一）萌芽阶段

早在我国先秦时期，人们就已经注意到环境、情景对于人的影响作用。《荀子 · 劝学》中谈到“蓬生麻中，不扶而直；白沙在涅，与之俱黑。”墨子的“素丝说”——“染于苍则苍，染于黄则黄”，又如“近朱者赤，近墨者黑”，等等。这些都是比喻人受到外部环境影响而发生相应的改变。《管子 · 侈靡》中谈到：“若夫教者，摽然若秋云之远，动人心之悲；蔼然若

① 徐鹏辉，等．运用现代教学方法，提高思想政治课教学实效［J］．教育探索，2014 (1)：129 － 130.

② 吕炳君．教育学［M］．上海：同济大学出版社，2019：279.

夏之静云，乃及人之体；窎然若謞之静，动人意以怨；荡荡若流水，使人思之，人所生往。教之始也，身必备之，辟之若秋云之始见，贤者不肖者化焉”。这是说，教化的开始，必须是上者以身作则，如同秋云始现，贤者与不肖者都被感化。可见，高尚人格形象对人的影响就如同让人置身美好的情境中，对人具有感化作用。因此，也有学者将其解读为：“这就是利用环境美和情景美对民众进行情感陶冶和感化，而这种感化的作用往往是潜移默化和根深蒂固的。”[①] 与此同时，我国古代教育家也强调陶冶法的运用。例如：老子说“阴阳陶冶万物”；董仲舒把陶冶作为一种德育方法，在《对策》中提出“或夭或寿，或仁或鄙，陶冶而成之”。汉代以后，陶冶法更受注意，如南北朝时期的颜之推强调“陶冶”对子弟成长的作用，他指出“人在少年，精神未定，所与款狎，熏渍陶染，言笑举动，无心于学，潜移默化，自然似之”[②]。可以认为，此时的情感陶冶法已初具雏形，其实践形式主要是通过创设良好的情境，使人在情感和心理上受到感化；陶冶的过程主要是通过“环境陶冶”得以实现。

（二）形成阶段

南宋时期，朱熹在《小学》中谈及情感陶冶法的相关内容。他继承了先贤关于环境对人的成长具有重要影响的观点，并将“环境”进行细化。首先，人处在“世远人亡，经残教弛，蒙养弗端，长益浮靡”的不良社会环境中，会产生“乡无善俗，世乏良材，利欲纷拏，异言喧豗”的消极影响，最终会导致“众人蚩蚩，物欲交蔽，乃颓其纲，安此暴弃”。除了社会环境，朱熹还注意到家庭环境对人的影响，并以孟母三迁为例对此进行说明，“孟轲之母，其舍近墓。孟子之少也，嬉戏为墓间之事踊跃筑埋。孟母曰：‘此

---

① 刘萍．《管子》中的教育思想探析［J］．安徽省管子研究会 2011 年年会暨全国第六届管子学术研讨会交流论文集，2011：278－282.

② 易固基．试论陶冶的教育作用［J］．江西师范大学学报，1987（3）：12－14.

非可以居子也。'"一迁是因为孟子戏玩墓边，于是"乃去舍市。其嬉戏为贾炫。孟母曰：'此非可以居子也。'"二迁是由于孟子贪玩，学演商人自矜奇货的样子，最后"乃徙舍学宫之旁，其嬉戏乃设俎豆揖让进退，孟母曰：'此真可以居子矣'遂居之"。最终孟子"既长就学，遂成大儒"。

在环境陶冶的基础上，朱熹进一步丰富了情感陶冶法的实践形式，提出可以运用艺术手段，让学生在对"美"的欣赏中得到精神的陶冶。朱熹认为只有"诵诗读书，咏歌舞蹈"，才能达到"思罔或逾"的境界进而修身养性。在他看来，如果"教人，未见意趣"，那么"必不乐学"，所以，一方面应"教之歌舞，如古诗三百篇，皆古人作之"；另一方面，还要"作诗，略言教童子，洒扫应对事长之节，令朝夕歌之"①。此时，情感陶冶法的运用已不局限于环境陶冶的形式，而出现了"艺术陶冶"的新形式。

这一时期，情感陶冶法也从萌芽时期先贤名家的理论阐述真正地"飞入寻常百姓家"。在宋代，陶冶人才并不仅仅是学校教育的任务，而是一个比较复杂的社会问题，必须使"教之、养之、取之、任之"等各个环节皆"有其道"，才能最终完成。情感陶冶法的实践开始走出学校，关注社会生活中的陶冶。宋代以后，陶冶教育在民间广泛开展，"今夫人民善教其子弟者，亦必延名德之士，使与之处以熏陶成性"②。可以认为，这一阶段的情感陶冶法从形式拓展、使用范围、运用广度等方面都明显超越了前一阶段，逐渐成为一种较为完备的德育方法。

（三）深化发展阶段

新中国成立之初，情感陶冶法仍被广泛应用，但在随后特殊的历史环境中，情感陶冶法一度被扣上了资产阶级"人性感化论"的帽子，并被清

---

① 郝金金．朱熹《小学》中的德育教育方法及其当代价值[J]．教育探索，2015 (6)：94 − 98.

② 易固基．试论陶冶的教育作用［J］．江西师范大学学报，1987 (3)：12 − 14.

除出德育方法之列。党的十一届三中全会之后，情感陶冶法才重新受到重视并发挥作用。此后，情感陶冶法深受近代教育“科学化”“理论化”思潮的影响，在其价值取向和概念内涵等方面得以深化发展。

首先，在教育改革的价值取向上，提倡“人的解放”。所谓“人的解放”也就是指从无“人”教育到教育对“人”的发现，从对“人的朦胧意识”到明确提出“人是教育的出发点”，进而有意识地“解放人”[①]。在此背景下，情感陶冶法的发展也更加关注“人”的存在，如顾明远提出“情感陶冶法亦称‘动之以情’，使受教育者置身于充满爱的气氛和富有情感色彩的情境中，自然而然地受到感染和熏陶；情感陶冶法的主要教育诱因是教育者对受教育者的爱和以身作则。”[②]例如，黄书孟认为“情感陶冶法是指教育者以满腔热情关心体贴学生，创设有强烈感情色彩和教育意义的情境，使学生在潜移默化的过程中陶冶情操、接受教育的方法。”赵曼伏谈到“情感陶冶法是利用教师的爱心和各种情景中的教育因素潜移默化、耳濡目染使学生心灵受到感化的方法。”从这些观点中可以发现，情感陶冶法在其价值取向上更加强调教育者在隐性化育的过程中对受教育者无私的爱与关怀、理解，更加关注情感陶冶过程中每一个“人”的存在。

其次，在情感陶冶法的内涵上，更加强调“以情陶情”。情感陶冶法的实践形式随着环境陶冶、艺术陶冶的发展，注重陶冶过程中“情境”的塑造，即“以境陶情”。在此基础上，这一时期的情感陶冶法在实践运用中不仅关注“情境”如何塑造，更加注重如何用情感的力量打动学生。张兴指出，教育过程中教师对学生的真诚、无私的爱，对学生的尊重、关怀、信任和理解是达到师生心理交融的结合点，是教师感染学生性情的中介，

---

① 冯建军．回归本真：“教育与人”的哲学探索［M］．北京：中国人民大学出版社，2019：49.

② 顾明远．教育大辞典［M］．上海：上海教育出版社，1990：132.

是开启学生心扉的钥匙，是情感陶冶法取得成效的基础。没有教师对学生的这种爱和对学生的尊重、关怀、信任和理解，情感陶冶法是很难取得成效的[①]。可以发现，这时情感陶冶法的内涵在“以境陶情”的基础上，朝着“以情陶情”的方向深化发展。

（四）多样态发展阶段

进入 21 世纪以后，情感陶冶法的发展更加多元化，在研究者们的实践探索中呈现出多样态的发展趋向。

第一，从情感陶冶的实施路径来看，传统情感陶冶法与新技术的融合创新，为情感陶冶法的实践运用融入了更多新的时代元素。在“互联网 +”时代，教育信息化越来越多地融入人们的学习和生活，而情感陶冶法也与这些新元素跨界组合，形成了信息化时代的“情感陶冶法”。比如，全息学习与情感陶冶法的组合，为教师的情境创设提供更多便利、更多可能——“‘全息’理念来自全息摄影技术。运用这种技术处理后得到的图片不再是平面影像，而是一个完整、立体的画面”[②]。

第二，从情感陶冶的实践场域来看，情感陶冶法的运用开始注重情境创设的全时空性与全过程性。以往情感陶冶法的实践运用更多地聚焦于学校生活，学者们也更多地强调教师对该方法的运用。当前，教育政策越来越关注各方面教育力量的协调与统一，强调家校社须协同发力、为学生成长营造良好环境等。情感陶冶法在自身的发展中也注意到了情境创设的全时空性与全过程性。例如，有学者指出“环境陶冶是情感陶冶法的一种重要方式，家庭环境在利用环境陶冶这一方式对学生进行情感陶冶时具有很

① 张兴 . 教育通论［M］. 天津：天津教育出版社，2006：117.

② 程微微 . 利用“全息法”优化概念教学，提升学生数学学习能力［J］. 小学教学研究，2021（5）：23 － 24.

重要的作用。”[①] 学生走出学校，回到家庭或走入社会，也需要相应的“情感环境”，从而使学生获得更为持久的、较为和谐的、具有连续性和一致性的陶冶性情的教育影响。

第三，从情感陶冶的实践形式来看，情感陶冶法已不局限于传统的“环境陶冶”“艺术陶冶”，而逐渐形成了较为庞大的“情感陶冶方法群”。进入新世纪以来，一线德育工作者和德育理论工作者整合既有教育经验，不断创新，并依托情感陶冶法“以情染情、以境触情、以境陶情”的育人特点，进一步拓展出如情感联结法、环境陶冶法、美感欣赏法、诗性陶冶法等一系列新的具体方法，情感陶冶法也不再是单一的方法，而逐渐形成了多样态的“情感陶冶方法群”。

第二节　情感陶冶法的相关理论研究

学者们对于情感陶冶法的认识和探讨，与相关学科领域的研究和发展密不可分。本节将从多学科视角梳理情感陶冶法的理论基础，其中包括哲学基础、心理学基础和以脑神经科学为主的生物学基础等。此外，本节还将介绍具有情感陶冶意涵和特点的相关理论范式，以期勾勒出情感陶冶法理论研究的大致图景。

一、情感陶冶法的哲学基础

在哲学层面探讨情感与人的发展的关系，特别是情感与人的道德发展、精神成长的关系，是德育在方法层面关注情感体验、注重情感机制的一个

---

① 刘欣雨．让“情感”在德育中绽放：情感陶冶法在初中道德与法治课的运用［J］．教育教学论坛，2019 (6)：56 － 58.

理论前提。在众多的理论观点中，马克思主义理论看到了人的非理性因素的巨大能量，揭示了人的情感，尤其是积极的情感，具有使人向善向美的重要作用的原理；康德关于审美情感的理论关注到人的情感与审美活动的内在关系，揭示了审美情感的产生及其对人的道德实践的重要作用。这些理论认识对情感陶冶法的理论研究具有重要的奠基和指导意义。

（一）马克思主义认识论

在哲学认识中，情感往往被归为人的非理性因素。理性因素与非理性因素都是人的心理因素，是人脑对外部世界以及对自己的心理反映形式。现代教育的基本观念之一是培养全面、完整的人。因此，重视人的非理性心理序列、非理性精神现象，正是德育的应有之义①。马克思和恩格斯继承了近代西方哲学的理性精神，批判并超越了以黑格尔与青年黑格尔派为代表的绝对理性主义和以费尔巴哈为代表的人本主义理性观，从现实的实践的人出发，深刻洞察了理性与非理性的本质规定、基本形式及其在个体完整精神属性中的地位与作用，揭示了非理性因素在认识过程中所具有的重要作用②。

马克思主义认识论认为，人的认识过程是理性因素和非理性因素协同起作用的结果，非理性因素主要是指主体的情感、意志、欲望、动机、信念等意识形式，它对于人的认识活动和人的认识能力的发挥具有启动、驱动和控制作用。情感，尤其是积极的情感，作为一种重要的非理性形式，能够调动主体的精神力量，从而使主体努力实现认识的目标③。相对于理性

① 朱小蔓．德育的非理性视角［J］．考试，2015 (Z2)：59 － 61.

② 李忠军，杨科．思想政治教育中的“理性”与“非理性”：基于马克思恩格斯经典文本的相关论断［J］．东北师大学报（哲学社会科学版），2021 (5)：1 － 7.

③ 韩凯辉．论情感陶冶法在大学生思想政治教育中的运用［J］．理论观察，2014 (7)：141 － 142.

来说，非理性是一种具有自发性、实时性、灵活性、非逻辑性的心理形式，在人的需要、情感、意志、信念强化到一定程度的特殊情况下，这些非理性因素会发挥对人的思想与行为具有决定性意义的关键作用。马克思曾说："人不仅通过思维，而且以全部感觉在对象世界中肯定自己"[①]。正是因为非理性因素的存在，人的精神世界才能有序而丰富、严谨而生动，人才能"获得个性，并造成各种特殊的差异"，人才能"感到自己是一个真正的人"[②]。因此，德育的过程与方法要注重人的非理性因素，充分发挥情感在人的道德发展中的重要作用，情感陶冶法的研究与运用正是这一认识的具体体现。

（二）康德的美学思想

审美是人的一种重要的精神活动，人的情感与审美有内在的关联，著名哲学家康德系统阐述了艺术活动中的"情感"问题，形成了审美情感的理论认识。在康德著名的三大"批判"中，区分了人类心智活动的三大领域——"知"（理性）、"意"（道德）和"情"（审美），同时阐明了三者之间的联系，囊括了人类的全部心智活动。其中，艺术世界中"抽象"或"半抽象"的艺术形式，主要依靠"线条、色彩以某种独特的方式的组合"构成的"符号"表达着"审美情感"。审美活动是以情感为核心的，同时，审美活动本身就是审美情感的培育过程[③]。审美活动每时每刻都在发现美，在不同层面培养人的审美情感：单纯的乐音、和谐的色彩及优美的形式可以唤起人的审美快感；风和日丽、鸟语花香及人们对复杂事物的审美知

---

① 转引自：A.И. 吉塔连柯，石远译. 情感在道德中的作用和感觉论原则在伦理学中的作用［J］. 哲学译丛，1986 (2)：9 － 17.

② 李忠军，杨科. 思想政治教育中的"理性"与"非理性"：基于马克思恩格斯经典文本的相关论断［J］. 东北师大学报（哲学社会科学版），2021 (5)：1 － 7.

③ 李昊凤. 德育方法之情感陶冶法理论基础初探［J］. 辽宁教育行政学院学报，2007 (11)： 94 － 96.

觉能够使人产生轻松、愉悦的知觉层次的美感；更多的情况下，人在审美活动中会由于其社会性需要与理智感、道德感的相互作用而产生高级审美情感[①]。

审美情感是一种令人愉悦的、肯定性的情感。与一般的情感相比，它是更为复杂的心理反映，涉及人心理机能的各个方面，如感知因素、精神因素等。在审美感知活动中，人们不知不觉地将自己的心灵投射到特定的审美对象上，同时给审美对象补充了许多的感知内容，从而产生快感并获得充实的审美情感。因此，从审美情感中，可以看到人对情感和想象的领悟，它注重事物完整的形象与生动的外观，它为整个世界刻画了新的意义[②]。

基于上述认识来看审美对于人的道德发展的影响，可以认为，当人处在美的环境中，审美的过程就是具有价值导向的情感陶冶的过程，即对事物的美的感知激活了人基于事物的价值体验，会产生一种愉悦的、正向积极的审美情感，潜移默化地接受事物的美的“熏陶”。

二、情感陶冶法的心理学基础

心理学是一门研究人类心理现象及其影响下的精神功能和行为活动的科学，其研究回归到“人”的生命本身，观照“人”的认知与情感、身体与心灵、意识与行为等，为情感陶冶法的理论研究提供了重要的理论线索。其中，以罗杰斯为代表的人本主义心理学关注到“人”的情感和认知是不可分离的整体，并提到真诚、尊重的气氛对于启发人潜能的重要作用；当代的寓身认知理论关注到“人”的整体性，提出“人以‘体认’的方式认

---

① 李昊凤．德育方法之情感陶冶法理论基础初探［J］．辽宁教育行政学院学报，2007(11)：94－96.

② 同①.

识世界”的观点。这些理论认识给予探索情感陶冶法的学者们极大的理论鼓舞。

（一）人本主义心理学

人本主义心理学是20世纪五六十年代在美国兴起的一种心理学思潮，这一理论的特征是“以人性为本位”，强调人的潜能的发展、身心与情感的发展和自我实现，在此基础上产生了人本主义学习理论。人本主义学习理论强调在教育过程中应重视学生的认知、情感、兴趣、动机、潜能等内心世界的研究，尊重每个学生的独立人格[①]。其中，罗杰斯认为，情感和认知是人类精神世界中两个不可分割的有机组成部分，彼此是融为一体的[②]。他注重教育过程中学生对外部环境的感受，认为“如果教师要充当学生学习活动的促进者，并能够设法创造一种真诚、尊重和理解的气氛，即以真诚的态度对待学生，给学生以充分的信任，尊重和理解学生的内心世界，就会产生令人鼓舞的教育效果。”[③] 因此，罗杰斯提出的“非指导性教学模式”充分强调“人是有情感的活生生的人”，主张“在教学中要以感情为依托，充分发挥学生的潜能，因为每一个人生来就具有学习的潜能，要对不同的学生采取不同的教学方法，使得学习的材料符合不同学生的生活经验、兴趣、愿望和需求。”[④] 这种以学生为中心，强调尊重学生，发挥学生自身能动性，尤其是注重人的情感，注意到学生能够被情境影响进而产生情感共鸣的理念，为情感陶冶法提供了心理学的理论参照。

---

① 金一民．全息学习：改变学习的面貌［M］．北京：教育科学出版社，2018：18－19.

② 刘晋红．人本主义学习理论述评［J］．黑龙江生态工程职业学院学报，2009(5)：109－111.

③ 李昊凤．德育方法之情感陶冶法理论基础初探［J］．辽宁教育行政学院学报，2007(11)：94－96.

④ 同③.

（二）寓身认知理论

20 世纪 70 年代中后期以来，随着实证主义的式微，寓身认知理论逐渐发展起来。寓身认知的英文表述是 embodied cognition，其中，“embodied”可译为“寓身的”，也有学者将其译为“具身的”[①]，其原义强调两个方面：一是认知依赖于身体经验，而这些体验来自感知运动的身体；二是这些个体的感知运动能力自身内含在一个更广泛的生物、心理和文化的情境中[②]。“寓身认知”表达了“身心合一”“心寓于身”的观点[③]，强调身体作为认知主体、认知的情境性内涵以及身体与情境间存在一种交互关系。

与经典认知研究相比，寓身认知理论将认知主体“从物理装置与生物大脑扩展为包含大脑在内的活的身体；不管是知觉还是抽象思维等认知活动，都深深植根于身体活动之中；身体不再被简单地界定为大脑、感应器、效应器、中枢神经系统等孤立的生理结构，而是被界定为处于环境中的大脑和身体系统：心灵和精神是生物体的一种活动方式（a method of its working）。”这种认识不再坚持经典框架的大脑假设，不再把计算看作认知活动的本质和唯一路径，“而是把大脑、身体与环境组成的整体活动系统作为理解和建构认知活动的实在基础”[④]。寓身认知理论主张身体不仅是心智的生理基础，也是心智的主体的核心观点也得到了科学论证。1966 年，意大利帕尔玛大学神经科学中心的研究人员 Gallese 和 Rizzllatti 在恒河猴的大脑皮层 F5 区中发现了镜像神经元（mirror neuron），当猴子观察到同类的身体活动时，这些镜像神经元就被激活，这与传统认知

---

① 英文为 embodied cognition，不同学者对其有不同翻译，如具身认知（李恒威、盛晓明，2006）、体塑认知（冯晓虎，2010）、体验认知（王寅，2002、2003）等。

② 李荣荣，麻彦坤，叶浩生．具身的情绪：情绪研究的新范式［J］．心理科学，2012 (3)：754 – 759.

③ 费多益．寓身认知理论的循证研究［J］．科学技术哲学研究，2010 (1)：15 – 20.

④ 同③.

理论认为身体不参与信息加工的观点不一致。神经学家进一步研究发现，主体曾经做过某个动作，并理解动作的目的，等他看到其他个体做出相同动作时，镜像神经元就被激活，因为正是对动作的目的进行反应而激活了镜像神经元①。之后大量的实验进一步证实，个人通过自身的动作知识来预测他人的动作意图，即人可以通过自己的身体体验理解并认知他人②。

可以发现，寓身认知理论在一定程度上解释了情感环境如何得以影响人的道德认知，探析了体验学习的内在机制，为情感陶冶法的合理性、科学性提供了理论依据。“心智是身体的心智，身体则是环境的身体；认知植根于身体，而身体则以进化的方式由环境塑造。”③这就可以理解，在情感陶冶法中，情境是认知系统的一部分，人以“体认”的方式把握世界；心灵不是内在模型和表征集聚的特殊内在场所，而是一个大脑、身体和环境整合的、相互交织的复杂系统的活动过程。

三、情感陶冶法的生物学基础

（一）脑神经科学理论

脑神经科学理论为情感陶冶法提供了生物学基础。脑科学和认知神经科学理论旨在阐明人类大脑的结构与功能，以及人类行为与心理活动的物质基础，在各个水平（层次）上阐明人类大脑的机制，增进人类神经活

---

① 殷明，刘电芝. 身心融合学习：具身认知及其教育意蕴[J]. 课程·教材·教法，2015 (7)：57 – 65.

② 杨子舟，史雪琳，荀关玉. 从无身走向有身：具身学习探析[J]. 教育理论与实践，2017 (5)：3 – 6.

③ 同②.

动的效率[①]。当代脑神经科学的探索为教育提供了诸多理论参照。周加仙指出“脑与教育之间涉及三个层面的研究：心智、脑与行为。脑是由神经系统、神经细胞、突触、蛋白质等结构构成的复杂体。脑具有功能，脑的功能可以测量，是信息传递的过程或者结果，但不是独立的、稳定的物质结构。心智是指脑与外部可观察的行为之间所发生的一切，是抽象的，包括能够引发行为、在脑中有生理现象却不能直接观察到的所有内部表征和过程。行为是指可以直接观察到的外显活动，如眼睛的运动、语言的发音等。”[②]外界环境因素能够影响到脑、心智与行为三个层面，使其产生相应的反应。

（二）脑神经科学理论在教育实践中的指导意义

从教育来看，使学生处于愉悦的情境中，能够使学生潜移默化地受到影响，教育效果也会明显提高。这一经验认识在一定程度上得到脑神经科学的验证。“人们普遍认为，开心是幸福的重要组成部分，‘开心’这一愉悦的反应，是哺乳动物的快乐行为在大脑中产生了显著的正性反馈，并且具有重要的进化功能。大多数哺乳动物的大脑中存在产生情感反应的相似神经机制，这种机制已经在物种进化过程中得到了选择并保留了下来。……在神经科学里，对大脑在引起‘喜欢’‘快乐’等愉悦反应的神经机制的探讨中，观点比较一致。有研究发现，与开心有关的神经机制处于大脑的深处（如伏隔核、腹侧苍白球、脑干等位置），而其他与情绪相关的脑机制则位于大脑皮质的相关区域（如眶额、扣带、内侧前额叶和岛状皮质等）。开心这一愉悦的情绪，会激活大脑中广泛分布的网络，并为兴奋状态具有高度分布性的脑区编码提供了证据。”[③]

---

① 金一民．全息学习：改变学习的面貌［M］．北京：教育科学出版社，2018：19.

② 周加仙．教育神经科学：创建心智、脑与教育的联结［J］．华东师范大学学报（教育科学版），2013（2）：42－48.

③ 李璐，周加仙．开心的游戏化学习［J］．教育家，2018（36）：66－68.

同时，有研究发现正向的情感感化也能够为教育效果赋能。“与……情绪息息相关的杏仁核，在情绪性记忆过程中同时触发应激激素的释放，经由下丘脑—垂体—肾上腺通路反馈到记忆巩固和储存脑区（内侧颞叶和前额叶），以提高学生的学习效果。此外，前额叶皮质也在对情绪性刺激的注意加工中启动，情绪对学生选择性注意具有重要的影响作用，积极的情绪可以拓宽学习者的注意广度，而这两个因素，是学习效果的关键影响因素。”[①]

四、情感陶冶法的相关理论范式

哲学、心理学、生物学等学科的相关理论研究为情感陶冶法在德育中的实践提供了重要的指导意义。此外，情感陶冶法的理论发展还体现在：在德育方式方法研究的历史长河中不断呈现出具有情感陶冶意涵特点的理论探索，形成了多种相关理论范式。

（一）威尔逊“家庭化模式”理论

英国教育家约翰·威尔逊在其《道德教育新论》一书的道德教育实践方法部分提出，道德教育的实行必须基于两大基础，即学术性基础和非学术性基础。后者需要学校通过适当的“社会性安排”为学生的道德学习提供最佳环境。什么样的模式才能有效提供学校德育的社会性基础呢？威尔逊指出“一种非常古老的社会机构模式：家庭”[②]。基于这样的构想，威尔逊进一步提出了家庭化模式，这是一种道德教育家庭化的设想。它的具体做法是：由 30—80 名不同年龄和性别的学生组成一个“家庭”，并且有自己的家长、男女舍监和自己的房子，成员共同参与一些仪式和日常生活。

---

① 李璐，周加仙．开心的游戏化学习［J］．教育家，2018 (36)：66 － 68.

② 威尔逊．道德教育新论［M］．杭州：浙江教育出版社，2003：165.

其中，家长既是保证规则实施的监督和主持，更是一位与儿童平等的角色。家长的主要任务是使学生意识到自己的情感，并正确处理好自己与他人的情感问题。男女舍监分别代表男女主人，管理家庭生活[①]。

威尔逊将“家庭化模式”归结为三点：第一，“建立一个有效和分权化的‘家庭’——创造一个社会性团体”；第二，“这个团体的任务是创造一种安全感和对所有成员的爱”；第三，“面对我们生活的这个世界并对付它”。[②] 由于家庭既可以提供归属、安全、交流与合作的机会，又可以促使儿童独立思考和承担责任，由此实现了情感生活与道德生活的统一。

“家庭化模式”既依托于家庭独特的教养方式，又强调学校担负的教育职责，在家庭特有的情感基础上锻炼了学生独立思考、解决实际问题的能力，使“家庭化模式”成为联结家庭和社会的桥梁与纽带，使学生在学校体验到未来社会生活交往的基本形式，锻炼了未来社会生活交往所需要的实际能力。因此，它有助于改善由于学校道德教育与家庭、社会相脱节导致的学生对所学知识产生疑问、知行脱节、德育实效性差的尴尬局面[③]。

（二）“体谅模式”理论与“关怀模式”理论

20 世纪 70—80 年代，一部分西方学者从人的基本需要出发，强调情感性的关系建构在个体道德发展中的作用，并以此来探索德育模式。其中，具有代表性的是英国学者彼得 · 麦克费尔等人提出的“体谅模式”与美国学者内尔 · 诺丁斯提出的“关怀模式”。

体谅模式认为关心人和体谅人的品性是道德的基础和核心，把道德情感的培养置于德育中心地位，并提出四点理论假设：第一，与人友好相处

---

① 檀传宝 . 德育原理［M］. 北京：北京师范大学出版社，2018：253.

② 威尔逊 . 道德教育新论［M］. 杭州：浙江教育出版社，2003：175.

③ 杨越岚 . 威尔逊“家庭模式”理论对我国当代学校德育的启示［J］. 江苏教育学院学报（社会科学），2013 (1)：48 － 50.

是人类的基本需要，帮助学生满足这种需要是教育的重要职责；第二，道德教育重在提高学生的人际意识和社会意识，引导学生学会关心、学会体谅；第三，鼓励处于社会试验期的青少年试验各种不同的角色和身份；第四，教育即学会关心[①]。麦克费尔特别强调：要营造相互关心、相互体谅的课堂气氛；要以一系列的人际—社会情境问题启发学生；教师要在关心人、体谅人方面起表率作用。

关怀模式也有相似观点，认为关怀是人的基本需要，主张以关怀为核心来组织教育[②]。诺丁斯将关怀分为自然关怀和伦理关怀两个方面，她指出自然关怀源于爱的情感，是一种自然反应，不需要伦理上的努力。而伦理关怀是指个体在与他人交往中，由于珍视自然关怀中的关系，因而对他人的需要作出反应而产生的关怀[③]。

关怀模式一方面体现了德育的情感性——诺丁斯十分重视道德情感，强调情感对动机的发动作用。在诺丁斯看来，道德原则并不足以产生道德动机。自然关怀来源于爱的情感，伦理义务感的产生也不是出于康德式的绝对命令，而是人们珍视自然关怀的关系性。因此，关怀伦理就是要“建立、恢复和增强关怀的关系。在这种关怀关系里，人们能根据自己的意愿自由地做出反应”[④]。另一方面，它又体现了德育的情境性——关怀是一种关系，依赖于关怀双方及特定的环境，特定个体的道德反应几乎在所有年龄上都会依情境而改变，因此关怀伦理是一种情境性的伦理。在关怀中需要考虑的是具体情境中特定的人、特定的需要和特定的反应及体验，而不是依据普遍性法则作出推理和判断。关怀伦理还相信人性的弱点，认为人们的行

---

① 景光仪．西方体谅模式的理论与实践［J］．中国德育，2006(10)：89－91.

② 何艺，檀传宝．诺丁斯的关怀伦理学与关怀教育思想［J］．伦理学研究，2004(1)：81－84.

③ 同②.

④ 同②.

为要受环境和接触到的人的影响，每个人都对受自己影响的其他个体的行为负一定责任，因此营造有利于道德生活的环境十分重要①。

（三）情感性德育范式

20 世纪 90 年代中后期，朱小蔓在中西方历史溯源、基本理论观点梳理与初步的实践研究基础上，从“情感”的视角提炼出一种学校德育的基本范式——“情感性德育范式”②。这种范式高度重视情感在个体道德形成及道德教育中的特殊地位与价值，强调将情感要素融入德育目标、内容、过程、机制、方法与评价等各方面，以情感体验为基础，以情感—态度系统为核心，以情感与认知相互影响、促进、发展为过程，从情感素质层面保证人的德性形成③。

这种范式包含着几点基本认识：第一，它关注并强调情感对于人的道德发展的重要价值，注重人的德性生长的情感基础，将情感发育视为德育的基本目标。第二，它认为道德价值学习不同于一般科学知识学习，而是一种侧重情感—体验的学习方式。朱小蔓强调，在德育中，要根据一定的教育目的，创设可感受的对象，创设有移情效应的气氛，创设理想的冲突情境。通过情感的中介作用，使受教育者在意识和无意识层面尽可能地活跃起来，运用想象、幻想、无意识记忆、直觉、灵感等方法来把握价值体系。第三，它强调要关注德育过程中的情绪情感现象及其活动机制，特别是情感在德育过程中的“激化—动力机制”“认知—预测机制”“评价—选择机制”“享用—保健机制”等。

---

① 何艺，檀传宝．诺丁斯的关怀伦理学与关怀教育思想［J］．伦理学研究，2004 (1)：81－84.

② 钟晓琳．情感性德育：关注德性成长的情感之基［J］．中小学班主任，2019 (9)：20－22.

③ 朱小蔓．情感德育论［M］．北京：人民教育出版社，2005：63.

（四）欣赏型德育模式

21世纪之初，檀传宝关注并努力改变由强制灌输或自由放任的德育模式所造成的德育实效性低的问题，他借鉴美学精神，将德育观念的时代改造与实践模式的建构研究结合起来，提出了“欣赏型德育模式”[①]。

这一模式认为艺术和美对德育具有技术意义和价值功能，德育需要艺术或其他美的形式的参与。一方面，艺术和美可以作为一种“添加剂”，使道德教学变得活泼、生动、令人愉悦；另一方面，艺术和美又有对善的正面褒扬和对恶的批判。将艺术与美融入德育的实质就在于“内在地借鉴审美精神”来改造德育过程本身[②]。

欣赏型德育模式的基本前提是在德育过程中存在可被学生欣赏的审美对象，例如教师的师表美；其核心追求是“使道德教育的价值引导与道德主体的自主建构这两个往往相互对立的方面能够在自由‘欣赏’过程中得以统一和完成”[③]。其中，“欣赏”的特质就在于对象与主体的生动性、过程的非强制性、人际的交流性、包容性等。

实现这一模式的基本路径在于：第一，要建立参谋或伙伴式的师生关系，教师通过教学活动中道德美和教育形式美的呈现去“涵泳”学生；第二，德育情境的审美化，即设计审美、立美化活动，强调运用艺术手段对德育进行审美化改造，将“外求”“他塑”的德育灌输改造为自主感悟的道德建构；第三，在“欣赏”中完成价值选择能力和创造力的培养[④]。

---

① 檀传宝．欣赏型德育模式建构研究［J］．中国德育，2008（11）：83－84.

② 檀传宝．欣赏型德育模式的核心理念［J］．中国德育，2006（5）：47－51，57.

③ 同②.

④ 同②.

（五）道德体验范式

21 世纪之初，刘惊铎反思改革开放以来我国学校德育实践领域中缺少应有的生命活力和育人魅力[①]，因而聚焦德育领域中的“体验”研究，提出了道德体验范式。

在道德体验范式中，“体验”被定义为“一种图景思维活动”。其中，“图景”是一种跨越时空的整体性存在，它同时包含着个体人的生活阅历、当下生活场景和未来人生希冀，其显著特征是整体性、现场性和超越性。当一个人真正发生体验的时候，他会领悟到尽管人类语言如此丰富，但用来形容某种体验时仍存在贫乏性，常常体悟到一种“无以言表”的感受，找不到恰当的语言来表达自己当下的深切体验，往往以惊叹、呼喊、默默点头或手舞足蹈等表示只可意会，不可言传，但头脑中却发生着活生生的图景转换活动。换言之，体验是与生命感动同时出现的[②]。

此外，体验还是人类生存的基本方式，具有道德教育价值，刘惊铎认为“体验是道德教育的本体”。他指出道德体验是一种含有价值判断的关系融通性体验，主要存在亲验和想验两种方式[③]。所谓“亲验”，是指体验者亲自置身于一定的关系世界和生活情境之中，经历或受过感动，对自身及其存在的生存状态及其意义有所体验。所谓“想验”，是指体验者通过自己的亲历、感受和观察，在积淀了一定的生活阅历的基础上，借助别人的表达和自己的想象去领悟表达者的生活阅历、生存状态及人生意义。他认为，亲验与想验是互为条件、相互支持的；无论是亲验还是想验，对道德体验的发生而言，都是包括情感、意志、理想以至梦想等一系列情意因

① 刘惊铎．体验：道德教育的本体［J］．教育研究，2003 (2)：53－59.

② 同①.

③ 刘惊铎．道德体验论［M］．北京：人民教育出版社，2007：71＋76.

素的一种整体体验，是一种生成式、融通式的发生过程[①]。

（六）教育戏剧理论

教育戏剧最早源于西方“在实践中学习”和“借助戏剧实践学习”的教育思想，它强调通过表演、体验和虚构等戏剧技艺来促进学生的自我认知、想象力、创造力、人格、情感、社会性认知及人文精神等综合素养的发展[②]。随着这种教育理念应用于教育实践，逐渐形成了教育戏剧范式。教育戏剧范式是将戏剧的方法引入育人过程，以创作性戏剧、即兴演出、角色扮演、观察、模仿、游戏等方式进行，通过戏剧活动引导受教育者参与情感陶冶的整个过程，让其在轻松愉悦的氛围中受到陶冶感化。教育戏剧的重点不在于故事的戏剧化或者戏剧扮演，而在于引导受教育者进入戏剧的主题情境中。

在教学中，教师将德育内容中与生活相关的议题结合在一起，并以戏剧扮演的形式呈现，过程之中教师向学生提供与之相关的参考资料与活动方法，利用学生在游戏中产生的愉悦的心理体验，调动其探求知识的兴趣，促使其主动搜集相关资料，在自身经验与戏剧情境中找到共通点，进而从戏剧中学习，促进自身素养的发展与提升[③]。

第三节　情感陶冶法的实践研究

在实践探索领域，情感陶冶法在学校德育管理、德育活动、课堂教学

① 刘惊铎．道德体验论［M］．北京：人民教育出版社，2007：71＋76.

② 严孟帅，拓丹丹．重返人文：“教育戏剧”融入人文教育的理论探索［J］．现代大学教育，2021（1）：29－36.

③ 焦阳．核心素养教育视野下英国教育戏剧理论变迁与实践拓展［J］．四川戏剧，2017（9）：88－92.

等方面都得以广泛应用，相关研究中包含不少对其具体方法策略的探讨。本节内容将聚焦情感陶冶法的相关方法策略，简要介绍七种实践方法——情感联结法、环境陶冶法、榜样示范法、美感欣赏法、理想激励法、情境体验法以及诗性陶冶法，以期呈现更具操作性的、多样化的情感陶冶法实态。

一、情感联结法

良好的师生关系是德育得以有效开展的重要前提，既有研究关注到师生之间有效的情感交流是进行情感陶冶的关键，只有在师生之间建立情感上的“联结”，形成积极良好的情感交流，才会使学生感受到师爱的温暖，进而从中获得内在的力量和价值感，从而实现“以情化人”。这种方法可以被视为一种聚焦情感的关系性机制的“情感联结法”。

（一）情感联结法的内涵

所谓“联结”，一般解释是“把两个（及以上的）事物结合在一起”[①]。在此基础上，有学者延伸了“联结”的教育学意涵，进一步提出“联结是一个生命体和另一个生命体毫无障碍地交融在一起的状态”[②]。还有学者提出联结指修复不同要素之间的阻隔，从而恢复要素间的畅通及平衡态的过程：教师帮助儿童澄清负面的情绪情感经验，促使其得以修复，从而返回平衡态[③]。具体而言，负面的、失调的消极情绪需要经历情感的澄清。如果在教师的帮助下，儿童的认知活动和意志力被重新激活，其联系感的体验就会被重新勾连和接续。此时，儿童的情绪情感就可以得以修复，返回平

---

① 现代汉语词典：第 6 版［M］. 北京：商务印书馆，2012：806.

② 张娟 . 在生命深处与孩子相遇：如何重建与孩子的情感联结［M］. 北京：机械工业出版社，2018：68.

③ 李西顺 . 情感联结：教师专业成长的内在力量［J］. 当代教育科学，2022 (9)：46－52.

衡态而重新达至精神安宁的状态，这一情感机制就是“爱的联结”。

儿童通过情感表明他们的需要，情感帮助他们建立或割断与别人的联系。有学者提出“联结感”的概念，认为这是一种自然—社会性情感，它“植根于人的自然天性之中，与人的一定的先定性需要相联系，具有早发性、自发性和直接感受性”[①]。也有一些学者使用“联结感”这一概念来表达，认同其是基础性情感，它不断孕育出较为复杂而丰富的情感品种，形成基于联结感生长出来的一系列的情感品种的变体[②]。朱小蔓将联结感视为道德深层结构的基础，将儿童早期一系列情绪情感表现看作联结感的变式形态，在朱小蔓看来，教师要学会做“爱的联结”的使者[③]。在此基础上，情感联结法体现为教师从教育爱出发，着力推动师生之间、生生之间产生情感能量的交融互动，从而使生命体在和谐有序的情感场中获得感化的德育方法。情感联结是在人际交往中产生，情感联结法注重人际关系的建立并强调关系的情感倾向及其内含的价值导向。有学者认为，联结是比“共情”“倾听”更高级的一种意识状态，它是一对一的生命对生命的尊重，是两个生命彼此完全敞开融合的状态[④]。因此，情感联结法旨在通过师生之间真诚、和谐的情感互动，满足学生的情感需求，让学生在充满爱与温暖的情感场中获得内在的力量和价值感，让学生在情感态度上获得正向的感化。

（二）情感联结法的实施

情感联结法在实践运用中强调教师要主动、积极地与学生交流，营造真诚和谐的情感氛围。“教师作为教育情境的构成要素，其条件就是对学

① 朱小蔓．情感德育论［M］．北京：人民教育出版社，2005：42.

② 李西顺．情感联结：教师专业成长的内在力量［J］．当代教育科学，2022(9)：46－52.

③ 朱小蔓，丁锦宏．情感教育的理论发展与实践历程［J］．苏州大学学报（教育科学版），2015(4)：70－80.

④ 张娟．在生命深处与孩子相遇：如何重建与孩子的情感联结［M］．北京：机械工业出版社，2018：70.

生的挚爱、真诚以及自身道德人格的魅力”[①]。

具体而言，首先，教师要尊重学生、亲近学生、热爱学生。尊重学生，特别是要尊重学生的主体地位。教师要将学生视为不断学习和成长的生命主体，充分考虑到学生的情感需求，接纳学生的不足，欣赏学生的优点或进步，给予积极的情感回应。教师要用自己的爱把知识与知识进行联结、把学科与学科进行联结、把学生与学习对象进行联结、把人和人进行联结；当学生爱的联结被阻隔时，教师可以帮助学生把断链的部分用爱联结起来，那么学生就会恢复正常的情感态度和生命状态。亲近学生，特别是在课堂内外要主动深入到学生中去，加强与学生的情感沟通。教师要注重自身的情绪情感表达，在师生交往中能够积极调适自身情绪，与学生真诚交流。热爱学生，要能给予学生足够的关心与理解。只有教师的爱心为学生所感受，学生心灵的琴弦才会为教师所拨动。学生对教师的教育爱感受越深，对教师也就越信任，对教师的教导也就越容易理解和接受[②]。

其次，着重建构师生情感共同体。德国哲学家马丁·布伯指出，教育关系最内在的成就是：因为有某个人的存在而信任这个世界[③]。换言之，最深层的教育关系实为一种教育情感的依恋与联结。教育关系的专业性，最终要落实为师生之间的情感联结共同体。这是基于师生之间心际关系联结而建构的幸福共同体，也是影响学生道德发展的心际关系共同体。在这个共同体中，通过师生交往，产生师生之间的心际情感联结，从而帮助学生从内在情感生命的充盈交往维度润泽高质量的道德品格成长。在师生情感共同体中，情感联结的力量首先表征为教师“在”的力量，并因教师之“在”的引领而实现“师生共在”。在这种共在关系中，学生真切体会到教师心

---

① 张娟．在生命深处与孩子相遇：如何重建与孩子的情感联结［M］．北京：机械工业出版社，2018：70.

② 李少华．浅谈情感陶冶法在教学中的应用［J］．现代企业教育，2008 (22)：188 − 189.

③ Martin Buber, Between Man and Man［M］. New York: Macmillan, 1965 : 98.

向着学生、心牵挂学生的情感关系的联结属性和驱动力，这使学生感受到了教育之“在”，真切感受到教育是在场的，感受到学生的生命与教师的生命共在。在师生共同体的共在关系中，教师不能以一个过路人、一个警察或一个朋友那样“看”孩子。教师必须以教育学的眼光看孩子。作为一个保护、培养孩子的观察者，教师要意识到正在成长的孩子的存在。这种教育学意义的“看”与保存、保全、尊重、保护等概念具有词源上的联系，教师的内心始终牵挂着孩子，非常亲近地同时又保持一定距离地用心照“看”着孩子[①]。

二、环境陶冶法

“环境陶冶法”即“以境触情、以境陶情”的方法，是情感陶冶法的一种主要实践模式，侧重于利用外部环境或创设情境对个体施加影响。

（一）环境陶冶法的内涵

关于环境陶冶法的内涵，不同学者有不同的阐述：《中国学前教育百科全书·教育理论卷》中谈到“环境陶冶法是指通过优美的自然环境、良好的社会环境或教育者有意识创设的教育情境，对学生进行积极感化、熏陶，潜移默化地培养儿童良好思想、行为和品德的一种教育方法”[②]。陈坚、栾传大等认为“环境陶冶法是指利用环境对受教育者进行隐性教育的方法，具体可以通过自然环境陶冶和人文环境陶冶的形式展开”[③]。贾立敏认为“环

① 马克斯·范梅南．教育的情调［M］．李树英，译．北京：教育科学出版社，2019：20，39－40.

② 梁志燊．中国学前教育百科全书·教育理论卷［M］．辽宁：沈阳出版社，1995：59.

③ 中华民族传统美德教育实验研究总课题组，陈坚，栾传大．中国德育的重大改革：中华民族传统美德教育实验研究10年报告(1990—2000)［C］．中华传统美德教育实验研究文集：第5卷，2000：27－65＋5－6.

境陶冶法就是德育方法和德育空间相融合的一种德育方法”[①]。付华和王亚莉提出“环境陶冶法是指教育者有意识地创设一个和谐、良好、优美的环境，利用环境、气氛、作风以及教育者自身因素，对受教育者加以积极影响的方法”[②]。通过分析、比较上述观点，可以发现环境陶冶法对“境”的强调：在性质上，这种“境”应该是优美的、良好的，能对人产生正向积极影响的“境”；在形式上，“境”可以分为自然环境和人文环境。教育者通过积极创设环境，挖掘“境”内含的德育资源，对受教育者进行陶冶化育，从而实现德育目标。

（二）环境陶冶法的实施

苏霍姆林斯基指出：“用环境、用学生自己创造的周围情景、用丰富集体精神生活的一切东西进行教育，这是教育过程中最微妙的领域之一。”[③]环境陶冶法通过环境对学生产生化育影响，在实施过程中，如何为学校教育创设或形成高质量的环境成为关键问题，学者们对此也进行了较为丰富的探索，主要包括以下三类实施策略：

1. 创设良好优美的校园环境

良好的校园环境是一部立体、多彩、富有吸引力的教科书，具有奇特的感染力、约束力，有利于陶冶学生的情操，净化学生的心灵以及培养学生良好的行为习惯。因此，创设良好优美的校园环境是运用环境陶冶法的一条重要策略。“人们经常有这样的体验：当漫步在苍松翠柏、垂柳临风、青竹挺拔、桂花飘香，或林荫曲径、清洁幽雅、秩序井然、空气清新的优美环境之中，会自然而然地感受到一种文明、整洁、高雅、催人奋发的自然美，沐浴在其中的人们此时此刻犹如处在‘物我两忘大化融’的境地，

---

① 贾立敏 . 德育空间论［M］. 北京：中国社会科学出版社，2021：154.

② 付华，王亚莉 . 小学礼仪教育的方法［J］. 四川教育学院学报，2002（8）：43 − 44.

③ 苏霍姆林斯基 . 帕夫雷什中学［M］. 北京：教育科学出版社，1983：105.

身心完全沉浸在无以名状的美妙氛围之中。由此可见，优美宜人的环境，对于人的情感、意志、个性品格、道德操行等心理特征的熏陶和潜移默化的影响，是不可低估的。”[①]

具体来看，首先，要巧妙运用校园环境中的自然景观对学生进行美的陶冶。苏联著名教育家苏霍姆林斯基认为：“美会自动地施影响于一个人的心灵”。为了给学生创设良好优美的校园环境，他倾注毕生心血，使学生的学习生活与美的实体相融合：“隐没在绿树丛中的整个校容是美的，绿茵如盖；结满一串串琥珀色的葡萄架是美的；人行道两旁蔓生的蔷薇是美的；校园里的树冠一年四季是美的；学校大门口由野生葡萄交织而成的天然门廊也是美的……”[②] 其次，要善于构建校园内的人文景观。例如，利用与校园历史有关的事件、故事、传说等对学生进行教育，使学生接受历史文化的熏陶[③]，将教育名家的生平故事、格言警句等集结形成校园文化墙，让学生与这些名家“交朋友”，于无声处受到其正向影响。

2. 以人为本创设情境，凸显统整性

有学者从人的主体性和整体性发展出发，对德育情境的创设提出了统整性的要求。情境创设一方面要从学生身心合一的角度出发，从学生可以直接感知的经验开始，以整全身体观为基础，围绕学生身体主体性的发展，让学生在与“身处环境”的互动中实现情感的陶冶[④]；另一方面要重视学生的情感体验，设身处地从学生的角度去思考什么样的情境能够真正使学生获得情感上的共鸣，激发出学生正向的道德情感并使学生从这种道德情感中产生“我要这样去做”的倾向，推动学生的道德认知向道德实践的转化，

---

① 黄佩飞. 浅议校园优美环境的育人作用：兼谈校园文化是素质教育“内化”不可忽视的重要环节［J］. 有色金属高教研究，2000 (1)：73 － 75.

② 同①.

③ 同①.

④ 王爱萍，张威. 具身认知视角下的教育范式转变［J］. 林区教学，2021 (11)：86 － 89.

促成学生的有意义学习。

3. 积极与学生家长沟通，构筑全时空育人场域

有学者强调家庭环境对于展开环境陶冶的重要作用。“教师在进行环境陶冶时关注的往往是班级的环境，而忽视家庭环境这一可控因素对学生的影响；而与学生家长在运用环境陶冶法的优势和如何通过家庭环境来影响学生这两方面问题的沟通很少，导致家长只关心自己孩子的学习成绩和在学校的表现情况，而忽视了家庭环境对孩子成长的影响，往往不能营造出有利于孩子发展的家庭环境。”① 作为教师应该主动与家长进行沟通交流，使家长了解家庭环境对学生潜移默化的影响作用，积极致力良好家庭环境的建设，形成家校教育合力。

三、榜样示范法

学生身边的环境会以“润物细无声”的形式对其产生陶冶化育的德育效果，与此同时，他们周围还存在着一种“活环境”也会以其特殊的方式对学生的德性养成产生隐性熏陶的效果，对这种“活环境”的教育价值的发掘促成了榜样示范法的运用。榜样示范法是情感陶冶法实践探索的一个重要方面，因其良好的德育效果被中小学德育实践广泛运用。

（一）榜样示范法的内涵

榜样示范法又称榜样法或示范法，是一种通过榜样人物的优秀思想行为来影响学生思想、情感和行为的德育方法，它以正面人物的优良品质和模范行为影响受教育者的品德。这种方法的特点在于它是通过榜样的言行，把深奥的政治思想原理和抽象的道德规范人格化、具体化、行为化，使受

① 刘欣雨．让“情感”在德育中绽放：情感陶冶法在初中道德与法治课的运用［J］．教育教学论坛，2019（6）：56－58.

教育者从这些可信的、有感染力的榜样形象中受到影响和引导，从而增强德育的吸引性和有效性[①]。

从榜样示范法的内在机制来看，它主要借助优秀榜样的人格魅力，以其高尚的人格形象作为积极价值向导，对主体进行情感陶冶，即在人格示范与人格审美的过程中对学生的情感态度和价值观念等产生潜移默化的影响，激发其"向榜样学习"的情感和意愿，并付诸行动进而促进学生的道德发展。例如，李伟娟认为榜样示范法是教育者以他人高尚的思想、良好的行为、优秀的品德来影响教育学生的一种方法[②]。田茂认为榜样示范法是以他人高尚的美德、道德行为和道德成就来影响和激励学生自觉学习的德育方法[③]。高欢梅认为"榜样示范法是指用榜样的高尚思想、模范行为、优秀品德和卓越成就来教育、影响学生的一种教育方法"[④]，在此基础上，她还提出了对于"榜样"的理解："榜样包括学生身边可见的直接榜样和通过文字、影视、广播等媒介传播的间接榜样"[⑤]。可以认为，相较于环境陶冶法涉及到的自然环境、社会环境以及教育者创设的教育情境等"静态"环境，榜样示范法中的"榜样"更像是一种"动态"环境。通过榜样生动的"一言一行"使学生在观察—感悟—实践的过程中从"脑"认知榜样形象，从"情"感悟榜样精神，从"心"感受榜样力量，从"身"践行榜样行为，通过身体系统的体验理解并认识榜样，将学生的身心与榜样这一"活环境"相融合，在融合的过程中实现"以'境'触情、以'境'陶情"的育人目标。

---

① 华中师范大学教育系，等．德育学［M］．西安：陕西人民教育出版社，1986：173.

② 李伟娟．教育学原理［M］．西安：西安出版社，2020：234.

③ 田茂．教育学基础［M］．长春：东北师范大学出版社，2021：145.

④ 高欢梅．新编教育学原理［M］．北京：北京理工大学出版社，2021：266.

⑤ 同④.

（二）榜样示范法的实施

榜样示范法实施的关键在于榜样的选取与确定，正确的榜样选择往往会产生事半功倍的德育效果。关于榜样选择的具体策略，一些学者提出了自己的见解。柳海民指出，在选择榜样时要考虑广泛性和层次性，“要注意榜样不是只有创造非凡业绩的人才能充当，身边的榜样有时往往更有实际的教育性，教师要根据学生的实际情况和精神需求来确立榜样”[①]。吴迅提出“榜样必须是真实可信的，不能刻意拔高榜样，甚至编造一些美德故事修饰榜样”[②]。

除了正确选择榜样，教师还要注重引导学生从榜样的人性遵循和精神操守上领略人生意义，而不是形式化地、单纯地要求其模仿榜样的行为。首先，教师应树立良好形象，以人格魅力影响学生。《论语 · 子路》有言：“其身正，不令而行；其身不正，虽令不从”。良好的教师形象是教育学生的必要条件，教师首先应从自身做起，以自身正向的人格魅力引导和影响学生[③]。其次，教师要积极建设身边榜样文化，营造良好化育氛围。“榜样必须是自然而然‘长出来’的人，而不是被刻意‘拔出来’的人，这也就是说榜样一定是扎根在普通人的生活世界中的人物，否则就容易陷入高不可攀或神化地位而削弱对其的学习与效仿”[④]。教师可以帮助学生在身边寻找榜样，发挥学生的主动性，激发学生的情感认同，形成向身边榜样学习的良好氛围。在此基础上，积极建设榜样文化以促进人格陶冶的长效性。榜样文化是在系统总结先进榜样人物的事迹、高尚品德及先进精神等基础

---

① 柳海民 . 教育学［M］. 北京 : 国家开放大学出版社 , 2021 : 238.

② 吴迅 . 教育学［M］. 长春 : 吉林科学技术出版社 , 2020 : 108.

③ 陈燕 . 情感陶冶法在德育教育工作中的应用［J］. 教学管理与教育研究 , 2018 (2) : 34 − 36.

④ 薛国凤 . 论少年儿童的榜样教育法［J］. 中国德育 , 2017 (11) : 11 − 15.

上形成的激励他人学习效仿并奋发向上的思想文化,具有思想体系完整性、价值导向稳定性、实务操作一贯性、教育指导明确性等特点[①]。在对学生进行人格陶冶时，一是要深刻认识榜样文化建设的意义，厘清榜样文化中的特质因素，对学生榜样文化建设的发生机制、社会机制、心理机制、教育机制等进行深入整体研究；二是打破现有榜样文化建设中更多体现着成人对文化的创造与成人意志的局限，积极落实学生参与创造的主体地位。学生虽然对成人有依赖性，但学生自己的生活和文化又是不同于成人文化的特殊存在，学生需要在自己参与创造的榜样文化中获得人格陶冶，从而促进陶冶效果的持久性[②]。

榜样在德育中的示范作用并不是自发产生的，需要正确引导。运用榜样示范法应该注意以下基本要求：

1. 要注意树立榜样的威信

榜样示范作用与榜样在受教育者心目中的威信成正比。榜样的威信首先取决于榜样本身事迹的先进性和感人性。这就要求教师选择的榜样必须是来自生活，能以他们高尚的情操和感人的事迹，赢得人们发自肺腑的敬仰与爱慕的。绝不能为了增强榜样的威信，任意夸大、人为地拔高或捏造高、大、完、美、全的形象[③]。人为树立的榜样，表面看似乎完美无缺，但其真实性与可信性让人怀疑的话，不仅不能提高榜样的威信，反而会使榜样自身确有的一些先进性也为之逊色，甚至引起人们的怀疑和反感。此外，榜样的威信也有赖于切实全面地宣传，使学生能全面准确地理解并熟悉榜样的品德，并以此作为自己言行的指导。

2. 要注意激发学习榜样的情感愿望，增强学习的自觉性

榜样的教育效果，不仅依赖于外部条件，也依赖于受教育者自身的内

---

① 薛国凤．论少年儿童的榜样教育法［J］．中国德育，2017 (11)：11 − 15.

② 同①5.

③ 华中师范大学教育系，等．德育学［M］．西安：陕西人民教育出版社，1986：177.

部条件。所以注意从情感方面入手，激发受教育者内在学习动机，使之成为自身的需要和动力，是运用榜样示范法应重视的问题。在德育过程中，我们经常可以发现，榜样尽管在受教育者的心目中享有一定的威望，但却激发不起受教育者向其学习的积极性。这或许是由于受教育者感到榜样的形象高不可攀，可望而不可即；或许是受教育者对自己要求不高，缺乏提高品德的强烈欲望；或许是想学，但不知从何做起。对此，要注意拉近榜样形象与受教育者的亲近感，增强榜样学习的真实感，激发学生向榜样学习的主观愿望，使榜样示范与自我教育有机结合。另一方面要结合榜样的先进事迹，对受教育者提出具体可行的要求，使他们明确学什么和怎样学，增强学习的目的性和自觉性。

3. 学习榜样必须见之于行动

学习榜样必须转化为自觉行动，这是品德形成的规律性反映，也是运用榜样示范法的根本目的。效法榜样见之于行动，常有一个由被动转化为主动的过程，需要教师积极引导和培养。首先要让学生十分熟悉榜样的先进事迹，以便在行为动机的斗争中能使榜样及时起“导向”和“调节”作用，解决是否愿意像榜样那样实践品德行为的矛盾①。其次，教师要有目的地组织一些活动，提供实践的条件，并教给学生实践品德行为的方法，锻炼意志，解决能否坚持品德行为的矛盾。最后要及时反馈学生学习榜样的行为效果，以增强其实践品德行为的自觉力量。

四、美感欣赏法

美感欣赏法也是情感陶冶法的实践探索的重要体现。在美感欣赏的过程中，主体将全部情感灌注到美的对象上，全身心地投入到美的欣赏中，

① 华中师范大学教育系，等．德育学［M］．西安：陕西人民教育出版社，1986：178.

在领略多姿多彩的美的形象的同时构筑自己的“内心结构”（内在的心理结构），从而将这种强大的外在力量深化为自己向善向美的内在力量。

（一）美感欣赏法的内涵

“爱美之心，人皆有之。”美是一种能够使人的精神得到荡涤的环境。美感欣赏法是通过美的艺术感染力促进学生德性养成的一种德育方法。它比较侧重于情感陶冶法的“陶冶”方面，强调主体在“美”的环境中，潜移默化地受到其积极正面的影响，从而形成良好的道德质量。美学大师朱光潜认为“善有所赖而美无所赖，善的价值是‘外在的’，美的价值是‘内在的’”①。通过对“美”的欣赏，不仅能够获得精神上的洗礼，更能从内在美的欣赏中获得外在善的精神陶冶。在美感欣赏法中，“美”的环境，即欣赏的内容十分广泛，包括诗歌、文学、音乐、美术、舞蹈、影视作品等，它们来自生活，高于生活，内容丰富，形象概括，寓意深厚，感人至深。同时，学生能够在愉悦的艺术欣赏中获得美的享受，同时情感得到净化，养成高尚的品格。此外，它还能使学生在相关艺术形象的熏陶中辨别真善美和假恶丑，从而受到道德教育②。

（二）美感欣赏法的实施

艺术陶冶是美感欣赏法的主要途径，通过优美动听的音乐、有教育意义的视频、语言优美的文学作品对学生进行熏陶，从而使学生形成美好的情操③。孟子曰：“仁言不如仁声之入人深也”。当前，教师在运用艺术的形式对学生进行情感陶冶时，方式还比较单一，如许多教师只是简单地播放

---

① 朱光潜．谈美［M］．上海：东方出版中心，2016：134.

② 李伟娟．教育学原理［M］．西安：西安出版社，2020：237.

③ 刘欣雨．让“情感”在德育中绽放：情感陶冶法在初中道德与法治课的运用［J］．教育教学论坛，2019（6）：56－58.

视频，通过视频内容让学生自行感受其中意涵，这种做法还没有最大限度地发挥出艺术陶冶的作用。当人处在美的环境中,由于受到美的事物的“熏陶”，会产生一种正向积极的审美情感，而这种正向的情感又会使人有愉悦的感觉，从而产生实践美的倾向，实现由道德情感向道德实践的跨越。因此，教师要创新艺术陶冶的形式，以激发学生审美情感的产生。例如，在有条件的情况下，带领学生走出校园，在博物馆、公园等场所对学生进行艺术陶冶，让学生进入美的实体，潜移默化地感受美的熏陶；举办诗歌朗诵会等艺术活动，让学生真正融入到美的情境中，从中获得启发、得到陶冶，等等。教师应如何实施美感欣赏法？檀传宝在其《德育美学观》中进行了详细的论述，具体可从以下几点入手[①]：

1. 对德育对象的改造——追求德育作品美

从美学的角度看，德育对象即德育活动的作品。德育活动中，教师将道德文化传授给学生，诱发学生个体道德的潜能，最终形成德育对象的一定道德品质和道德修养的能力等。一方面，教师的德育活动作为一种对象化的活动其较高境界应是自身自由本质的一种展现，因而学生的道德品质及其成长的势态可以成为其立美创造和审美观照的对象。德育对象首先可以成为德育者的“作品”，其中蕴含的对于人类本质力量的肯定即形成所谓“作品美”。另一方面，德育“作品”本身亦是主体，这是教育和德育作品不同于一般艺术品的根本。德育对象品德之美的形成过程既是教的过程更是学的过程。作品美既是教师立美创造和审美欣赏的对象，也是德育对象不断对自身进行道德完善的结果。作品美既反映教师的本质力量，更反映作为学习和成长立体的德育对象的本质力量。故德育活动作品美的创造和欣赏的主体应是师生双方，作品美则是指师生共同创造的德育对象的道德美及道德成长美。

① 檀传宝．德育美学观［M］．北京：教育科学出版社，2006：132－161.

2. 对德育过程的改造——追求德育形式美

就目前美学界对于美的规律的研究成果来看，美的规律即在于人类活动形式的合规律性（任何物种的尺度）和合目的性（内在固有的尺度）的统一。立美即是创造人类活动真与善的统一,向实践主体“许诺自由”或“施展自由”的中介结构形式。显然，立美德育也必须遵循美的规律去改造德育过程的中介结构形式，使之既符合“任何物种的尺度”又符合人“内在固有的尺度”，使师生双方充分观照和实现主体活动的自由本质。

3. 对德育主体自身的改造——追求师表美

师表形象或师表美的塑造的重要性主要存在于教育系统之中。就德育的角度看，师表之美的价值有三。第一，充分发挥德育主体的德育潜能。教师或德育工作者“不是使用物质工具去作用于劳动对象，而主要是以自己的思想、学识和言行，以自身道德的、人格的、形象的力量，通过示范的方式直接影响着劳动对象”[①]。第二，充分促成学生的榜样学习。榜样学习已成为社会学习理论的核心概念。对学生而言，教师和成人是具体的道德概念的化身，教师的一言一行不管有无进行德育的自觉，都会成为德育的显隐性课程。这就是孔夫子所言的“其身正，不令而行，其身不正，虽令不行”。故确立师表之美实际上是建构学生道德学习的内容或榜样，道德的榜样学习需要立师表之美。第三，改善道德教育的效能。师表美具有魅力的源泉之一当是师表形象的情感性。立师表之美就是要让教师成为学生积极情感指向的对象，即使当个体面临较为复杂的道德情境时，也能按照老师提出过的要求或以老师为榜样去践行道德规范。

① 周浩波．教学哲学［M］．沈阳：辽宁教育出版社，1993：184－185.

五、理想激励法

情感陶冶法的又一种实践探索体现为理想激励法。俄国作家列夫 · 托尔斯泰曾说："理想是指路明灯。没有理想，就没有坚定的方向；没有方向，就没有生活。" 理想，是主体对未来事物的想象或希望，多指有根据的、合理的，跟空想、幻想不同[①]。人是具有丰富情感的生命体，而理想作为一种精神现象，蕴含着人类对未来美好生活的憧憬与向往；它是人们在改造客观世界和主观世界的实践活动中，既追求眼前的生产生活目标，渴望满足眼前的物质和精神需求，又憧憬未来的生产生活目标，期盼满足未来的物质和精神需求的产物。理想内含着向善向美的价值追求，在此基础上发展起来的理想激励法便是基于这种美好价值追求的德育实践。

（一）理想激励法的内涵

理想激励法是指通过适当方式，促进学生形成道德理想、道德信念从而进行道德教育的方法[②]。有学者提出"理想激励法是使学生加强理想信念，引导他们树立自己的人生理想，并激励他们为实现自己的人生理想而努力奋斗，最终促使其不断提高自身思想政治素质的教育方法"[③]。理想激励法比较侧重于情感陶冶法的 "情感" 方面，强调主体形成积极正向的道德理想，以理想追求为主体发展的内在动力，激发内在的道德情感，激励主体最终形成道德行为。檀传宝认为没有真正的道德理想就没有真正的道德生活，他将理想激励法视为道德教育的根本方法之一，指出 "道德理想从内

① 现代汉语词典：第 6 版［M］. 北京：商务印书馆，2012：795.

② 檀传宝. 德育原理［M］. 北京：北京师范大学出版社，2018：254.

③ 胥洪培，向春华. 加强藏区 "9+3" 学生励志教育的原则、方法及途径的思考［J］. 成都中医药大学学报（教育科学版），2019 (2)：20－22＋43.

容上可以分为价值理想和人格理想，理想激励的方法也可以分为价值理想激励和人格理想激励”[①]。

（二）理想激励法的实施

由于理想激励法比较侧重于从情感上激励学生形成道德行为，因此在理想激励法的实施中要特别重视对于学生情感、意志方面的挖掘。苏联教育家苏霍姆林斯基将道德理想的形成和激励过程称为“思想生活”的过程，在理想激励方面有许多值得思考和吸收的实践经验，以下从三方面介绍理想激励法的实施策略。

1. 道德美育的方法

教师可以挖掘课本和生活中能够反映道德理想的事和人，努力呈现道德美并激励学生对道德美的称颂，对崇高表现的钦佩[②]。苏霍姆林斯基说：“我总是努力给少年们描绘出活生生的人的鲜明形象，这样的形象成了人类道德美的永久体现。我要让这个形象照亮少年的心，深入他的思想深处，使少年的心更快地跳动。”[③]因此，他主张呈现道德美，但反对立即将理想行为与学生的现实表现做对比，原因是“道德行为的光辉形象不应当把少年照得头晕目眩，而应当照亮他前进的道路”。简言之，道德美育的方法实际上是一种理想化育的方法[④]。

2.“争论状态”的方法

个体理想信念的形成，不是来源于一时激动，也不可能由单向灌输产生，它需要主体通过积极的活动来完成和巩固。“争论状态”的方法就是

---

① 檀传宝 . 德育原理［M］. 北京：北京师范大学出版社，2018：254.

② 胥洪培，向春华 . 加强藏区“9+3”学生励志教育的原则、方法及途径的思考［J］. 成都中医药大学学报（教育科学版），2019 (2)：20 − 22 + 43.

③ 苏霍姆林斯基 . 苏霍姆林斯基选集［M］. 北京：教育科学出版社，2002：207.

④ 同 ① 255.

关注和强调主体内在的一种积极活动状态。首先，争论状态是指学生个体内心的斗争状态或“研究问题的局面”。苏霍姆林斯基认为，当道德美的“弹药”积累到足够程度时，这一状态就可能出现[①]，他曾讲到：“我很高兴听到洪洛佳的母亲对我讲，这个十四岁的少年经常沉思地、聚精会神地埋头读书，好像有什么东西使他激动。我劝他的母亲说：‘不要破坏他的这种情绪，不要对你的儿子说：“去找同学解解闷吧！”这是他在自我教育，是学校里获得的精神上的弹药在起作用。’”[②] 争论状态的第二种表现是同学之间的争论。苏霍姆林斯基实践过的一种教育形式是组织“少年思想家”晚会，主要是学生通过自己的真实体会去回答诸如“如果你遇到了外星生物，你会乐意告诉他地球上的哪些情况，而对哪些情况暂时守口如瓶？”的问题，激发学生们在思维的碰撞中追求人生理想[③]。

3.“地图上旅行”的方法

苏霍姆林斯基认为，要使理想教育不脱离实际，一个重要的方法是将道德理想的激励机制同爱国主义教育联系起来。为了让学生们认识祖国的美好，苏霍姆林斯基的一个绝妙的方法是所谓的“地图上旅行”。这种方法会展示祖国的美好以及人们对未来的憧憬，同时使学生认识到，相对于为祖国的昨天和今天作出贡献的人来说，自己是一个“负债者”，从而激励学生在崇高理想的鼓舞下从事劳动。苏霍姆林斯基说：“在崇高目标的鼓舞下从事劳动，成了少年们进行精神锻炼的一种特有的形式。他们从中体会到自己是一个公民。”[④]

总体来看，理想激励的方法在具体运用的过程中还需要结合实践情境综合考虑。一方面，理想激励机制的关键是主体自身对于道德理想的向往

---

① 苏霍姆林斯基．苏霍姆林斯基选集［M］．北京：教育科学出版社，2002：212.

② 同①211.

③ 檀传宝．德育原理［M］．北京：北京师范大学出版社，2018：212.

④ 苏霍姆林斯基．苏霍姆林斯基选集［M］．北京：教育科学出版社，2002：221.

与追求，而不是外界强制性赋予主体的。正如杜威所说："所需的信仰不能硬灌进去，所需的态度不能粘贴上去。但是个人生存的特定的生活条件引导他看到和感觉到一件东西，而不是另一件东西；它引导他制订一定的计划以便和别人成功地共同行动：它强化某些信仰而弱化另一些信仰作为赢得他人赞同的一个条件。所以，生活条件在他身上逐渐产生某种行为系统，某种行动方向。"另一方面，应当寻找适合不同德育对象生活实际的理想激励策略，从德育主体自身的生活实际出发，从而提高陶冶实效。

六、情境体验法

道德是一种实践智慧，人的德性生长、道德发展离不开对情境的亲身体验；抽象的、符号化的道德哲理要在具体的情境中形象化、具象化，才有可能与人的主体生命相连接。情境体验法关注人，它契合现实道德问题的情境性和复杂性，将"德育"寓于生动直观的"情境体验"之中，将抽象的道德问题具体化。与此同时，情绪情感是人的本体性存在，情感体验既是人生命伸展、生活交往的前提和手段，也是人的生命样态、生命质量的质性表征。由此观之，情境体验法也是情感陶冶法的一种具体实践方法。

（一）情境体验法的内涵

情境体验法是指自觉地发现和创设教育情境，通过学生直接或间接的道德体验，使他们在思想和道德情操方面受到感染和熏陶的方法[①]。有学者认为，"情境体验法是指在教育过程中，教师有目的地引入或创设具有一定情绪色彩的、以形象为主体的生动具体的场景，以引入学生的态度体验，从而帮助学生理解教育目的，并使学生的心理机能得到发展的方法。其核

① 扈中平．现代教育学［M］．北京：高等教育出版社，2020：281.

心在于激发学生的情感，以达到说教不能达到的教育效果。”[①] 情境体验法比较侧重情感陶冶法的“陶冶”方面，强调受教育者通过教育者创设的情境，潜移默化受到感化熏陶，因此，情境体验法也具有“非强制性、愉悦性、隐蔽性、潜移默化性与无意识交互作用”等特点[②]。

情境体验法的表现形式主要包括人格感化、环境陶冶、艺术熏陶，其所运用的情境手段则可以是经选择的自然情境、有意识创设的观察学习情境和活动环境等。在创设情境时要做到真实、自然，从满足受教育者的归属和爱、尊重以及自我实现等需要出发，充分发挥其向善、爱美、求真的积极心向[③]，促使受教育者在良好的教育情境中受到正向感化。情境体验法也是情感陶冶法的重要实施路径之一。

（二）情境体验法的实施

情境体验法实施的关键就在于“情境”的有效创设以及受教育者的有效“体验”。因此，情境体验法在实践的过程中，围绕“情境”“体验”两大核心概念，生长出丰富的实施样态，具体有以下几个方面：

1. 绘本教育

绘本，又称图画书（picture book），“是一种专门为儿童设计，依靠一连串图画和为数不多的文字结合，或者完全没有文字，全靠图画来传递信息，讲述故事的图书”[④]。绘本能通过其生动优美的绘画，简洁直白的文字，打造出适合儿童陶情冶性的独特情境，使儿童在阅读过程中身临其境，产生积极的、有意义的互动效应。“文学的意义在于为人类提供良好的人性

---

① 黄仪. 浅谈用“情境体验法”进行道德教育：从电影《少年十五十六时》想到的［J］. 中国教师，2013（S1）：70.

② 扈中平. 现代教育学［M］. 北京：高等教育出版社，2020：281.

③ 同②.

④ 陈晖. 图画书的讲读艺术［M］. 南昌：二十一世纪出版社，2010：9.

基础，‘良好的人性基础’至少含有道义感、审美意义和悲悯情怀。”[①]绘本作为一种特殊的阅读材料，就包含了饱满的人文情怀。“好的绘本往往表达了人类普遍认可的价值观念与追求，比如真、善、美，理解、宽容、真诚、善良、分享、和平、爱国、忠诚、勇气、承诺、理想、信念、真理等。……长期沐浴着绘本精神营养的儿童，更容易形成积极的心理质量，更加自信自爱，更加坚韧乐观，更能控制和管理自己的情绪，面对逆境时也会更加勇敢。绘本可以帮助儿童找到真善美的钥匙。”[②]绘本教育为受教育者的有效“体验”提供了全新的实践思路与实施路径。

2. 教育戏剧

教育戏剧是一种通过表演、体验和虚构等戏剧技艺促进学生获得美感体验的教育理念，在实践中则被更多地运用于教学领域。黄爱华就曾提出教育戏剧的三种实践模式：学科性戏剧教育、渗透性戏剧教育以及活动性戏剧教育（表 4–1）[③]。可以发现教育戏剧的实践主要与学科教学结合在一起，基于学科教学框架，渗透教育戏剧策略，丰富学生的角色认知，完善其人格发展，实现学科育人的德育目标。

表 4–1　教育戏剧的三种实践模式

实践模式	内容说明
学科性戏剧教育	把戏剧当作学科来教学，通过课程进行教育，是与音乐、美术同类的艺术课程
渗透性戏剧教育	1. 在学科内容内渗透戏剧内容，如语文课本剧的渗透 2. 学科教学中渗透戏剧教育的方法，即戏剧教学法

① 曹文轩 . 我的儿童文学观念史［N］. 文艺报 , 2017 − 02 − 13.

② 姚颖 . 中国当代小学绘本教学的创新与思考［J］. 课程 · 教材 · 教法 , 2017 (10) : 94 − 99 + 121.

③ 王倩 . 教育戏剧的内涵、功能与实施路径：基于 Citespace 文献计量分析［C］. 广东教育学会 2019—2020 年度学术成果集（三）, 2020 : 2 − 9.

续表

实践模式	内容说明
活动性戏剧教育	戏剧形式的主题活动：通过各种戏剧活动达到教育目的，属于学校校园文化的一部分，如课本剧、校园剧、角色扮演

教育戏剧的实践策略十分多样化，如想象、模仿、肢体动作、角色表演、即兴表演、教师入戏、坐针毡等[①]。以戏剧教学为主框架的操作流程也很多样，如角色扮演的一般流程包括热身、呈现道具、理解角色、情境再现、表演展示、讨论评价（图 4–1）。

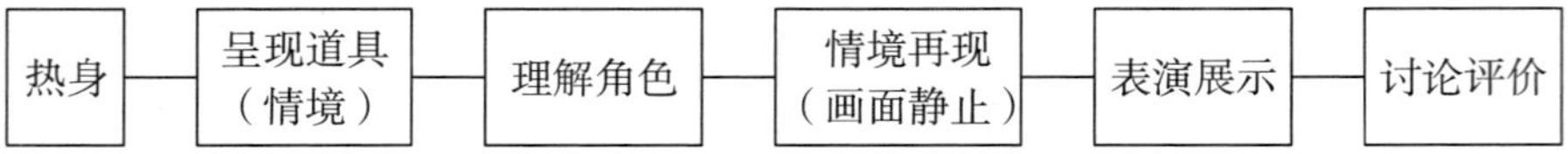

图 4–1　角色扮演的一般流程

教育戏剧理念的引入，不仅提高了学科教学的效果，同时也使受教育者在戏剧扮演的过程中建构起积极的自我概念，提升了交流表达以及审美能力，弥补了传统学科课堂难以渗透德育价值的不足。

3. 模拟法庭

模拟法庭的方法常运用于法治主题内容的学习，它主要是引导学生采取情境模拟的方式，通过一定步骤，如图 4–2 所示[②]，演绎检察员公诉、律师辩论、法官审判的庭审场景，让学生在诉中知“法”、辩中明“法”、判中执“法”，形成法治意识，树立法治精神。这种方法有助于提高学生学法、知法、守法意识[③]。学生在生动有趣的直观体验中感受法治的力量，同时也

① 王倩．教育戏剧的内涵、功能与实施路径：基于 Citespace 文献计量分析［C］．广东教育学会 2019—2020 年度学术成果集（三），2020：2 – 9.

② 陈军．积极探索构建我校中职学生德育课业评估体系［C］．全国德育教学研究会 2007 年年会论文集，2007：186 – 196.

③ 陈东升．法治教育课程化，法治课程生活化［N］．法治日报，2015 – 03 – 24.

强化了其自身对法律的认同感、维护感。

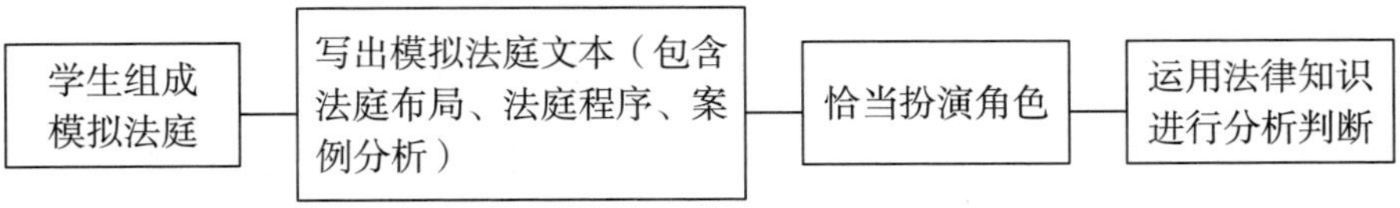

图 4-2　模拟法庭的实践流程

七、诗性陶冶法

诗性陶冶法是当前国内诗性教育实践中呈现出的一种德育方法，通过诗意校园的创建、诗意校园文化的涵养、诗性课程和审美课堂的设置、诗人校长的领跑等方式，使学生浸入环境陶冶、人格陶冶、艺术陶冶全方位的情感陶冶氛围场，从而使学生在“自由、快乐、创造的校园氛围中主动发展、快乐学习、健康成长，走向未来的幸福生活，实现自身的生命价值”[①]。

（一）诗性陶冶法的内涵

《沧浪诗话》曾谈到“诗者，吟咏性情也”[②]。《毛诗序·大序》中说到“诗者，志之所之也，在心为志，发言为诗，情动于中而行于言，言之不足故嗟叹之”[③]。可见，诗是心智的所在，是人心中情感的表达，是对自然界一种发自内心的艺术表达方式[④]。而关于“性”，荀子说：“性者，天之就也，

① 柳袁照．构建诗性的课程与课堂：诗性教育的研究与实践［J］．江苏教育研究，2015(z5)：14 － 17.

② 严羽．沧浪诗话［M］．北京：中华书局，2014：23.

③ 陈引驰，韩可胜．诗文评品［M］．上海：上海人民出版社，2017：3.

④ 邱立智．试析诗性设计在服饰设计中的体现［J］．西部皮革，2022(5)：135 － 137.

情者，性之质也，欲者，情之应也。”[①] 即指性就是天生的，而情是性的本质，这样就将诗与性两者相连起来，古代所理解的诗性，就是与生俱来和自然有感而发的一种形而上的“智慧”[②]。“诗性，从狭义上来说，可以理解为诗的特性与本性；从广义上来说，是指与论理性对立的艺术和审美性，具有人文精神的特征。诗不仅仅只有语言层面的意味，同时还包括审美意义。”[③] 诗性陶冶法主要是基于一种诗性审美，通过诗性感化，以正心促化育、以德馨达至善，养成学生善行德性的德育实践方法。

（二）诗性陶冶法的实施

在当前学校实践中，已有实施诗性陶冶的典型案例，其具体做法主要围绕以下方面展开。

一是从校园文化建设入手，建设诗性校园。学校可以发掘区域文化历史资源，借助校园自然历史文化风貌，如灵石、清泉、古井、亭台楼榭等，并以校史上的人物命名，使校园环境成为得天独厚的传递校园文化的“情境教室”，打造校园文化场，学生在这里幕天席地，以现场学习、文化浸润、互动体验等方式开展相应的综合实践活动和研究性学习。

二是构建诗性文化的课程体系和审美课堂。所谓诗性文化课程体系是“以‘诗歌教育’为突破口，探索国家课程、地方课程、校本课程的整合与诗性化实施，形成了一整套诗性文化的校本课程体系和审美课堂的实施策略”[④]。在此基础上，有学者提出“审美课堂”理念，即“要教师力求在一种回归自然、返璞归真的状态下教学，使学生不知不觉地进入学习状态，

---

① 安小兰译注．荀子［M］．北京：中华书局，2012：251.

② 邱立智．试析诗性设计在服饰设计中的体现［J］．西部皮革，2022(5)：135－137.

③ 同②.

④ 柳袁照．构建诗性的课程与课堂：诗性教育的研究与实践［J］．江苏教育研究，2015(z5)：14－17.

进入‘化境’去探求知识、发现真理、体验愉悦”[①]。

三是发挥校长或教师的教育作用，带动构建诗性文化。校长是一个学校的灵魂，在很大程度上决定着一所学校的发展方向和办学品格；班主任教师是一个班集体的灵魂，在很大程度上影响着一个班集体的发展方向和文化品格。当校长或者教师成为一位诗人，将诗性思维、诗性智慧融入德育实践，诗人气质和诗意风格引领着学校文化形成浓厚的审美意趣，就会产生浸润、涵养学生积极生命的教育功效[②]。

诗性陶冶法在过分追求逻辑化、程序化、标准化的时期和场所，可以作为一种抗争力量，使理性和感性、理智与情感获得平衡，对个体道德发展具有重要意义。首先，诗性陶冶法尊重生命及生命体验，以激发学生的生命活力为旨归。诗的节奏与生命的节律有共振和契合。当诗激发人去体验生活时，人的生命一定是在场的。诗活化了人的生命之感，诗涵养了生命之源。其次，诗性陶冶法可激发、涵养着人的想象力和创造力。在古希腊，“诗人”与“创造”是同根词，现代脑科学和心理学不断证明着想象与创造之间的关系。在青少年最有想象力和创造活力的时期，教育必须为激发、保护他们的想象力和创造力作出努力。诗性教育因其张扬诗的想象与创造，对目前学校教育在培养创造性方面的缺憾，是一种重要补救。而这也是情感教育的旨趣之一。最后，诗性陶冶是一种超越功利的审美教育。诗性之心超脱日常生活的平庸和烦琐，摆脱物质和眼前利益的羁绊，使个体处于一种融入了道德要素的审美境界中，呈现出独立不羁的人格状态。因此，诗性陶冶法能成为超越功利的教育、不受利益驱动的审美教育，和追求“本真、唯美、超然”的教育。学校教育要还原它原初的使命，即构建好的生活、好的文化，帮助学生建立科学的世界观、人生观和价值观，培养他们面对社会、面对生活、面对人生所必需的、超然脱俗

---

① 朱小蔓．情感教育论纲［M］．南京：南京师范大学出版社，2019：163.

② 同①164.

的情怀和态度[①]。

本章聚焦情感陶冶法，通过含义解析深入把握情感陶冶法“以情染情、以境触情、以境隐情”的基本特点，通过文献阅读大致梳理出情感陶冶法经历萌芽、形成、深化发展和多样态发展的不同发展阶段，从而形成对情感陶冶法的整体把握。通过既有研究发现，学者们多从哲学、心理学、脑神经科学等学科寻求情感陶冶法的理论依据，在此基础上，已形成较为丰富的相关理论研究，如家庭化模式、体谅关怀模式、情感性德育模式、欣赏性德育模式、道德体验范式、教育戏剧范式等。通过对情感陶冶法相关实践探索的梳理，发现已形成具有一定规模的实践方法群，发展出情感联结法、环境陶冶法、榜样示范法、美感欣赏法、理想激励法、情境体验法、诗性陶冶法等多样的实践探索。

---

① 朱小蔓 . 情感教育论纲［M］. 南京 : 南京师范大学出版社 , 2019 : 164 − 165.

第五章
活动育人法研究

活动是人的本质，是人类有目的的行动，人类通过活动来认识世界、改造世界。活动成为人与外界交互的中介与载体，在活动过程中，人得以反观自己并受到直接的影响。活动中蕴含着丰富的育人机会和资源，活动育人法作为重要的德育方法之一，在当代德育方法的研究和实践中扮演着重要的角色。如何从历史发展的角度看待活动与教育的关系？活动育人的内在机理与机制又是如何构成与运作？活动育人法在现实的学校德育中又是如何体现？这些问题将导引我们一起走进活动育人丰富而活泼的教育时空。

本章将分别从“活动育人法”的概念解析、理论基础、实践研究三个方面进行阐述。第一节,将从“活动”的本质入手,讨论词源学角度的活动、不同学者关于“活动”的理解以及不同视角下的“活动”。由此展开对于活动育人法内涵的梳理，探索活动育人法在德育研究中的多重体现，并针对现有研究梳理当前活动育人法的发展脉络及其现状。第二节，首先阐明马克思主义关于活动的理论；其次探讨了文化历史活动理论；之后探讨现代心理学家皮亚杰的活动理论；最后讨论了杜威的“做中学”思想以及陶行知的“生活教育”理论,为活动育人法追溯较为完整的理论背景。第三节，分别从仪式活动、游戏活动、主题活动、团队活动四个方面阐述活动育人的具体实践方法，使之能够更好地服务于现代学校道德教育。

作为一种生动活泼的德育方法，活动育人法在我国根基尚浅，但是纵观中外教育历史长河，可以发现通过活动来促进人的道德发展已屡见不鲜。不少学者都关注到了学生在参与中获得道德发展的重要性，道德教育应鼓励学生通过自己的认知活动和实践活动获得道德上的成熟。作为拥有深厚历史底蕴的教育方法，活动育人法应当在现代德育中发挥应有之义。顺应现代德育发展需要，关注到教育主体的特点、需求，以帮助德育个体和群体实现进一步的发展。

第一节　活动育人法的含义和发展

本节通过对“活动”的本质进行词源学的分析，并对不同视角下的活动进行辨析，对“活动育人法”的概念进行澄清，明确活动育人法的机理和特点，进而明确活动育人法的意义与价值，探析活动育人法的发展脉络。

一、活动育人法的含义

作为当代学校的重要德育方法，活动育人法有其独特的育人价值，表现为活动的科学性、综合性及实用性。活动育人法要求通过学校场域中的各种活动，促进主体与客体的相互转化，进而促进学生道德认知、道德情感和道德行为的发展。要理解活动育人法，首先需要追溯“活动”的本质，了解不同视角下的“活动”。

（一）“活动”的内涵

活动是人的生命存在。马克思在关于人“自由的自觉的活动”论述中将“活动”作为人的存在方式，“活动”是来规定人的现实存在性。从根本上说，人的活动是“属人”“为人”的活动，是以“人”自身为出发点和落脚点的活动，是满足人的需要的手段和方法[①]。因此，活动是育人方式中的必要形式。

1.“活动”的词源学解释

“活动”一词，牛津词典中译为“activity”[②]，它源于拉丁文“act”，其基本含义为“doing”，即“做”。它指的是与人的生命运动相关的积极性、主动性和能动性的表现。在中文语境下，“活动”是由“活”和“动”组成的，“活”代表着生命、活力，具有灵活及活泼之意[③]；“动”字则具有动作和行动之意[④]。《辞源》中与德育相关的“活动”有两层含义：一是为某种目的而采取的行动；二是人对于外部世界的一种特殊的对待方式。活动区别于运动，它不是自发的，而是由主体心理成分参与的积极主动的运动形式[⑤]。由此可见，“活动”是与人的能动性、积极性相关的概念。广义的“活动”指个体或群体为满足某种需要而作用于环境或自我的行为总和，它联结、调整和控制着个体与环境之间的相互关系。狭义地说，活动是个体或群体为满足其需要而主动与客观事物或他人相互作用的实践探究和研讨反思的过程。广义和狭义两种活动的区别在于活动者的主动性不同。

2. 不同视角下的“活动”

（1）哲学视角

在中国哲学史上，对“活动”的争鸣多与“行”相关，而“行”又与“知”相对应。中国哲学围绕“知行关系”问题进行了长期的论争，众说纷纭。如王阳明的“知者行之始，行者知之成”[⑥]、朱熹的“致知力行，论其先后，

---

① 殷世东．综合实践活动育人方式的逻辑与课堂教学重构［J］．教育科学研究，2021(11)：91－96.

② 霍恩比，赵翠莲．牛津高阶英汉双解词典：第8版［M］．北京：商务印书馆，2015：20.

③ 辞源．修订本［M］．北京：商务印书馆，1983：985.

④ 同③491.

⑤ 同③985.

⑥ 出自王阳明《传习录》.

固然以致知为先;然论其轻重,则当以力行为重”[①]、王廷相的“知行兼举”、王夫之的“知行相资以为用”等。随着对“活动”的深入研究,研究者对于活动与行动的联系与区别进行了分析,进一步说明了活动的特殊意义。活动首先是有目的的和负载着人的价值需求的;其次,活动的展开表现为由无数的行动连接起来,是一种有生气的、动态的和灵活的行动流变过程;再次,活动的展开还占据着特定的时空[②]。由此可见,活动在外部表现上伴随着行为和动作的出现,但并不是任何行为和动作都能纳入活动的范畴,至少应是积极主动的动作和行为。仅有动作和行为还不够,活动的其他外部形式还有仪式、游戏、主题活动、团队活动等方式。更重要的是活动不仅包括个体的外显动作,还包括个体头脑中的各种反省、体验等内部活动,这是外部活动必然导致的结果。活动既是由外到内,也是由内及外的一种转化过程。因此,完整的活动由外部活动和内部活动两个部分所组成,缺一不可。

古希腊哲学家亚里士多德在《范畴篇》中将“活动”列入十大范畴之一,并把活动划分为理论活动、制作活动和实践活动。在他之后的一些西方哲学家也从各自不同的研究立场上对“活动”进行了论述。德国哲学家黑格尔视活动为“使理性的自由本性外化、对象化,并在世界历史中实现自己,确证自己,然后又通过活动回复到自身”的抽象精神活动[③]。德国哲学家费尔巴哈认为,活动“只是单个人的行动,只限于饮食、日常交往、利己主义的消极适应环境的活动”[④]。马克思赋予“实践”以人类活动的最基本形式的地位,并以之作为基础,揭示了自然、社会和人自身发展的基本过程。

---

① 出自朱熹《晦庵文集》卷五十.

② 王天平.教学活动论[M].北京:人民教育出版社,2019:26.

③ 修毅.人的活动的哲学[M].北京:中国大百科全书出版社,1994:2.

④ 同③8.

马克思把人的活动“当作人的感性活动，当作实践去理解”[①]，赋予人的活动以现实客观性、自觉能动性和社会历史性等新质，他把人的活动理解为感性的、能动的社会实践，因为，“社会生活在本质上是实践的”[②]。由此可见，马克思认为，活动的初始形式是实际的感性活动，而物质生产活动是最基本的实践活动。只有在此基础上，才能生成其他各种活动形式，包括人的内部意识、思想活动、社会生活中的文化和艺术活动等等。

随着哲学的发展，“活动”概念成为对人类特殊存在方式的一种高度抽象和概括。正是由于人类的活动，即人类的这种特殊存在，世界才成为人的世界、人化的世界，活动的发展构成了社会发展的主旋律。

（2）心理学视角

心理学的研究为人们理解活动的本质和内在机制提供了不同的理解。依据行为主义心理学的主要观点，人类对信息的处理过程局限于头脑中的封闭思维过程，活动就是指向于“刺激—反应”模式的行为。这使对活动的认识局限于物化的操作反应过程，将活动等同于个体与环境的简单交换过程。随着认知心理学的发展，人类的思维被认为是在人与社会的互动过程中发展的，活动就成为主体与客体世界交互作用的过程，尤其是在以苏联心理学家维果茨基和列昂节夫为代表的社会文化学派心理学，指出“不是刺激手段的变化，而是儿童与实在的对象的实际活动成为以决定论观点分析个体发育中心理发展的依据”[③]。维果茨基认为，人类意识的发展是个体在活动和交往的过程中通过掌握符号系统（语言），在对低级心理机能改造的基础上形成了高级的心理机能。在此过程中，活动（交往）是载体，中介是手段，内化是结果。列昂节夫认为，人类掌握社会历史经验的机制是从外部实践活动向主体内部心理活动的转变过程，内化的实质是将外部

① 马克思恩格斯选集：第1卷［M］. 北京：人民出版社，1972：16.

② 同①18.

③ 雅罗舍夫斯基. 心理学史［M］. 上海：上海译文出版社，1997：536.

实践活动的动作形式转变为在意识方面进行的动作形式，只不过是经过了概括化、言语化和简缩化，而这种转变发生的前提条件则是外部活动和内部活动具有共同的结构[①]。芬兰学者恩格斯托姆整合维果茨基和列昂节夫的思想，构建出第三代活动理论。恩格斯托姆坚持从宏观层面对活动系统进行社会学分析，提出了活动理论的“三角模型”。在三角模型中，活动被看作是一个社会性系统，包括了六大元素（主体、工具、客体、规则、共同体和劳动分工）和四大系统（生产系统、交换系统、消费系统和分配系统）[②]。活动理论以“活动”为逻辑起点和中心范畴，强调实践活动，重视对人的心理发展作社会历史性的研究，对活动育人法的发展具有重要推动意义。

（3）教育学视角

审视发生在教育领域内的活动，让我们对活动的内涵和功能有了更为丰富的认识。陈佑清在《教育活动论》中提出“活动是人的对象世界和人自身存在和发展的基石”，“不仅人的对象世界是通过人的活动而创造、形成和发展的，自身也是通过人的活动创造、形成和发展的。”[③] 由此可以看出活动对于我们人类的重要意义。英国分析教育哲学家彼得斯提出了“有价值的活动”的主张，他认为，学校教育中有价值的活动，具有六个特点，第一，“学校教育中有价值的活动”必须是具有正当性；第二，“学校教育中有价值的活动”应当是“比较价值”较高的活动；第三，“学校教育中有价值的活动”应当是有助于学生成为“受过教育的人”；第四，“学校教育中有价值的活动”应当有助于学生完成合乎需要的“自我实现”；第五，

① 李晓辉 . 维果茨基和列昂节夫心理学理论的比较研究［J］. 大理大学学报，2018(1)：102 − 106.

② ENGESTRÖM Y. Learning by expanding: an Activity Theoretical approach to evelopmental researc. 2nd Ed. New York: Cambridge University Press, 2015：13 − 37 .

③ 陈佑清 . 教育活动论［M］. 南京：江苏教育出版社，2000：1，14.

“学校教育中有价值的活动”应当引导学生能够从事“有价值的活动”;第六，纯理论活动也属于“有价值的教育活动”①。有价值的活动为我们理解活动育人提供了强有力的理论支撑。

按照活动道德教育模式对“活动”范畴的设定，“活动”就是具有道德教育意义或功能的个人外部活动，抑或影响个人道德意识、道德行为、调节人际关系的外部活动。具体而言，就是在学校道德教育过程中，由学生自主参与的，以学生的兴趣和道德需要为基础的，以促进个体道德的发展和社会和谐为目的的现实的社会交往活动②。活动德育模式中的活动主要指具有一定德育意义或能够影响个人道德意识、道德行为等的个人外部活动。活动德育模式基本观点包括树立主体性教育观、创设有利于锻炼学生道德实践能力的教育氛围和构建健康的合作活动环境等。活动德育模式从理论层面分析了活动对学生道德发展起的重要作用，该模式注重发挥学生的主体性，重视利用活动锻炼学生的道德实践能力，注重引导学生在活动中进行自我道德教育，活动德育模式对小学德育实践活动发展具有较强的理论指导意义。

活动育人意义上的“活动”内涵既不同于人类一般意义上的具有改造和创造目的的活动——劳动，也迥异于传统教学意义上那种学生消极、被动参与的学习活动③。德育意义上的活动强调的是学生主体主动的、有思维积极参与的、观念与行动相统一的、充满改造和创造精神的、能满足学生多方面发展需要的、整体的、多样的活动。在表现形式上，它更凸显其在操作实践活动、探究活动、交往活动等活动过程中的主体性地位。

---

① 朱镜人，葛琪．论学校教育中有价值的活动：基于彼得斯分析的教育哲学观［J］．教育与教学研究，2022 (9)：17 － 27.

② 戚万学．活动道德教育模式的理论构想［J］．教育研究，1999 (6)：71.

③ 杨莉娟．活动教学：理念，有效性与基本模式［J］．湖南师范大学教育科学学报，2007 (3)：4.

（二）活动育人法的内涵

1. 活动育人法的机理

由于活动是人的存在和发展的方式，所以教育要有效地促进学生的发展，就必须规范、组织和引导好学生的主体活动，充分发挥学生的主体活动在学生发展中的作用。而德育活动作为提升学校德育工作实效性的重要方式，一直以来都非常强调学生的主体性。因此与传统的说教、灌输的德育模式相比，德育活动更符合学生道德发展的需要，受到人们的重视。那在德育过程中，活动是如何发挥育人作用的呢？

一方面，活动是个体道德形成、发展的根源与动力。活动特别是合作活动和交往活动，有助于学生团结协作和集体思想的形成和发展。因为在交往和协作活动中，每个活动的参与者不仅对活动中个人利益和团体利益的关系有较深的理解，而且对自己在团体中的地位、作用、权利和义务有较充分的认识。另一方面，活动是学生自我认知的真正基础。儿童道德的正常发展无疑取决于他在道德生活领域自我认识、自我评价的准确性和深刻性达到什么程度。而要实现在道德上对自我的正确认识和评价，同样也需要儿童从事对象性活动，需要在道德的实践和活动中使自己的言行对象化，并通过言行所产生的实际效果——对象性活动的产品观照自身①。

具体而言，活动育人法将活动与儿童的发展紧密结合，儿童具有自主发展道德品质的潜能，通过主体的实践活动而激活这一潜能。活动育人的根本目的就在于通过教师设计、构建、组织符合儿童发展需要的各类活动，意图在儿童主动参与的主体性活动中达成德育各项目标，进而实现儿童的全面发展。其次，活动育人法强调学生走出课堂，在各式各样的校园活动中，将客体中的道德规范，转化为内在的道德准则，进而达成以实践化人、

---

① 戚万学．活动道德教育模式的理论构想［J］．教育研究，1999 (6)：72－73.

以活动育人。

2. 活动育人法的特点

梳理活动育人法的各类文献，研究者对活动育人法的特点基本形成了研究共识。活动育人法作为一种重要的教育方法，除了具有一般方法的特征外，也存在一些独有的特征，主要表现在以下几方面：

（1）科学性

活动育人法通过活动对参与活动的学生进行有目的、有组织、有计划的教育的行为。一方面，学生参与的活动要符合学生自身发展的规律，活动的设计与组织要关注学生的身体、心理和社会性发展条件。另一方面，活动要符合教育需要，即便看起来自由灵活的游戏活动也是要符合教育规律的。活动应具有科学、健康、正向的特征，具有一定教育潜力。此外，活动育人的科学性还体现在具有一定的计划性。活动育人是学校正常工作的重要组成部分，是德育工作的重要内容和基本途径。因而，要根据学校、班级、学生目前实际和发展需要制定活动育人规划，而且要有节奏性、重点性、持续性安排。

（2）综合性

活动育人法具有多学科融合的综合性，涉及教育学、心理学、组织行为学、社会学、儿童学、人类学等领域。每一个活动都不是单一的理念支撑，表现在活动的目的、程序、环境、条件等方面。成功的活动更需要多学科协同参与。比如，仪式活动就会涉及人类学、社会学、文化学、教育学等学科知识和理念，从而能够很好地在活动中注入教育契机，发挥教育功能。同时，人的道德发展，是知、情、意、行等道德系统的综合发展过程。活动育人法，坚持以人为本，以活动体验为基本途径，按照活动的需要，对各种资源加以整合，进而开展综合多样的育人活动，正是为学生综合多样的道德发展的形成创造客观条件和主观条件，从而促使学生全面而健康发展。

（3）实用性

学生积极参加活动，在活动中获得明显的、真实的变化与进步，既是德育的体现，也是道德生活的准备和实践，充分彰显了活动育人法的实用性特点。一方面，为德育理论创造了实践机会，使得空洞的、抽象的道理能够生动地体现在真实情境中。另一方面，参与者在活动现场，亲身参与具体活动，道德学习的过程由此展开。这一过程也是对德育理论的检验和磨合，反过来又可以优化活动设计。此外，活动育人法中，“活动”是途径，“育人”是目的。学校开展的活动，目的在于促进学生全面而有个性的发展。道德教育过程的基本规律要求，教育者的教育活动一定要适应并超越受教育者的道德品质的实际水平状况。这里的“适应”，要求教师必须从学生的道德发展的实际水平状况出发，这里的“超越”，要求教师必须通过活动育人在内的所有的道德教育，使学生的道德品质“超越”原有的状况或水平。活动育人的开展，其实用性价值也在于实现这种“超越”。

3. 活动育人法的意义与价值

活动育人法作为中小学开展道德教育的重要形式，也是学生道德学习和发展的重要途径。学生通过参加丰富多彩的活动，启迪心灵、涵养道德，在活动中受到教育和获得发展。对于现代学校道德教育，活动育人法具有越来越重要的意义和价值，主要体现在以下几个方面：

（1）活动育人法使立德树人教育宗旨落在实处

儿童在积极参与活动中接受道德教育，在活动中将道德知识、道德情感加以融合和内化，是德育由“虚”到“实”的落地，是德育过程的完成与完善。在一定程度上讲，立德树人要体现出过程性和结果性，“立”是一个形成、养成、夯实的过程，将道德素养内化到儿童个体内心需要实际有效的教育行动，活动德育作为一种“可视化”的德育方式，最大限度地体现和实现了道德教育扎根、留痕的过程；“树”是一个生长性、向上性、创新性的结果导向，通过活动来影响人、锻炼人、造就人，是儿童道德成长最明显、最积极的结果。

（2）活动育人法使道德教育体现在过程之中

道德是个体在后天社会化过程中，经过日积月累而逐渐生成、构建起来的，是一系列道德体验和道德情感积累而成的结晶。对于儿童来说，通过真实的活动，让静态的道德知识在实际生活和社会情境中体现和应用，变得生动和发展起来，最终形成儿童可以习得的实践性道德知识，并内化为良好的道德品质，最终形成能够处理现实情境与需要的道德行为。在活动中习得和养成道德是道德教育过程由“静”到“动”，由“知”到“行”的转向，[①]最终实现知行合一。

（3）活动育人法充分体现以儿童为本的教育观

教育应充分尊重儿童个体的自由和个性发展。从价值层面来看，活动育人法带有强烈的人本主义价值导向。儿童天性喜欢活动，活动是儿童探索世界、与他人交往、认识自我的最重要方式和途径。在活动中，作为学习者和受教育对象，儿童是活动的主体，是成长的主体，他们的主动性、自主性、参与性、创造性将得到最充分的彰显和发展，儿童的道德发展伴随着活动自然而然地发生和实现。

（4）活动育人法能有效提升德育实效性

通过活动开展德育，可以有效提升学校德育的效果。首先，在活动中，学生的道德认知变得生动活泼，具有情境性。学生们通过观察、对话、交流等形式知晓、理解和内化道理；其次，学生在活动中会介入情感。活动中的冲突与合作，都会交织着情感的表达与积淀，使学生经历真实的情感体验，这是道德情感的重要生成路径；最后，活动是由参与者的身体行为构成的，包括参与者的手势、姿态、动作等。在活动中开展德育，既入情入理，又能活学活用，活动由此成为现代学校德育行之有效的重要方式。

（三）活动育人法在德育中的主要表现

相关研究指出，以活动为导向的，基于情境的学习是最自然的和最有

---

① 张茂聪，唐爱民．儿童品德发展与道德教育［M］，济南：山东人民出版社，2012：222－223.

意义的，能够产生显著的学习效果。在具体的社会历史文化脉络中所展开的活动，能够为学习者提供丰富的资源和机会，构建学习的意义。

1. 德育活动是开展活动育人法的重要载体

"德育活动"这一概念，不同的学者对其的定义不尽相同。戚万学在关于活动道德教育模式的论述中指出："活动道德教育模式中的'活动'，范畴，简言之，就是具有道德教育意义或功能的个人外部活动，或影响个人道德意识、道德行为、调节人际关系的外部活动。具体说，就是在学校道德教育过程中，由学生自主参与的，以学生的兴趣和道德需要为基础的，以促进个体道德的整个发展和社会和谐为目的的现实的社会交往活动"[①]。季爱民认为"德育活动是指具有道德教育意义或功能的个人外部活动，或影响个人道德意识、道德行为、调节人际关系的外部活动，它至少包括学生主动参与的游戏、劳动、学生之间的外部协作和其他集体性活动等。"[②] 袁洁将德育与德育活动视为一体，认为："德育本质上是一种理性的实践活动，而德育活动正是德育实践性特征的完美体现，是德育的重要载体之一。德育活动可创造性地分为参观型、服务型、知识型、组织型、娱乐型、生存型等六大类型，不同类型的德育活动发挥着各自不同的德育功能。"[③] 德育活动也由此成为开展活动育人法的重要载体。

2. 活动式德育课程[④]是活动育人法的课程实现形式

朱小蔓在《中小学德育专题》一书中为活动式德育课程下定义，"从学生的兴趣和需要出发，以学校或学生自我组织的、有计划的、以实践活动为中心，旨在进一步提高学生的道德认识和思维能力，丰富道德体验，

① 戚万学．活动道德教育模式的理论构想［J］．教育研究，1999 (6)：69 － 76.

② 季爱民．我国德育模式研究的现状与趋势［J］．武汉大学学报（人文科学版），2006 (1)：119 － 123.

③ 袁洁．试论德育活动类型及其功能的发挥［J］．教育与教学研究，2012 (7)：57 － 60.

④ 不同学者对活动类德育课程的表述方式不同，有活动式德育课程、活动性德育课程、德育活动课程等，但所指相同．

锻炼意志，践履道德，促进道德行为习惯养成而设计的课程”。檀传宝将德育活动课程定义为“指作为与学科课程相并列、互补、相互渗透的一种以‘活动’为主要内容的课程形式”[①]。他认为传统的学科课程与活动课程的对立实质上就是间接经验与直接经验在课程上不同强调的体现。今天所强调的活动课程，是与学科课程互补、渗透、并行的。过去，人们把课堂之外的，依据教育目的的，学生自主开展的活动，称为“课外活动”。现在，活动式德育课程还有选修与必修之分。可见，活动课程中蕴藏着丰富的活动育人资源。

二、活动育人法的发展

活动育人法作为教育的路径，尤其是德育的主要载体，历经百年曲折演变，在理念和实践中呈现出不同的样态，也彰显出不同的发展阶段。

（一）活动育人思想的溯源

“知行学说”被视为我国活动教育思想的源头。在中国教育史上很早就有“行知说”。我国自春秋战国时期以来，关于“知”“行”及其关系问题一直处于争论之中，其间唯物主义知行观与唯心主义知行观有着鲜明的不同。唯心主义的知行观主要见诸老聃的“不行而知”，孟轲的“行有不慊于心，则馁矣”，庄周的“同于大通，此谓坐忘”，董仲舒的“法天之行”，程颐、朱熹的“知先行后”和王守仁的“知行合一”。唯物主义的知行观主要有孔子的“听言观行”，墨子的“言足以复行者常之”，荀子的“行高于知”，张载的“知由内外之合”，王廷相的“付诸理而尤贵达于事”，王夫之的“行先知后”等，所有这些观点或有重“知”，或有重“行”，或有“知行并重”，

① 檀传宝．德育原理［M］．北京：北京师范大学出版社，2006：181.

但都是主张教与学应是“知行合一”“知行并举”的。这里的“知”即理论，这里的“行”即活动、实践①。

而在西方，活动教育思想产生于欧洲文艺复兴时期，当时的人文主义思潮则是西方早期活动教育思想萌芽的土壤。欧洲文艺复兴时代涌动着“人文主义”思潮，代表人物有维多利诺、拉伯雷、蒙旦等人，他们主张以学生身体、智力和道德和谐发展为目的，重视观察、考察、游戏、交流、构造和劳动等活动，是西方活动教育教学思想的源头。在法国的“启蒙主义思潮”影响下的“自然主义”教育，主张发展儿童自然本性，卢梭、裴斯泰洛齐、福禄贝尔等人倡导“以行求知，体验中学”，这些思想被认为是西方活动教学思想的萌芽②。

（二）活动育人思想与实践的连结

20 世纪初，欧美大地上教育革新和进步主义教育运动声势浩荡，新教育、实验教育、自由教育、劳作教育、进步教育、实用主义教育等教育思想作为“传统教育”理论的对立面出现，极大地推动了活动教育的发展。

进入 20 世纪，传统教育的弊端已日益突出。美国实用主义哲学家约翰·杜威从其经验自然主义的哲学观出发，视人为“问题解决的人”，这种“问题解决的人”的生长取决于经验的继续不断地改造或改组。因此，教育本质上是“经验的不断改造或改组”。他认为，学校课程中相关的真正中心是儿童本身的社会活动③。20 世纪 60 年代，瑞士心理学家让·皮亚杰具体深入地研究了人的活动与认识的关系，中心问题是追溯人类认识的起源和认识的成长，提出了发生认识论。发生认识论得以建立的关键范畴就是活动。皮亚杰认为活动是主体与客体相互作用的过程，主体与客体之间基本

---

① 田慧生，李臣之，潘洪健．活动教育引论［M］．北京：教育科学出版社，2000：1－2.

② 彭小明．活动教学法初探［J］．当代教育论坛，2006 (13)：51－54.

③ 赵祥麟，王承绪．杜威教育论著选［M］．上海：华东师范大学出版社，1981.

的中介是活动。认识是一个建构过程，是通过主客体的相互作用即活动来进行的[①]。之后，苏联维果茨基、列昂节夫、赞可夫、达维多夫等人也大大丰富了“活动教育”的理论。[②]

在中国，“五四运动”提出科学、民主的口号更新了人们的思想观念，推进体制的变革，继而影响了教育教学改革。以“改善教育、改进社会”为宗旨的各种教育思潮和教育运动随之兴起，加速了中国教育界对20世纪初欧美教育思想与方法的引进。在三民主义教育宗旨的引领下，促成了探索教育中国化的潮流。具有代表性的是陶行知创办晓庄学校，确立“生活即教育”“社会即学校”“教学做合一”的生活教育理论，并亲自实验。陈鹤琴在20世纪30年代末提出教师如何教活书、活教书、教书活，学生如何读活书、活读书、读书活的命题，在总结自己以往教育实践和思想的基础上，明确提出“活教育”主张。

（三）活动育人法的确立与发展

党的十一届三中全会为我国经济、政治、教育体制改革带来历史性巨变，教育的战略地位得到确认。国外的课外活动文献和活动理论相继被借鉴到国内，引发了人们对活动教育教学价值的讨论，为活动教学法的研究提供了重要的思想启示。伴随“第二课堂”“第二渠道”等专题讨论，“课外活动”相继改为“活动课”“活动类课程”和“活动课程”，出现在1992年、1996年、2001年国家颁发的课程计划中[③]。社会变革、理论引进、思想解放，催生了中国本土的教育教学改革实验，诸如“少年儿童主体性发展”“新生活教育实验”“创造性教学”“活动教学”“结构—定向”教学、“新

① 康万栋，康瑛．活动理论及其教育意蕴［J］．天津市教科院学报，2007（4）：11－14.

② 彭小明．活动教学法初探［J］．当代教育论坛，2006（13）：51－54.

③ 李臣之，王虹．活动教学法：历程、要义及趋势［J］．课程·教材·教法，2013（11）：94－100.

基础教育”“活动—训练”教学等实验研究堪称典范。

活动教育作为一种育人方法在德育中也得到广泛应用。《新时代公民道德建设实施纲要》指出，“学校是公民道德建设的重要阵地”。学校教育主要由课程和活动来具体实施，做好学校德育工作，需要注重积极主动地参与到各种活动之中。道德教育应鼓励学生通过自己的认知活动和实践活动获得道德上的成熟。2017 年 8 月 17 日，教育部印发《中小学德育工作指南》，提到要“大力促进德育工作专业化、规范化、实效化，努力形成全员育人、全程育人、全方位育人的德育工作格局”，做到课程育人、文化育人、活动育人、实践育人、管理育人、协同育人，点明了活动育人的重要性。其中，强调了活动育人要做到“要精心设计、组织开展主题明确、内容丰富、形式多样、吸引力强的教育活动，以鲜明正确的价值导向引导学生，以积极向上的力量激励学生，促进学生形成良好的思想品德和行为习惯”。

第二节　活动育人法的相关理论研究

活动育人法是在马克思主义实践观指导下，充分挖掘和吸收了文化历史活动理论、皮亚杰的活动理论、杜威的“做中学”思想、陶行知的“生活教育”理论的精髓，借鉴了活动教育教学的丰厚实践经验，同时赋予了时代发展的新理念而诞生的一种教育思想和教育形式，是对历史的继承和超越。确立活动育人法的思想理论依据是丰富而深厚的。

一、马克思主义关于活动的理论

活动育人法的相关研究体现在关于活动的理论研究以及活动在教育教学实践中的探索和创新，从而诞生了包括活动理论的迭代变化以及不同的子系统界说，在众多的活动理论之中，对于中国德育研究与实践影响最大的是马克思主义关于活动的相关理论和观点。

（一）活动的本质与规律

马克思主义关于活动的理论科学地揭示了活动的本质与规律，尤其是揭示了活动与人的本质、与人的发展之间的必然联系，为我们正确认识和实施活动课提供了理论和方法[①]。

在马克思看来，活动是人的本质。马克思指出："人的类特性恰恰就是自由的自觉的活动。""有意识的生命活动把人同动物的生命活动直接区别开来。"[②]活动是人与动物的本质区别。正是人的活动构成了人类发展的历史，所以，马克思又进一步指出"历史不过是追求着自己目的的人的活动而已"[③]。由此来说，活动是人的本质存在的确证和表现。没有活动，人的本质就不能表现出来。当然，并不是任何一种活动都属于人的本质的表现。只有"有意识的生命活动"或"自由的自觉的活动"才是人的本质的表现。这一点揭示了活动与人的本质之间的内在的必然联系。

另一方面，马克思主义认为，活动既是人的本质的表现，又是人的发展的根本条件。人的发展史就是一部活动史，人的发展水平的高低与活动的大小和质量高低成正比。马克思主义关于活动的理论对人的活动的种类进行了科学划分。根据人的活动的本质、目的与方式，人的活动包括四大类。

第一，改造世界的活动。这一类活动是主体直接变革对象世界，以获得生存、发展的必备条件的活动。它又分为三种，第一种是改造自然界的活动，又叫物质生产劳动，是获得人生存与发展的物质生活资料和生产资

---

① 李耀玺．马克思主义关于活动的理论与活动课体系的构建［J］．教育研究，1995 (8)：67－69.

② 马克思恩格斯全集：第 42 卷［M］．北京：人民出版社，1979：96.

③ 马克思恩格斯全集：第 2 卷［M］．北京：人民出版社，1957：118－119.

料的活动；第二种是改造社会的活动，包括社会经济、政治、科学、文化领域的活动等；第三种是改造人自身的活动，这是确立和发展人自己的主体地位，以提高和加强自身本质力量为主要内容的活动。

第二，认识世界的活动。人在改造世界的活动中，产生了一定的认识，从而逐渐发展起独立的认识世界的活动。认识世界的活动最初完全是在改造世界的过程中进行的，是同一过程的两个方面。随着发展，认识世界的活动逐渐独立出来，它既可在改造世界中进行，又可独立进行。例如，由感性认识到理性认识的分析、综合、归纳、演绎、选择、建构等活动，就是独立于改造世界过程而进行的。

第三，价值实现的活动。这一类活动是主体的人以自己内在的尺度来作用于对象世界，以满足自己的价值需求的活动。如果说，改造世界与认识世界的活动是属于以客观为尺度的活动的话，那么，价值实现就是属于以主观为尺度的活动。马克思指出"动物只是按照它所属的那个种的尺度和需要来建造，而人却懂得按照任何一个种的尺度来进行生产，并且懂得怎样处处都把内在的尺度运用到对象上去"①。这里的"内在尺度"就是主观的尺度，人可以按照自己的内在追求和目标进行规划与行动，以实现最终的价值满足，所以，活动就是人们实现自己价值需求的重要途径。

第四，交往活动。马克思指出："人的本质不是单个人所固有的抽象物，在其现实性上，它是一切社会关系的总和。"②而"社会关系"实际上就表现为社会交往活动。人的交往活动可以是在认识世界、改造世界和价值实现的过程中进行，成为其中的一部分，也可以独立地存在着。例如，处在发展中的少年儿童的交往活动，是更多地存在于同伴关系的交往中，主要目的在于发展合群性、集体性和协作性。交往是人存在与发展的基础。

---

① 马克思恩格斯全集：第 42 卷［M］. 北京：人民出版社，1979：97.

② 马克思恩格斯选集：第 1 卷［M］. 北京：人民出版社，1995：60.

没有交往，个人就不能社会化，因而也不能个性化，最终不能成为健全的人。

（二）马克思主义的活动理论在活动育人中的指导意义

活动育人这一德育方法，“活动”作为育人的载体，这与马克思主义的活动理论具有紧密联系。在活动育人中，一方面通过活动来促进人的发展，在活动中发展学生的道德水平。另一方面，通过活动培养学生进行“自由的自觉的活动”的认知，从而获得有意识的活动的能力，在学生改造世界、认识世界等活动中促进学生自我认知的提升，进而促使学生认识自我价值并将自我价值需求付诸实践，从而促进学生道德水平的提升。

活动育人法通过学校的仪式活动、游戏活动、主题活动、团队活动等在学生进行道德体验的同时，促进学生道德品质的发展。而活动育人法在德育实践中，教师应如何引导？马克思主义的活动理论阐释了教师引导下的活动育人法的理念：开展“有意识的生命活动”或“自由自觉的活动”。由此可见，马克思主义的活动理论为学校的育人活动构建提供了科学理论依据，对教师在活动育人中开展活动做出明确要求，进而可以避免活动脱离学生实际的学校活动，避免活动育人法在实践中的异化。

二、文化历史活动理论

活动理论，又称文化—历史活动理论，起源于哲学和心理学领域。1922 年苏俄心理学家鲁宾斯坦在心理学研究中引入哲学范畴的“活动”概念，指出人类意识与活动具有不可分离性，后经维果茨基、列昂节夫等心理学家的进一步拓展，逐渐形成了一个以主体、客体、共同体、工具、规则和分工六大因素为核心，系统诠释人类活动的哲学框架[①]。人类活动过程中，人与环境进行双向交互，人类的心理意识是作为与环境互动的一个特殊要素而产生和存在的，意识与活动不可分离，活动与有意识的学习不仅是共存的，而且相互依赖[②]。

（一）文化历史活动理论的内涵分析

作为研究人类实践活动的理论框架，活动理论有其独特的产生背景。“活动理论的产生与苏联心理学研究有着不解之缘，根植于马克思主义哲学立场，孕育于维果茨基的社会文化历史理论，成长于列昂节夫的心理学实验研究中。”[③]活动理论的产生主要有三大思想根源：一是康德和黑格尔的经验主义，该思想强调发展性和历史性并存，强调人类意识不仅与人的生理有关，还与对历史文化的积极同化有关，与主体征服客体的活动有关；二是马克思和恩格斯关于劳动分工的解释，马克思对活动理论的贡献表现从实践的本质出发，探讨了物质与意识之间的关系；三是根植于维列鲁派的文化历史心理流派，维果茨基提出了活动理论中的重要思想——中介，对分析人类活动具有突破性的贡献[④]。

在此基础上列昂节夫认为，从社会的水平上看，活动“表现为在其中实现着‘主体—客体’这两极之间的相互转变过程”[⑤]。活动不是反应，也不是反应的总和，而是具有自己的结构、自己的内部转变和转化、自己的

---

① 张莉．活动理论框架下的合作式信息素质教育活动系统研究［J］．图书情报工作，2013(18)：73－79.

② 赵慧军．活动理论的产生、发展及前景［J］．东北师大学报（哲学社会科学版），1997(1)：88－94.

③ 孙海民，刘鹏飞．以活动理论审视学习活动［J］．中国电化教育，2015(8)：29－35.

④ 吕巾娇，刘美凤，史力范．活动理论的发展脉络与应用探析［J］．现代教育技术，2007(1)：8－14.

⑤ 列昂节夫．活动意识个性［M］．李沂，等译．上海：上海译文出版社，1998：5.

发展系统。

（二）文化历史活动理论对活动育人法的指导意义

第一，立足活动的对象性。活动的基本特征是它的对象性，“无对象的活动”是没有任何意义的。对活动的科学研究，必须要求揭示它的对象。“活动的定义中必须包括关于它的对象的概念，因为就其实质来说，活动是有对象的”。在这种情况下，活动的对象表现为两重性，第一性表现为对象的独立存在，它使主体活动服从于它并加以改造；第二性表现为对象的映象，这是主体对对象属性的心理反映的产物，而这种反映是由于主体的活动而实现的。[①]因此，活动育人法在实施过程中，教师需要立足活动的对象，尊重学生主体性，从学生的实际情况出发，在活动中育人。

第二，关注活动的分类。列昂节夫把心理学上的活动分为两大类：外部的实践活动和内部的心理活动。他认为，外部实践活动是活动的基本形式，在发生上具有发端的性质，由它才派生出个体意识的内部活动的一切形式，因此必须包括在心理学研究对象之中。他写道：“无须证明，活动在其发展的最初阶段必须具有外部过程的形式，以及相应地，心理现象就是把主体与对象现实实际联系起来的这些外部活动过程的产物。”[②]因此，活动育人应关注引导学生在外部的活动中体验探索，促进学生内部活动的发生。

第三，优化活动的结构。外化和内化之所以能够实现，是因为活动具有共同的结构。任何一种活动，都是适合于主体一定的需要，为一定的动

① 孔国忠．列昂节夫活动：个性理论述评［J］．内蒙古师范大学学报（哲学社会科学版），1993 (1)：42 － 47.

② 张世英．关于 A.H. 列昂节夫活动理论的历史形成、基本思想和对它的评价［J］．心理学报，1985 (1)：23 － 30.

机所激发，由一定目的的动作构成，而动作又由客观对象条件所决定的操作来完成。[①] 因此，活动育人在实践中，应关注学生的生长需求及生活实际，不断优化活动的结构，开展仪式活动、游戏活动、主体活动、团队活动等校园活动。

三、皮亚杰的活动理论

在活动育人法的发展史上，卢梭、裴斯泰洛齐、福禄贝尔、杜威等人都曾探讨过活动与教学的心理学基础问题，给我们提供了许多值得借鉴的心理学思想。作为当今活动育人法的心理学立论基点，瑞士心理学家皮亚杰的活动理论对活动育人法具重要意义。

（一）皮亚杰活动理论的内涵分析

皮亚杰把活动看成是行为与心理学的统一，并将活动作为他的发生认识理论体系的逻辑起点。在他构建的“活动—主客体的相互作用—认知结构”这一理论体系主线中，将“活动”作为认识的起点，从主体认识的发生、主体的活动及主体的认识能力等角度对主体问题作了探讨；从客体的客观存在、客体对主体的制约等角度探讨了客体；从主体对客体的建构，主体认识结构的平衡等方面探讨了主客体关系问题。皮亚杰指出，“认识既不是起因于一个有自我意识的主体，也不是起因于业已形成的（从主体角度来看）会把自己烙印在主体上的客体；认识起因于主客体之间的相互作用……” [②] 这与马克思主义认识论的观点接近，在具体分析过程中也充满了辩证法。

---

① 孔国忠．列昂节夫活动：个性理论述评［J］．内蒙古师范大学学报（哲学社会科学版），1993 (1)：42－47.

② 皮亚杰．发生认识论原理［M］．王宪钿，译．北京：商务印书馆，1995：21.

皮亚杰认为，儿童认知的发展是有规律的，活动是儿童认知发展的关键，离开了儿童作用于环境的活动就无法完成对知识结构的构建。儿童的活动包括三种活动方式：一是获得物理性知识的活动方式。例如，儿童玩沙子就可以获得有关沙子物理属性的认识。二是获得逻辑数学性知识的活动方式。例如，儿童在摆弄积木时，就可以构建有关逻辑数学知识，这一类知识不可能仅仅依靠在与成人的谈话交往中获得，而必须在与客体的作用中获得。三是获得社会性知识的活动方式。这类知识不可能像前两种知识那样仅从与客体的作用中获得，而必须依靠儿童与他人、社会的交往和互相作用中获得，即在活动中构建。因此，皮亚杰十分重视儿童的动作、活动与社会经验。

（二）皮亚杰活动理论对活动育人法的实践意义

皮亚杰一贯坚持主客体相互作用的思想，他认为认识既不发生于主体也不发生于客体而是发生于联系主客体的动作中。同时，皮亚杰强调尊重儿童认知的差异性及内在动机，这对活动育人法的实施极具借鉴意义。

1. 主体在认识过程中具有能动作用

唯物辩证法认为在事物的发展变化过程中内因是变化的根据，外因是变化的条件，外因必须通过内因而起作用。在皮亚杰的理论中他十分强调主体在认识过程中的能动作用。他认为心智总是主动地对环境加以分析和解释，使之与自己已有的心理框架相一致。因此儿童对客观世界的解释总是根据他们已经知道的关于世界的知识。在皮亚杰看来不存在纯粹的客观现实，现实是主体依据已有的认知图式对环境信息进行的建构。他指出儿童对自己的观念是发明而不是发现，也就是说观念不是预存于内部而逐渐显现的，也不是预存于外界等待儿童去发现，儿童必须自己去发明它。他们以现有的心理结构来挑选和理解经历，他们也调整这些结构来认识现实世界更细微的事实[1]。因而，教师在活动育人的过程中应关注到学生具有的主体能动性，在活动中关注儿童已有的认知图式，引导儿童去用现有的心理结构，不断地认识世界，发展道德。

2. 承认和尊重儿童认知的差异性及内在动机

皮亚杰认为，儿童的先天遗传条件会对儿童认知结构产生影响。并且，后天的活动，即儿童与环境的关系、互相作用的方式和程度也是各不相同的。皮亚杰提出了建设性方法，即儿童通过自己的活动来探索关于这个现实世界的所有知识[2]。因此，在活动育人的实践中，教师应帮助儿童扩充认知结构，促进其产生同化与顺应的要求，并且允许儿童用自己的方式去重建平衡。通过校园活动为获得儿童道德体验感提供机会，在活动中调动和锻炼儿童各种感官，身体的积极参与在一定程度上可以增加儿童学习和探索的欲望与兴趣，进而提升儿童的道德品质。

四、杜威的“做中学”思想

“做中学”是美国实用主义哲学家杜威教育理论的核心内容，源自杜威对美国传统教育的理性检视。经验主义知识观是“做中学”的理论基础。“‘做中学’对于激发学生的兴趣，引起学生学习内在的动机，充分发挥学生潜在的智慧，引导学生注意并解决现实中的实际问题，都有一定的作用”[3]。

---

① Laura E. Berk 等 . 儿童发展［M］. 吴颖，吴荣先，等译 . 南京：江苏教育出版社，2002 : 379.

② 劳拉 · E. 贝克 . 儿童发展［M］. 吴颖，等译 . 南京：江苏教育出版社，2002:311.

③ 陆有铨 . 现代西方教育哲学［M］. 北京：北京大学出版社，2012 : 48.

（一）“做中学”的内涵分析

1.“经验”的含义：做与经受

杜威确信一切真正的教育从经验中产生，一切学习都来自经验。因此，所主张的“从做中学”，实际上也就是“从活动中学”“从经验中学”，虽然名称各异，但含义相同。因此要理解杜威“做中学”课程思想，必须对杜威思想的核心概念“经验”一词有所认识。杜威的“经验”是一个包含人在内的有机体与环境及其互相作用的有机整体，即“经验”是人与环境交互作用的过程与结果，是“做”与“经受”的过程。

2. 关于“做中学”的含义

杜威认为，“从做中学”也就是“从活动中学”“从经验中学”，它使得学校里知识的获得与生活过程中的活动联系了起来，儿童能从那些真正有教育意义和有兴趣的活动中学习，从而有助于儿童的成长和发展。他认为“制作”的冲动或兴趣是人的主要本能之一，知识经验均是在主客体的相互作用，即生活过程中得到的，强调儿童应从实际活动中学习，主张学校应成为雏形社会，设立各种工厂、实验室、厨房、农场等，让学生从事他们所感兴趣的活动①。在活动中，学生为解决实际问题，便去搜集有关资料，确定问题所在，并提出各种假设。学生通过积极主动的手脑并用的“探索—验证”性活动，掌握应获得的知识、技能和技巧，并形成社会上所需要的态度和习惯，从而为进一步理解自然和社会、掌握系统的科学知识打下基础。这是儿童改造旧经验、获取新经验促进其生长的最好途径，只有如此，获得的经验才最有意义。在这一过程中，防止向学生提供机械的、杂乱的、没有联系的活动和刻意追求精密仪器和实验室的极端做法，并保证学习本身对学生来说是愉快的生活过程。

① 刘广利，汤慧丽．杜威的“从做中学”教学理论及对我国基础教育的启示［J］．继续教育研究，2008 (5)：84－86.

（二）“做中学”在活动育人法中的实践意义

1. 活动以儿童的本能和兴趣为出发点

儿童生来就有社交、制造、艺术和探究的四种本能，相应的，儿童有谈话或交际、探究或发现、制造东西或建造、艺术表现等四个方面的天然兴趣。“人的固有的本能是他学习的工具。一切本能都是通过身体表现出来的。所以抑制身体活动的教育，就是抑制本能，因而也就妨碍了自然的学习方法。”[①] 此外，兴趣是“天赋的资源”，是“未投入的资本”，儿童生动活泼的生长正是靠这些天赋资源的运用而获得的[②]。“做中学”思想指导下的活动育人法倡导在教师的启发引导下，学生基于自身的本能兴趣，通过参与特定的活动，促进学生的经验生发累积，进而实现儿童道德水平的提升。

2. 活动的内容和形式随儿童年龄的增长而增长和改变

“做中学”的过程也是儿童经验的形成和发展过程，但儿童经验的内容和形式内在规约于其年龄特征，这是因为儿童学习的内容、形式等随着年龄的增长而有所改变。儿童通过活动来学习随着年龄增长呈现出如下的特征，儿童在四到八岁是通过活动来学习，学习内容是怎样做，学到的知识来自应用也是为了应用，而不是为了纯粹储备；八到十二岁是儿童的自觉注意学习阶段，此时儿童的学习能力增强，可通过间接方法来掌握知识，但这种间接获取的知识须融合于儿童的现实经验之中，否则就会流于呆读死记而产生沉重的认知负担；十二岁之后是反省注意学习，此时儿童开始追求系统性和理论性的学术成果或事物变化的客观规

① 约翰·杜威. 学校与社会·明日之学校［M］. 赵祥麟，等译. 北京：人民教育出版社，1994：381.

② 赵祥麟，王承绪. 杜威教育名篇［M］. 北京：教育科学出版社，2006：104，105，151，33.

律，随之习得科学的思维方法[①]。具体到活动育人中，活动的内容和形式应随着年龄的增长而变化，必须围绕儿童的各种本能活动和生活经验这个中心来组织活动。

五、陶行知的“生活教育”理论

美国现代教育家约翰·杜威提出的“教育即生活，学校即社会”教育理念，在他访华期间得到国内教育学者的推崇。依据当时我国的国情与教育实践基础，陶行知对杜威的这一教育理论进行改良与创新。陶行知倡导教育要密切联系生活，提出生活即教育、社会即学校、教学做合一的生活教育理论。

（一）“生活教育”的内涵分析

生活教育理论是陶行知教育思想的核心，其本身是一个完整的理论体系。这个体系的主要内容包括三个方面：生活即教育、社会即学校、教学做合一。这三个方面又包含了丰富的内涵。

第一，生活即教育。生活即教育是生活教育思想的核心，是生活教育的本体论。陶行知指出，生活教育是生活所原有，生活所自营，生活所必需的教育，教育的根本意义是生活之变化。生活无时不变即生活无时不含有教育的意义。因此，我们可以说“生活即教育”。生活无时不变就包含了生活无时不含有教育的意义，处处是生活，处处是教育，生活和教育经历着同一过程。“从定义上说，生活教育是给生活以教育，用生活来教育，为生活向前向上的需要而教育。从生活与教育的关系上说，是生活决定教

---

① 滕大春．他人的误解与自身的不足：关于杜威教育理论的批判和研究［J］．教育研究与实验，1987 (4)：47 － 53.

育。从效用上说,教育要通过生活才能发出力量而成为真正的教育。”[①] 因此,教育不能脱离社会生活,教育要为改造社会生活而服务,教育与生活紧密相连,是生活决定教育。只有与生活相结合的教育才是真正的教育,教育脱离了生活就不是教育。

第二,社会即学校。陶行知认为,社会是接受道德教育的场所。根据“生活即教育”进一步提出:“到处都是生活,即到处都是学校;整个的社会是生活的场所,亦即教育之场所。”[②] 生活教育借助学校教育,将家庭教育和社会教育结合起来,社会具有学校的意义。另一方面,学校是社会改造的中心。学校要了解社会需求,与社会生活紧密结合,为社会改造和发展服务。陶行知建立了很多新型学校,如晓庄师范、工学团、育才学校、社会大学等,将学校与社会生活建立了密切的联系[③]。陶行知坚信学校应该是社会改造的中心,他非常重视学校的社会功能,学校要吸收社会力量谋求进步,学校不是学术的象牙塔,它面对社会生活中真实的需求与难题,社会要吸收学校的力量意图改造。

第三,教学做合一。“教学做合一”充分体现了陶行知活动教学的思想。它的含义是教的方法要根据学的方法,学的方法要根据做的方法。“事怎么做便怎么学,怎么学便怎么教。教而不做,不能算是教;学而不做,不能算是学。教与学都以做为中心。”[④] “教学做合一”的思想不以重视实践的技能而忽略知识,不以重视个人经验而轻视其余知识。它适用于社会生活实际中,以做的方式为支点,结合行动(劳力)和思想(劳心)获取真知[⑤]。这种主张对于强化教育与社会生活的联系,培养学生手脑并用,消除

---

① 陶行知全集:第 5 卷[M].长沙:湖南教育出版社,1985:187.

② 陶行知全集:第 2 卷[M].长沙:湖南教育出版社,1985:633－634.

③ 孙培青.中国教育史:第 4 版[M].上海:华东师范大学出版社,2019:477.

④ 江苏省陶行知教育思想研究会.陶行知文集[M].南京:江苏人民出版社,1981:408.

⑤ 周洪宇.陶行知生活教育学说[M].武汉:湖北教育出版社,2011:211.

劳心和劳力的对立，促进人的智力、体力和谐发展具有推动作用。陶行知这一教育理论包含了广泛意义上的生活实践，这与杜威的做中学思想有着本质的区别。陶行知的思想追求知行统一，对于学生在学习过程中的表现也被认为是由知到行的过程。陶行知教育思想为活动育人法在德育活动中的实行提供了生活教育思想基础。

（二）“生活教育”理论对活动育人法的指导意义

1. 在学校活动中融入“生活教育”

由于教育远离学生生活，教学只是传授知识和接受知识，相应的能力的培养就相当缺乏，从而造成高分低能现象的普遍存在。许多学生满脑子的“知识”，一旦离开学校，离开书本，离开考试，这些“知识”便成了飘浮在空中的云烟,而不是扎根大地的树木。随着时间的流逝,这些“知识”便逐渐地烟消云散。不仅如此，由于缺乏基本的生活能力，学生一旦离开学校，面对复杂的现实世界，也会感到无所适从，找不到自己生活的坐标。能力的培养是活动育人的一项重要的任务，也是目前素质教育和教育教学改革的关键。联合国教科文组织早已发出了“学会生存”的呼唤。为了紧跟世界潮流，必须实实在在地重视学生能力的培养。而如何做到这一点，活动育人法从陶行知“生活即教育”的理论中得到教益。那就是要把生活本身当作一种活动，利用生活进行德育，使学生在生活中增长才干，锻炼能力，在生活中学会生存。

2. 创造教育是活动育人的立足点和归宿

传统的教育特别是应试教育制度下的教师不但不培养学生的创造力而且还要扼杀这种创造力。陶行知的《糊涂的先生》一文，就曾深刻地揭露了这种现象。“你这糊涂的先生！你的学堂成了害人坑！你的墨水笔下有冤魂！你说瓦特庸，你说牛顿笨，你说像个鸡蛋坏了的爱迪生。若信你的话，那儿来火轮？那儿来电灯？那儿来微积分”[①]。传统教育要求儿童静坐、静读、静写、不许儿童动手，儿童的双手被束缚起来，就不能执行头脑的命令。陶行知要求教师和家长，不要束缚儿童的双手，让儿童的双手在大脑的指挥下大胆地去干，大胆地动手，大胆地创造。

能力培养的一个重要方面就是培养学生的创新能力。创新型人才的培养是当前教育教学改革的一项紧迫的任务。传统的教育局限于书本和课堂，难以培养出大规模的创新型人才。而活动育人使教育紧密联系生活，使学生在广泛的校园活动中，获得丰富的生活经验，学生才能获得创新的基点。有了这一基点，学生才能把从课堂所学的知识自觉地运用于生活实际，并且在运用的过程中，激发其创新的灵感，获得创新的成就感，享受创新的喜悦，激发其进一步探索真理的动机。

第三节　活动育人法的实践研究

活动教育理念的发展与不断成熟，为教育实践开拓了新的领域与方向，也进一步丰富了德育的具体实施方式与方法。新时代德育模式的发展呈现出“理论与实践相融合”[②]的趋势，活动育人法是新形势下顺应教育理念需求，迎合道德与法治课程改革的育人方法。德育目标价值决定了德育方法的选择和实施，富有挑战性的活动育人法对教师的固有理念和能力造成冲击和考验，是对传统的以说教为主要方式的德育方法的突破与创新，已成为德育改革的方向。

活动育人在具体实践中呈现出形式多样、内涵丰富、效果明显等诸多

---

① 陶行知全集：第 4 卷［M］. 长沙：湖南教育出版社，1985：523.

② 季爱民 . 我国德育模式研究的现状与趋势［J］. 湖北大学学报（人文科学版），2006 (1)：119 − 123.

特点，各种方法在不断地进行迭代和创新，进行变形与互通。其实，实施和演进过程也体现了活动育人法丰富多彩的实践研究过程。活动育人法主要包括如下几种具体的实施类别与方式：仪式育人、游戏育人、主题活动育人、团队活动育人等。

一、仪式育人

仪式，是人类生活的重要活动，维系并发展着人类社会和群体生活。仪式可以给社会生活带来规则与秩序，在一定程度上，社会内部的冲突和矛盾是通过定期的仪式得以调节和遏制。仪式与社会固有的道德规范和价值观念密切联系。仪式有助于社会的有序运行，同时也对人的生活与发展起到积极的影响作用，仪式可以外在影响人的表达、表现与行为举止，内在可以影响人的感受、情感与思想，仪式蕴含着丰富的教育价值。

（一）仪式与仪式教育

在中国，仪式一词由“仪”和“式”所组成，最初是分开使用的。所谓“仪”，由于讲“礼”重“仪”是中国自古以来的优秀传统，因此，最初的“仪”与“礼”相关，蕴含有“礼”的含义。西文中关于“仪式”表述大致如下，在狭义的范畴内主要指与宗教有关的教义陈述、祭祀、礼仪、庆典、礼拜活动等[①]。德国当代教育人类学家武尔夫将仪式定义为一种表演文化，它对于宗教、政治、社会和集体、经济和法律、艺术与科学、教育与教养的产生、实践和变化都具有密切的关系[②]。

---

① 彭兆荣．人类学仪式的理论与实践［M］．北京：民族出版社，2007：11.

② Christoph Wulf/Jörg Zirfas (Hrsg. Die Kultur des Rituals−Inszenierungen, Praktiken, Symbole. Wilhelm Fink Verlag. M ü nchen, 2004.

仪式教育，可以理解为通过仪式进行教育，这是一个内外兼修的过程。按仪式发生的场域划分，仪式教育可分为家庭仪式教育、学校仪式教育、社会仪式教育、朋辈仪式教育、媒介仪式教育[①]。

（二）仪式活动促进学生道德关系的构建

依照儿童道德发展的规律，一般认为具有从自我不断外扩的同心圆特点。学生的道德生活大致可以分为以自我为中心的同心圆，外围分别是他人/集体、国家/社会、世界、自然界/宇宙。良好的道德关系是学生自我与其他各圈层之间的和谐相处和共同发展。仪式作为德育的路径之一，对于不同圈层的德育关系的构建发挥着独特的作用。互动仪式理论的核心机制是高度的相互关注，即高度的互为主体性，跟高度的情感连带[②]。有学者研究表明，纪念仪式活动与爱国主义教育的开展是紧密结合在一起的[③]。有些学校在实践中采用文化节等仪式活动，对学生进行国际文化理解素养的提升[④]。仪式有助于人类构建和谐的生态关系，“仪式的作用并不限于一种纯粹形式性的品质，它属于一种‘生态性平衡’”，其中一方面是指人类与自然生态的关系[⑤]。

---

① 张志坤．仪式教育于儿童生命成长的人类学意涵［J］．当代教育科学，2012(18)：17－18.

② 兰德尔·柯林斯著．互动仪式链［M］．林聚任，王鹏，宋丽君，译．北京：商务印书馆，2018：3.

③ 马振兴，陈雪莲．纪念仪式在爱国主义教育中的价值呈现［J］．思想政治教育研究，2017(4)：18.

④ 奚亚英．人类命运共同体视域下小学国际理解教育的实践探究［J］．人民教育，2021(13－14)：119.

⑤ 彭兆荣．人类学仪式的理论与实践［M］．北京：民族出版社，2007：322.

图 5-1　儿童道德关系圈层

1. 仪式帮助学生进行自我确证

作为道德关系圈层的第一个关系，是个体自我内部的关系，即处理好个人与自我的关系。个体不仅仅是一个生物意义上的人，还是一切社会关系的综合，是一个复杂的社会关系中的人。通过仪式和仪式上的象征性活动，提醒个体重新认识自我、定位自我，进而帮助个体更好地处理自我内部的关系。学校组织的一些仪式活动，如评比活动、颁奖活动等，以确证和彰显学生个体的存在与进步。在比赛中，同学们观己达人、取长补短。此外，通过好人好事的宣传仪式可以为个人的成长树立榜样，作为个体模仿的对象。

2. 仪式有助于学生形成集体主义精神

通过集体性仪式，学生将集体的符号、话语、文化、精神等内化到自己的内心。这种仪式感染又常常是反复出现的过程，从而在学生内心形成较为稳定的归属感。这种归属感对于儿童的成长非常重要，它可以增强学生之间的理解能力、合作能力。与此同时，集体也不断进行构建和稳固，进而促进集体的发展与壮大。

3. 仪式促成对学生进行爱国主义教育

通过序列化的仪式过程，学生不断形成的国家概念由“抽象”的认知发展为“具象”的体知[①]。仪式活动把历史延续到现在，把个体置于集体之中，能够唤醒需要记忆的观念和情感[②]。在无数次的传播和互动中，便会产生柯林斯“互动仪式链”下的结果，即在群体团结下，无数个人情感能量进行汇聚升华，从而形成了“神圣”的群体符号以及维护、尊重群体符号的道德感[③]。在这种符号化、场域性的极具象征意义的仪式情境中，仪式参与者跳出了日常生活而走进了一个庄严而神圣的世界，使仪式参与者获得了一种象征性身份和象征意义，使得爱国主义这种相对抽象化的教育得以更好地实现。

4. 仪式拓宽学生的国际理解教育

人们逐渐意识到造就能够应对国际化，实现全球性共同生活能力与素养的新世纪公民愈发重要。“要加强国际理解教育，推动跨文化交流，增进学生对不同国家、不同文化的认识和理解”[④]，如何培养学生国际理解素养已成为学校新的教育挑战，很多开放性的、国际化的仪式活动具有这方面的效果，学生可以通过这扇“仪式之窗”看国家、看世界。比如，有的学校通过开展外国文化节的仪式性活动，以“一带一路”相关国家为探究对象，在人类命运共同体的理念和格局下，探索和展现各国多彩的文化[⑤]。

5. 仪式帮助学生亲近自然

面对如此艰巨而紧迫的人与自然的紧张关系，如何帮助学生认识自然、

---

① 张志坤 . 我们为什么需要仪式教育［J］. 人民教育 , 2015 (17) : 23 － 26.

② 马振清，蒋雪莲 . 纪念仪式在爱国主义教育中的价值呈现［J］. 思想政治教育研究 , 2017 (4) : 19.

③ 江辉 . 从传播仪式观看“我和我的祖国”快闪活动中的仪式构建和价值共享［J］. 视听 , 2019 (12) : 199.

④ 中共中央国务院 . 国家中长期教育改革和发展规划纲要 (2010−2020 年).

⑤ 奚亚英 . 人类命运共同体视域下小学国际理解教育的实践探索 . 人民教育 , 2021 (13 － 14) : 119.

亲近自然、感恩自然、保护自然，成为中小学阶段德育工作的重点。与中国传统节日、节气相关的很多仪式活动蕴含着人与自然和谐统一的价值。中华传统节日是时间的重要节点，因此诸多要素都蕴藏在这一文化内涵中。这首先表现在节日时序的安排上，遵循着春生、夏长、秋收、冬藏的内在节奏[①]。现代学校，利用仪式活动的形式，寓教于礼，实现目的、内容、形式的有机结合，为仪式德育开辟新的道路。

（三）学校仪式活动的实施

围绕学校仪式活动进行的设计、实施与评价被称为学校仪式教育。学校仪式教育是指学校围绕某个议题，按照拟定的程序所进行的带有礼仪特色的公共性特殊教育活动。学校仪式教育对学生的心灵起着深刻、持久、潜移默化的感染效应。从心理学角度来看，学校的教育仪式具有两种基本功能。其一，可以提升学生的精神境界，如以典礼形式开展的教育活动，可以营造出特殊的教育氛围，激发学生积极向上；其二，可以表达内隐的教育内容和教育观念[②]。

对于具体的仪式设计、组织与实施，结构框架上需要注重仪式的主题、教育目的、程序、资源等。身体的参与是仪式活动的核心，也是仪式教育研究的前沿方向，以身体为核心的仪式参与要素主要包括：手势、表演、模仿等。校园仪式的有效实施需从以下几方面考量。

1. 仪式的主体：学生为本、身体力行

学校仪式要以人文本，就是要以仪式参与的最大主体——学生为本。活动组织者应该把学生的需要和参与程度摆在重要位置，充分关注仪式参与者的感受与收获。在仪式活动的设计过程中，要体现学生的主体性。学

---

① 刘晓峰．论中国古代岁时节日体系的内在节奏特征［J］．河南社会科学，2007(6)：15－18.

② 程晗．读懂仪式教育［J］．中国德育．2012（特别策划）：6－7.

生主体性的具体表现为：一方面，活动的过程主要是对学生活动的设想与规划，活动的各个步骤指向学生的活动，学生是活动的主角；另一方面，在设计活动过程中,要有学生的参与。另外,除了关注集体参与的程度之外，也应考虑到参与者个体的投入、感受与获得。

学生对活动的兴趣与投入的程度影响着活动的效果，那么如何提高学生参与活动的兴趣与积极性呢？学生身体的直接参与成为问题的关键。我们经常看到，在一些仪式当中，作为参与者的大部分学生，参与的方式就是观看和聆听，事实上这种参与程度相对较低，以至于仪式教育的效果不尽如人意。所以，学校仪式的设计和组织者需要加大学生现场的身体参与程度，促使语言、手势、行动等综合调动。在保持整个仪式活动的结构和程序完整性中，实现参与者的身体参与，必将有效地调动学生参与仪式的热情，提高仪式教育的效果。

2. 仪式的组织：主旨明确、程序严谨、注重氛围

仪式虽然在形式上具有一定的规范性和表现性，但是不能只重形式而忽略了活动的主旨。学校开展的每一次仪式都应该具有明确的目的，主题要鲜明，活动要具有针对性和教育意义。仪式活动不仅要关注学生的健康成长，又要联系学校的建设发展，还要关注社会政治经济生活实际。

仪式活动需要精细的设计，组织者的角色和任务突出，需要通盘考虑仪式准备与实施的各个方面。首先，仪式的设计与实施需要充分考虑活动的结构完整性，以及程序的严谨性。其次，仪式活动要有始有终，各个步骤安排有序、环环相扣。另外，仪式推进要有节奏感、感染力，要能够打动人心。仪式教育的实现程度在于仪式举行的质量。作为一种象征性的活动，需要营造符合仪式的氛围。仪式地点的选取、仪式时间的选择、仪式现场的布置、仪式音乐的播放、仪式现场设备的使用、仪式主持的风格等等因素构成了一个完整的仪式氛围。

3. 历史性与文化性：历史的传承、国际的交流

仪式教育的传承与发展，需要注意历史性、文化性和国际性三个方面。

每一种学校仪式的出现和再现，背后都具有一定的历史和文化缘由，学校仪式影响着孩子们成长与发展的历史与文化的有效传承。以学校新生的入学仪式为例，我国传统上就有“朱砂启智”等仪式环节，如何将现代仪式与古代礼仪完美传承，合理创新，需要我们探索与实践；如果只是“装腔作势”，很可能适得其反，破坏了仪式教育良好初衷。对于仪式的国际化，我们要尊重时代特点，有效引进和参与国际性仪式活动。但是也要警惕，不加选择地将别国仪式引入我国学校教育中，可能水土不服，甚至是有损于我国学生的健康发展。另外，我们也要通过国际友好学校交流的机会，把中国优秀的仪式传播出去，通过仪式传播中国优秀文化，促进国际交流与合作。

二、游戏育人

游戏是儿童世界的通用语言，是儿童常态化的生活方式，一切道德的学习活动都消融在生机盎然的游戏中，形成了一种“无痕”的道德教育形态[①]。儿童可以在游戏中初识道德生活、发展亲社会道德情感、衍生规则意识、领略道德行动智慧[②]。

（一）游戏的定义及分类

荷兰文化史学家和语言学家赫伊津哈认为，游戏是指在某一固定时空中进行的自愿活动或事业，依照自觉接受并完全遵从的规则，有其自身的目标，并伴以紧张、愉悦的感受和“有别于”“平常生活”的意识[③]。

---

① 龙宝新．游戏：重构儿童的德育世界［J］．少年儿童研究，2009 (24)：4 － 10.

② 杨淑萍、和平．论游戏成为儿童道德成长的常规力量［J］．教育理论与实践，2007 (31)：49 － 52.

③ 赫伊津哈．游戏的人：关于文化的游戏成分的研究［M］．杭州：中国美术学院出版社，1988：30.

对于学生来说，我们可以将游戏进一步界定为：游戏是学生从学习的义务中抽身而出，放松身心并自由发挥想象力和创造精神的完全随意的活动[①]。通过游戏，不但可以改变孩子的一些不良行为，而且可以培养孩子解决问题必备的意志品质及挫折耐受力，增强他们坚持道德行为的自觉性和自信心[②]。

以学生的生活为参照，按场域不同，我们可以把游戏分为：民间游戏、校园游戏、网络游戏。民间游戏是老少皆宜的活动，对于成人而言构成了休闲生活，对于儿童而言则是童年的一部分。民间游戏具有很强的时代性，既有室外游戏也有室内游戏，既有个体游戏也有团体游戏；校园游戏也是相对自由和松散的消遣活动，由于发生在校园之中，受到教育时空的影响，具有一定的受约束性；“网络游戏是指由软件程序和信息数据构成，通过互联网、移动通信网等信息网络提供的游戏产品和服务”[③]。根据游戏的内容和玩法，网络游戏可分为角色扮演类、动作类、体育类、模拟养成类、冒险类、策略类等[④]。

（二）游戏中的德育因素

对于学生来说，游戏不仅仅是他们特别喜欢的活动，同时游戏中也蕴含着丰富的教育价值，广泛存在着有益的德育因素[⑤]。

第一，游戏活动蕴藏着德育契机。在游戏中，学生们会身心放松、全身心投入，这时，游戏中潜在的道德资源就会对学生产生润物细无声的影响。例如，在游戏中，教师引导学生树立规则意识，并让学生体会到需要

---

① 李敏等．儿童游戏与教育［M］．北京：北京师范大学出版社，2021：5.

② 冯永刚．道德启蒙教育：成人——你准备好了吗？［J］．思想理论教育，2005：11.

③ 中华人民共和国文化部．网络游戏暂行管理办法，2010.

④ 尚俊杰、蒋宇、庄绍勇．游戏的力量：教育游戏与研究性学习［M］，北京：北京大学出版社，2012：50.

⑤ 李敏．儿童游戏：德育的重要载体［J］．中小学德育，2016 (2)：12 − 15.

通过遵守规则才能享受游戏乐趣的道理。

第二，游戏中有丰富的道德资源。游戏是一个非常大的道德资源宝库。从游戏的规则性来看，学生可以在游戏中逐渐培养诸如宽容、合作、尊重、遵守规则等品质；从游戏的交往性来看，学生可以在游戏中逐渐培养克己、自制、团结、诚实、合作、独立、尊重、理性的服从等品质；从游戏的情感性来看，学生可以在游戏中逐渐培养幽默感、快乐感、坚韧、细腻、豁达的情感特质。

第三，游戏为学生提供道德实践的机会。与刻意设计的德育活动相比，游戏本身就是学生发自内心感兴趣的、喜欢追求的、主动投入的，那么在游戏中培养道德，就可以大大增加德育的实效性。教师应对校园游戏给予恰当的关注，使其成为德育课程的有益补充，提升德育实效性。

需要说明的是，以上三方面有关游戏育人的研究较多适用于民间游戏和校园游戏，目前有关网络游戏与德育关系的研究较少。网络游戏对于游戏者德性的培养是游戏过程中产生的副产品，是一把“双刃剑”。玩网络游戏的过程本是为了获得快乐，然而游戏是“一系列有趣的选择”[①]，网络游戏正在隐匿、深远地影响着儿童的兴趣、思维、语言、交往……这些影响既在形成着新的儿童形象，促生发展新契机和可能性，但同时也由于网络游戏自身的诸多风险而带来儿童道德成长的问题和困境。这里所谈的游戏育人，更多指向民间游戏和校园游戏。又因本书是探讨学校德育方法，所以进一步聚焦为校园游戏。

（三）校园游戏活动的实施

正如日常学习活动一样，校园游戏也需要教师精心的设计。在努力为学生营造书香校园的同时，也能为学生提供一些优质的游戏资源。无论是

---

① Katherine. 游戏情感设计：如何触动玩家的心灵［M］. 金潮，译. 北京：电子工业出版社，2017：3.

从理论层面分析，还是从现实情况考量，游戏都可以作为一种无痕的道德教育，借助游戏活动达到育人目的。对此，教师可以做出以下几个方面的努力。

1. 鼓励学生寻找游戏伙伴

好的游戏伙伴能够丰富学生的生活世界。研究表明，好的游戏伙伴能让置身于其中的游戏者感受到友谊的温暖，懂得分享快乐、互帮互助的重要性。为此，教师不仅要鼓励学生在学习生活中结交“学友”，也要在游戏生活中结交伙伴。游戏伙伴以合作或者竞争的关系所暂时构建的活动参与者关系，可能是不同性别、年龄、年级、班级的学生一起参与构建的。这种多元的组合形式，最大程度地扩展了学生交际的范围，学生通过伙伴开展游戏，又通过游戏伙伴发展友谊。

2. 挖掘传统游戏中丰富的德育资源

随着社会的发展，各种类型的新型游戏几乎占据了学生们的业余生活，如各式各样的电子游戏、桌游等，令教育者不得不思考如何才能减少娱乐文化带来的负面影响。因此，呼吁回归传统游戏成为当下学校教育的一种强烈诉求。传统游戏多为户外游戏，如捉迷藏、跳绳、球类运动等，这些游戏不仅可以强健学生体魄，还能够使学生们保持积极向上的生活态度。近年来，新型娱乐游戏、电子游戏的校园风越刮越烈，传统游戏越来越难引起学生的热情，这就需要教育者积极运用“筛选”“改造”“再造”的策略改良一些对学生身心发展有益的传统游戏，让校园游戏在与时俱进的同时，又可以满足儿童的需要。

3. 关注对游戏的德育效果评价

游戏的评价工作非常重要，教育工作者在评价游戏活动时应注重鼓励性与发展性相结合的原则。虽然游戏评价会受到游戏规则的限制，但教师在组织、陪伴学生游戏过程中，应明确游戏活动评价的终极目的是更好地促进儿童的成长。因此，教师既要帮助学生认识游戏自身的趣味、特点、规则，又需要引导学生在游戏中获得滋养和发展。有研究者指出，“评价内容应注重学生的综合素养，如游戏过程的参与度、专注度、积极性；团队互动的配合度、包容度、责任心、贡献度；策略的可行性、全面性、新颖性、创造性等；成果展示的独特性、思想性等”[①]。

三、主题活动育人

主题活动是全班师生或某一集体围绕主题开展自主活动的一种教育形式，也是学生在相关教师指导下开展自我思想品德教育、增进师生与生生之间的了解和友谊、张扬学生个性品质、激发创新思维的一个重要阵地，还是进行优良班集体建设的重要手段。“它对于塑造学生的良好品德、培养学生的社会适应能力、启迪学生的科学思维方法等方面都能起到重要作用。”[②]

（一）主题活动育人概述

“主题活动”是由“主题”和“活动”组成的复合名词，其中“主题”是“活动”的主导和核心，突出“活动”的规约性，即应当按“主题”的预设要求开展;“活动”是在“主题”意义范围内的活动，是为实现“主题”而开展的“活动”。简单来说，主题活动是以主题为线索，围绕该主题进行的活动与交流。“主题活动区别于班级日常性活动，指的是一定阶段内，以解决学生发展问题及提升发展需要为目标，有主题、有计划、具有专题性的班级活动。它具有集中表现和分散策划、准备及后续性延伸的长程特征，最终目的是让学生在主动参与策划、实施、反思的过程中学会自我教育、

① 吴琳．核心素养视野下中职德育课堂团体游戏教学策略［J］．现代职业教育，2020 (3) : 11.

② 钱佩芳．完善学校德育主题活动教学的措施探讨［J］．学校党建与思想教育，2011 (12) : 69 － 70.

自主发展。”[①] 由此可见，主题活动聚集学生的实际发展需求，能引导学生用正确的价值标准来看待社会和人生，懂得生命的意义和价值，形成坚定的人生信仰，学会健康生活，为学生的成长起导向作用、动力作用和养成作用。

“主题活动育人”，具体看来，既可解释为给“主题活动”后加上“育人”这一限定词，用以表达以育德为主要目的的主题活动，也可解释为给“育人活动”中加上“主题”这一限定词，意思是紧密地围绕着某个或某一系列主题的德育活动。因此，主题活动育人的特性主要包括如下三个方面：第一，有效的教育实践。主题活动拥有教学课时作为支撑，便于有序、稳定地开展教育活动。第二，有相联系的教育内容。主题活动的内容往往与社会转型期出现的许多社会新情况和新问题相联系，与学生道德发展的特点难点问题相联系。第三，有基本的教育形态。主题活动必须遵循社会发展规律、学生的身心发展规律和道德发展规律，以集体形式组织的外显性活动为主要教育形态。

此外，主题活动常与节日、纪念日等重要时间节点相关联。节日纪念日里蕴藏着宝贵的德育资源，为主题活动的开展提供了恰当的活动时机、丰富的材料和深厚的文化底蕴。在节日纪念日开展主题活动，学生更容易获得感性的体验、心灵的触动，能够在潜移默化中达到教育的目的。

（二）主题活动的德育功能

主题活动有利于促进儿童的品德养成。依据五要素，道德可以分为认知、情感、意念、信仰、行为等五个层面。但是主题活动的育成作用往往更具深刻性和持久性，所以，我们主要从更具代表性的认知、情感、行为、精神（意念、信仰）四个方面分析。

---

① 陈彦竹．班级主题活动中价值引领的内涵与策略［J］．教学与管理（中学版），2020(3)：26－27.

从认知层面来看，主题活动都是聚焦于某一主题，无论是宏大的还是细微的，都应该从学生对主题的认识和理解开始。很多主题德育活动，都是就事件的学习和内涵进行了解，比如在2021年进行有关建党100周年的纪念活动，充满对历史、人物、事件等内容的学习，这是道德认知的前提和重要组成。

从情感层面来看，主题活动的种类多样，承载和蕴含的情感也是丰富多彩。学生在活动中获得的情感体验也是多样的，得到的情感教育也是丰富的。

从行为层面来看，儿童的发展以身体的发育为基础，规范行为与养成教育成为品德发展的重要内容。很多主题活动都是伴随着一定身体表现的，比如参加活动时需要的装束、表情、姿态、手势、形体、表演等等。除了外在于身体的表现和感受，实际上很多活动可以塑造身体的行为内在的素养。

从精神层面来看，主题活动具有精神、信仰等价值观层面的教育影响力。按照有些学者的观点，精神、信仰的“教育”，不是教人（给人）精神与信仰，而是创造机缘帮助人找寻属于他自己的信仰，构建自己的精神家园。如何通过主题活动促进学生理解社会主义核心价值观等价值教育，是德育工作的重要创新之处。

（三）主题活动的设计与实施

1. 主题活动设计的基本原则

第一，教育性与趣味性相结合。活动的主题、内容、方式、方法、时间、地点等都要考虑到其教育意义，使教育性体现在活动的整个过程中。同时，应该尽量避免单纯政治教化的倾向，要考虑少年儿童的年龄特点，从儿童全面发展的需要出发，使活动开展得丰富多彩、生动活泼。

第二，自主性与指导性相结合。活动要充分发扬民主，让学生们发扬自我学习、自我管理、自我教育，发挥主动性和积极性，教师要充分尊重学生在活动中的小主人地位，使学生成为活动的主体。在活动中，教师起到不可或缺的参谋、服务、顾问、支撑作用，将教师的精心辅导与充分发扬学生的主人翁精神有机结合和统一起来。

第三，实践性与创造性相结合。少年儿童活泼、好动、合群，乐于参加趣味性强、富有教育意义的集体活动。为此，教师应该努力将教育融于生动活泼的社会实践活动之中，在实践中求真知，长才干。教育活动应该主动适应社会发展与变化，并结合新时期少年儿童的新特点、新要求。

基于时间坐标的主题活动往往伴随着独特的、有象征意义的活动，这些活动具有特殊的意涵和德育价值，成为活动德育的重要载体。因此，教育者应该抓住节日、纪念日等重要时间节点设计实施相应的活动可以实现对青少年的道德教育。

2. 主题活动的实施：聚焦节日纪念日活动

首先，国家纪念日是开展爱国主义教育的有利时机。爱国主义教育是思想道德教育的重点。2014 年 2 月 27 日，全国人大常委会通过设立“中国人民抗日战争胜利纪念日”和“南京大屠杀死难者国家公祭日”的决定，分别将 9 月 3 日确定为“中国人民抗日战争胜利纪念日”；将 12 月 13 日确定为“南京大屠杀死难者国家公祭日”，每年国家都将在这两天举行隆重的纪念和公祭活动。国家纪念日的设立，为活动育人开展爱国主义教育提供了难得的契机，如在“抗日战争胜利纪念日”举行升国旗、向祖国宣誓活动，在“国家公祭日”举行默哀、祭扫烈士陵园活动；使学生牢记中华民族的苦难史和抗争史，激发爱国情怀，振奋民族精神，肩负时代责任，以实际行动，发奋图强，报效祖国。此外，“学校可以在中国共产党建党日和中国人民解放军建军日的时候开展爱党、拥军教育。”①

---

① 参考教育部基础教育司组织编写．中小学德育工作指南实施手册［M］．北京：教育科学出版社，2017：90－100.

其次，重大节日活动是开展社会主义核心价值观教育的恰当时刻。2013 年 12 月，中共中央办公厅印发《关于培育和践行社会主义核心价值观的意见》指出 :“挖掘各种重要节庆日、纪念日蕴藏的丰富教育资源，利用五四、七一、八一、十一等政治性节日，三八、五一、六一等国际性节日，党史国史上重大事件、重要人物纪念日等，举办庄严庄重、内涵丰富的群众性庆祝和纪念活动。”[①] 具体来说，五四青年节重在通过组织富有教育意义的活动，使广大青年学子志存高远、刻苦学习，积极践行社会主义核心价值观。六一国际儿童节重在使学生参与丰富多彩的活动，从中体验集体合作的快乐，感受积极向上、乐观进取的精神。九月十日教师节，学校应该广泛开展尊师重教活动和感恩教育。国庆节是国家的生日，学校应该开展爱国主义教育、革命传统教育等，引导学生进一步加深对中国特色社会主义的认识，增强国家意识，激励学生为实现中华民族伟大复兴的中国梦而努力奋斗。

最后，中华传统节日是开展文化传承教育的重要契机。文化传承教育是道德教育的重要使命。就传统节日而言，国家（政府）建设传统节日的目的，一在于丰富当代人们的日常生活 ；二在于培养民族凝聚力和民族认同感 ；三在于扩大中华文化的影响力，对保持世界文化的多样性作出贡献[②]。中华民族的传统节日包括春节、清明节、端午节、中秋节、重阳节等，在中国有着广泛的影响，蕴含着丰富的文化传统。春节是中国人最重要的节日，是全家团圆、辞旧迎新的日子，通过家庭聚餐、相互拜年、走亲访友、祭祖等活动，能够起到沟通情感，增进亲情的作用，从而激发人们对幸福生活、美好未来的向往;清明节是中国人祭祖和扫墓的日子，通过祭祀扫墓、踏青植树等活动，能够起到缅怀先辈、激励后人、珍爱生命的作用 ；端午节是纪念爱国主义诗人屈原的日子，通过赛龙舟、吃粽子等活动，学习屈

① 中共中央办公厅 . 关于培育和践行社会主义核心价值观的意见 .

② 张勃 . 建构时代的中国节日建设［J］. 民俗研究 , 2015 (1) : 62 − 73.

原的爱国主义精神，能够增强人们对祖国的忠诚和热爱；中秋节是中国的传统佳节，是仅次于春节的第二大传统节日，通过全家赏月、吃月饼等活动，能够充分表达国人对民族团结、社会和谐、家庭幸福美满的追求。

综上所述，主题活动作为一种内涵丰富的动态教育形式，在学校德育工作中具有重要作用。只要教师在策划、实施该类教育活动中善于创新，勤于探索，不断更新思想观念，改进工作方法，每一项活动都会收到良好的育人效果。

四、团队活动育人

团队活动是共青团组织和少先队组织生命力的体现，是共青团和少先队工作的基本方式，彰显独特优势。以团队活动为抓手进行活动育人可以将少先队的集体意识、团结合作与共青团的责任意识、实践锻炼、志愿活动相贯通，更好地实现青少年道德品格的培育。

（一）共青团活动育人

共青团是党的助手和后备军，是先进青年的群众组织。共青团的根本任务是引导青年，把青年团结和聚集到党的周围。活动是共青团开展工作的基本方式和载体，要实现共青团的根本任务，必须通过开展活动来吸引青年、凝聚青年；必须通过赋予一定思想和价值导向的活动，实现共青团的四大基本职能[①]。

1. 学校共青团活动

有学者指出，共青团的基本任务和意义：“为了加强对学校青年学生的教育，我国中等以上学校都普遍建立共青团组织。学校共青团的基本任

① 刘俊彦．共青团活动略论［J］．中国青年研究，2013(8)：41－47.

务是，在党的领导下，配合学校行政、教学，以共产主义精神教育全体团员和青年学生，充分发挥团员的模范作用，带动全体同学，以学习为中心，积极投身各种锻炼和社会实践活动，使广大青年学生在德、智、体、美、劳等各方面都得到发展，成为有社会主义觉悟的有文化的身体健康的社会主义一代新人。”①

关于共青团活动的定义，早期关于共青团的研究就已涉及共青团活动。有学者认为，共青团活动是指共青团为团结青年一代发挥他们在社会主义现代化建设中的积极作用，而采取的有组织、有计划、有目的、有系统的丰富多彩的集体行动。也有学者认为，共青团的活动，是指在党的领导下，按照青年特点所开展的有目的、有计划、有组织的实践②。《中国共产主义青年团章程》中指出中国共产主义青年团是中国共产党领导的先进青年的群团组织，是广大青年在实践中学习中国特色社会主义和共产主义的学校，是中国共产党的助手和后备军。由此可见，共青团活动是指为了实现共青团的职能，完成党交付给共青团的任务，借助一定的载体所开展的一系列有组织、有目的的行动。因此，共青团活动是目的、内容和方式的一体化，并带有明显的意识形态色彩、价值引导功能和德育意义。

2. 学校共青团活动的德育功能

学校共青团组织开展的各项活动，发挥着重要的德育功能。

（1）学校团组织围绕学校各个时期的中心任务，针对青年学生的实际思想状况，及时而有灵活性、针对性地开展深入细致的教育工作，从而更好地接触青年学生的思想实际，帮助他们解决思想上和行动上的问题。

（2）通过团的特有的组织形式发挥教育作用。共青团有光荣的名称和奋斗的历史，有为共产主义而奋斗的明确目标，有自己的章程、组织纪律、活动制度，有自己的旗帜、标志、歌曲、隆重的仪式以及友爱的集体。这

---

① 胡厚福．德育原理［M］．沈阳：辽宁大学出版社，2000：170.

② 刘俊彦．共青团活动略论［J］．中国青年研究，2013（8）：41－47.

一切对青年学生都有极大的吸引力，能给他们以很大的教育影响。

（3）团组织通过开展适合自己特点、形式多样、丰富多彩的活动教育青年学生。寓教育于活动之中，是共青团组织的基本特点。团组织是青年学生自己的组织。在这个组织中，学生自己的主动性、创造性可以得到充分发挥，有利于形成自我教育的要求和能力。团组织生活对青年学生会开展批评与自我批评、正确处理同学关系、学会过民主生活等等，都是具有重要意义的①。

新时代是追梦者的时代，也是广大青年成就梦想的时代。与新时代同向同行、共同前进，当代中国青年生逢盛世，肩负重任；身处中华民族发展的最好时期，把理想追求融入党和国家事业，方能不负韶华、不负时代、不负人民。广大青年要树立对马克思主义的信仰、对中国特色社会主义的信念、对中华民族伟大复兴中国梦的信心，不断增强做中国人的志气、骨气、底气，树立为祖国为人民永久奋斗、赤诚奉献的坚定理想；要自觉树立和践行社会主义核心价值观，矢志追求更有高度、更有境界、更有品位的人生；要敢为人先、敢于突破，以聪明才智贡献国家，以开拓进取服务社会；要擦亮奋斗这个青春最亮丽的底色，在青春的赛道上奋力奔跑，在真刀真枪的实干中成就一番事业，让青春在为祖国、为民族、为人民、为人类的不懈奋斗中绽放绚丽之花②。

3. 学校共青团活动的组织与实施

面对新的时代要求，面对新的青年，共青团活动的组织与实施需要从活动主题、活动主体、活动内容与形式、活动效果与影响等方面进行深入思考与创新实践。

---

① 胡厚福 . 德育原理［M］. 沈阳：辽宁大学出版社，2000：171.

② 在矢志奋斗中谱写新时代的青春之歌——庆祝中国共产主义青年团成立一百周年 . 人民日报 2022－05－04.

（1）注重历史传承，唱响时代新声

中国共产主义青年团已经走过百年光荣奋斗的历史。百年征程，塑造了共青团坚持党的领导的立身之本、塑造了共青团坚守理想信念的政治之魂、塑造了共青团投身民族复兴的奋进之力、塑造了共青团扎根广大青年的活力之源[①]。在优良传统的基础上，新时期共青团工作更有力量，新时期共青团活动迸发出新的活力与激情。共青团活动要及时听从新时代党和国家提出的要求和指示，紧紧围绕社会发展和人民的呼声，活动要有明确的“精神内核”和教育价值。

（2）遵循青年特点，注重主体获得

青年是共青团组织的主体，共青团活动要时刻体现青年人的主体地位。坚持“以青年为本”，深入了解青年的思想诉求，尊重青年思想观念的发展变化。这就是新时期团中央所倡导的“要把对青年的思想引导与对青年的思想尊重结合起来”。要懂得青年世界观、人生观、价值观的形成规律，懂得青年的生活方式、社会交往，针对不同青年的不同特点，采取分层级引导循序渐进。在组织青年参与活动的时候，要选择便捷的方式和途径，既要保证活动的效果，又能考虑到在青年学习工作压力巨大的背景下，节约时间和成本[②]。

（3）创新活动形式，丰富活动内涵

青年是最具创新意识和实践探索的人生阶段，共青团工作需要认真研究和关切青年人的特点，以充分体现共青团组织的号召力、吸引力和影响力。在活动形式上跟紧时代发展，注重新理念、新模式、新媒体的介入。积极提倡青年人主动参与活动的设计和组织，让他们的思想、审美、志趣融入活动的内容选取和活动形式的灵活创新。学校共青团活动可以借助学校丰富的课程资源、教学与活动空间与设施，将团的活动与青年学生的学

---

① 习近平．在庆祝中国共产主义青年团成立100周年大会上的讲话．

② 刘俊彦．共青团活动略论［J］．中国青年研究，2013 (8)：41 − 47.

习、研究、实践、生活结合起来，实现跨界、相通、互促、共进。

（4）注重活动效果，扩大社会影响

注重共青团工作管理理念与模式的创新，尊重并发挥校团委的主导作用、完善项目化管理监督反馈制度、建立科学的项目化管理评测体系，提升共青团工作和活动组织的质量和水平①。共青团品牌活动也是提升活动效果，扩大社会影响的重要举措。品牌活动大多是连续性较强的活动，可以产生持久、积极的社会成效。此外，共青团活动也是一面旗帜，不单单影响组织内的青年，在一定程度上也具有一定的社会影响，学校共青团活动需要注重与社会的协同共建，发挥共青团活动的社会影响力。

（二）少先队活动育人

少先队，全称为中国少年先锋队，是中国少年儿童的群众组织，是少年儿童学习共产主义的学校，是建设社会主义和共产主义的预备队。少先队教育注重少年儿童的组织和思想意识教育，将儿童的全面发展，尤其是思想道德成长作为组织建设的根本和教育行动的方向。少先队教育的另外一种表述是建队育人，即通过组织培养新人，这是中国共产党关怀和教育儿童的优良传统，更是中国儿童教育的重要特色和成功经验②。

1. 少先队活动

长期以来，少先队通过开展一系列主题鲜明、生动活泼、丰富多彩、独具特色的教育实践活动，在引导学生树立远大理想，形成坚定信念，提升综合素质等方面发挥了不可替代的作用③。少先队活动是中国少年儿童群

---

① 韩旭，郑庆秋．高校共青团工作项目化管理模式的反思与重建［J］．教育与教学研究，2013 (12) : 57 − 59，81.

② 张志坤，夏鹏翔．德育教师专业化进程中少先队教育与德育的功能关系辨析［J］．中小学德育，2019 (6) : 19 − 21 + 11.

③ 教育部．关于加强中小学少先队活动的通知（教基二［2012］3 号）.

体活动的一部分。少先队普遍建立在学校里，少先队活动也是初中和小学教育活动的重要组成部分。它具有人类活动的普遍性特点，又具有自身特殊性的本质特点，即具有独特性和相对独立性[①]。

（1）少先队活动的组成

从少先队活动的组织架构来看，可分为大队活动、中队活动和小队活动。从活动内容来看，可以分为组织教育活动、少先队基础教育活动、少先队节日纪念日活动、少先队季节活动、少先队地区活动、少先队特色活动等。从政策上，少先队活动一直都备受重视。教育部2012年颁布的3号文件《关于加强中小学少先队活动的通知》中指出，“一直以来少先队活动在引导学生树立远大理想、形成坚定信念、提升综合素质等方面起了不可替代的作用”。各地要充分认识加强少先队活动的重要性、确保少先队活动的时间、科学设计少先队活动的内容和形式；加强组织领导、辅导员队伍建设和活动基地建设等。

（2）少先队活动的特点

少先队活动的特点包括组织性、实践性和自主性。其组织性体现在少先队的本质属性上，少先队是一个群众组织，它的教育是组织的教育。少先队组织作为少年儿童的组织，它不能自发产生教育作用，需要通过成人（共青团干部、教师、辅导员）对组织、集体的培养发挥教育和引导作用。实践性体现在少先队的活动之中。少先队活动具有自主自愿性、启发启蒙性、娱乐游戏性、实践应用性、组织合作性、群众普及性、激励进取性、建设性、创造性等具体特点[②]。其中，最为重要的特点毫无疑问是其组织性。在少先队组织中，儿童可以获得政治知识、培养政治情感、养成政治行为。

（3）少先队活动课程

为了积极推进少先队活动的有效性和系统性，全国少工委、教育部联

① 段镇．少先队学［M］．上海：上海人民出版社，2008：295.

② 同① 296－297.

合发文努力推动少先队活动课程的建设步伐。2015 年，全国少工委出台《少先队活动课程指导纲要（试行）》，将少先队活动课程建设推向新的高度。在前期工作探索和实践的基础上，2021 年 12 月，全国少工委发布《少先队活动课程指导纲要（2021 年版）》（下称《纲要》），与时俱进引领和促进了少先队课程建设和实施工作。《纲要》指出：“本课程以培养新时代少先队员‘理想信念、政治认同、组织意识、道德品行、精神品质’等核心素养为目标，从政治启蒙、组织认同、道德养成和全面发展等四个课程模块入手对少年儿童开展教育。课程主要通过组织生活、队课、仪式教育、实践活动、协同教育等形式开展，可以一种形式单独开展，也可以多种形式相结合开展”①。

2. 少先队活动的德育价值

首先，引导和教育少先队员遵守少先队的章程，积极参与队活动的设计与实施，努力完成队组织交给的任务，热心为大家服务，学会合作，培养集体主义精神，增强光荣感和组织归属感，培养党、团、队相衔接的组织意识。其次，引导和教育少年儿童形成正向的价值观念，养成高尚的品德。学习和传承中华民族传统美德，学习和弘扬社会主义新风尚，热爱生活，懂得感恩，与人为善，明礼诚信，争当学习和实践社会主义核心价值观的小模范。培养法治意识，养成守法习惯，爱护生态环境。最后，引导和教育少年儿童认识和理解党的“两个一百年”的奋斗目标和中华民族伟大复兴的中国梦，学会把自己的志向同祖国和人民联系在一起。培养追求真理、报效祖国的志向，爱祖国、爱人民、爱劳动、爱科学、爱社会主义，时刻把祖国和人民放在心中，从小听党的话、跟着党走，努力做祖国和人民需要的好孩子，做祖国和人民事业发展的接班人。

① 全国少工委．少先队活动课程指导纲要（2021 年版）．

3. 少先队活动课的设计与实施

（1）少先队活动课的设计

少先队活动课程是由少先队活动课以及时间大于一个课时、活动形式丰富的少先队主题活动组成。无论是一节少先队活动课还是少先队主题活动，都需要精心的设计与准备。

第一，活动主题。按照《纲要》的要求：从政治启蒙、组织认同、道德养成和全面发展等四个课程模块入手对少年儿童开展教育[①]。从课程的内容模块，我们可以较为清楚地认识到少先队活动课主题选定的依据与范围。少先队活动课的主题是少先队活动的主线引领，是少先队活动的内核和灵魂。确定少先队活动课的主题要依据少先队活动课程的定位与逻辑框架、要关注时代发展和时事政治、要体现少先队组织的自身特点、要符合少年儿童的成长规律。

第二，活动目标。少先队活动课虽然具有明显的儿童性、生动性等特点，但作为进行少先队教育的重要载体，每一节活动课都要有明确的活动目标，预设活动将为少先队员的成长带来哪些积极影响。按照《纲要》的提法：少先队活动课程以培养新时代少先队员"理想信念、政治认同、组织意识、道德品行、精神品质"等核心素养为目标[②]。基于以上核心素养为目标，活动设计者可以依据这几个维度进行活动目标设定，或者采用大家熟识的认知、情感态度价值观、能力等方面进行设定。

第三，活动准备。在一定程度上，少先队活动课要充分体现少先队员的主体性和自组织性，但活动之前的准备和任务分工还是十分必要的。具体包括辅导员的准备工作、队干部的准备工作、队员的准备工作。如果活动需要邀请校外辅导员、家长代表、先进人物等嘉宾参与的话，那么还涉及与这些人员的任务交代和准备工作。

---

① 全国少工委. 少先队活动课程指导纲要(2021 年版).

② 同①.

第四，活动环节与流程。活动课的主体是具体的活动环节。一般活动设计包括以下几个理念和原则：首先，活动紧紧围绕主题展开，一般采用环环相扣，进阶递进的设计逻辑，将主题不断深化，参与者获得的感受、体验和教育不断深入和升华；其次，活动体现最大范围的队员参与，少先队活动是全体队员共同的事情，集体的成长离不开每一位队员的积极参与，如果是中队规模的活动课，可以采用以小队为活动单位协同开展；再次，注意活动的数量和质量的平衡关系，活动不宜过多，四十分钟的活动课设计 4—5 个活动为宜；最后，活动体现新的思路和形式，除了传承自身经典的活动形式之外，少先队活动还可以灵活地吸收和借鉴中小学阶段新的学习模式和活动方式，比如项目式学习（PBL）、社会调查研究、跨学科教育、基于人工智能技术的学习活动等等。

第五，活动评价。少先队活动评价是根据少先队组织的性质、任务所确立的教育目标，按照一定的标准，运用科学的方法和工具对少先队组织实施的各种教育活动所产生的社会效用进行价值判断的过程，它是为确认活动的教育目标是否达到，为做出新的决策提供反馈信息，而进行的收集、分析资料的系统过程[①]。运用教育评价的原理，结合少先队活动的自身特点，探索和建立少先队活动评价的理论，加快少先队活动评价的实践步伐，具有非常重要的意义。可以采用过程性评价和终结性评价相结合，个人评价、小队评价、中队评价、辅导员评价相结合等多种形式。

第六，活动拓展。第八次全国少代会通过了新的《中国少年先锋队章程》，在“我们队的活动”中增添了“队课”“研学”“志愿服务”等新内容[②]。进一步丰富和发展了少先队教育活动的新形式，少先队活动更具时代特点，更能有效发挥少先队的教育功能。因此，少先队活动可以适当设计一些课后队员自行拓展或者小队形式自由志愿服务组织的项目和活动，有

---

① 施荣春．少先队活动评价论［J］．中国青年政治学院学报，1992 (3)：26 − 30.

② 中国少年先锋队章程［J］．中国共青团，2020 (15)：20 − 21.

效做好学习和教育的延续性和发展性。

（2）少先队活动课的实施

少先队活动课的具体实施，除了要依据已经做好的活动设计之外，还应该注重以下几个方面。

第一，活动体现少先队特色。少先队活动具有明显的特色，它是完成少先队组织教育、自主教育、实践教育的重要载体。所以活动不同于一般的学校德育工作安排的活动，需要体现少先队特色。具体表现为活动主题的选取、活动课开始和结束时的队仪式（出旗、唱队歌、呼号、退旗等）、活动课组织形式、活动课辅导员队员的角色确认、活动课的氛围等。

第二，活动注重队员的主体地位。少先队活动课是原来传统少先队活动的课程化建设，目的是提升少先队活动的系统性、教育性、科学性、规范性，但是不能抹杀少先队员的主动性、自主性和积极性。所以少先队活动课依据开展的年龄段不同，提出了从参与设计、自主实施等不同要求，最终实现队员的自我教育和自我成长。因此，在少先队活动课中，辅导员老师要做好启发、引导、调动工作，充分体现队员的主体地位。

第三，活动注重传承与创新。新时代少先队教育面临新的机遇和挑战，少先队活动课程作为一个新的事物，从其提出到建立，时间还不长，还需要花大力量进行建设和完善。在这个过程中，我们要充分挖掘和梳理少先队活动的优良传统和成功经验，做好继承，同时也要与时俱进，具有创新精神，不断研究和采用新的理念和实践方式，推进少先队活动课不断成熟和健康发展。

第六章
自我修养法研究

从古至今自我修养都是德育中重要的部分，重视道德的自我修养，强调道德自觉性，对于个人道德品质的形成都具有极为重要的意义[①]。在我国，古有儒家思想强调“自省”“慎独”来培养道德君子，今有学生核心素养提出学会学习、健康生活的“自主发展”。苏联著名教育家苏霍姆林斯基曾说过“道德准则只有当它们被学生自己去追求、获得和亲自体验过的时候，只有当它们变成学生独立的个人信念的时候，才能真正成为学生的精神财富。”[②] 在现代德育方法的研究和实践中，自我修养法始终是重要的德育方法之一。众多学者十分注重学生自我教育和自身道德素质的养成，提出了诸多培养和提高学生道德素质的具体实践方法。

本章从“自我修养法”概念及发展脉络、相关理论研究、实践研究三个方面进行阐述。第一节，从“修养”“自我修养”“自我修养法”三个核心词汇研究入手，明确自我修养法的概念及其存在的意义，以及在道德教育中运用自我修养法的价值，并阐明自我修养法的发展脉络及其现状。第二节，通过对儒家自我修养观的阐述追溯“自我修养”德育方法的理论源头，为本章内容奠定理论基础；通过讨论“知行合一”理论、生命教育理论为

---

① 侯怀银．德育传统的当代价值［M］．武汉：湖北教育出版社，1996：109.

② 苏霍姆林斯基．给教师的建议［M］．杜殿坤，编译．北京：教育科学出版社，1984：346.

自我修养法追溯较为完整的理论背景。第三节，侧重生命叙事法、冥想法、批评与自我批评法、修养指导法四种实践方法，面向所有教育工作者，呈现自我修养法的实践路径，为自我修养法注入生命活力，使之能更好地惠及现代学校道德教育。

注重个体自身的内在道德修养是中华文明的重要特征之一。“修身、齐家、治国、平天下”，家国天下的鸿鹄之志，则以完善自身、成就理想人格为起始和根基。自我修养不仅有利于个体人格的健全，同时折射出一个民族和国家的道德状况，直接关系到一个民族和国家的长治久安和社会文明进步的程度。作为古老的教育方法，自我修养在构成道德教育重要组成部分的同时，也应该成为现代德育始终贯彻的一种宗旨和理念。所有外在的道德教育都必须落脚在“自我”上，任何一种德育方法，不管它的内部说服力或外部权威如何，倘若不能在个体的道德本性中找到“自我”这一牢固支点,那么都将是苍白无力的[①]。只有当个体自身能够正确认识到利禄追求与生命意义的关系，才能找到自己安身立命之所，从而获得心灵的平静和精神的充实。因此，对自我修养法的历史渊源、理论基础和实践路径进行系统梳理、深入挖掘，并能够积极汲取、为我所用，使其从理论走向实践、从稚嫩走向成熟，以唤起更多人的觉醒，是时代赋予德育工作者的责任和使命。

第一节 自我修养法的含义与发展

本节第一部分旨在从关键词“自我修养”出发，通过与自我教育、自我意识等相关词汇辨析，将邻近概念进行总结和区分，明确“自我修养”的含义及边界；并从研究现状入手阐述不同学者关于自我修养、自我教育

① 王岳川．东西方文化评论［M］．北京：北京大学出版社，1992：338.

的观点；同时了解以自我修养概念为核心的自我修养法的特征及其在道德教育中的意义和价值。

在现有研究中，明确提出自我修养法的研究较少，但以自我教育为主的相关研究则有着久远的研究历史。古代的“自省法”与现代的“批评与自我批评法”、古代宗教中的“禅坐法”与现代备受关注的“冥想法”等，虽名称不同，却在其实践方法和理论逻辑上存在一定的契合之处。因此，本节第二部分将从上述多个角度梳理自我修养法的发展脉络。

一、自我修养法的含义

（一）自我修养法的概念

1. “修养”与“自我修养”

“修养”一词最早源于《大学》中与“修身”相关的字句：“欲齐家者，先修其身。”“自天子以至于庶人，壹是皆以修身为本。”儒家思想认为“修”有恢复之意，修身是使其被私欲遮蔽的心恢复其本有的状态。后有《辞源》（1998 年修订版）将修身称为自我修养。《中庸》又有：“知斯三者，则知所以修身；知所以修身，则知所以治人。”将修身放在了重要的位置，认为一个人如果知道怎样修养自身，就知道怎样管理他人，从而也就知道怎样治理天下。在《现代汉语词典》中，“修身”指陶冶和培养自己的道德品质。这足以体现“修身”在培养人道德素质、提升道德素养中的重要性。

儒家思想最早提出，“修身”不仅重在“修”，还重在“养”。“养”即存养、涵养，人性本善，一定要学会存养人之善性，不使其本性丧失。由此可知，修养就是修身养性[①]。《现代汉语词典》中的“修养”有三个方面的含义：第一，

① 贾聚林．道德新说［M］．大连：大连理工大学出版社，2019：126.

培养自己高尚的品质和正确的处世态度或完善的行为规范；第二，指思想、理论、知识、艺术等方面所达到了一定的水平，如文学修养、理论修养等；第三，指个体逐渐养成的待人处世的正确态度。可见，“修养”是全面的、积极的，是为了成为更好个体的一种行为活动。

而关于“自我修养”，首先需要明确“自我”的概念，即作为认识和实践主体的个人[①]。在此基础上，“自我修养”一词通常可以解释为一个人按照一定社会或一定阶级的要求，经过学习、磨炼、涵养和陶冶等，为提高自己的素质和能力，在各方面进行的自我教育和自我塑造。因此，自我修养也是个体实现自我完善的必由之路，即自我修养是个人道德修养能力发展和自我道德完善的必要过程。但目前学界关于“自我修养”的概念界定较少且边界模糊，一些学者在表达相近意思时会使用“自我教育”一词（具体见下述自我修养相关概念辨析中的“自我教育”部分），对比之后发现其内涵与自我修养的确存在共通之处。

研究发现，无论是“修身”“修养”还是“自我修养”，其内涵都是建立在个体之上，都强调一个人为了自身素质与能力的提升而主动采取行动。由于以强调“自我”，以关注自身发展为目标和核心的概念较多，诸如自我教育、自我意识、自我管理、自我控制等，所以对相关概念进行辨析是十分重要且必要的。

2.“自我修养”相关概念辨析

（1）自我教育。自我教育是与自我修养高度相关的词语，将两者混用的现象也屡见不鲜。通过文献分析研究,可从以下几个方面理解“自我教育”的内涵。

首先，自我教育有两种形式：一是“约束性自我教育”，即把自我教育看作自我贬损、自我压抑的过程。这类自我教育很难形成自尊、自信、

---

① 肖海涛，阳书亮，张西西．道德教化与自我教育［M］．北京：中国社会科学出版社，2020：119.

积极向上的主体人格，很难发展其积极的个性道德质量，总趋势是消极的；而另一种是“发展性自我教育”，即着眼培养人的主体精神，追求道德理想人格的自我发展、自我实现，因而能够悦纳自己，充满自尊、自信、积极进取的精神，反对片面单纯地检讨、约束和贬低自我。当前研究中的自我教育主要指后者，即通过自我教育达到积极的德育效果。

其次，关于自我教育的概念。李群从三观发展和人格完善的角度，认为自我教育是一种人生态度，是个体主动地、自觉地对自己进行思想、人格的转化和行为控制的活动，是按照确立的目标实现自我塑造、自我完善的过程。此时自我教育已经成为主体内在发展的需要，成为树立科学的世界观和人生观的基本出发点①。赵先寿从个体品德的提高及其对社会意义的角度出发，认为自我教育不仅对培养人们良好的思想品德，形成正确的人生观具有不可低估的作用，还对推动整个社会的发展和进步具有十分重要的意义。从学校教育角度来说，抓好自我教育，对提高学校德育工作的质量以及促进学生良好思想品德的形成和人格的完善与发展，也有着十分重要的作用②。

此外，还有学者将自我教育的内涵进一步细化，如《中国大百科全书·教育卷》中将自我教育分为广义和狭义两个层面。广义的自我教育，又称自我修养，是指受教育者以一定的世界观和方法论认识主观世界和教育自己的全部过程。狭义的自我教育同自我批评，是德育的一种方法③。而在自我教育价值日益凸显的今天，我国众多学者认为道德知识积累和辨析是整个自我教育的重要组成部分，从广义上对自我教育进行定义，更能保证自我教育为一个完整的概念④。

---

① 李群. 论自我教育[J]. 安徽教育学院学报(哲学社会科学版), 1999 (4) : 72 − 74 + 89.

② 赵先寿. 略论自我教育[J]. 湖北大学学报(哲学社会科学版), 1985 (3) : 10 − 17.

③ 冯春芳. 自我教育的概念界定及特征分析[J]. 前沿, 2004 (3) : 76 − 78.

④ 潘柳燕. 现代自我教育探析[J]. 广西大学学报(哲学社会科学版), 2006 (4) : 111 − 116.

上述分类层层递进，由宏观层面提出塑造全面个体的自我教育概念，到中观层面注重个体思想道德修养的自我教育理念，再到微观层面聚焦于学校教育的自我教育实践。宏观层面的自我教育概念体现了自我教育的全面指向，它不是简单地停留于知识或者德育层面，也不应当被简单用来当作“他我”教育的工具[①]。相比之下，“自我修养”作为一种以提高人自身素质和能力为导向的行为，其内涵是使人通过多方面的自我教育和自我塑造，最终能促进个人道德修养能力的发展和自我道德的完善，其目标主要聚焦于人发展的道德层面。而自我教育的内涵则关心涉及人发展的更多方面，与“自我修养”的内涵具有较高契合度，且存在于个体进行自我修养的全过程中。因此,德育领域中对“自我教育”内涵的理解几乎等同于“自我修养”，或将“自我修养”理解为是德育中的“自我教育”，这也可以在一定程度上解释当前诸多研究中将“自我修养”和“自我教育”两个词语混用的现象。

（2）自我意识。自我意识属于意识的一种形式,由自我认知、自我情感、自我评价、自我调节四个基本因素构成，是自我教育的基本出发点和自我教育的心理基础。自我意识是人类所特有的，是人类与动物区别的重要标志之一。自我意识不是人先天所具备的，而是个体在认识外部世界的同时逐步认识自己的过程中形成的,是个体认识自己与对待自己的统一[②]。但是个体的自我意识水平存在差异，具有年龄、经验等的不同。

从“自我意识”到“自我修养”，其共同点在于都以个体为中心，强调发挥人的主观能动性，但“自我修养”更强调关注个人道德修养与道德素质的发展。学生的道德素质和修养被认为是由道德认知、道德情感、道德意志、道德行为四个要素构成的，即德育过程就是培养学生知、情、意、

---

① 肖海涛，阳书亮，张西西. 道德教化与自我教育［M］. 北京：中国社会科学出版社，2020：131－133.

② 赵先寿. 略论自我教育［J］. 湖北大学学报（哲学社会科学版），1985(3)：10－17.

行的过程，德育过程的自我教育也就体现在这四个方面。自我意识是学生自我修养过程的内在动力和催化剂，也是培养学生道德品质的开端。它能促进学生的自我认知意识萌发，审视自我现状进行自我评价，进而唤醒学生自我修养的意识。自我意识、自我认知、自我评价就是学生自我修养过程中在“知”方面的表现，是自我教育和自我修养的基础，是外在道德行为的内在表现。只有在道德认知和道德意志的作用下，经过长期反复的社会实践逐渐变成一种自觉、稳定的行为习惯时，道德品质才真正形成，道德教育的目的才得以实现。同样，不能仅仅培养一些道德行为，必须养成道德习惯，形成道德品质，这样道德教育的目的才算实现了[①]。

（3）自我控制。自我控制是自我意识的重要成分，也是个体对自身的心理与行为的主动掌握[②]，是人适应社会的重要保障，更是一个人良好个性形成和发展的必要条件和基本保证。自我控制是指以自我为主体，根据情境需要和主体意图来制定某种标准或规范，并以此为评估依据，对行为作出执行或停止、坚持或放弃等改变。换句话说，可将自我控制简要概括为个体有意识地控制冲动行为，抵制满足直接需要和愿望的能力，其目的是执行能带来长期利益的目标指向的行为[③]。

从“自我控制”到“自我修养”，从道德认知、道德情感、道德意志、道德行为四要素即德育过程就是培养学生知、情、意、行的过程，自我控制就是学生自我修养过程在“情”和“意”方面的表现，是自我教育和自我修养在道德情感和意志上的体现。相较而言，“自我控制”和“自我修养”都是以个体自身为核心，前者强调以自身的意志力对抗不适合自身发展的

---

① 陆劲松. 大学生自我意识的发展与思想道德修养课程教育探析[J]. 改革与开放, 2017 (20) : 128 − 129.

② 谢军. 3−9 岁儿童自我控制能力的发展［J］. 心理发展与教育, 1994 (4) : 30 − 32.

③ 李琼, 黄希庭. 自我控制：内涵及其机制与展望［J］. 西南大学学报（社会科学版）, 2012, 38 (2) : 41 − 52 + 173.

外界事物，是“自我修养”过程中所必需的重要品质和关键能力；而后者则是在“自我控制”的前提下，主动地进行自我反省、自我改进等一系列修养活动。

（4）自我管理。社会认知心理学中将自我管理定义为个体通过对自身行为的观察、评估、强化和惩罚以实现某种目标，并在此过程中形成一定的自我效能感①。此外，自我管理还被普遍定义为个体通过主动地设定目标、采取行动、监控和评估自身的绩效并作出相应的调节等一系列的行为来塑造自己命运、修养个人品格的过程②。

教育领域中的自我管理具有广义和狭义两方面含义。广义角度，自我管理指各阶段的受教育者为了实现该阶段的培养目标以及为满足社会日益发展对个人素质的要求，充分地调动自身的主观能动性，利用和整合自我资源（价值观、时间、心理、身体、行为和信息等）而开展的一系列自我学习、自我教育、自我发展的活动，从而趋向于自我完善。狭义角度，自我管理、自我学习、自我教育、自我发展呈金字塔形递进关系，处在金字塔的最底部的自我管理是开展其他活动的基础，其他活动的实现都应建立在有效的自我管理的基础上③。将自我管理进行狭义与广义的划分，有益于从不同角度来理解其对于教育的意义。

许多学者认为，自我管理是强调从内修到外化的过程，是人成长过程中所不可或缺的能力之一。比如儒家提到的“修身、齐家、治国、平天下”的主张，实质上指出了自我管理在社会管理中的基础地位问题，强调从内修到外化。因此，自我管理与自我修养在教育领域的目的基本一致，即为

---

① Bandura A. Social foundations of thought and action; a social cognitive theory. Englewood Cliffs, N. J.; Prentice-Hall, 1986 . 617

② 孙晓敏，薛刚．自我管理研究回顾与展望［J］．心理科学进展，2008 (1) : 106 － 113.

③ 吴迪，谢志远，王晶．论大学生自我管理能力缺失的原因及对策［J］．广西青年干部学院学报，2006 (3) : 42 － 44.

了学生个体道德素养的提高和个体品格提升的一种自觉行为。但从层次上来说，二者仍然存在区别。自我管理所涉及的范围更大，它不仅在教育领域备受关注，也经常用于社会发展领域；而自我修养则主要聚焦于教育领域，尤其在道德修养方面。由此看来，教育领域中的自我管理是自我修养的基础，是促进学生德、智、体、美、劳全面发展的一种自发行为；而自我修养则是自我管理的上层建筑，是学生基于自我管理在德育中促进人个体德性发展的行为。二者居于不同位置，却在德育过程中始终协同发挥着重要的作用。

3. 自我修养法

德育的终极目标是个体提升品格和道德素养。经过上述辨析可以发现，自我修养本身在一定程度上也是一种德育目标。当自我修养作为德育方法时，其目的是通过修养身心而达到良好的德育效果，并最终促进人的德性成长，为了达到最终提升个体道德品质和道德素养的目的而努力。

自我修养法被认为是道德教育的主要方法之一，可以从两个关键点来理解自我修养法的内涵：第一，自我修养法不是让学生漫无目的地消极发展，而是主张学生的自我发展需要遵循一定的品德规范。从学校德育工作角度来看，自我修养法是指受教师引导的一种有目的、有计划的道德修养方法。第二，自我修养法强调学生的主体地位和学生的自我意识，学生自身进行自我修养的过程也正是其不断发展自觉性和学会反思、不断提升自己能力的过程。

研究发现，自我修养法是学生主动吸取思想营养，进行严格要求和自我反省，不断发扬优点，克服缺点，以提高思想品德的方法。没有自我修养和反思，外部的教育影响就难以发生作用[①]。它主要包括“自知”，即自我意识，它能唤起学生自我修养意识的觉醒，是学生自我修养过程的内在动力和催化剂；“内省”并非闭门思过，而是就日常所做的事进行自我检查，

① 赵瑞祥. 学校德育学概论［M］. 桂林：广西师范大学出版社，1992：206.

看其是否合乎道德规范。内省依靠的是自觉，不自觉也就难以真正进行内在的自我反省；"躬行"，道德认识依靠道德实践的检验而证实，则要求学生在实践中锻炼品质，反思的指向是践行，要求教师和学生都能做行动的巨人，并非仅停留在反思阶段；"慎独"即加强道德自律，培养自我监控的能力，它是道德发展的至高阶段，作为教师应该以此作为教育学生的重要目标，使得学生在无人监督的情况下也能自觉地严格要求自己。

综上，从宏观的角度看，自我修养法是受教育者按照道德教育的目标和要求，主动提高自身思想认识和道德水平以及自觉改正自身错误思想和行为的方法，即自我认识、自我监督、自我调整等。从微观角度来理解，自我修养法是学生在教师的指导和帮助下，主动进行自觉学习、自我反思、自我行为调节和自我监控等，使自身品德不断完善的一种德育方法。使学生在教师的带领下，在学习过程中能有意识地注重自我调整的心理建构方法，最终走向人格独立。

（二）自我修养法的特征

自我修养法作为一种重要的德育方法，十分强调学生的自我教育对德育的促进作用。自我修养法的特征主要表现在以下几方面：

第一，自我修养法具有目的性。任何以促进人发展为核心的教育都带有一定的目的性，自我修养的目的是使个体形成良好的思想品德，它是个体在外界条件的影响下，尤其是在教育者的要求下确立的，对个体道德认识的提高和道德信念的增强有着十分重要的意义[①]。不管自身对自我修养目标是清晰、明朗的或是比较模糊、笼统的，甚至随着自我认识的发展其目标会不断调整，但其总目标是不变的[②]。

第二，自我修养法强调自觉性。这种自觉性表现为主体在对自身的认

---

① 赵先寿．略论自我教育［J］．湖北大学学报（哲学社会科学版），1985 (3) : 10 － 17.

② 蔡鹤龄．自我教育在德育中的重要作用［J］．高等农业教育，1995 (6) : 9 － 11.

识与了解以及正确评价的基础上，根据自己的理想与信念为自己设定了符合社会需要的追求目标，并主动地付诸行动[①]。这种高度的自觉性建立在个体思想认识提高和内心信念增强的基础上，是个体在形成良好的道德品质过程中独立性、主动性的体现，是个体主观能动作用得以充分发挥的体现。当外部道德要求与个体内部需要不相适应时，为了确立正确的思想和动机，这种自觉性尤其显得重要和可贵[②]。

第三，自我修养法具有内化性。个体自我修养的过程就是将外界积极的影响和正向的教育资源内化的过程，这种内化过程正是人的社会化过程的反映。个体在教育的影响下，获得了一些有关的政治观念和道德观念方面的社会意识，明确了社会、学校和家庭对自己提出的道德要求。这些从外界新获得的知识和要求，与个体已有的认识、经验和需要之间还需进行一番比较鉴别、选择处理的加工，也只有通过这样内化加工过程，外在的社会意识才能有效地转化为学生的个人意识，最终形成学生的道德认识和信念[③]。

第四，自我修养法具有可控性。研究表明，人的道德修养是在教育控制与个人主观能动性的相互作用过程中形成和发展起来的，对学生采取自我修养的方法并不是放任自流，更不是否定教育者的主导作用，而是强调在德育过程中要充分发挥受教育者的主观能动性，使学生在教师的引导与启发下，自觉地对自己的思想行为进行自我评价、自我调节、自我控制和自我修正。因此，自我教育始终是在教师的宏观指导下进行的，教师具有及时把控发展方向和开展修养活动的主导权，也只有在教师的指导与帮助

---

① 潘柳燕．现代自我教育探析［J］．广西大学学报（哲学社会科学版），2006 (4)：111 － 116.

② 赵先寿．略论自我教育［J］．湖北大学学报（哲学社会科学版），1985 (3)：10 － 17.

③ 同②.

下，学生的自我教育能力才能有较快提高[①]。

第五，自我修养法具有社会性。自我修养法是注重个体修养活动的方法，但从社会系统工程的角度看，自我修养不是一种孤立的个人活动，而是一种具有社会性的个人活动，它与全社会的德育活动相联系最终构成一个有机的整体[②]。自我修养离不开社会环境并以人的社会化为前提和保证，这要求人们客观地认识自我与社会的关系，在社会中恰当地找准自己的位置，并努力在社会实践中对照检查自己，进而不断提高自我教育的能力以及修正自我发展的轨迹，以此使自我与社会有机地融合起来。

第六，自我修养法具有终身性。自我修养法作为一种服务于自我教育、以自我修养为旨归的方法，始终与人个体相关并适用于人的一生。因此，自我修养法具有持久性和永恒性。人的需要的永恒性决定了理想的我和现实的我这一矛盾的永恒性，也决定了自我教育的终身性[③]。正因如此，自我修养法始终关注个体终身的自我修养和自我教育。人的自我修养是个体应终其一生所坚持的行为活动，道德品质的提升是人一生所应追求的目标，因此自我修养法具备终身性特征。

（三）自我修养法的意义和价值

自我修养法是德育的最有效的根本途径和方法之一，苏霍姆林斯基曾指出："只有能够激发学生去进行自我教育的教育，才是真正的教育。"[④]因此，在德育过程中，教育者除了要注重使学习者内化良好的品德行为规范外，还需逐步培养他们自我教育的能力，养成自我修养和自我教育的习惯，

---

① 蔡鹤龄．自我教育在德育中的重要作用［J］．高等农业教育，1995 (6) : 9 － 11.

② 同①.

③ 冯春芳．自我教育的概念界定及特征分析［J］．前沿，2004 (3) : 76 － 78.

④ 苏霍姆林斯基著．给教师的建议［M］．杜殿坤，编译．北京：教育科学出版社，1984 : 350.

这同样是德育的目的。因此，自我修养法对个体德育及其自身发展都具有重要的意义和价值，主要体现在以下几方面：

首先，从社会角度看，自我修养法有助于个体进步，顺应社会发展。在“立德树人”的教育大背景下，加强学生的自我修养是社会发展对人才的创新意识和全面综合素质的要求。社会发展要求学生具有较强的自我修养能力，即学生通过自我修养提升自己的道德素养和道德品质，从而提高自己对所学知识的运用能力，锻炼自己的应变能力和创造性能力。另外，重视和加强学生的自我修养是学生自身发展的内在需求，社会的进步与发展为学生的发展提供了更大的机遇和挑战，要求学生具备全面发展的综合素养与能力。在快节奏时代，自我修养法能够帮助学生始终坚持审视自我、完善自我，而从自身实际情况出发不断反省和提升自我，使得个体能紧跟社会潮流，既符合社会发展趋势，又有助于学生在成长过程中从容地应对社会的各种挑战。

其次，从学生发展角度看，自我修养法有助于学生道德品质的形成，以及德育效果的巩固和提升，学生道德品质的养成最终需要通过自我内化来完成。在德育过程中，教师的主导作用不言而喻，但是它并不能直接决定学生将具有何种道德品质。学生接受教育的过程是自我认识过程，学生道德品质的形成更关键的地方在学生的自我内化与外化。而自我修养法，正是帮助学生将外在的道德知识内化为自己的道德素养的关键方法。此外，自我修养法可以培养和提高学生的自我教育能力，是巩固和发展德育效果的有效手段。使得学生不仅能在学校教育体系中接受道德教育，更对其终身的道德素养提升具有重要意义，重在培养自觉自发的道德自我判断、自我鉴别、自我约束等能力。

最后，从人的全面发展角度来说，自我修养是提升个体综合素养的有效途径，是实现教育目标的重要保证。而能否实现高效的自我修养，与个体的心理品质高度相关。自我修养法能够帮助个体发展自我意识、提高自我激励水平、加强自我调控能力、丰富自我教育实践活动。从某种意义上来说，自我修养法所倡导的人的自我修养，不仅仅是人发展的一个行为活动，更是德育的最终目的和归宿。因此，自我修养法值得在未来得到持续关注并开展深入研究。

二、自我修养法的发展脉络

中华五千年文明中，修身思想灿若星河。现实是历史的拓展和延续，追踪和梳理自我修养法的发展历程，把握自我修养法的演进脉络，可为当前自我修养法的理论研究和实践探索提供有益的借鉴和启示。

（一）自我修养法的萌芽期

自我修养是个体安身立命之本，各个时期、各个流派的思想家和教育家对自我修养进行了研究和讨论。道家倡导无为而治，自我修养当以明哲保身为目的；墨家主张自我修养要以人为镜，“强力而行”，刻苦磨炼自己，以求了身达命；法家致力于“道”与“德”的结合，重视礼法，并以之为最终的人格目标；佛教则注重“内”“外”兼修，若修身应先修心也，以此求得修行的完满。作为中国传统德育主流的儒家，更是把自我道德修养放在其思想理论的核心位置。

孔子最早提出儒家的自我修养观,开创了自我修养的先河。“修己以敬，修己以安人，修己以安百姓”。他始终把道德修养看作是一个人立身处世的根基和治国安邦的重要条件。孔子认为修身当先学诗，并将《诗》列为道德教育的首要内容和道德修养的教科书[①]。他将德育过程概括为：“兴于诗，立于礼，成于乐。”[②]“见贤思齐焉，见不贤而内省也。”[③]孔子还高度评

---

① 孙迎光.诗意德育［M］.上海：上海三联书店，2011：5.

② 论语·泰伯.

③ 论语·里仁.

价“内省”在提高个人道德品质中的作用,并以此作为道德教育的重要手段。

孟子、荀子进一步丰富和发展了自我修养观。孟子提出了“修身”和“养性”的思想和概念，如他所说“存其心，养其性，所以事天也。夭寿不贰，修身以俟之,所以立命也。”[①]“修身”加“养性”,就是如今修养概念的本义。《荀子》一书中专门有《修身》一篇,阐述了儒家对修养美德的看法。《大学》《中庸》系统性地总结概括了儒家的自我修养观。《大学》以修身为本，以“明明德”“亲民”“至善”的三纲领为目标，以“格物、致知、诚意、正心、修身、齐家、治国、平天下”八条目为环节，构成了儒家纲目结合、知行统一的德育模式。《中庸》更是提出了“慎独”的修养方式 :“君子戒慎乎其所不睹，恐惧乎其所不闻。莫见乎隐，莫显乎微，故君子慎其独也”。虽然儒家学派内部关于道德修养的思想不尽相同，但都普遍以道德修养作为中心环节,主张通过内心反省、自求自得以达到个人道德境界的完善,培养“德才兼备”“内圣外王”的君子，进而与天道合一成为圣人，从而达到治国平天下的最终目的[②]。从某种意义上,儒家在道德上对“学”、对“修养”的强调远胜过对“教”的强调，而所谓“学”即是对道德认知和实践的统一[③]。

在深厚的理论基础上，儒家学派还构建了一套完整的自我修养方法，当代很多学者尝试对其进行概括总结。张凤池等将古代道德教育的方法概括为克己自省、返璞归真、格物求理、学思并重、积善成德五类[④]。《比较德育学（第二版)》将古代的道德修养法定义为古人对自身的道德涵养、思想品德的修炼方法，即自我道德教育的方法，或曰道德修身法，并概括为以下四种方法。其一，好学善思、学思结合;其二，慎言笃行、知行并进;

① 论语 · 雍也 .

② 侯怀银 . 德育传统的当代价值［M］. 武汉 : 湖北教育出版社 , 1996 : 109 － 110.

③ 檀传宝 . 论儒家德育思想的三大特色与优势［J］. 教育研究 , 2002 (8) : 28 － 31 , 42.

④ 张凤池 , 胡守钧 . 道德教育的方法与实践 : 基于中国传统文化的视角［M］. 上海 : 上海社会科学院出版社 , 2019 : 13 － 24.

其三，反省自律、改过迁善；其四，立志有恒、积善成德[①]。侯怀银认为儒家正是在“修己以安人”的思想指导下，强调自身道德修养，在长期道德教育实践中积累了许多宝贵经验，经过不断总结、继承和发展，形成了一套自我道德修养的方法。并将其概括为其一，立志；其二，读书为学；其三，克己修身，追求慎独；其四，推崇中庸，讲求持中[②]。

历史长河奔流不息，儒家思想却总能在不同的历史时期给予后世借鉴和启迪。先秦儒家的自我修养观是我国自我修养法的渊源和根基所在，为当代自我修养法理论与实践的发展提供启发性、前瞻性的参考价值。因此，对儒家道德修养思想的进一步挖掘和研究有助于当代德育的进步和发展。

（二）自我修养法的深化期

汉代董仲舒提出“以仁安人，以义正我”，强调处理人际关系的时候要宽以待人、严于律己。此外，董仲舒在个人道德修养的过程中提出“必仁且智”的观点，重视“仁”与“智”的统一，从而形成完善道德。唐朝的韩愈提倡“以弘道为己任”，通过古文来促进士人的修身成德。所谓“古书之正伪，与虽正而不至焉者”[③]，显然，这已经不仅仅是一个文学的研摹与创作状态，更是一个精神上不断修养砥砺以优入圣域的过程[④]。在《师说》中论述“师道”时，韩愈提出要“学无常师”，也为自我修养提供了新的视角和思路。针对明朝中期“不知而妄行”与“空想而不行”两种不良倾向，王阳明提出“知行合一”说，以强调道德的实践性，并在个人道德修养方面提出“静处体悟”“事上磨练”“省察克治”“贵于改过”四种方法。

---

① 武汉大学思政教育系．比较德育学［M］．武汉大学出版社，2003：225－234.

② 侯怀银．德育传统的当代价值［M］．武汉：湖北教育出版社，1996：110－149.

③ 陈振鹏，章培恒．古文鉴赏辞典（上册）［M］．上海：上海辞书出版社，1997：938－942.

④ 刘宁．韩愈古文理论与儒家修养思想［J］．安徽大学学报（哲学社会科学版），2014（3）：1－8.

可见，自先秦儒家开创自我修养的先河，直至明清时期近两千多年间，自我修养的观念得到不同程度的深化和拓展。但值得注意的是，封建社会的统治阶级对道德问题的解决不是从道德内部出发，而是依靠政治制度和法律制度等外在手段而求得完善的[①]。因而古人所倡导的自我修养，皆是以对封建社会纲常伦理的内化和服从为出发点和落脚点，与我们今日所讲的自我修养实不可同日而语。

20 世纪 30 年代，针对学生习惯于被动地接受道德教化，不明确道德规范的价值意义，造成道德迷失的状况，陶行知倡导“德育注重自治”[②]，并提出了生活德育观，主张通过回归生活的方式开展德育，使德育的过程成为个体德性之自主生成、自我建构的过程。其中“教学做合一”的方法论，在一定程度上提升了学生自我教育的能力。

（三）自我修养法的式微期

1949 年新中国成立后，伴随着社会主义计划经济体制的建立，学校德育通过吸收革命根据地的教育经验和借鉴苏联模式逐步发展。这种德育的基础是集体主义，要求统一性，强调协调性，因此在这一时期，德育方法以灌输与强制为显著特征[③]，道德教育的政治色彩浓厚，强调个体道德教育要为社会的整体发展服务。在新中国成立后的十余年间，学校德育工作既强调组织学生参加政治斗争和生产劳动，也强调加强政治理论教育和学生日常生活的思想工作，采用生动活泼的教育方式，创造了一些行之有效的自我修养方法[④]。例如，善于运用批评与自我批评的武器，倡导修身自律；开展各种社会宣传活动，组织学生编导、排练一些革命主题的戏剧，教育

① 戚万学，唐汉卫．学校德育原理［M］．北京：北京师范大学出版社，2012：52.
② 陶行知．中国教育改造［M］．合肥：安徽人民出版社，1981：19.
③ 班华．现代德育论［M］．合肥：安徽人民出版社，2001：222.
④ 沈壮海，佘双好，等著．学校德育问题研究［M］．郑州：大象出版社，2010：140.

别人的同时也提升了自我。

20 世纪 80 年代中期，人们开始对经济改革与道德发展问题进行反思。这种反思源于国家工作重心向经济建设的转移，源于商品经济和市场经济背景下部分人见利忘义、明哲保身的现象的出现，以及拜金主义、享乐主义和极端个人主义在社会中的产生和蔓延。“仓廪实而知礼节，衣食足而知荣辱”，经济的富足为社会整体性的道德发展提供了坚实的物质基础，但市场使社会面临道德的风险，使人们在经济的欲望中遗忘道德的本意，甚至出现为了利益弄虚作假、偷税漏税等不道德的行为，引发社会整体性的拜金主义观念[①]。人们越来越多地关注外在的物质追求和享受，忽视内心的道德修养，自我修养法在这一时期鲜被提及。

（四）自我修养法的新探索

20 世纪 80 年代后期，满堂灌式的教学遭到普遍驳斥，教育理论界开始关注学生的主体地位，主张回到人本身的能动性去看待学生[②]。为适应学生思想、心理、行为变化的新特点，20 世纪 90 年代学校德育方法有了新发展。针对青少年学生自我意识较强的特点，注意引导和发挥学生在德育过程中的主体作用，创造了民主讨论法、对话法、互相交流法、谈心交友法等生动活泼的教育方法，有效地实现了教育与自我教育的结合[③]。20 世纪 90 年代后期，尤其是 21 世纪初，理论界旗帜鲜明地将德育价值取向转向了以人为本，强调人的主体性，关注人的情感，重视人的生活体验，肯定人的价值，尊重人的尊严，从而使德育回到了它原初的本质——育人[④]。

---

① 冯建军．中国教育改革 40 年·学校德育［M］．北京：科学出版社，2019：32.

② 同① 10–11.

③ 沈壮海，佘双好，等著．学校德育问题研究［M］．郑州：大象出版社，2010：149.

④ 同① 35.

2006年社会主义核心价值体系的提出，2012年11月党的十八大明确提出了二十四字的社会主义核心价值观，其个人层面的“爱国、敬业、诚信、友善”8字，为当代人的自我道德修养提供了参照和遵循。今天的自我修养法可以说是对社会主义核心价值观的深切认同和自觉践行，通过理性认知、情感共鸣过渡到思想转化这一循环系统，并据此不断调适自己的道德行为，达到从内心深处接受、认同社会主义核心价值观，最终把这些新的思想和观念纳入自身的世界观、人生观和价值观体系之中。习近平总书记同样非常重视青年的个体道德发展，倡导青年要积极修身立德。2014年的五四青年节，习近平总书记在与北大师生座谈时指出：“道德之于个人、之于社会，都具有基础性意义，做人做事第一位的是崇德修身。这就是我们的用人标准为什么是德才兼备、以德为先，因为德是首要、是方向，一个人只有明大德、守公德、严私德，其才方能用得其所。”①社会上也掀起了自我修养的浪潮，如党员干部的自我修养、教师的自我修养、大学生自我修养等等，其中高校大学生的自我修养成为热议话题。《思想道德修养与法律基础》课程成为强化大学生自我道德修养的重要渠道，很好地体现了党和国家的意志与大学生自我修养的需要的统一。课程的教学目的之一即使高校学生离开学校和老师之后，也能够用正确的世界观、人生观、价值观指导和修正自己的行为，养成自觉修身养性的习惯，进而达到“慎独”的道德境界。

时至今日，对中国儒家德育思想的整理和研究成为当代中国德育学术界的重要课题②。儒家文化重道德，讲修养，凭借其顽强的生命力和凝聚力穿越千年发展至今，成为我们取之不尽、用之不竭的思想源泉。对自我修养法发展脉络的把握有利于增强当代德育的时效性。本文通过对其发展历程和演进脉络的梳理和把握，归纳出以下发展特点及其趋势。

---

① 习近平谈治国理政. 北京：外文出版社，2014：173.

② 檀传宝. 论儒家德育思想的三大特色与优势［J］. 教育研究，2002（8）：28－31＋42.

第一，个体的自我修养始终与政治和社会紧密联系。虽然自我修养面向个体的内心世界，但自我修养绝非闭门造车，它在无形之中也始终深受当时的政治和社会的影响，与政治和社会紧密联系。首先，德育与政治具有高度的关联性。德育的最终目的是通过个体德性的陶冶和价值的渗透培育有理想、有信念和有德行的公民。其次，人是活动的主体，人的本质“是一切社会关系的总和”①，因而自我修养显然会打上社会的烙印，对社会主流的道德判断标准和规范进行内化或批判，成为个体自我修养过程中不可回避的重要内容。

第二，从古代“修养”到现代“道德教育”再到“道德学习”的转型。这不仅符合生存论道德的本质，也符合教育自身的发展趋向②。“道德学习”是基于对传统的“道德教育”的反思而做出的选择，但并不意味着从现代“道德教育”退回到古代的“修身”。古代“道德修养”的经验形式，以攻读“四书五经”为主，辅以“反省”和“慎独”。其中“反省”主要是对自己行为的回顾，藉以鞭策自己，而不是对行为准则的再认识；“慎独”虽也属于自我克制，但不一定是（甚至基本上不是）基于个人理性判断力的克制，而是强制自己对权威的盲从③。所以古代的“道德修养”与如今的“道德学习”有着诸多区别。

第三，坚持价值引导与自主建构相结合。学生思想道德水平的提高、理想人格的塑造，既离不开教育者的价值引导，也离不开学生对其精神世界自主地、能动地生成与建构。离开学生的自主建构，教育者的价值引导就会变为强制灌输；而没有教育者的价值引导，学生的自主建构就会缺乏基础和必要的条件。

第四，研究对象多集中在大学生群体。目前，学者们将自我修养的研

---

① 马克思恩格斯选集：第 1 卷［M］. 北京：人民出版社，1995：60.

② 冯建军. 论当代学校教育中的道德学习［J］. 教育评论，2002 (2)：9－11.

③ 陈桂生. 德育引论［M］. 上海：华东师范大学出版社，2018：30.

究对象聚焦于大学生群体，与之相关的方法与途径研究已较为全面和深入。曲华君等提出要坚持自我教育的方法，并认为高校德育工作者的首要任务就是培养大学生自我教育的能力、为大学生的自我发展创造条件，增强德育的实效性，达到德育工作的目的、完成德育工作的任务[①]。

第五，终身道德学习的兴起与发展。向终身学习体系过渡已成为21世纪教育包括道德教育发展的一种趋势[②]，且符合教育发展的世界性潮流。终身道德学习是终身的自主育德、自我修养的过程，其内在目标是促进自我德行的提升。不仅表现在个人主动地、自觉地能动学习，还表现在学习方式的个体化方面，包括对自我修养的要求、内容、方式等，都由学习主体自主决定、自己安排。修身养性是人一生的追求，“人的德行发展是必须用一生实践、永无止境的求索过程”[③]。

第六，网络道德学习的兴起与发展。网络道德学习，是走向信息时代的一种新型自我道德教育的方式。传统道德修养的方式，例如修身自励、慎独自律、反躬自省、实践锻炼等等应当继承，但信息时代也应当学会新的网络道德学习方式。网络道德学习至少包括以下两层含义：一是通过网络进行的学习，对网络道德资源的开发、利用与再生；二是学习网络道德知识、信息和道德规范，学会在网络道德环境中，自尊、自爱、自律，处理好网络中的人际关系，自觉地学习和掌握信息价值观、学习享用信息权利和承担信息义务，形成良好的网络道德品质和素养[④]。因此，在网络道德学习中，教师要充分发挥学生的主体作用，协助学生科学规划自我修养计划，并严格监督实施。

---

① 曲华君，罗顺绸，钟晴伟，等著．德育教育与创新能力发展［M］．北京：中国财富出版社，2019：131.

② 班华．略论终身道德学习［J］．当代教育科学，2004（4）：3－8.

③ 高德胜．终身教育引论［J］．教育研究与实验，2003（4）：15.

④ 同②.

第二节　自我修养法的相关理论研究

若以空间意义上的世界为横轴，以时间意义上的历史为纵轴，可以发现：中国古代孔子最早提出了儒家的自我修养观，荀子、孟子在孔子的基础上进一步发展了自我修养观，这是自我修养最初为人所重视并为后人所传承和弘扬的节点，也是现代中国自我修养相关理论——诸如知行合一理论、生命教育理论等的源头和根基。教育家苏霍姆林斯基提出了“真正的教育是自我教育”的命题，所谓自我教育，就是用一定的尺度来衡量自己，全部问题就在于要能够强制自己。没有自我认识，就既不可能有自我教育，也不能够有自我纪律①。苏霍姆林斯基对于这一问题的讨论，从积极的、发展的视角来研究和审视自我修养，对道德教育有重要的启发和借鉴作用，将自我修养视为培养个体的道德素养、激发道德良心，从而最终达到道德发展目标及理想境界的基本手段。

一、儒家思想中的自我修养观

德育方法中，自我修养法的起源与发展与儒家思想中的“修身”观念密不可分。先秦时期儒家诸子的教育理想是希望通过“修身”使每个人都能成为道德高尚，具备格物、致知、诚意、正心、修身、齐家、治国、平天下品质的“君子”。在这一时期，自我修养的目的是成为维护和巩固封建宗法社会秩序的治国平天下的“君子儒”。此后，经过孔孟学说以及宋明理学等思想的发展，儒家的自我修养观成为中华传统文化、传统道

① 转引自：黄书金 . 德育的重要使命：学习苏霍姆林斯基的自我教育理论有感［J］. 学校党建与思想教育，2000 (12) : 27 – 29.

德教育中浓墨重彩的一笔，更是后世提出发展自我、陶冶自我的自我修养理论和自我修养方法等内容的理论源头，具有重要的奠基和指导价值。

（一）孔子“修身、齐家、治国、平天下”中的自我修养溯源

作为儒家思想的创始人，孔子在《论语》中有很多关于自我修养观的言论。值得关注的是，《论语》一书中，没有明确提出过“修养”一词，而是在论及修养时用了“修身”“修己”“正身”等词汇。“修养”在词典中，一方面指知识、技能、品德等方面所达到的水平，如文学修养；另一方面则指人的内涵，曾指正确的待人处世的态度。而孔子常用的“修身”一词主要指陶冶身心，涵养德性，修持身性。由此可以发现，孔子的自我修养观更注重个体身体和心理上的成长和发展，注重人本身的道德品格和品质，注重用外在事物陶养身心和修养自身德性，而非盲目追求身外的学识和才智。

有学者概括总结了孔子自我修养观的目的，即为了完善学生道德素养的内在需要。孔子在《卫灵公》中说：“君子求诸己，小人求诸人。”[①]君子身上的一切道德修养、学识和才能的获得和进步完全取决于他自己，依靠别人的都是小人。其次，自我修养是营造社会道德风尚的迫切需要。《礼记 · 中庸》中有：“知所以修身，则知所以治人。知所以治人，则知所以治天下国家矣。”[②]这句话的内涵正是告诫当时的天子，只有懂得自我修养，才懂得如何管理臣民，而后才懂得如何治理天下。孔子将自我修养看成是天子治国平天下的起点，又把治国平天下看成天子自我修养的目标。

孔子自我修养观的对象聚焦于天子和有学问的人，他关注但不局限于人的内在层面，孔子认为人应当通过自我反省、自我反思、自我修正以及不断地学习和批判来提升自己，从而培养出能够治国、平天下的“君

① 论语 · 卫灵公 .

② 礼记 · 中庸 .

子”。虽然受历史环境以及其他多种因素影响，孔子的“自我修养”与现在德育中自我修养法的目的并不相同，但其从始至终对于人的自觉成长和进步的关注和重视程度是一致的，对于人不断发展的行为起点的认知是一致的。孔子“修身、齐家、治国、平天下”的观念是最早关于自我修养的理论源头之一，更为后来的自我修养观和自我修养法的演进和发展奠基。

（二）孟子“内圣外王”中的自我修养意涵

由上述孔子的自我修养观发展而来，“内圣外王”思想体现出积极进取的人生观和理想追求。“内圣外王”一词最早出自《庄子·天下》篇：“圣有所生，王有所成，皆原于一。”[①] 庄子的“内圣外王”思想重点阐明了通过自身实行“无为”的人生准则，辅助君主治理天下。而后，儒家将庄子这一思想进行移借，提出了深刻而系统的“内圣外王”观。

孟子的“内圣外王”思想是对孔子思想的继承与发扬，将“内圣外王”思想进行系统阐述和表达，并进一步丰富和完善了其思想体系。其中“内圣”思想是指对个体德性的培养，“外王”则是道德的延续。儒家“内圣”思想是君子慎独、自省的一种关于人格塑造上的理想，“外王”则是一种百姓皆有所养的政治理想和政治关怀，“内圣外王”思想则对人的内在德性完善、积极入世以实现王道政治提出了要求。因其主要理论涉及“内圣”，又被后世称为“内圣学说”。

孟子的“内圣外王”思想，其重点依旧落在“内圣”，即强调万事先要从提升自身出发，充分肯定了自我修养对个体发展的价值。从自我修养法的角度来看，“内圣”对于个体德性的培养也与现在所说的德育中的自我修养十分相似，都是要通过一些特定手段来达到提升道德修养的目的，

---

① 庄子·天下.

为自我修养法的提出与完善提供启示。在其修养方式上，孟子提出了“反身而诚”和“养心”重在寡欲的思想。在《孟子·尽心下》中有所印证:“养心莫善于寡欲。其为人也寡欲，虽有不存焉者，寡矣；其为人也多欲，虽有存焉者，寡矣。”① 孟子认为修养善心的最好的方法是减少自己的欲望和一些不切实际的追求，使得自己的内心平静下来，从而使自己能够更加理性、客观地看待周围的人和事，用平常心去面对得失。其思想基础来自孟子提出的“性善论”，主张强调人性本善，并认为这就是能够使人“成圣”并最终达到自我修养目的的基础。

儒家的人生观，要求人们要不断内化道德修养，提倡自尊自爱、尊重他人，从而达到格物致知的精神境界。孟子的“内圣外王”思想亦是如此，尤其是其“内圣”学说，为近现代中国关于自我修养及其方法的讨论开辟了理论源头。作为人的道德标准,“内圣外王”也为历朝历代的君子所推崇，影响了一代又一代人的成长，成为古代社会培养政治和文化人才的重要精神源泉。基于现代视角，在社会主义市场经济环境中，“内圣外王”思想仍然对个人和社会发展发挥着重要的影响，这也在一定意义上证明了自我修养的重要性。

二、“知行合一”理论

德育中的自我修养法，它既关注修养的最终结果也关注修养的过程，强调学生在日常学习生活中将修养自身、完善自身的一系列活动的感悟内化成为自己的道德知识，从而提升个体的道德品质和道德素养。而“知行合一”理论正为了自我修养法的修养过程提供了理论依据，它明确提出了人自身的道德修养与道德行为具有紧密联系，自我修养不能仅仅通

① 孟子·尽心下.

过提升自己的道德知识来实现，更需要加以行动来辅佐，只有将道德知识经由自身理解后外化成为自发的道德行为，才是真正达到了自我修养的目的。

"知行合一"理论经历了漫长的岁月演变：在古代，孔子开启"知行合一"道德素质教育先河；王阳明是"知行合一"思想的集大成者，进一步丰富了"知行合一"教育思想的内涵，认为"知是行之始，行是知之成"。到了近现代，陶行知在其生活教育理论中进一步发展了"知行合一"的教育思想；毛泽东进一步深刻揭示了"知行合一"的意义，以"实事求是"赋予"知行合一"新的内涵；习近平将"知行合一"教育思想推向新的高度，明确提出了在"知行合一"的状态下完成立德树人目标的具体方法，在新的历史时期将"知行合一"教育思想推向新的高度[①]。"知行合一"思想经受了漫长岁月的洗礼而留存至今，演进路上的每一阶段都会吸纳新的思想活力，在新时代更是被赋予了新的意义，无不体现着其思想精华。王阳明是第一位明确提出"知行合一"思想，并将其作体系叙述的第一人，陶行知先生是近现代对"知行合一"思想作了新解释的第一人。因此，本节将以王阳明、陶行知两位学者的理论为主要内容，基于二者的理论体系，探讨其在今天演化新生而来的思想道德教育的现代思考。

（一）"知行合一"理论强调知与行的统一与转化

针对以朱熹为代表的程朱理学"知先行后，知轻行重"的思想主张，王阳明提出"知行合一"理论学说，是对将"知"与"行"相互割裂观点的批判。"知行合一"思想是王阳明心学思想的重中之重。王阳明的知行合一有两层意思，一方面是指二者不可分，他认为"良知，无不行，而自觉的行，也就是知"，"圣人之学为身心之学，要领在于体悟实行，切不可

---

① 梁化民．以"知行合一"重塑当代大学生道德素质教育体系［J］．天津城建大学学报，2020（5）：381－387.

把它当作纯知识，仅仅讲论于口耳之间”。即知行二者本不可分，道德良知若不通过道德实践体现出来，就不能称为真正的“知”。另一方面是指知是行的前提，知决定行，以知为行，即他所说的“知是行之始，行是知之成”。王阳明从道德良知角度深刻地揭示了“知”与“行”的合一就是道德意识和道德实践的统一，促进知行的统一与相互转化，最终实现“致良知”的目的[①]。但也要注意,这里的“合一”不是简单的累加,而是“知”中有“行”,“行”中有“知”的关系,并且“知”虽然对“行”有重要意义，在强化“知”时，“行”也有着重要的价值。因此，“知行合一”理论具有不可分割性、辩证统一性和道德性三个特性。

王阳明的“知行合一”理念是中国哲学的精华。关于“知”和“行”的重要辨析，不仅承载着中华教育史的许多内容，也对人们在行为、道德、实践等各方面起到了重要影响。但需注意：受到一定历史背景和社会环境的限制，王阳明道德教育理念的提出及其旨在达成的效果，是为了顺应当时的时代发展和社会环境，为培养遵守三纲五常的封建顺民以维护王朝统治。但随着历史车轮滚滚向前，封建的伦理纲常早已不是永恒的社会本性与真理，更不是人人须遵守的规范。进入新时代，“知行合一”理论为现代的道德教育提供了丰厚的养分，为帮助教育落实“立德树人”这一根本任务奠定基础，对现代背景下的德育工作具有重要的启示和现实意义，有力地推动了社会对于自我修养的关注，并为自我修养法的发展和实践应用提供了可靠的理论依据。

（二）“知行合一”理论中的自我修养主张

王阳明主张“知”的落脚点是“行”，但他所理解的“行”重心并不在于社会实践，而是强调人的道德行为、道德践履，也就是说“知”的目

---

① 谭秋浩.知行合一：大学生社会主义核心价值观教育的第一要义[J].高教探索，2015(9)：121－124.

的是“行”[①]。陶行知先生发现王阳明的知行观及其教育主张在当时中国是行不通的，将“知是行之始，行是知之成”改成“行是知之始，知是行之成”,对“行”更为重视。陶行知先生于1946年,在《小学教师与民主运动》一文中提出:“教育方法要采取自动的方法、启发的方法、手脑并用的方法、教学做合一的方法。”[②] 陶行知先生倡导理论学习与实践的统一，而该思想契合素质教育改革，关注学生实践能力的培养，理应在教学中得到渗透。陶行知先生生活教育理论中的“教学做合一”思想，是“知行合一”理论在现代社会一脉相承下来的最具体、最权威的表达。由王阳明到陶行知的“知行合一”思想的演进，不仅促进了近百年来中国道德教育理论的发展，也逐渐总结出了开展道德教育的实践方法，促进人们重视自我修养，是自我修养理论的发展历程中十分重要的理论源头之一，更为自我修养法的建构与德育成效落地提供了丰沛的理论土壤。

值得注意的是，现代关于“知行合一”实践的探讨始终热度不减，并不只是单纯歌颂前辈的贡献，或是赞美它带给现代道德教育界的诸多启示，而更多是因为“知行合一”具有现实意义和价值：

首先，“知行合一”是立德树人的内在要求。素质教育提出了要培养全面发展的人，而全面发展的人即是“完善的人”，必然是“知”与“行”的统一体，即个体在以树“完善的人”为发展目标时需注重知与行的统一，其行为背后是以人的自我修养为内驱力。其次，“知行合一”是培育和践行社会主义核心价值观的重要途径。社会主义核心价值观具备隐性知识的特征，且需要人民从自身出发认可并内化才能真正形成正确良好的社会风气，这仅仅依靠书本和语言是难以达成的，必须依赖于一定的德育情境，以“知”促“行”，积极发挥社会主义核心价值观的引领作用，在自我修

① 杨国荣.心学之思:王阳明哲学的阐释[M].北京:生活·读书·新知三联书店,1997:210.

② 余子侠.中国近代思想家文库:陶行知卷[M].北京:中国人民大学出版社,2015:500.

养的过程中不断践行社会主义核心价值观。再次，“知行合一”思想是中华优秀传统文化的传承与发展。“知行合一”思想强调了理论与实践的统一，体现了以人文精神教育人民，养成良好社会风尚的文化道德教化理念，对促进中华优秀传统文化的传承与发展具有积极的理论意义，对宣扬中华文化以及加强道德教育起到了积极作用，也为个体有意识地开展自我修养明确了具体的方法路径。最后，“知行合一”思想提供了认识世界的科学方法，马克思的辩证唯物主义认识论把实践的观点引入了认识论。“知行合一”就是“知”与“行”的相互融合、转化和促进的过程，道德认识需要通过道德实践才能进一步深化，道德实践需要在道德认识的指导下实现，为自我修养法的提出丰富理论基础。

综上所述，“知行合一”理论在一定意义上丰富了自我修养法的内在意蕴。一方面，“知行合一”利于促成人们的道德信念来激发人们的道德意识，培育人们的道德精神，修养人们的道德素养，最终指导人们的道德实践。强调“知行合一”是道德教育的根本出发点和落脚点；有利于提高道德教育的主体性，更有利于在人个体的日常生活中开展德育内容，使德育成为人精神生活的一部分，并最终导向物质世界的生活之中①。因此，提高道德认识、促进道德修养、加强道德建设，已经成为个体自我修养与道德文明发展中不可漠视的重要环节。另一方面，“自我修养”作为促进人们道德教育、提升人们道德修养的方法之一，“知行合一”理论的出现成为其历史溯源和未来发展的重要依托。现代的“知行合一”，是有了符合社会要求的道德践履的“行”，才能使自身有一定的思想道德知识即道德修养的“知”，“知”是为了“行”。但无论“知”“行”顺序如何，“知行合一”理论始终与人自身相关，人的道德知识的获取、道德实践的发生都是人开展自我修养的过程。

---

① 余纯．浅析“知行合一”的现代价值［J］．人民论坛，2012 (23)：198－199.

三、生命教育理论

作为自我修养法的理论基础之一，“生命教育”有其重要的理论和现实意义。首先，“生命”作为自我修养的重要载体，“具有自发的不断向上的驱力……教育应借助这种驱力以实现儿童的自我教育”[①]。也正是因为生命这种本身的向上性、向善性，促进学生在道德上的自我修养和完善。其次，生命教育的内容是个体自我修养的重要方面。通过对“我是谁”“我为什么活着”“我为谁而活”等生命意义的追问和思考，学生能够更了解自己、更清楚自己存在的意义，从而实现个体生命的价值。最后，生命的道德教育是“有我”的道德教育[②]。修德不是为了别人，而是为了自己。德行不是自我牺牲，而是自我实现。由此可见，生命教育理论对于个体自我修养的内容和方式都具有深刻的指导意义。

（一）生命教育理论的德育诠释

近些年越来越多的学者认识到教育应当尊重生命、关爱生命，生命教育亦成为中国教育界的重要议题，逐渐聚焦于道德教育领域，并得到了进一步的深化，“生命道德教育”的理念也应运而生。冯建军指出：“生命德育基于生命，关怀生命，涵养生命，满足生命的需要，提升生命的意义，完善生命的品格。”[③] 刘慧在“新生物学范式”的视野下提出生命道德教育理论，即从生物科学与生命体验相结合的视角来建构生命道德教育，在重新理解生命、人、道德和道德教育的基础上，依托生命本身所具有的特性及价值，观照现实的教育现状，建构了生命道德教育的基本理论框

① 程红艳．教育的起点是人的生命［J］．教育理论与实践，2002（8）：17－20.

② 冯建军．生命教育论纲［J］．湖南师范大学教育科学学报，2004（5）：5－12.

③ 冯建军，等．中国教育改革40年·学校德育［M］．北京：科学出版社，2019：184.

架①。

2019年年底新冠肺炎疫情爆发，引发人们的生命道德之思，生命教育亦成为热点话题。生命是道德教育的核心，生命道德教育主张把握生命的本质、着眼于道德教育，从而抓住了道德教育的灵魂②。作为德育的一个重要组成部分，生命道德教育贯穿学生受教育过程的始终，是具有生命性、主体性、生活性的道德教育的新形式、新领域。教育是直面人的生命、通过人的生命、为了人的生命质量的提高而进行的社会活动，是以人为本的社会中最体现生命关怀的一种事业③。教育应将“生命”视为基础和“原点”④，使每一个受教育者能够更好地聚集生命能量、展现生命魅力，而不是沦为赚取金钱、获得财富、享受物质生活的“生物机器”⑤。作为真正人道的教育，生命教育关涉一切“有生之命”，以“人性向善”为基本的价值预设，是对传统道德教育的预设和提升⑥，在于使学生学会积极地应对人生过程及生死的挑战，学会尊重生命并理解生命的意义，进而培育对待自己、他人乃至一切生命体的责任感，从而获得身心的健康成长⑦，生命教育是有关生命和遵循生命，生命有爱的教育，处于德育的根基部分。有关生命的教育是指有关生命之真、善、美的教育；遵循生命的教育是以生命为基点来定位教育，即教育是为了生命，而不是生命为了教育⑧，因此生命教育应成为

---

① 刘慧. 生命德育论［M］. 北京：人民教育出版社，2005：13.

② 刘铁芳. 生命与教化：现代性道德教化问题审理［M］. 长沙：湖南大学出版社，2004：48－49.

③ 叶澜. “教育的生命基础”之内涵［J］. 山西教育（教学版），2004（6）：1.

④ 叶澜. 让课堂焕发出生命活力：论中小学教学改革的深化［J］. 教育研究，1997（9）：3－8.

⑤ 郑晓江. 生命教育［M］. 北京：开明出版社，2012：1.

⑥ 肖川，陈黎明. 生命教育：内涵与旨趣［J］. 湖南师范大学教育科学学报，2013（4）：30－36.

⑦ 同⑤ 18.

⑧ 刘慧. 生命教育内涵解析［J］. 课程 · 教材 · 教法，2013（9）：93－95.

道德教育，尤其是自我道德教育的永恒主题。

（二）生命教育理论在德育中的现实意义

虽然学者们对“生命教育”的内涵众说纷纭，但主要围绕认识生命、敬畏生命、关爱生命和追求生命的意义等方面展开，这些方面构成了个体自我修养的重要内容，为自我修养提供了价值观层面的方向引领和指导。

首先，认识生命是自我修养的重要前提。“自我”作为生命的主体，个体在自我修养中始终绕不开对“我是谁”“我为什么而活着”等哲学问题的探讨和追问。“对人本身的认识与理解，是人之生命意义的一个核心问题。对‘我是谁’的认识与理解是回答生命意义问题的‘原点’，也是人一生的功课”[①]。德育要想触动人的心灵，震撼人的内心，必须摆脱苍白无力的说教，付诸个体的自我体验，回归到个体生命的境遇、经验和体验中去。个体生命的境遇形成其独特的经验与体验，从而生成他自己[②]。同时生命教育关注个体生命的当下需要，帮助每一个生命个体清醒地意识到自身生存与发展的需要，并促进其需要的满足，即一方面追求生命个体的内在自我发展与完善；另一方面追求自我生命与他人生命的和谐共生[③]。

其次，敬畏生命、关爱生命是最基本的道德。个体生命是自我修养的物质基础，儿童首先学会关爱自己生命，然后由己推人，才能学会关爱他人、他类生命。生命道德为自我道德、人际道德、生态道德提供了一个更为内在的、彼此关联的基础。一个对生命有着深切关爱之情的人，不仅不会无辜伤害他类生命或盲目破坏他赖以生存的自然和社会环境，反而更具有关

---

① 刘慧．生命教育：人工智能时代的教育主旋律［J］．生命教育研究，2019 (1)：5 － 7.

② 刘慧．生命德育论［M］．北京：人民教育出版社，2005：104 － 112.

③ 冯建军，等．中国教育改革 40 年·学校德育［M］．北京：科学出版社，2019：184.

爱他人之情、之意、之能[1]。我们传统的道德教育如儒家文化“舍生取义”“杀身成仁”等过分强调生命的社会价值，忽视生命的本体价值。这些问题在自我修养过程中常常引发个体的道德认知冲突，而生命道德教育以“人性向善”为基本的价值预设，是对传统道德教育的超越与提升，恰恰可以为其树立正确的生命价值观的引导。因此生命教育要在生命的根基上确定起人的内在的不可让渡的尊严，树立起生命神圣的观念，以唤醒、提升我们心中“固有的善端”作为生命化德育的应有之义[2]。

最后，生命意义、生命价值的实现，是个体自我修养的最终目的和归宿。热爱生命，追求自我完善为核心的“立身之德”是中国当代道德教育内容的基础性构成之一[3]。当今社会科技的飞速发展带给人们越来越丰富的物质条件，同时也导致人们生活节奏的加速和压力的增大。人们越来越多关注外在的物质追求和享受，忽视内心的道德修养，精神发展跟不上物质发展的脚步，生命价值失落，生命意义迷失。在这样的社会背景下，生命道德教育的提出，能够从“生命”本身出发对其进行回应和反思，引导受教育者在有限的生命中认识和理解生命的价值和意义并付诸实践，也为自我修养法的理论和实践注入了新的活力。

第三节　自我修养法的实践研究

正如叶圣陶先生所说的“教育的目的就是为了达到不教育”，外在的

---

① 刘慧，吕晓慧，任芳德．生命道德：面对疫情的生命之思［J］．生活教育，2020 (3)：33 － 39.

② 肖川，陈黎明．生命教育：内涵与旨趣［J］．湖南师范大学教育科学学报，2013 (4)：30 － 36.

③ 叶澜．试析中国当代道德教育内容的基础性构成［J］．教育研究，2001 (9)：3 － 7.

各种道德教育是为了转化为个体内在的道德意识和行为，调动个体主观的内在动力，从而提高自我修养的能力。本节将结合古代学者自我修养的方法和当代德育的发展特点，重点介绍修养指导法、批评与自我批评、生命叙事法、正念冥想与冥思教育四种具体实践方法。

一、修养指导法

自我修养是一种自觉的思想转化和行为控制的活动。在一定教育条件影响下，学生自觉地提高思想认识，按照社会要求评价自己，实事求是地分析自己的优缺点，主动地接受社会的影响和学校的教育，确定自己努力的方向，积极体验和掌握正确的道德行为标准，以指导自己的行动[①]。在这个过程中，教师积极正向、科学有效的指导显得尤为重要。

（一）修养指导法的概念

学界对修养指导法的概念界定比较统一，即修养指导法就是教师指导学生自己教育自己，以形成社会所要求的思想品德。它不仅强调在德育过程中要激发学生的主动性，更重视教育者的教育作用[②]。作为一种充分发挥学生的积极性、主动性的自我教育的方法，修养指导法强调在教育者的指导下，从培养学生的意志、信念入手，引导学生自觉地对自己提出要求，进而采取措施，达到思想转化和行为控制的目标，从而形成良好的思想品德[③]。主要包括自我学习、自我批评、慎独、体验、座右铭等具体内容[④]。

---

① 李意如，胡筠若．学校德育［M］．北京：北京师范大学出版社，1985：102.

② 胡守棻．德育原理［M］．北京：北京师范大学出版社，1989：178.

③ 古人伕．德育学过程［M］．上海：华东化工学院出版社，1993：285.

④ 周凤林．学校德育顶层设计论［M］．上海：华东师范大学出版社，2017：96－97.

教师的指导作用与学生的自主活动的高度统一是修养指导法的重要特征。一方面，由于学生年龄小、自律性较低，且每个人的自律性各异，有时不能正确认识自己和社会，所以，为了避免学生自主活动的盲目性，有赖于教师的指导。另一方面，教师的指导同样依赖于学生的自主活动，倘若没有学生的自主活动，也就没有所谓的教师指导。因此，修养指导使得教师的指导作用与学生的自主活动、自律与反思、接受与变革达到高度的统一,二者是相互依赖、相互促进的统一体[①]。

（二）修养指导法的意义

1. 满足学生自主道德建构的需要

道德修养的过程是个体自主进行道德建构的过程，有赖于学生的主体性实践。任何道德教育过程的实质都是主体道德自我建构的实现。如果主体自身没有价值体悟与接纳，任何道德真理都无法让学生真正接受。按照辩证唯物主义的观点解释,内因是变化的根据,外因通过内因起作用。因此，一些学者主张将修养指导法与其他德育的方法并列，成为德育方法中两个地位相当的组成部分[②]。

2. 顺应学生凸显的自我意识

青少年时期的学生处于自我意识萌发的时期，他们会自觉不自觉地对自己的内心与行为作出反思、反省，有成为一个道德高尚的人的愿望，并且会自觉地约束自己的行为[③]。这就为教师指导学生自我修养提供了可能，同时也对教师提出了指导学生进行修养的任务。因此，教师指导学生认识周围世界的同时，也要正确地认识自己，锤炼道德品质，进行自我约束，完善自我道德修养。

---

① 黄松鹤 . 道德教育过程模式论［M］. 北京 : 华龄出版社 , 2000 : 117 － 119.

② 胡厚福 . 德育学原理［M］. 北京 : 北京师范大学出版社 , 1997 : 288 + 357.

③ 檀传宝 . 德育原理［M］. 北京 : 北京师范大学出版社 , 2017 : 249.

3. 提高学生自我修养的质量

学生的自我修养离不开教师科学有效的指导，否则容易闭门造车、难以保证自我修养的水平和质量。教师需依据学生品德发展水平、发展规律，帮助学生拟定切实可行的活动方式，避免其盲目性，从而提高自我修养的质量和水平。

4. 培养学生的道德主体性

修养指导法格外强调学生道德学习的主体性，其最终目的也是为了培养学生道德的自律性、自觉性。引导学生进行自我修养，可以增强学生的主体意识，促进其自我修养能力的提高，调动学生自觉接受教育，增强抵制不良影响的免疫力，推动学校德育目标的实现①。

和其他德育方法一样，修养指导法也存在一些局限性，即德育效率较低。具体表现为：在低龄儿童阶段，应用修养指导法的效率较低。修养指导法依靠自主活动习得道德知识，依靠理性审查、接受现存道德②。学生年龄越小，自律水平越低，德育的效率就越低。但这没有否定修养指导法在低年龄阶段的应用，只不过在实施过程中，应该适当提高教师的指导地位。

（三）修养指导法的实施

在对学生进行修养指导时，教育者可以从以下几个方面着手（图 6-1）：

1. 激发学生自我修养的愿望和动机

当学生内心具有道德修养的需要时，学生才能有自我修养的可能，而使学生体验到需要的满足也能强化其修养的动机③。为了使受教育者产生自我修养的愿望与动机，教育者可以通过为学生选择和树立先进榜样并宣传

① 周凤林 . 学校德育顶层设计论［M］. 上海 : 华东师范大学出版社 , 2017 : 97.

② 黄松鹤 . 道德教育过程模式论［M］. 北京 : 华龄出版社 , 2000 : 131.

③ 袁元 , 郑航 . 德育原理［M］. 广州 : 广东高等教育出版社 , 1998 : 164 － 165.

这些榜样的感人事迹等方式，引起学生情感上的共鸣，产生“我应该成为那样的人”的主观意识从而激发学生自我修养的愿望和动机。

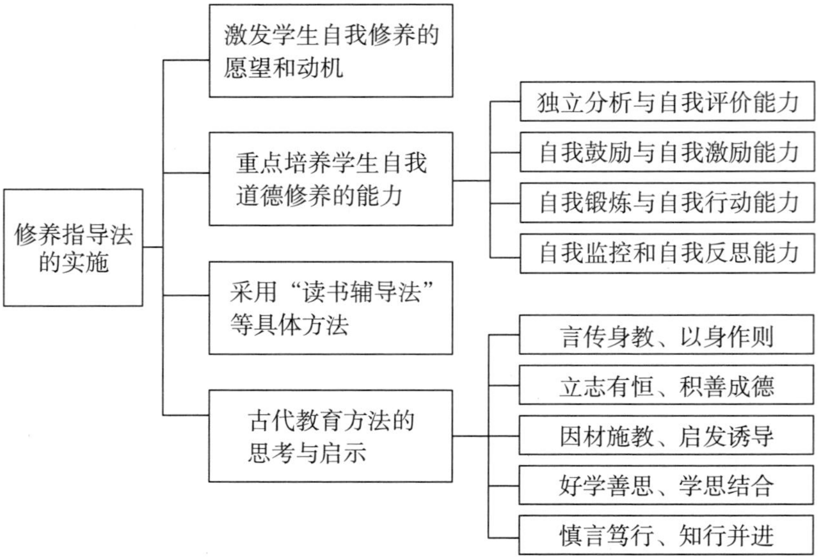

图 6-1　修养指导法的实施

2. 重点培养学生自我道德修养的能力

自我修养的能力是有效地进行自我修养活动所必须具备的心理品质，是多种能力的有机组合。它主要包括独立分析与自我评价能力，自我鼓舞与自我激励能力，自我锻炼与自我行动能力和自我监控和自我反思能力等。

（1）独立分析与自我评价能力。在复杂的社会环境中，使学生能够识别真、善、美与假、丑、恶，自觉抵制各种错误思潮和不良风气十分重要。因此，培养学生的独立分析能力是学校道德教育不容忽视的任务之一[①]。教师应指导学生学会正确地认识、评价自己，清楚地把握自己的思想和行为

① 郑廷坤 . 论道德自律及其培养途径［J］. 河南师范大学学报（哲学社会科学版），2002（3）: 114 – 116.

动机，正确地理解和掌握社会思想准则和道德规范，并以此为标准，客观地分析、判断自己的行为。

（2）自我鼓励与自我激励能力。当受教育者新的道德需要与非道德的动机及内部障碍发生矛盾时，自我鼓舞与自我激励能力能及时而有效地配合道德认识来支持新的道德需要。不仅可以对不道德的动机及内部障碍进行谴责，还能够对新的道德需要积极引发、热情肯定，使受教育者在面对和解决内心的道德冲突时信心百倍。

（3）自我锻炼与自我行动能力。是指在自我修养的过程中，受教育者通过反复的道德实践，把道德认识转化为道德行动的能力。具有自我锻炼与自我行动能力的受教育者，就能在各种不同的道德情境中独立地、主动地、富有创造性地选择适当的道德行为方式。

（4）自我监控和自我反思能力。自我监控和调节能力的培养，实质上是意志力的培养，自我修养需要顽强的意志力，尤其是在没有人监督的情况下,即“慎独”。在道德反思过程中,学生省察道德经历,考虑当时想什么，感觉什么，做了什么，事情如何解决的，行为效果怎样，道德责任怎样？重新认识道德行为、决策，体验道德情感[①]。在这个过程中，行为者提高道德认识水平和道德行为水平，促进其品德发展。

3. 采用“读书辅导法”等具体方法

读书，尤其是读好书，无疑具有道德修养的价值。在修养指导法中，读书辅导法是一个十分重要的方法。朱熹曾对读书的修养意义予以充分肯定，他不仅重视读书，而且重视对读书的辅导，为此他曾经提出“朱子读书法”，指出读书应当注意六条原则：循序渐进、熟读精思、虚心涵泳、切己体察、着紧用力、居敬持志。

在指导时，教师应做到鼓励、推荐、辅导和支持[②]。所谓鼓励，就是

① 黄松鹤．道德教育过程模式论［M］．北京：华龄出版社，2000：129.

② 檀传宝．德育原理［M］．北京：北京师范大学出版社，2017：249.

应当将读书，尤其是课外的读书活动作为一个积极的修养行为予以提倡和褒扬。所谓推荐，就是应当依据不同学生的实际适时推荐有利于学生成长的读物，帮助学生开拓书源，使学生有书可读。所谓辅导，就是要引导学生学会读书，包括介绍一些读书的方法，帮助学生制订读书计划等。所谓支持，即应当注意营造读书的氛围，比如开展读书比赛、读书心得报告会、撰写书评等活动使读书与修养、读书与教育有机结合起来，并相互支持。

此外，教师还可以通过值日制度、班干部轮换等形式使学生在教育别人的过程进行自我教育。实践证明，从事广泛的、有教育意义的社会实践活动是通向自律的重要途径①。

4. 古代教育方法的思考与启示

我国古代的德育与教育融为一体，德育方法与教育方法也融为一体。古代的许多教育方法都可以用于道德教育，在面向 21 世纪的道德建设中，正确评价和批判继承这些道德教育的方法，仍具有现实价值②。

第一，言传身教、以身作则。“其身正，不令而行；其身不正，虽令不从”。学生具有很强的向师性，因此教育者身先士卒的示范表率作用是十分重要的，拥有良好道德品质的教师才有可能使学生心悦诚服。第二，立志有恒、积善成德。道德修养是一个伴随人终身的循序渐进的过程。它始于立志、成于善德的长期积累。第三，因材施教、启发诱导。我国古代十分重视根据教育对象不同的个性特征和天赋能力，确定不同的培养目标，选取不同的教育方法来进行教育，以便达到良好的教育效果并培养出相应的人才。第四，好学善思、学思结合。不仅要致力于对伦理道德、行为规范、礼节条文、圣贤言论的学习，而且还应善于对所学内容进行理性思考，要学思并重，学思结合，为提高自身的道德修养应进行不懈学习和积极思

---

① 张相乐．自律及大学生自律品质的培养［J］．现代教育科学，2004 (7)：60 − 61.

② 武汉大学思政教育系．比较德育学：第 2 版［M］．武汉：武汉大学出版社，2003：294.

考。第五，慎言笃行、知行并进。"讷于言而敏于行"，知行并进，即要求道德认知和道德实践相互促进、并行发展，要求人们自觉地将道德认知上升到道德实践阶段。第六，反省自律、改过迁善。反省自律的方法，突出地体现了我国古代倡导严以律己、自克自制、注重个人内在品质修养的特点[①]。

二、批评与自我批评

我国传统思想中蕴含着大量的批评文化，其中所强调的慎独、内省、持敬、涵养等修养方法，正是批评与自我批评在中国传统修养理论中的初始形态，纳谏和自省则是传统批评文化的精华。纳谏是历代开明统治者察纳忠言，接受警醒和批评的一种方式；自省是贤人君子立身做人的主要方法[②]。古代典籍蕴藏着海量的关于批评文化精华的警句，如"静坐常思己过""吾日三省吾身""见贤思齐焉，见不贤而内自省也"等。

今天人们对批评和自我批评的探讨，多聚焦在党的建设方面。中国共产党走过 100 多年的光辉历程，仍始终保持着旺盛的生命力。作为中国共产党的优良传统和党的建设的重要法宝，批评与自我批评思想在党建工作中发挥着不能取代的优势。因此，将批评与自我批评思想应用在教育领域或许也能有所建树。

（一）批评与自我批评的概念

批评与自我批评是自我修养的重要形式。批评亦属于监督，但其方法更灵活些，手段、措施因人因事而异。2009 年 8 月教育部出台的《中小

---

① 武汉大学思政教育系．比较德育学：第 2 版［M］．武汉：武汉大学出版社，2003：226 － 237.

② 叶长德．批评与自我批评的基本依据与历史经验［J］．理论探索，2011 (5)：59 － 62.

学班主任工作规定》，第十六条明确规定“班主任在日常教育教学管理中，有采取适当方式对学生进行批评教育的权利”[①]，这赋予了班主任实施批评的政策依据。在教育学话语体系下，批评被视为教育的内涵之一、学校日常德育活动的基本方式，是教育的应有之义，蕴含着丰富的道德教育价值。

“批评”所强调的重点不单单是“批”，更在于“评”[②]，批，是指出错误或缺点；评，是对错误或缺点进行评论。从这个意义上讲，批评只是教育手段，而引向正确才是教育目的。教师应以“批”为切入点，以“评”为落脚点，指出学生的错误和缺点以及所造成的后果与影响，阐明其言语、行为的不当之处，启发诱导、循循善诱，“既能知其然，又能知其所以然”，使其品行朝着社会期望的正确方向发展，从而避免重蹈覆辙。“批评”的关键在于引导学生“自我批评”，将教师的外在批评转化为学生的内在批评，使学生认识到错误所在，下决心改过自新。这也是德育的魅力、价值所在。

自我批评既包括公开的自我批评，也包括私下的自我批评，即自我反省，这是一种极为深刻的认识过程，能够触及人们的灵魂，引起思想认识的升华[③]。也有学者将“自我批评”看作是“约束性的”自我教育，即自我贬损、自我压抑的过程，认为自我批评很难形成自尊、自信、积极向上的主体人格，很难发展其积极的个性品质，不符合现代德育主体性和发展性的要求[④]。此外，“自我批评”也常用于心理学领域。美国布拉特于 1974 年提出，自我批评指对自我产生消极看法与严厉批评的人格特质[⑤]，例如持续且严厉地自我审视和评估、害怕被否定和批评等。自我批评者往往对自己提出过高的要求，面对失败或出现不能令自己满意的状况时，心理弹性较

① 教育部关于印发《中小学班主任工作规定》的通知［J］.

② 潘建荣 . 发展指导视野下的批评教育［M］. 上海：华东师范大学出版社，2014：52.

③ 仇春霖 . 德育原理［M］. 北京：中国青年出版社，1993：286.

④ 王荣德 . 现代德育论［M］. 北京：中国社会科学出版社，2016：205.

⑤ Blatt S J, Levels of object representation in anaclitic and introjective depression［J］.The psychoanalytic study of the child, 1974，29 (10)；107 – 157.

差；在人际交往时，通常担心被他人批评或责备，害怕失去他人的认可和接受,进而会产生自卑感、内疚感、生活无力感与缺乏自我理想①。也就是说，在心理学领域通常将“自我批评”看作是消极的归因方式，将负性事件归因于自身，不能积极正确地评价、悦纳、接受自己，与我们本章中所讨论教育学视域的“批评和自我批评”有所不同。

（二）批评与自我批评的意义

1.“批评”有助于弥补赏识教育的弊端

教育是影响与干预学生成长的一个过程，它既需要赏识、鼓励，也需要适当、及时的批评，以纠正学生前进的方向。赏识教育和批评教育是一对辩证关系。作为完整教育的组成部分，就像是鸟的两翼，缺一不可。提倡赏识教育的同时,也不能忽视批评、惩罚的作用。如果一味地“赏识”“表扬”，缺乏必要的批评指正，那是不负责任的教育、不完整的教育②。批评是一种有力的教育手段，是对学生不当行为的否定表达，是教育应尽的职责，在形成正确的集体舆论、树立良好风气、帮助学生提高是非辨别能力、提高觉悟等方面起着重要作用③。因此,正确认识“赏识教育”和“惩罚教育”的辩证关系，使二者有机结合、相互配合，有效地发挥赏识教育与批评教育的双翼作用。在学生自我修养的过程中，增进其对是非善恶的认识和判断，从而获得更全面的发展。

2.“自我批评”有助于加强自我认识、自我反省

自我批评是批评的高级形式。自我批评是以自己为批评对象的批评，但不是把批评对象简单地转换为自我，而是比批评别人更为复杂的思想活

---

① Blatt S J, Homann E Parent−child interaction in the etiology of dependent and self−critical depression［J］. Clinical psychology review, 1992 (1) ; 47 − 91.

② 潘建荣 . 发展指导视野下的批评教育［M］. 上海 : 华东师范大学出版社 , 2014 : 09.

③ 张健 . 小学教育百科全书［M］. 郑州 : 河南教育出版社 , 1994 : 202.

动[①]。通过批评与自我批评，个体学会用“一分为二”的观点直面自己的优点和不足，更加全面、透彻地了解和认识自己，找准并抓住自己存在的突出问题，自我揭露、自我剖析，督促自己改正错误和缺点。换句话说，也就是自我发现问题、自我分析问题和自我解决问题的自我修养过程。批评教育的核心是教育，尤其是自我教育。每个人都要学会承认自己的过失，并承担起相应的责任，以此唤醒潜在的自觉意识，自我批评的勇气，使之完善自我道德，靠自己的力量战胜自己。归根结底，自我批评是个体自我修正、自我调整的过程，也正是自我修养的过程。

（三）批评与自我批评的实施

“良药苦口利于病，忠言逆耳利于行。”如果有人质疑批评的话，那应该是错不在批，错在无方。在如今崇尚“表扬”和“鼓励”的教育环境下，批评作为以往行之有效而现今为大多数人所鄙视的教育手段，只有方法得当、讲究技巧，以一种易于学生接受的方式呈现，才会收获预期的德育效果，否则只会适得其反。因此教师应分析和研究被批评学生的心理状态和特点，将批评艺术化，触及学生个体内心的羞耻感、内疚感，将外在的道德行为规范与要求转化为个体内心的道德准则，从而推动实现批评到自我批评的转换。教师在开展批评教育时可参考以下实施步骤：

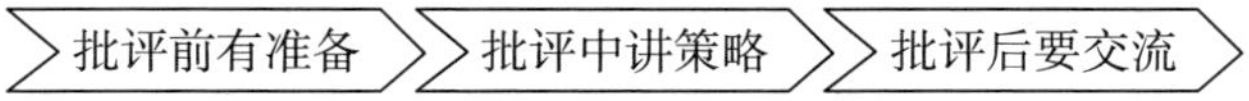

图 6-2　实施批评的流程图

1. 批评的实施

（1）批评前有准备

首先，批评要有依据。教师要全面深入地调查，了解事实真相，弄清

① 高太平．“批评与自我批评”及其思想价值［J］．甘肃社会科学，2011 (6)：92－94＋102.

学生犯错误的心理动机，搞清批评对象犯错误的原因所在。其次，批评要有目的。教师必须怀着爱心，含着理解，心平气和地加以引导，使学生感受到老师是真心诚意在帮自己，从而自觉地认识错误并加以改正[①]。此外，教师还需要掌握一些心理学、教育心理学相关理论知识，如马太效应、超限效应、空白效应、最近发展区等等，适当了解开展批评教育的一些心理学现象，从而进行科学有效的批评教育。最后，教师在平时的德育中做好心理建设工作，以避免学生在情感上有畏惧、抗拒批评的倾向；在行为上采取撒谎和保密的方法应对或避免批评。“怕批评是人之常情，也正因为孩子怕批评，批评的教育意义才有得以实现的可能。”[②]

（2）批评中讲策略

第一，调整态度，刚柔相济。对待学生的错误，教师应持宽容和客观的态度。一方面，出错是成长中必然存在的内容，具有积极价值。改错具有反复性或复杂性，教师应给予学生耐心与宽容。另一方面，根据学生的生理和心理特征，教师因人而异地采用以刚制柔或以柔克刚的方式。特别是有些犯错误的学生内心深处仍有上进的要求，渴望得到老师和同学的理解和帮助。

第二，就事论事，侧重引导。绝大多数学生都想改正自己的错误和缺点，但由于自制力差，有时会屡次犯错误。因此，在批评学生时，要做到就事论事，批评目标要集中。对学生错误的批评，是为了促进学生的成长，因此教师不能仅仅停留在对错误的否定上，还要提供可行的、改正错误的方法，使学生在认识到错误的同时，也能获得明确的改正错误的方法。

第三，以理服人，情理交融。首先要肯定学生长处，留意学生情绪，防止片面说教，一味批评只会引起学生的逆反心理和自卑心理；其次，道

---

① 中华爱国工程联合会．育人为本 德育为先：中华爱国工程高级论坛文集［M］．北京：国家行政学院出版社，2011：06.

② 朱光明．表扬与批评的意义：教育现象学的视角［D］．北京大学，2008.

理要符合情理，情理交融，不提过分要求，并且要给学生申辩的机会；最后，要讲究策略，因势利导，寓理于例，以小见大[①]。

第四，提高批评的话语素养。批评学生忌讳小题大做或借题发挥，学生往往对教师的喋喋不休和唠叨置若罔闻。刻薄的语言甚至讽刺挖苦式的批评往往会使学生产生逆反心理，容易与批评者发生争执。他们一方面盼望着、祷告着赶快逃离这个“人间地狱”；另一方面，迫于权威的压力，又必须“乖乖”地听完教师的指责。在两者强烈的冲突中，学生所思考的也许是下次的言行如何不被老师发现、如何瞒天过海，从而避免受到批评和指责，而非真正意识到错误及其后果，并将外在道德要求转化为内心道德准则。所以教师的批评话语在语义上，要在解决具体问题的基础上进一步指出发展的前景；在语气上应当包含鼓励和关爱；在身体语言上应当注意和颜悦色。

（3）批评后要交流

接受批评教育的过程是对过失的认知、判断等方面进行一次重新审视和改变的过程，从错误中吸取经验教训，从苦涩中成长、成熟、成功的一个过程。在受到批评后，学生感情上不免发怒、不平、焦虑，教师应做好批评后的心理疏导和善后工作。在公开场合批评学生后，教师诚恳地和学生交换意见，向学生征询你的批评与事实是否相符，与学生一起谈论批评后的想法，并一起寻求改正的方法、途径。学生完全改正错误需要一个过程，在这一过程中需要教师和同学的关心、帮助、鼓励和监督，善于发现学生一点一滴的进步，并且及时给予表扬和鼓励。

最后，批评教育的关键程序是促进学生由“批评”向“自我批评”的转化。联合国教科文组织国际教育发展委员会编著的《学会生存——教育世界的今天和明天》一书中明确指出：“未来的学校必须把教育的对象变

---

① 陈娜．思想道德教育的艺术［M］．北京：国家行政学院出版社，2021：64.

成为自己教育自己的主体，受教育的人必须成为教育他自己的人；别人的教育必须成为这个人自己的教育。”[①] 因此如果说“教，是为了不教”是一位优秀教师应努力达到的教学目标，那么“管，是为了不管”应是教师努力追求的德育目标。教师要做的不仅是管制，更需要的是从认知上和行为上加以引导，让学生最终学会自律。

从“批评”转换到“自我批评”的机制，是带有被批评者内心世界的矛盾与困惑。正是对这些矛盾与困惑的辨别与求证，推动着被批评者在自我肯定或自我否定的基础上，走向自我改造、自我修正或自我调整，并进入自我更新的丰富而充实的人生之境[②]。因此，批评要为自我批评留有余地。批评教育点到即止，给学生一个自我批评、自我教育的机会。这样，学生易于接受批评，又对教师的宽容产生负疚感，从而有利于他们不断鞭策自己，提高自我批评的积极性[③]。

2. 自我批评的实施

如何让学生学会自我批评呢？第一，帮助学生树立正确的价值观。当学生学会用是非分明的价值尺度和善恶标准来度量自己，当其行为与心中的道德标准不符时，便会产生内心道德冲突，从而自觉地进行自我约束、自我批评，修正自己的行为，德育的最终目的得以实现。

第二，教师应率先进行自我批评。教师应立足“学生视角”，做自我批评的积极倡导者和先行者。青少年具有极强的模仿能力，教师的表率作用给学生以潜移默化的影响，而且这种影响发生在学生的心灵深处。所以，教师应该改变传统的心智模式，立足“学生视角”，积极发挥自身的表率

① 联合国教科文组织国际教育发展委员会．学会生存：教育世界的今天和明天［M］．北京：教育科学出版社，1996：14.

② 李春桥．从简单教育论到对应教育论：对现行教育理论的反思与改造博文集（上）［M］．北京：光明日报出版社，2021：128.

③ 中华爱国工程联合会．育人为本 德育为先：中华爱国工程高级论坛文集［M］．北京：国家行政学院出版社，2011：449.

作用和指导作用[①]。只有学会“自我批评”，才会养成真正的“虚心、宽容”的精神品质，否则只能是浮于表面，因此教师理性对自己的错误行为进行自我分析、自我批评，为学生进行自我批评提供强有力的行为示范。

第三，帮助学生掌握自我批评的实践方法。比如“照镜子”自省法[②]、日记修炼法、民主生活会等等。“照镜子”自省法是指个体从自我评价中脱身，练习从旁观者的角度来看待自己，从他人对自己的态度、反应和评价中认识到自己的真实面貌。因为人们对自身的认识常常会存在一些偏差，尤其是自己身上的缺点，自己常常不容易看到，但身边的人可能比我们自己看得更清楚；日记修炼法是一种分析自己、认识自己的好形式。日记是个体的自我独白，是真实的自我解剖。平时学生将自己思想上的收获、情感中的体验记录下来，既可以反躬审省，又可以指点未来[③]。日记不仅是自我道德修养的纪实，同时也是对善恶判断能力的锻炼和考验，雷锋日记就是很好的说明。因此，教师应指导学生坚持写日记，教会他们在日记中对自己的思想行为进行实事求是的分析和评价，并通过日记来监督自己的日常行为;利用班会时间召开“民主生活会”，通过学生民主生活会交流思想，表扬好人好事，批评不良倾向。创设自我批评的实践平台，让学生在真实情境中淬炼，从而掌握有关自我批评的基本技能，深刻感受其价值。在这过程中教师要实事求是、与人为善、严肃慎重、注意分寸，维护学生的人格尊严，对被批评者不能歧视，更不能以批评为名，打击报复，给被批评者造成不该有的伤害，最终促进学生的道德发展，达到德育的目的。

第四，把握自我批评的尺度。一般来说，自我批评是学生自我进步的标志，是一种美德，更是一种境界。它对个人成长发挥着积极作用，但是

---

① 潘建荣 . 发展指导视野下的批评教育［M］. 上海 : 华东师范大学出版社 , 2014 : 118－120.

② 同 ① 105.

③ 袁元 , 郑航 . 德育原理［M］. 广州 : 广东高等教育出版社 , 1998 : 170.

过分的自我批评可能导致学生产生过分的压力或焦虑。所以，在指导学生进行自我批评的同时，需要帮助学生把握自我批评的尺度，引导学生学会正确归因，提醒学生千万不要在自我批评中丢失自我认同。

人贵有自知之明，但更贵有自治之能；而自治之能的核心，便是自己对自己的批评。学会批评，应当成为每个人必修的基本功课。自我批评是个人的心智与心德走向富裕的永不贬值的资本。自我修养的稳固的大厦，只能建筑在自我批评的深厚的地基之上[①]。

三、生命叙事法

在上一节中，我们已经系统阐述过生命道德教育构成了自我修养法的理论基础，而生命叙事作为生命道德教育的主要存在方式，自然也成为自我修养法的重要实践之一。

在如今崇尚科学理性的时代，人类往往忽视故事和叙事，转向脱离人的生活世界的教条的、抽象的道德原则与道德规范的灌输和说教，追求冷冰冰的、普遍的道德观念，思辨的知识性传授和能力性训练，道德教育逐渐远离人的生活世界，也因此失去了它原有的魅力与生命力[②]。人们开始反思现行学校道德教育范式，试图为道德原则、道德规范的说教与灌输的失效寻找一个出路，回归生活的道德教育成为研究热点。

叙事作为我们生存的方式之一，有着独特的、不可替代的价值。当一个人在进行生命叙事时，他绝不可能是不动感情地，单纯地用语言讲述。在讲述生命故事的过程中，流淌着他的欲求、需要，表达着他的爱与恨，传递着他的道德观点，将他自己和周围的人带入某种德性境界，自我修养

---

① 李春桥.从简单教育论到对应教育论:对现行教育理论的反思与改造博文集(上)[M].北京:光明日报出版社,2021:128.

② 刘慧.生命德育论[M].北京:人民教育出版社,2005:241.

也在这个过程中悄然进行。

（一）生命叙事的概念

生命叙事是指叙事主体表述自己的生命故事。刘慧认为，生命故事是叙事主体在生命成长中所形成的对生活和生命的经验、体验和追求。生命叙事可分为直叙和借叙两类，前者指叙事主体叙述自己的生活经历、自我经验、生命体验和生命追求，后者指叙事主体借他人的生命故事表达自己的生命感悟。叙事的主题设计来自学生自身的经历与生命需要，因而叙事过程能有效引发学生自觉、自愿地叙事，而不是被动、应付[①]。

人的生命总是以某种方式叙述、表达着置身世界之中的自我生命存在，叙述、表达着“我”的生命在世界中的感受，表达着生命存在的状况；表达着生命的需要、要求、欲望和意愿，也表达着生命的道德需要和道德意愿，表达着生命的被改造与提升的价值祈求[②]。生命叙事就是叙事主体以口头或文字的方式，编织的富含人的生命体验的语言织体。作为道德教育的手段，生命叙事可以引导儿童明晰自我的生命境遇，省察生命的意义，最后超越生命的藩篱，实现生命的完满[③]。总而言之，生命叙事强调叙事主体自己的生活经验、生命体验，叙事过程即自我道德修养的发生过程。生命叙事作为道德教育的方式，以其内容的直观、过程的自然以及与生命意义的关联被广泛运用。

（二）生命叙事的特点

生命叙事有着丰富的道德教育意蕴和深层的伦理编织，将道德教育与

---

① 刘慧．生命德育论［M］．北京：人民教育出版社，2005：236 － 237 ＋ 12.

② 陈飞．生命叙事：一种值得运用的道德教育实践策略［J］．现代大学教育，2008 (2)：95 － 98.

③ 傅淳华．生命叙事：超越道德教育生命困境的可能路径［J］．当代教育科学，2009 (4)：8 － 11.

自我教育融为一体,注重“有我”的言说,因而具有个体独特性、情境生成性、真实生活性的特点。

1. 个体独特性

生命叙事强调叙事主体对自己的生命故事、对他人生命故事之自我感悟的个性化表达，即叙事主体用自己的语言或其他方式，表达自己的经历、经验和体验,而非泛泛地叙事[①]。这是生命叙事区别于其他叙事最主要的特征。教育者要从个体对生命经历的感悟中去叙说，当情感上产生了共鸣，个体对道德的探究就会越主动，认识就会越深刻。道德教育的重要任务是帮助人们发现、追求与建构生命意义，要想真正做到这一点，道德教育就必须回到个体生命本身的特性、所处的生存环境和当下状态，回到个体生命的经验和体验、具体而现实的活动之中，回到他们在现实生活中遭遇的事件中去[②]。因此，生命叙事帮助我们界定我们是谁，从而使我们更深入地认识自我，发现自我的独特价值，促进个体生命的成长和发展，进而影响个体在每个生命阶段的意义和追求。

2. 情境生成性

“情境生成性”是生命叙事的源头活水，生命叙事的道德力的展现既不是简单的道德知识的传授，也不是单纯道德行为的训练，而是道德理性的提升、道德情感的培育，最终促进生命的健康成长。这离不开道德主体的积极参与，且难以在纯粹的、客观的知识传授中完成，需要在一定的情境中实现。生命叙事本身就是由一种具体情境生成的存在，当一个人处于生命述说的情境下，讲述自己或他人的生命故事时，会重新思考自己的道德行为，重新进行道德构建。生命叙事可以使人的内心有所震撼，使个体在自己的生命故事中收获德性的成长。因此，这是一个动态生成的过程，

---

① 刘慧．生命德育论［M］．北京：人民教育出版社，2005：227.

② 陈飞．生命叙事：一种值得运用的道德教育实践策略［J］．现代大学教育，2008 (2)：95 － 98.

也是自我道德修养的过程。

3. 真实生活性

生命德育作用于人的心灵，是使人的灵魂发生转向的活动。所以，若想真正地触动人的心灵，震撼人的内心，必须付诸体验。而体验不是凭空进行的，体验需要经历，经历来源于生活。因此，生命叙事始终要基于生活、关照生活、回归生活，回到学生熟知的人和事，回到学生可以理解的日常生活世界之中[①]。因为生活和现实始终是孕育生命故事的土壤，是每一个个体生命成长的根基与主要领域[②]。在生命叙事的过程中，鲜活的故事蕴含着丰富的道德内容，包含生命意义的情境在说者与听者面前形成一个活生生的生命场。教师所叙述的应该是已经发生过的教育事件，是真实可信的教育故事，而不是设计的事件。因此，教师平时要善于捕捉这些教育故事的“源文件”，只有“原汁原味”的教育事件才有特定的意义[③]。只有这样，生命叙事才能真正触及学生的内心。

道德教育的重要任务是帮助人们发现、追求与建构生命意义。作为一种古老而又充满活力的道德教育实践，生命叙事可以让个体在具体而现实的活动之中回到生命的经验和体验，回到他们在现实生活中遭遇的事件，或者在倾听的过程中，内省自己，唤醒自己的道德共鸣。

（三）生命叙事的意义

生命叙事中蕴含着促进个体生命道德潜能实现的功效，其本身既是挖掘个体生命道德教育资源的过程，也是一种道德教育的过程。生命叙事能促进个体对自我的深入了解，促使个体在生命叙事的过程中获得自我疗愈，

---

① 冯建军，等．中国教育改革 40 年学校德育［M］．北京：科学出版社，2019：187.

② 梅萍，吴芍炎．后疫情时代生命叙事在生命教育中的价值及应用［J］．思想政治教育研究，2020 (6)：17 － 21.

③ 李贺．生命叙事：关注人的德性生长的重要途径［J］．当代教育论坛，2007 (2)：67 － 68.

直面内心的道德冲突，达到省察生命价值的目的。

1. 深化自我了解

自我了解是自我修养的基础与前提，生命叙事是个体生活经验的主观化，是个体生活经验的自我理解。通过生命叙事，个体“看到”自己的真实状态，知道了自己是怎样的一个人；通过表达自己的生命故事，来认识与理解自己对世界、对他人是怎样的感受；通过生命叙事，个体“听到”自己心底的呼唤，明了自己的欲求与理想；通过生命叙事，使人“茅塞顿开”“豁然开朗”，感悟到生活之真谛、生命之真义①。自我生命故事的讲述过程是个体对自我、对事物、对他人的认识过程，清楚认识自己是谁、自己现实的状况如何、自己想要的是什么，从而引领自己的成长方向，形成对新事情的意向性。生命叙事让个体重新找回自己的生命感觉，重返自己的生活世界，甚至重新寻回迷失的自我。

2. 获得自我疗愈

如果一个人的情感处在不良状态，如极度的恐惧、极度的不安全感等等，其正向的情感得不到良好的发展，就很难形成良好的道德。所以，当一个人觉得自己的生活变得破碎不堪时、在生活中遭受挫折时，生命叙事恰恰帮助叙事主体在叙事中得以宣泄，缓解内心的压力与焦虑。在生命叙事的过程中，个体叙说事情的经过，追问事情的缘由，明了内心的感受。在这一过程中，不知不觉间思路逐渐清晰，心绪愈加平和，从而使自我内心获得一种平衡。

3. 解决道德冲突

个体在自我道德修养的过程中，不可避免地要直面内心道德冲突，从而作出道德判断和道德选择。生命叙事为我们道德选择提供结构，帮助我们界定我们是谁，促进个体成长和发展，影响着我们生命中每个阶段的意义追求②。在生命叙事的过程中，个体直面生存的疑难、存在的悖论，为个

---

① 刘慧. 生命德育论［M］. 北京：人民教育出版社，2005：249.

② 同① 257.

体展示面对困境可能作出的各种抉择之间的冲突以及可能产生的后果，激发个体内心沉睡的道德信念，让个体在对自己的摸索中明晰道德选择的依据并且作出最终的道德抉择[①]。

4. 省察生命意义

正如苏格拉底所说，未经省察的人生不值得活。省察生命意义，实现生命价值是自我修养的追求和归宿。生命叙事根植于对生命历程的深切体验，重视对人类的生存状态和精神处境的关怀、探索和思考。通过生命叙事，人们就可以像照镜子一样看到自己的愚昧和丑陋、智慧和高贵，让人们在一个个关涉生命的故事中意识到自己的生命困境，唤起他们对生存事件的思考，从而在人性的深处引发他们对生命意义的深刻省察[②]。在它的启示和指引下，个体也许会停下匆匆的脚步，追问和省察自己作为生命存在的意义。

（四）生命叙事的实施

生命叙事具有独特的教学模式，主张与行动就必须回到个体生命本身，回到个体生命本身的特性、所处的生存环境及当下状态，回到他们在现实生活中遭际的事件中来。因此，在生命叙事的教学实施中教育者应注意以下几点：

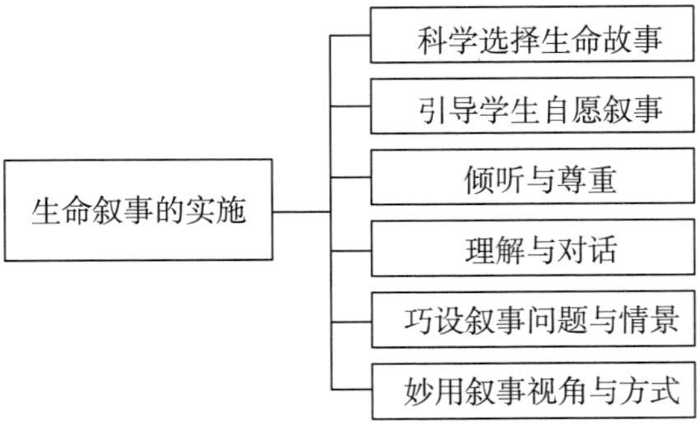

图 6-3　生命叙事的实施

① 傅淳华．生命叙事：超越道德教育生命困境的可能路径［J］．当代教育科学，2009(4)：8－11.

② 同①．

1. 科学选择生命故事

首先，教师应注意将生命叙事向积极、正向、乐观的人生态度方面引导，这是一个重要的教育环节。在生命叙事过程中，应多以积极的、正面的叙事为主。其次，生命故事的主题必须来自学生自身的经历与生命需要，围绕学生们关注的热点问题与不同年龄的特点[①]。发掘具有教育价值、能引发学生内省的故事，真正进入叙事者的生活世界中去述说故事，将道德教育拉回到现实中。

2. 引导学生自主叙事

在叙事过程中，教师要有效引导学生自觉自主地叙事，而不是被动、应付。首先，教师引导和诱发学生对自身故事进行反思，学生述说自己的生活故事比倾听他人故事感受更真切、体会更深刻。其次，教师对学生的生命故事进行价值引导，使学生意识到生命价值与自己息息相关，从而升华学生对生命价值的道德情感。此外，教师也要善于将自己真实的人生经历和对生命的感悟同学生分享。教师如果能够表达自己的人生事件，这种真切的人生感悟会成为有价值的道德资源打动学生。

3. 倾听与尊重

在生命叙事的过程中，叙事主体敞开心扉，将自己的故事讲给他人听，其本身包含着对对方的信任，倾听者也相应地给予耐心的倾听与尊重，双方交互影响形成和谐温暖的气氛。在这样的气氛中，个体生命感受到道德的力量和道德的陶冶。因此，要想使个体生命情感得以充分表达，就必须营造更加包容祥和的氛围，对叙事主体的述说表示倾听与尊重，使学生愿意表达并能够感受到自己的表达被接受，而良好的接受状态会进一步激发表达者表达的欲望，不断深化表达[②]。

---

① 刘慧．生命德育论［M］．北京：人民教育出版社，2005：260.

② 刘惊铎．道德体验论［M］．北京：人民教育出版社，2003：237.

4. 理解与对话

对话是实现生命叙事的重要形式。对话的技术在于进一步咀嚼生命故事，打开叙述者尚未察觉到的生命体验，如“你从这件事情中学到了什么”“这件事教给你什么”等等，不断进行提问、质疑，开启叙述者的思维。在对话中，故事由浅到深，隐藏在叙述背后的核心内容渐渐外化，叙述者积极有力的自我观念渐渐显现，对生命意义的理解也渐渐清晰和深刻①。

5. 巧设叙事问题与情境

首先，在叙事教学中教师需提出合适的问题，将问题转化为主题故事的矛盾点。根据矛盾，将平常学生不感兴趣的行为日常转化为感兴趣的故事情节，从而促使叙事故事的脉络不断清晰。其次，营造真切的道德情境，唤醒学生的道德体验②。以真实具体的情境触发学生的情感认同，削弱学生对道德教育的排斥心理，促使学生以良好的心态接受道德教育的熏陶和感染。教师要尽量营造学生所熟悉的情景，如果述说的事情是他们比较熟悉的或与他们生活密切相关的话题，学生就会有话可说，这样比较容易唤醒学生的道德体验。

6. 妙用叙事视角与方式

生命叙事过程中的叙述方法一般常用的是“说故事”的第三人称方法。生命叙事的方式有多种，如叙说、写日记、对话、绘画、创作、舞蹈等，而不同的叙事方式将会产生不同的叙事效果和意义。在叙事中，教育者可根据学生倾听、接受的能力和特点，利用大众传媒提供的多样化平台，组合成不同的叙事方式，以达到整体最优的叙事效果。例如文字加上图画、独白加上舞蹈、述说加上音乐、对话加上肢体语言、制作动画或微视频等。此外，教育者要善于引导学生主动参与生命叙事的学习过程，巧妙运用不同的叙事

---

① 梅萍，吴芍炎．后疫情时代生命叙事在生命教育中的价值及应用［J］．思想政治教育研究，2020 (6) : 17 – 21.

② 李贺．生命叙事：关注人的德性生长的重要途径［J］．当代教育论坛，2007 (2) : 67 – 68.

方式，增强生命故事的表达力和感染力，促使生命教育充满活力和效力[①]。

总之，生命叙事表达的是叙事主体对自己的生命故事以及对他人的生命故事的自我感悟，而这一切都是人生的宝贵“财富”，是个体自我修养的重要途径，更是支撑个体生命前行的力量源泉。

四、正念冥想与冥思教育

冥想是一种十分特殊的德育方法，它与中国古代儒家的“自省”（具体见第一节内容）相类似。但冥想作为由西方最先提出后又引进国内的方法，与“自省”存在一些不同。一方面，冥想法与自省法的作用范围不同。冥想法可用于个体很多情境下，用以缓解心情、启发思维等，作用范围较大；“自省”则是针对人自身的行为、思想等领域的方法，范围更小。另一方面，两种方法的开展形式不同。冥想法的开展形式较为局限，主要是通过在平静的环境中静坐，在脑海中回忆或构思内容来达成；而“自省”不局限形式，可以是和冥想法一样在思考的过程中达到反省目的，也可能是在一次实践中顿悟。

（一）冥想、正念冥想与冥思教育

冥想起源于古代东方的宗教文化，自 20 世纪 60 年代开始，已经成为心理学研究的一个重要主题。冥想是通过身心的自我调节和一系列复杂的情绪和注意调节训练来建立一种特殊的注意机制，最终影响个体的心理过程[②]。冥想要求将注意力聚焦于心智或感知活动上，摈弃其余想法和感觉干

① 梅萍，吴芍炎．后疫情时代生命叙事在生命教育中的价值及应用［J］．思想政治教育研究，2020 (6)：17 − 21.

② 张梦蕾，刘峻杉．道家经典诵读与冥想结合的小学国学课程研究［J］．课程·教材·教法，2018 (4)：52 − 58 + 63.

扰，重点训练注意力和觉知，以便在心理加工过程中进行更好的自主控制，进而提升整体的心理幸福感，培育出平和、清明、专注等特定能力[①]。

根据注意朝向的不同，冥想可以被划分为非聚焦式冥想和聚焦式冥想，其中非聚焦式冥想主要指正念冥想。正念冥想源于古老东方的宗教禅修文化，强调开放和接纳。所谓正念，是以一种知晓、接纳、不作任何判断的立场来体验自己在此过程中出现的一切想法和感受[②]。1979年美国麻省大学的卡巴金将其引入临床心理治疗，明确提出："正念式是一种有目的、不评判的将注意力集中于此时此刻的方法。"[③]进一步来说，正念可以表述为有意识地对当下所发生的心理活动的过程和内容，以一种持续的、不加评判的注意方式进行觉知[④]。"正念"概念核心可概括为是觉察此时此刻[⑤]。聚焦式冥想则强调注意力的集中，要求将注意力放在感受呼吸、重复词语、想象图像等心智或感知活动上，而摈弃其余想法和干扰[⑥]。即需要把注意力始终聚焦于一个特定的对象，这个对象可以是行为比如呼吸，也可以是具体的人、事、物。当发现注意力游离之后，需要重新再把注意力聚焦回来。除此之外的各种形式的冥想都是处于这两级之间的连续体，更靠近前者就

---

① 郭婕，刘峻杉．冥思教育的国际进展和相关启迪［J］．中国教育科学（中英文），2020 (3)：13 － 24.

② 任俊，黄璐，张振新．冥想使人变得平和：人们对正、负性情绪图片的情绪反应可因冥想训练而降低［J］．心理学报，2012 (10)：1339 － 1348.

③ Kabat-Zinn J. Mindfulness-based interventions in context; Past, present, and future ［J］. Clinical Psychology; Science and Practice, 2003 (2) ; 144 － 156.

④ Kabat-Zinn J. Coming to our senses; Healing ourselves and the world through mindfulness. Hachette UK, 2005.

⑤ 郑春鱼．正念训练在中学生心理健康教育中应用的效果［D］．首都师范大学，2012：04.

⑥ Baer, R. A. (2003). Mindfulness training as a clinical intervention; A conceptual and empirical review. Clinical Psychology; Science and Practice, 10 (2) , 125 － 143.

属于正念式冥想，而更靠近后者就属于聚焦式冥想[①]。

随着冥想研究范围不断扩大和交叉，西方学界用“冥思”来囊括所有类似冥想的精神活动，包括聚焦式冥想与非聚焦式冥想即正念冥想，而冥思在教育领域内的实践应用即可称为冥思教育。冥思教育（Contemplative Education，简称 CE）最初是从心理学界开始兴起，继而扩展到教育学应用的一种新的教育理念和手段，是近年来在西方教育界逐渐兴起的一种教育方法。冥思教育的根源也可追溯至古老东方的冥想和正念，旨在通过指导和持续练习，唤醒和培养儿童在集中注意力、正念意识、利他动机和行动方面的内在自我调节能力和社会情感倾向[②]。

（二）冥思教育的意义

近年来，正念冥想可以使头脑自然冷静的结论得到了反复的证明。它有两方面的重要启示。第一，它是一种富有技巧性又行之有效的方式，能够让头脑在陌生而自然的情境中冷静下来。第二，它告诉我们其实每个人都具有让头脑冷静、内心平和的能力。

对于教育场域中的学生自身来说，冥思教育具有十分重要的意义和价值，是学生不断主动自觉地促进学业进步、提升素养、修养身心过程中有效的方法之一。其在教育领域中的意义有如下几个方面：

1. 冥思教育能够促进学生的学业能力进步

冥想法是通过一系列的训练加强个体的认知智力和注意力的教育方法。除此之外，冥想法也能促进学生情绪智力的发展，即“情商”，这将提高个体觉察和分辨自己与他人情绪的能力，以及提升运用情绪信息指导

---

① 任俊，黄璐，张振新．冥想使人变得平和：人们对正、负性情绪图片的情绪反应可因冥想训练而降低［J］．心理学报，2012 (10)：1339 − 1348.

② 郭婕，刘峻杉．冥思教育的国际进展和相关启迪［J］．中国教育科学（中英文），2020 (3)：13 − 24.

个体想法和行动的能力。冥思教育有利于学生对注意的调控能力以及对他人言语行为的注意，可以有效地利用情绪的信息来处理想法和思维，这与学生的学习能力和学习效率密切相关。因此，冥思教育的效果与教育目标具有很高的契合性，冥思教育可以与学校教育进行有益的结合，辅助学校学业教育、道德教育。在提升学生学业成绩之外，还能辅助学生吸收积极向上的道德知识，为养成健全人格打基础，最终促进学生心理素质的提高和学生的全面发展[①]。

2. 冥思教育可以促进学生情绪控制能力的提升

研究表明，正念冥想作为促进个体身心愉悦的三大要素之一[②]，能够减少人情绪认知中的消极情绪[③]，能够帮助学生在快节奏、高压的环境中学会自我放松，在一定程度上降低学生心理问题的出现频率。在冥想的过程中，学生将走出高压的学习环境，进入心灵的放松空间。冥想能够提升人的情绪认知和情绪控制能力，在大脑放松、平静的状态下，人对于因外界情绪刺激而对自身产生的影响的估量更加客观，从而使得情绪更加平和，更容易获得积极的情绪认知和情绪体验[④]。再者，冥思教育能使人更好地集中注意力，减少消极的自我暗示，增加个体积极主动地自我调节、自我完善的意识，为学生能顺利地开展自我修养行为提供了稳定的情绪基础。除此之外，在调节学生情绪平稳的同时还能帮助其改掉如厌食症、厌学等一些不良的行为习惯。

---

① 金建水，刘兴华．儿童和青少年学生群体的正念教育：正念作为新的心理健康教育方式的探索［J］．首都师范大学学报（社会科学版），2017 (2)：170 − 179.

② 李永雪，张艳红，杨阳，等．个体真实性与大学生主观幸福感的关系：正念与自我决定的链式中介作用［J/OL］．中国临床心理学杂志，2021 (6)：1276 − 1280 + 1285［2021 − 12 − 10］.

③ 任俊，黄璐，张振新．冥想使人变得平和：人们对正、负性情绪图片的情绪反应可因冥想训练而降低［J］．心理学报，2012 (10)：1339 − 1348.

④ 同③.

3. 冥思教育有助于促进学生良好人格的形成

人格是各种心理特性的总和，也是各种心理特性一个相对稳定的组织结构。在不同的时间和地点，人格影响着一个人的思想、情感和行为，使他具有区别于他人的独特的心理品质。埃里克森的人格发展理论指出：人格发展任务完成得成功与否，会产生人格发展的两个极端。成功的一端，就会形成积极的品质；不成功的一端，就会形成消极的品质。对学生来说，通过冥想自己达到某一目标，学习就会越来越努力，学习效果也会越来越好，与人相处也会越来越融洽。因此，运用冥想法对于学生良好人格的形成有积极的影响。学生良好人格的形成是其一生自我修养路上最为重要的基石，而冥思教育可以在学生的日常生活中将积极正向的内容渗透进学生的思维当中使之交缠，最终形成独一无二的人格特质。这也是基于自我修养的角度下，冥思教育给学生带来的最为重要的价值，值得继续深入思考和研究。

冥思教育所追求和所能提供给学生的，与我国学生发展的“核心素养”或“关键能力”的目标也很契合。正如大量实证研究所揭示的，冥思教育既有促进学生认知能力发展的一面，例如有助于学生调节注意力，提升学业成绩，也有促进非认知能力发展的一面，例如提升移情能力和社交能力，促进道德修养发展，提高个体幸福感等。

近二十年以来，冥思教育在国际上取得了迅猛的发展，带来了很多重要的实证发现和深刻启迪。在未来的研究和实践中，我国教育学界应结合当前国情，借鉴冥思教育的国际经验，稳扎稳打地探索出适合我国文化传统和当代教育需求的冥思教育的有效样态和可能路径。

（三）正念冥想与冥思教育的实施

近二十年来，正念冥想被逐渐用于儿童和青少年，从临床医学、心理学治疗领域走向了教育领域，开始形成一种学校教育形式，即“培养学生的意识的特殊方式，有益于意识动机和学习管理的特殊方式，通过在伦理关系的环境中培养意识觉知和决断力的一套练习”[①]。

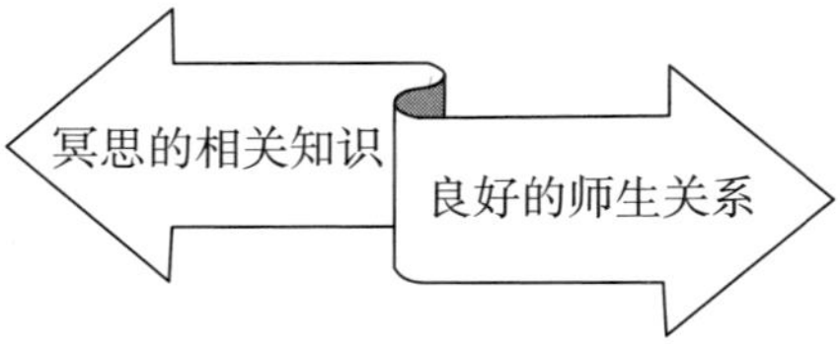

图 6-4　开展冥思教育的前提条件

在论及冥思教育实践内容时，最先需要研究和讨论的就是教师的问题，即教师应当怎样准备、准备什么以及在什么样的条件下才能有效开展冥思教育，成为冥思课程的辅导教师。刘峻杉认为开展冥思教育的教师需要具备以下两个条件：第一，冥思辅导教师必须掌握冥思的相关知识并且具备一定的冥思经验才能上岗。如果未接触过相关知识，需要进行一定时长的培训。第二，冥思教育需要与学生建立良好的师生关系。在进行冥思教育前需要充分了解学情，获取学生的信任和依赖，这一点被认为是使学生能够顺利进入冥想的关键一步[②]。如果教师不具备以上相关知识，导致冥思课堂的专业度不够，学生的配合度和参与度就会降低，最终造成冥思教育效果低下。这是一切冥思教育活动开展的前提和基础。

随着冥思研究的深入，我们能够确定的是，其核心在于关注当下，不做判断地以发展的眼光看待自身以及周围的变化[③]。因此，谈及冥想的实施方法，教育学界主要聚焦于“正念式”冥想的实施方法，冥想实施的目标大多聚焦于锻炼学生自身的能力或缓解学生自身的情绪，是关注人的一种

① Roeser R W, Peck S C. An education in awareness; Self, motivation, and self-regulated learning in contemplative perspective [J]. Educational psychologist, 2009 (2) ; 119 - 136.

② 郭婕，刘峻杉．冥思教育的国际进展和相关启迪［J］．中国教育科学（中英文），2020 (3) : 13 - 24.

③ 刘皓宇．正念干预及其在中小学生心理健康教育中的运用［J］. 中小学心理健康教育，2019 (17) : 4 - 7.

方法，也必然与学生的自身素质、自身修养相联系。

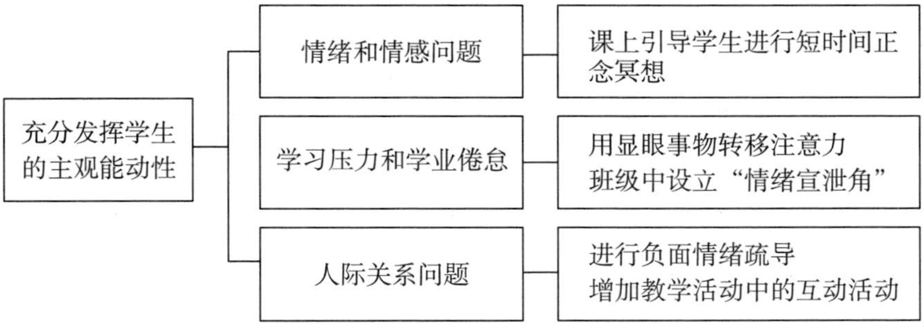

图 6–5　冥想法的实施流程图

相比较而言，特殊青少年群体采用冥思教育较多。经过实验发现：“正念”冥思对于焦虑群体、学习困难群体、行为问题群体、弱势群体的教学活动和自身发展具有良好的效果[①]。除特殊群体外，冥思教育应用于普通学生群体，也有良好的教育效果。经过多位学者的实验研究发现，冥思教育对于学生状态出现异常时的效果最为明显，诸如情绪和情感问题、学习压力和倦怠问题、人际关系问题等都有显著的效果[②]。

1. 冥思教育有利于解决学生的情绪和情感问题

当学生出现情绪和情感问题的时候，可以通过冥想来训练学生的正念思维，使之学会接纳自己的情绪。在日常学习生活中，对学生的情绪进行潜移默化的改变，需要将正念训练和课堂相结合。研究发现，受过正念训练的学生普遍拥有更高的心理韧性，即抵御挫折的能力。由此可知，正念训练可以提高学生正确处理压力和积极面对挫折的能力[③]。具体实践方法如

① 金建水，刘兴华．儿童和青少年学生群体的正念教育：正念作为新的心理健康教育方式的探索［J］．首都师范大学学报（社会科学版），2017 (2)：170 － 179.

② 刘皓宇．正念干预及其在中小学生心理健康教育中的运用［J］．中小学心理健康教育，2019 (17)：4 － 7.

③ 曹静，魏庆珠．正念训练提升小学生心理韧性的随机对照组研究［J］．亚太教育，2016 (12)：29 － 30.

下：当班级中存在情绪低落或心理脆弱的学生时，教师可以在课堂活动开始前引导学生进行正念冥想。在冥想开始前，提醒学生无论是否走神，只要将注意力聚焦在自己的呼吸上即可，这个过程不用在乎正确与否，也不要对自己作出判断。随即让学生选择舒服的姿势，放空思绪。

需要注意的是，这与睡觉和小憩的休息模式不同，个人高度觉知周围的环境，非主观意愿的内部心理对话显著降低①，因而能有针对性地处理焦虑背后的冗思，并有可能减轻焦虑。学者将用于减缓焦虑效果的冥想方法总结为“无思虑觉醒”②。

2. 冥思教育有益于缓解学生学习压力

当学生面对较大的学习压力和学业倦怠时，教师也可以采用正念冥想法，来缓解学生的负面情绪。中小学生遭遇学习倦怠时，容易导致注意力分散，不能将精神集中到课堂上。在实际教学中，教师可以选取一些大家都能认识的、比较显而易见的事物来作为学生转移注意力的对象。例如，在学生注意力转移时，教师击掌两次，示意学生停止当下的动作，正念观察自身和外在所发生的事情，静待 2~3 分钟后二次击掌，使得学生的注意力回到课堂中。除此之外，在班中建立“情绪宣泄角”也是一个很好的办法，学生可以匿名将自己的情绪转移到卡片上，以转移焦虑。

3. 冥思教育有利于学生建立良好的人际关系

在面对学生之间的人际关系问题时，教师要帮助学生进行负面情绪的疏导。这正是正念冥想的关键所在，即学会自我接纳和接纳他人。良好的人际关系建立在良好的沟通与互动上。除了对个体进行针对性的干预以外，

---

① SCHNEIDE R S. C, ZOLLO M, MANOCHA R, Developing Socially Responsible Behavior in Managers Experimental—Evidence of the Effectiveness of Different Approaches to Management Education [J]. The Journal of Corporate Citizenship, 2010 (39): 21 – 40.

② 朱臻雯，刘明波．“无思虑觉醒”冥想可为减缓焦虑的有效方法：以大学生团体辅导为例［J］．华北水利水电大学学报（社会科学版），2015 (6)：149 – 151.

还可以在课堂的教学活动中穿插一些人际互动的环节。比如学生们相互进行夸赞性的积极评价、定时记录同学帮助自己的事情等。人际互动的活动可以有效地帮助学生增强对彼此的了解，获得更多的积极情绪，为营造良好的人际关系打下基础。在正念干预中，要让学生学会向他人表达自己的积极情绪，与他人建立良好的沟通习惯。这样才能促进个体心理的成长，有效提升健康个体的幸福感水平，与他人建立一种和谐信任的关系[①]。

冥想实际上就是一种心理暗示技术。根据这一心理特点，3~12 岁孩子处于自我意识觉醒、自我修养能力培养阶段，最适合用心理暗示来引导[②]。在安静舒适的环境中，通过冥想学生平心静气地反思自我、正视自我，排除杂念并将思维集中于自身发展的各个方面。既有利于学生通过反省自查来进行自我修养，也利于在学生没有自我修养习惯和意识时，以冥想法来培养学生积极主动地开展自我修养活动的意识，为其他自我修养方法的开展奠定心理基础。当前，面向中小学全员实施冥思教育已然成为一种发展趋势[③]。近年来，各个学科的学者已开始将冥思实践纳入课堂，大多数冥思教育以心理项目形式在中小学开设课程，一些正念项目甚至已经成为部分学校的常规课程，替代以往的宗教课程、个人课程或健康教育课程，或者作为哲学课程的一部分。在高等教育领域，冥思教育也在美国的布朗大学和密歇根大学等机构得以实施[④]。

---

① 刘皓宇．正念干预及其在中小学生心理健康教育中的运用［J］．中小学心理健康教育，2019 (17) : 4 － 7.

② 李宝玲．谈小学高年级心理课堂中冥想的运用［J］．新课程（下），2012 (12) : 35.

③ 郭婕，刘峻杉．冥思教育的国际进展和相关启迪［J］．中国教育科学（中英文），2020，3 (3) : 13 － 24.

④ 同③.

第七章
实践锻炼法研究

实践锻炼法是将道德理论与道德实践结合起来，提高个人道德修养的重要方法。在德育过程中，强调道德实践性、过程性和自主性，要求将道德认知与实践行为相统一。从古希腊哲学家亚里士多德提出道德实践论到马克思阐明“实践出真知”的意涵，都说明实践在知识获得与道德修养中的重要性。中国古人强调“致知力行”，同样也将实践锻炼看作个体提升道德品行和获得知识的重要手段。在 2018 年全国教育大会上，习近平总书记强调德育工作必须与德育实践结合起来，做到德育的知识性和价值性的统一，理论性和实践性的统一。在现代德育方法的理论研究和教学实践中，随着现代德育实践途径的多元化，一系列德育实践的具体方法也应运而生，更进一步为提高学生的道德修养提供了多元途径和方式。

本章将从“实践锻炼法”的概念、理论研究、实践研究三方面进行阐述。第一节，从“实践”“锻炼”“实践锻炼法”的核心概念入手，明确实践锻炼法的内涵、发展脉络，并进一步明确这一方法的特点及其价值意义。第二节，阐明实践锻炼法的理论基础。以杜威的道德论作为实践锻炼法的核心，将道德认知与实践经验密切结合。同时，社会学习理论和交往学习理论进一步为实践锻炼法的实施过程提供了情境性、过程性和交互性的理论支撑和背景。第三节，侧重对实践锻炼法中具体途径，如服务学习、社会实践学习、生活实践学习、研学旅行等进行分析，就其特点、实施流程和途径、要点及功能进行具体阐明，从而引导德育工作者反思：在新时代立德树人根本任务的指导下，如何将德育从理论知识转化为身体力行的道德实践以及如何促进儿童在实践锻炼中实现自我教育和道德发展。

第一节 实践锻炼法的含义与发展

本节从词源学的角度出发，通过对“实践”“锻炼”“实践锻炼法”等概念进行辨析，明确实践锻炼的本质和特征，进一步阐明在教育领域中“实践锻炼”的意涵，并深入说明在具体德育层面如何理解“实践锻炼”的共性和特性以及不同学者关于实践锻炼法的观点。在梳理实践锻炼法的发展脉络中，探析实践锻炼法在不同阶段的重点及其意义，进而看到在道德教育中对于实践锻炼法认识的发展性和时代性。在此基础上，分析现代德育中实践锻炼法的特点和所具有的现实价值。

一、实践锻炼法的含义

作为在学校德育中广泛运用的德育方法之一，实践锻炼法有其自身的理论基础、发展脉络及功能价值，着重强调德育过程中的实践性、自主性和成长性，强调通过实践锻炼实现自我教育和道德的自主成长。实践锻炼法要求学生能够在学校、生活、社会中通过实践活动磨练道德意志，养成良好的道德修养，自主促进道德生命的健康成长。要了解德育中实践锻炼法的独特性，首先需要追本溯源，探求“实践”和“锻炼”的内涵和本质。

（一）实践锻炼法的概念

1. 何为“实践”

“实践”一词，牛津词典中译为“practice”，即做出行动而非理论①;《辞源》中“实”指实现、实行、依循、行列有序貌②，“践”有踩、踏、足迹所至等含义③。“实践”合起来有两层意涵：一是履行之义；二即社会实践或表明人类能动地改造自然和社会的全部活动。广义的“实践”意指人类体现自身本质力量的一切活动。狭义的“实践”则主要指人能动地改造客观世界的物质性活动④。

作为重要的哲学概念，一直以来对于“实践”的理解不尽相同。作为实践哲学的代表人物，古希腊哲学家亚里士多德在《尼各马可伦理学》一书中提出了道德实践论。亚里士多德区分了两种类型的人类行为，一类是创制，另一类便是实践，例如，生产行为是创制，而伦理行为则是实践。他认为这两者并不相互包容，存在着本质区别⑤。实践是以自身为目的的活动，而生产是以外部为目的的活动。因此，亚里士多德认为，“实践是有某种为其自身而期求的目的，一切其他事情都要为着它”⑥。实践本质上是指向善本身的一种道德活动，是对善的实现。也进一步说明了实践在道德发展中的重要性。

英国哲学家弗朗西斯·培根认为实践等同于科学的技术化，由此他提出了另一种实践哲学传统——技术实践论。他将科学的技术化活动纳入

---

① 霍恩比．牛津高阶英汉双解词典:6版［M］．北京：商务印书馆．牛津大学出版社（中国）有限公司，2005：351－352.

② 辞源．修订本［M］．北京：商务印书馆，1983：2059.

③ 同② 2999.

④ 同② 2060.

⑤ 亚里士多德．尼各马可伦理学［M］．北京：商务印书馆，2003：125.

⑥ 同⑤ 2－3.

实践的内涵，认为实践主要是一种科学实验活动和生产性活动，功用是实践的根本属性[①]。德国哲学家伊曼努尔·康德从精神层面的意义出发理解实践，他认为实践活动是一种意志活动，相区别于其他活动形式的是人的意志自由。受到其先验理论哲学的影响，在康德的哲学体系中，实践有着自然和自由两大层面，从自然概念出发的实践可以称之为“技术实践”；而那些从自由概念出发而产生的实践活动具有极强的物自体性，其主要目的是对于人际关系按照一定的道德法则进行处理,简称为“道德实践”。因此，他认为道德实践才是主要的实践方式，因为只有它才是以自由为基础，而非其他的感性条件，以具备先验性的道德为基础乃是超脱于感性之上的实践法则[②]。

在绝对唯心论的哲学体系中，德国哲学家黑格尔认为，实践是指一切精神的现实化和物化的活动。这种活动包括了自然界的运动和变化、一般生物的生命活动以及人的生命活动，例如道德和政治活动、生产劳动、制作与技术活动,甚至还包括思辨和理论活动等[③]。马克思充分证实了这一想法。他认为人是实践的主体，实践是人的活动的主体，是人们有目的地认识和改变客观世界活动的主体。马克思把实践理解为是感性的、对象性的活动，理解为主体实际改变对象世界从而也改变主体自身的活动，把人与世界的关系、人与人的关系首先看作是实践性关系[④]。无论是传统哲学还是现代哲学，关于实践的讨论从未停止。实践被看作是主观实际改变对象世界而进一步改变自己的活动。一方面，实践表现为主体改变客观世界的对象化活动；另一方面，实践表现了主体改造自身的非对象化活动。辩证

---

① 培根．新工具［M］．北京：商务印书馆，2005：103－105.

② 康德．判断力批判．上卷［M］．北京：商务印书馆，2011：89－90.

③ 黑格尔．精神现象学．上［M］．北京：商务印书馆，1962：12－48.

④ 周树智．马克思的新世界观：马克思《关于费尔巴哈的提纲》研究文集［M］．北京：社会科学文献出版社，2012：20－65.

地看，主体对客观世界的对象化活动和自我改造的活动是统一的。

2. 何为“锻炼”

“锻炼”一词，牛津词典中译为“exercise”，即为了保持健康或更加强壮所进行的身体或心理的活动[①]。在《辞源》中，“锻”字有打铁、锤击之意[②]；“炼”有两层含义，一是以火冶制，二是有练腿之语[③]。“锻炼”一词在《辞源》中解释有三，分别为冶金、罗织罪名、磨炼实践。在此取磨炼实践之义，即从不断实践中磨炼意志、增强体质或提高思想[④]。从狭义角度讲，锻炼一词常被用来形容身体活动，用于体育领域，例如体育锻炼、身体锻炼、锻炼行为；而在广义理解中，锻炼既可以作为身体的活动，也可以用于形容思想上得到了进步，包括社会生活中的实践活动，对于个人道德品性、觉悟能力等得到磨砺，进而自我提升。

从身体社会学的视角出发，“锻炼”是关照人的身体、心灵、道德与社会的必然联系。社会学家将人的身体分为物理属性和社会属性，强调身体的社会塑造特征。在两种身体经验之间，存在着意义的不断转换。物理身体是基础，社会身体是本质。两种身体之间的相互影响和转化主要是通过赋予物理身体充满社会意义的象征而实现的[⑤]。人类身体需要在日常生活中经常地、系统地得到锻炼、生产、维护和呈现。因此，身体最好被看作通过各种实践和锻炼得以实现和成为现实的潜能。

当代社会学和人类学认为，身体在日常生活中具有中心地位。法国社会学家皮埃尔 · 布尔迪厄在《实践理论大纲》一书中论述，“身体仪态直接作为特殊和系统性的姿态模式与运动技能对话，因为其中包含了一整

---

① 霍恩比 . 牛津高阶英汉双解词典 :6 版［M］. 1021.

② 辞源 . 修订本［M］. 北京 : 商务印书馆 , 1983 : 3205.

③ 同 ② 1938.

④ 同 ② 3205.

⑤ 恩特维斯特尔 . 时髦的身体［M］. 桂林 : 广西师范大学出版社 , 2005 : 11.

套身体技术和工具系统并承载着大量含义与社会价值。”[①] 因此，“锻炼”既是一种身体实践的过程，又是一种社会实践的过程。通过“锻炼”能够帮助人们在早期道德发展中建立社会生活的身体仪态、行为规范和与社会实践相关的惯习，进一步促进儿童的道德提升和道德生命的发展。

3.“实践锻炼法”的内涵

“实践”是主体实际改变对象世界从而也改变自身的活动。“锻炼”则指身体的活动以及思想上的获得提高。因此，“实践锻炼”可以概括为主体通过身体力行的对象化、物质化的活动，从而在自我教育的过程中获得个人道德品行或觉悟能力等方面的提高。实践与锻炼二者相辅相成，在实践中锻炼，通过实践获得锻炼，从而更有效地进行实践。在教育领域中，实践锻炼法也称为实践教育法，即组织、引导人们积极参加各种社会实践活动，从而不断提高思想觉悟和认识能力，在改造主客观世界的同时，改造自己的主观世界的方法[②]。该方法形式多样、生动具体，既能使人们从大量的直接经验中加深对问题的认识，也是将理论知识转化为实践经验的重要方法之一。

在具体的道德教育中，实践锻炼法的应用情景及应用目的聚焦于儿童的道德培养，以期通过学校、家庭、社交、生活等情境促进学习者的道德自觉性，从而在自我教育过程中促进品德形成与道德发展。班华将实践锻炼法定义为：“通过各种实践活动训练和培养受教育者优良思想品德的方法，包括日常实践和专门组织的行为训练。”[③] 檀传宝进一步区分了“学习性实践活动”与“日常生活中的道德实践”的不同之处，前者更是一种学生的道德实践，即通过实际锻炼的方式，巩固道德观念，培养良好行为习惯，

① 皮埃尔·布尔迪厄．实践理论大纲［M］．高振华，等译．北京：中国人民大学出版社，2017：289－290.

② 陈万柏．思想政治教育学原理［M］．北京：中国人民大学出版社，2013：23－24.

③ 班华．现代德育论：第 2 版［M］．合肥：安徽人民出版社，2001：233.

发展学生实际道德能力等为最终目的[①]。因此,德育中的实践锻炼法更强调教师有目的、有规划、有组织地给学生创造特定的活动情境，学生积极投入社会活动，自主改造客体世界的同时发挥主体意识，在道德实践中体验与学习，并在实践中实现道德的自主成长与发展[②]。

总体而言，实践锻炼法是在教育者的引导下，使受教育者在改造客观世界的同时自主自觉改造主观世界的教育方法；其次，这一方法强调实践过程，要求受教育者走出校园、走进社会，在与他人的交往中和其他社会实践中，把道德知识应用于实践活动中，转化为自己认识社会、参与社会的观点和方法，使自身行为逐渐符合社会要求；最后，实践锻炼法目的在于使受教育者通过亲身实践体验，形成自我教育，提高思想觉悟，增强认识世界和改造世界的能力，得到教育和启示，最终实现言行一致和知行统一。

（二）实践锻炼法的特点

实践锻炼法作为重要的德育方法之一，既具有与其他德育方法相似的教育发展性，也因实施过程中所涉及的活动范畴和形式不同，从而具有自身的特点，如真实情境性、活动丰富性及自觉能动性等。因此，实践锻炼法相对于课堂中德育知识传授和课后领悟，更加强调通过德育实践活动促进学生道德品性的内化和提升。

1. 真实情境性

真实而又丰富的情境作为宝贵的德育资源，是实践锻炼法的实施场域，也是教学活动顺利开展的必要条件。换言之，实践锻炼法往往以真实的社会情境、自然情境和文化情境为支撑，旨在给学生提供多元、真实、丰富的学习情境，将所学知识与真实情境进行意义建构，从而赋予社会情境以

---

① 檀传宝 . 德育原理［M］. 北京 : 北京师范大学出版社 , 2007 : 256 − 260.

② 吴铎 . 德育课程与教学论［M］. 杭州 : 浙江教育出版社 , 2003 : 180 − 192.

意义深远的内涵①。人是在社会生活和自然之境中实践时空的生命和道德体验者，正因如此，在道德实践中，需要基于真实情境的体验和经历，需要关注人的道德体验过程和道德体验境界②。在道德体验和实践过程中，需要通过实践教学来培养儿童的道德认知。课堂教学中，应该将客体发生、发展、运动变化的本来面目真实地展示在学生面前，使学生用感官亲自接触认识客体③。这种客观环境使学生更好地接受某些不易言传的经验和分析、解决、处理问题的方法。创设和利用德育情境，潜移默化地影响学生形成高尚的品德，从而达到“润物细无声”的德育境界。

2. 活动丰富性

形式多样的活动是实践锻炼法所依托的载体，也能够促进学生道德规范的内化，形成良好的道德行为。在德育的具体实践过程中，将活动视为主体自身发展的动力源泉，使活动既成为教育学生的手段又是目的，只有这样学生才能在道德生活中不断进取、不断完善④。实践教育的实施要以系列的、主题性的实践活动为载体。各门课程应该设计具有自身特点的实践活动，让学生在各种实践活动中带着兴趣获得新知识、取得新的进步⑤。因此，通过具体情境和活动来形成和巩固道德观念，实践活动是检验和发展认识的重要途径。学生对实践过程的有效参与、对实践方法的理性体验以及对实践情境的深度理解是非常重要的。学生是在实践体验过程中，通过情境体验、过程体验、方法体验，提高对实践情境的理解力，形成对自然、

---

① 李才俊 . 基于地域文化的体验式德育课程设计初探 :“文化生活”综合实践活动课程的新视角［J］. 课程 · 教材 · 教法 , 2010 (7) : 61 − 66.

② 刘惊铎 . 体验 : 道德教育的本体［J］. 教育研究 , 2003 (2) : 53 − 59.

③ 刘芙 , 王韶春 . 高等教育实践教学模式的构建与实施［J］. 现代教育管理 , 2011 (3) : 88 − 90.

④ 同 ①.

⑤ 曾素林 . 实践教育 : 含义、问题及对策［J］. 中国人民大学教育学刊 , 2012 (1) : 150 − 157.

对社会、对自我的整体认识的[①]。因此，在真实具体的情境中，学生获得个性化的体验与感悟对综合能力的发展具有重要意义。只有在亲身体验中，才能够实实在在地感觉到自我的存在价值，与自然、与社会之间内在有机的联系。

3. 自觉能动性

实践锻炼法是以实践为基础，通过实践展开自我教育活动。实践是客观活动中的一种主观行为，教育者和受教育者的自觉意识在其中起着重要的作用，这决定了实践锻炼法具有自觉能动性。实践锻炼法的主体通过丰富的社会实践活动，充分发挥主观能动性。通过将被动接受转化为主动参与，提高参与活动的积极性和自觉性。实践锻炼法促使人们把科学理论逐步转化为处理和解决问题的立场、观点和方法，而实践活动的发生伴随着看得见、摸得着的现实成果。道德实践需要主动参与，同时也要进行主观能动的反思和自我教育。中国传统文化中强调“一日三省”“反躬自省”，进一步说明道德体验和道德实践过程中，个体只有通过反思内省，才能将实践经验中的道德认知进一步内化为自身的道德理解，从而提升个人的道德素养。

综上所述，实践锻炼法具有真实情境性、活动丰富性和自觉能动性的特点。该方法应用于丰富真实的自然或社会情境之中，以实践活动为载体，学生作为主体，使其自觉地在活动中领悟道德教育内容，从而提升思想道德觉悟。在活动中重视学生的体验和参与，面向生活、面向社会，注重搭建起学习、生活实践的桥梁。通过实践把学生的认知、行为和情感等加以融合，有利于学生全面认识自己、认识世界，获得全面而富有个性的发展。

---

① 郭元祥．论实践教育［J］．课程·教材·教法，2012 (1)：17－22.

（三）实践锻炼法的意义和价值

实践锻炼法主要是通过实践活动提高学生的思想觉悟和道德认知能力，促使学生把道德认识内化于心、外化于行。在道德教育中，德育与社会、生活的紧密结合有效地提升了学生的积极性、主动性，更好地服务于德育。实践锻炼法作为教育的基本方式，丰富了学校德育手段，强化了立德树人落实，对教师和学生的各方面都产生了积极的影响。

从德育角度来看，实践锻炼法作为德育的基本方法之一，包括生产劳动、社会服务、社会调查、参观考察等多种形式。同时，通过实践锻炼法的方法，有助于增强德育课程教学的实践性、针对性、实效性。学生通过参加各种实践活动，把德育与生活结合起来，推动德育课程从理论到实践的转变，增强德育的实效性。同时，实践锻炼法也有力推进学科教学目标的落实。德育学科的教学目标要求引导学生确立正确的政治方向，树立科学的世界观、人生观和价值观，形成良好的道德品质，依据不同年级学生的身心发展的特点有不同的具体要求。学生在参与社会实践活动中，通过亲身体验可以培养适应社会生活所必备的社会公德、基本法律知识、良好的心理素质[①]。因此，加强德育课程的社会实践活动，可以有力地推进学生的道德教育、法治教育，培养其良好的心理品质和爱国情操，使学生成为新一代接班人，从而推进德育课程的目标实现。

从教师角度来看，实践锻炼法能够巩固并促进教师的专业能力的发展。对于一线的德育工作者而言，科学完备的专业知识是开展教育活动的前提条件。实践锻炼法的难度不言而喻，无论是活动前的计划、活动中的指导，还是实践后的总结和反思，都要求教师在充分理解教育内容的前提下，在实践的基础上精心策划和指导。德育教师通过实践锻炼法

---

① 吴铎．德育课程与教学论［M］．杭州：浙江教育出版社，2003：181－185.

的不断操作和运用，不仅巩固了理论知识，而且获得了丰富的实践经验，提高了教学机智。对于其他学科而言，在引导学生进行实践锻炼的过程中，教师需要将所教学科与德育紧密结合，可使德育渗透在每堂课的内容中。一方面，加深了教师对于德育工作的理解，不只停留在“就知识论知识”的层面，而是教师需要结合时代背景、学生发展和正向的价值取向去理解学科内容，向社会的大课堂学习，拓宽知识面，进一步促进学生道德素养的提高；另一方面，在实践活动的同时能够增加教师本身的德育素养，同时增强教师的综合能力。作为活动的策划者与组织者，在活动过程中，教师不仅要做好实践活动的策划，还要能及时应对解决各种突发情况。因此，扎实的理论知识、较强的应变沟通能力、组织协调能力等都是教师所应具备的，这都在各个层面上增强了教育者的综合能力。

从学生角度来看，实践教育法不仅可使学生在实践活动中加深道德认知，也会使学生的道德认知在实践中转化为自身的道德情感和意志，进而转化为相应的道德行为。这样的过程不断反复进行，能让学生最终养成良好的习惯，完成道德认知、道德情感的知行转化，从而发展学生的道德生命力。檀传宝指出，道德实践法的最大长处是教育过程寓于学生的主体学习或探索过程。这不仅有利于巩固道德知识教学的成果，更有利于道德技能训练和价值观念的培养[①]。当然，实践性教学是一种基于而不限于学生的直接经验和亲身体验的活动。它是以学科的知识为背景，但它超出了学科的学科知识体系的范围以及教师的思维模式，使之获得更广阔的探索空间。这一方法有助于学生开阔眼界，增强社会适应力，实现学生知情意行的统一[②]。通过实践的锻炼和效果检验，学生把自己对事物的道德认识逐步地转化为处理问题的立场、观点、方法，有效促进学生不断地完善自我，逐渐把握应对社会复杂问题的能力。在真实的情境中进

---

① 檀传宝 . 德育原理［M］. 北京：北京师范大学出版社，2007：256－260.

② 吴铎 . 德育课程与教学论［M］. 杭州：浙江教育出版社，2003：181－185.

行道德判断或处于道德两难困境下，学生能够基于道德的情感、认知、信念等作出正确判断。在实践锻炼中，学生认识了社会真实、复杂的一面，使道德教育从“真空”回归真实，借助道德情境提升道德水平和能力，促进了全面发展。

总体而言，实践锻炼法是一个内外转化的德育方法。学生通过道德认知和道德情感引导实践中道德素养的养成；同样实践中的道德活动和真实情境又能进一步内化为更深刻的道德认知、道德情感、道德素养。因此，道德知识、道德理论、道德规范，只有通过实践锻炼中的真实情境才能让受教育者真正理解、明白并认同，才能成为学生道德生命重要的有机组成部分。因此，实践锻炼法强调道德发生的过程性、情境性和生成性，注重在生活实践、社会实践、活动实践中促进学生道德水平的提升。

二、实践锻炼法的发展脉络

实践锻炼法作为一种教育教学方法，首先起源于教育领域，随后逐渐在德育范畴中被专门讨论，从而成为现代德育方法中具有特色的方法之一。通过对于实践锻炼法发展脉络的梳理，有助于厘清不同时期实践锻炼法的研究重点和应用情境，进一步反思实践锻炼法在德育理论和德育实践发展中的价值意义。

（一）实践锻炼法的萌芽期

中国古代社会便开始探讨关于理论和实践的关系问题。荀子作为对“知行”问题做系统探讨之第一人，在继承儒家传统以及吸取其他诸家有关思想的基础上，提出了具有朴素辩证唯物主义特征的知行统一观，即“不闻不若闻之，闻之不若见之，见之不若知之，知之不若行之，学至于行之而止矣”[①]。可以说,荀子既重视“闻”“见”等感性认识向“知”的理性认识的提升，同时更重视理性的“知”向实践的“行”的转化，并将“行”作为学习的最高境界和追求目标[②]。朱熹就关于知、行先后关系提出“论先后，知为先;论轻重，行为重”，强调“致知、力行，用功不可偏”[③]。在程朱理学日渐成为外在于人的心性修养的教条桎梏时，王阳明则反对“知先行后”的观点，认为这种观点将知与行分为两截，割裂了它们的统一关系，因而他提出了“知行合一”观。王阳明道德认知的方法完全是一种在行为践履中自然发生的道德直觉,这种直觉判断本身是知行同一的。王阳明认为:“外心以求理，此知行所以二也；求理于吾心，此圣门知行合一之教，吾子又何疑乎？”[④]他反对“外心以求理”的“知行二分”,提倡“求理于吾心”的“知行合一”。王阳明的“知行合一观”表明“知”即是“行”，也表明“知”必须落实到“行”。只有知行合一，才能达到真正“致良知”的境界[⑤]。清代王夫之则提出“行”比“知”的意义更为宽广和重要。他指出“知之尽，则实践之而已”[⑥],实践是衡量知识的标准。由此看来,古人关于“知”和“行”的关系说法不一。知识和实践的关系或认为是统一的，也被认为是具有因果关系的，但可以肯定的是，在古代社会中，对于实践的价值认识已经逐渐得到重视。

（二）实践锻炼法的发展期

随着中国社会的历史发展，教育教学的实践性被进一步重视。1840 年

---

① 荀子 . 影印本［M］. 上海 : 上海古籍出版社 , 1989 : 56.

② 同 ①.

③ 黎清德 . 朱子语类 . 一［M］. 北京 : 中华书局 , 1986 : 21.

④ 王阳明 . 王文成公全书 : 卷 2［M］. 北京 : 中华书局 , 2015 : 21.

⑤ 田薇 . 论王阳明以“良知”为本的道德哲学［J］. 清华大学学报 (哲学社会科学版), 2003 (1) : 5.

⑥ 王夫之 . 船山全书 : 第 1 册［M］. 长沙 : 岳麓书社 , 1988 : 70.

以后，实践教育成了当时教育改革举措的重要组成部分。其中，京师同文馆和福建船政学堂是实践教学的典型代表。京师同文馆全面实施实验教学；福建船政学堂积极开展实习等校外实践活动。这一时期学校实践教学的主要特点是模仿西方的教育模式，更多倾向于技术实践学习。

20 世纪初，以美国教育学家约翰·杜威为代表，开始将道德教育回归社会生活。杜威反对传统德育课中过分重视知识传播和灌输的倾向，他认为“一切能发展有效的参与社会生活能力的教育,都是道德的教育”[①]。真正的道德教育应通过学校生活这种间接的方式对学生进行道德训练。这一时期，中国也逐渐出现了各种教育思潮，涌现了晏阳初、陶行知等极力推行实践教育的教育家。五四运动以后，中国学校遵循近代以来重视实践教育的做法，取得了进一步的发展，越来越多的中小学开展手工、家事、园艺、缝纫劳动、社会服务等实践活动。

在德育方面，实践锻炼法也正式成为德育研究和实施的重要方法之一。1948 年，吴俊升在《德育原理》中“道德教育之方法”一章，提到从社会活动中施行道德教学。吴俊升赞同杜威的观点，认为“道德教育不当为课程之一部而贯彻全部。在共同工作之中，儿童彼此互助。在社会活动中，采取自治办法，儿童可以练习自己教育自己之方法。”[②]可见，这一时期，教育学家已经认识到实践在德育中的重要性，将教育从书本知识带到实际的生活中。新中国成立初期，我国提出了“教育与生产劳动相结合”的方针，强调加强实践教育。例如，在中小学学校，生产劳动被纳入正式课程，每个学生都必须参加一定时间的劳动；开展勤工助学活动；倡导学校办厂，农场、工厂、农业合作社办学。这一时期，全国全面普及实践教育，德育过程中的实践教育取得了长足的进步，迎来了一个新的历史飞跃。

---

① 约翰·杜威．民主主义与教育［M］．北京：中国轻工业出版社，2014：22.

② 吴俊升．德育原理［M］．上海：商务印书馆，1948：80－82.

（三）实践锻炼法的深化期

随着国内外对实践教育的重视，实践锻炼法作为德育方法之一，在德育研究中被广泛讨论，逐渐形成系统性研究。在德育著作中，有“实践锻炼法”“实际锻炼法”“行为实践法”“实践教育法”“社会实践法”等不同表述方式，但其实质都指向道德教育向社会实践的回归，更加注重学生自我道德成长与实际社会情境的关联性。

1983 年，由华中师范学院教育系（现华中师范大学教育学院）编制的《德育论教学参考资料》作为早期的德育教材，专门论述了“德育与实践”一章，强调德育过程中，除了通过教育提高学生的道德认识外，还必须在此基础上，通过学生自身的观察和体验，逐步使他们建立坚定不移的道德信念[①]。1986 年，由华中师范大学、四川师范大学、陕西师范大学、西北师范大学、杭州师范大学、西南师范大学（现西南大学）共同编制的《德育学》也专门设置了“行为实践法”章节，特别指出行为实践法是在教育者的指导下，通过有目的、有计划的各种实践活动，培养和训练受教育者优良品德行为习惯的方法。同时，行为实践法与其他德育方法相比，其特殊作用在于更有利于形成和巩固言行一致的高尚品德和行为习惯。正是因为社会实践是人们认识的基础和源泉，人们的品德认识、品德观念只有通过实践的深化、检验，才能真正成为人们品德行为和习惯的先导[②]。

1986 年，由华东师范大学胡守棻主编，北京师范大学出版社出版的《德育原理》，作为华东师范大学教育学系德育专业教材使用，对于德育领

① 华中师院教育系 . 德育论（教学参考资料）[M] . 武汉 : 华中师范大学出版社 , 1983 : 430 － 440.

② 华中师范大学教育系 , 等 . 德育学 [M]. 西安 : 陕西人民教育出版社 , 1986 : 192 － 196.

域的发展具有重要意义[①]。该书“德育方法”一章专门强调，实践锻炼法是教育者组织学生参加一定的实际活动，在行为实践中锻炼思想、培养优良品德的行为习惯的方法。这种方法侧重于意志锻炼和行为练习[②]，从而说明了在道德实践中行为练习和道德训练的重要性。1993 年，仇春霖主编的《德育原理》也专门设置了一章来论述“实践教育法”，强调为让受教育者，特别是青少年学生，步入真实的社会生活和具体的生产劳动中去观察和体验，从而获得感性材料来丰富和充实书本知识，以提高和深化认识水平，其中提及实践教育法的几种形式：社会调查、社会服务、军事训练等[③]。1994 年，由鲁洁、王逢贤主编的《德育新论》出版，在德育的具体操作技能方法中指出实践的方式包括：通过学习接受实际锻炼的方式，通过完成集体委托接受锻炼的方式，通过日常生活接受锻炼的方式，参加生产劳动接受锻炼的方式，执行学校各项规章制度接受锻炼的方式，参与社会活动接受锻炼的方式等[④]，关于实践锻炼法的细致类别划分，能够更好地指导德育工作的开展。1996 年，班华的《现代德育论》对各类具体德育方法进行了简单介绍，也赞同实践锻炼法通过各种实践活动训练和培养受教育者优良思想品德，包括日常实践和专门组织的行为训练这一观点[⑤]，此时，实践锻炼法作为德育方法的重要方法之一，在概念理解和具体实施策略方面逐渐达成共识。

21 世纪初，我国德育著作对于德育方法的探讨具有前沿性和理论性。在多部著作中，进一步解析和深入探讨实践锻炼法的概念逻辑、理论依据、具体类型。2000 年，黄向阳在新编《德育原理》中介绍了与实

① 黄向阳．从道德教育论到德育原理：德育理论寻脉记［J］．中国教育科学，2021 (2)：133 － 141.
② 胡守棻．德育原理［M］．北京：北京师范大学出版社，1986：171 － 172.
③ 仇春霖主编．德育原理［M］．北京：中国青年出版社，1993：7，313 － 318.
④ 鲁洁，王逢贤．德育新论［M］．南京：江苏教育出版社，1994：319 － 320.
⑤ 班华．现代德育论［M］．合肥：安徽人民出版社，1996：233.

践锻炼法相关的理论，包括马夏拉斯、考克斯的社会探究模式，班杜拉的社会学习模式，纽曼的社会行动模式等，推进了德育中实践锻炼法的理论化和系统化[①]。2003 年，杜时忠在《德育十论》中就“德育如何教”问题，指出实践锻炼法实施过程中的不足：由于忽视学生对践行规范、价值的独立判断，忽视学生对践行活动的自主性选择，所以大多只能算作“要求活动法”[②]。这也进一步道出了当代德育实践的主要问题。2007 年，檀传宝在《德育原理》中专门提到“道德实践法”，这种实践不专指人们熟悉的“社会实践”，实际上是一种学习性的实践活动。通过实际锻炼的方式以巩固道德观念，培养良好行为习惯，发展学生实际道德能力的方法。道德实践法的基本形式包括模拟活动、社会实践和日常规范训练等[③]。这一概念的重新诠释，使得道德实践法具有了更明确的界限和范畴。2016 年，王荣德的《现代德育论》专门设置“现代德育方法论”一章也提到了“实践教育法”，指出在加强德育的实践和训练时，必要情况下可采用“换位”的方式，加强实践教学环节，贴近生活、贴近社会、贴近自然[④]。新世纪以来，关于德育方法的讨论中，实践锻炼法在理论和实践层面进一步趋于完善，也更深入地思考如何让这一方法的德育价值更好地体现。

在新时代背景下，我国先后出台了《关于深化教育改革全面推进素质教育的决定》《关于基础教育改革与发展的决定》等重要的改革文件，强调实践教育是新课程改革的核心内容，并对普通高中课程研究性学习活动、社区服务、社会实践等课程内容的学分和学习时长作出了严格规定。这些举措进一步强化了实践教育的重要性，并在政策层面的教育进程中确立了

---

① 黄向阳 . 德育原理［M］. 上海 : 华东师范大学出版社 , 2000 : 210 － 278.

② 杜时忠 . 德育十论［M］. 哈尔滨 : 黑龙江教育出版社 , 2003 : 241.

③ 檀传宝 . 德育原理［M］. 北京 : 北京师范大学出版社 , 2007 : 225 － 226.

④ 王荣德 . 现代德育论［M］. 北京 : 中国社会科学出版社 , 2016 : 205 － 206.

其重要地位。随后,《国家中长期教育改革和发展规划纲要(2010—2020年)》结合当前教育改革的形势，以实践教育活动为重点，深化产教融合，提出了全面推进素质教育一系列措施和要求使学生更多地参与社会生活，加深对社会的理解，热爱劳动人民；加强学校德育工作与学生生活、社会实践的联系，注重培养青少年参与社区服务和社区建设的能力，使受教育者坚持科学文化与加强思想修养相统一，实现自身价值与服务祖国人民相统一。在“十三五”规划中进一步强调，要把实践教育作为深化教学改革的关键环节，广泛开展社会调查、生产劳动、志愿服务、公益性活动、科技发明、勤工助学等各种社会实践活动，加深学生对书本知识的理解。“十四五”规划也指出：“全面贯彻党的教育方针，坚持优先发展教育事业，坚持立德树人，增强学生文明素养、社会责任意识、实践本领，培养德智体美劳全面发展的社会主义建设者和接班人。”党的二十大报告关于教育工作的重要论述中同样提到，要办好人民满意的教育，全面贯彻党的教育方针，落实立德树人根本任务，培养德智体美劳全面发展的社会主义建设者和接班人，加快建设高质量教育体系，发展素质教育，促进教育公平。在新时代背景下，立德树人是中国教育的根本任务，是关于教育的重要论述的核心内容，也是新时代学校德育工作的行动指南。因此，实践锻炼法作为新时代德育方法的重要组成部分，将家庭、学校、社会结合起来，开拓多元协同的新时代德育实践途径。

第二节　实践锻炼法的相关理论研究

德育中的实践锻炼过程，关涉个体与学校、家庭、社会等多组关系，也体现着道德实践过程中个人的性格、道德和文化环境等的复杂性。由于德育的实践锻炼过程综合且复杂，需要在哲学、教育学、社会学、心理学等多个领域中寻找理论支撑点。在哲学领域，马克思主义实践观奠定了实践锻炼法的基础，为德育实践发生提供了重要的理论依据。在教育学领域，杜威通过阐述“大德育”思想，引导实践锻炼法从书本德育走向实用德育，注重儿童在社会生活中的道德经验积累和道德训练。心理学领域班杜拉的社会学习理论进一步启示实践锻炼法的实施应该注重实践性、情境性和成长性，关注儿童的观察学习及自我效能感的获得。哈贝马斯的交往学习理论则在道德实践过程中对个体与他人、与环境、与自我的关系有所启示。正是由于多学科领域对于德育实践的理论探索和讨论，从理论层面为实践锻炼法在德育方法研究领域的发展奠定了基础，也为德育实施过程提供了理论支撑。

一、马克思主义的实践观

实践锻炼法的理论基础源于马克思主义哲学的实践观。马克思在《关于费尔巴哈的提纲》中较早确立了自己的实践理论，在马克思的思想体系里，实践并不是一个狭义的认识论或历史观的范畴，而是构成马克思的整个哲学观的奠基石和基本视野[①]。可以说，实践理论成为马克思主义哲学的根本特征，使马克思在理论研究中创立了独树一帜的实践观。

（一）实践的价值

在马克思看来，实践是检验真理的标准，也是人类认识的基础。认识人类社会和客观世界，必须确定认识活动的立足点和判断认识的真理性的标准。在《关于费尔巴哈的提纲》第二条中，马克思从实践出发回答了真理的标准问题，即人的实践能够证明自己的思维可以达到对客观事物本身的真理

① A·麦金泰尔．马克思的《关于费尔巴哈的提纲》：一条未走之路［J］．国外社会科学，1995 (6) : 21 − 27.

性认识[1]。马克思既用实践解决了人的认识能不能获得真理的问题,又用实践回答了如何区分认识中的真理和谬误的问题，确立了客观的真理标准。

另一方面，尽管德国哲学家费尔巴哈认为，人属于自然界，“通过感性直观而确定自身，而修正自身的思维，才是真实的”[2]。但显然没有看到人的主观能动性。马克思把人的本质看作在实践中生成的。换言之，人的认识来自实践，并且由实践来检验。人的本质不是单个人所固有的抽象物，在其现实性上它是一切社会关系的总和。在马克思看来，人的实践改变着周围的世界，所以对于周围的客观事物，除了当作人的直观对象，从客体方面去理解外，还要当作人的“感性活动”即实践的对象，从主体方面去理解[3]。看不到实践的意义,就不能真正理解已经在实践的作用下改变了的周围世界，也不能理解人类的历史。

因此，马克思主义实践观表明，实践是人们改造客观世界的一切活动，实践是人改造客观世界的物质活动，实践是有目的的能动性的活动。社会生活的本质是实践的。实践取代了抽象的物质而成为整个哲学的逻辑前提，人之存在的意义也是在实践中生成而非先验既定的[4]。同时,马克思也看到了实践对人的发展作用的全面性。实践是人类存在和发展的根本方式，是人类实现自我教育的基本途径之一。实践是认识发展的根本动力，人对事物的各种认识以及各种能力的发展是人们通过自觉主动地参与实践活动而逐步实现的，在实践活动中人们不断地深化认识，最终发展成为合格的人。因此，教育的目的是不断丰富人的知识，不断地提升人的能力，不断促进人的发展，而人的认识和知识都是在实践中学习而来，并在实践中进行检验，

---

① 马克思恩格斯选集：第 1 卷［M］. 北京：人民出版社，1995：55.

② 费尔巴哈 . 费尔巴哈哲学著作选集，下卷［M］. 北京：商务印书馆，1984：178.

③ 同① 56 − 78.

④ 田心铭 .“历史唯物主义的起源”：马克思《关于费尔巴哈的提纲》研读［J］. 思想理论教育导刊，2010 (2)：10，14 − 23.

最终又应用于实践生活的过程。所以，实践是人活动的最本质的方式。

（二）实践观在德育中的指导意义

德育中实践锻炼法的出发点，同样需要坚持马克思主义实践观的基本思想，引导学生积极参与实践活动，在德育的实践活动中，一方面通过道德现象和道德判断，学生能够形成对于世界和个体价值存在的认识。另一方面，通过实践锻炼实现个人的道德发展。学生能够在实践中学习知识、体会情感，从而树立正确的世界观、人生观、价值观，在实践中促进正确思想观念和良好道德品质的形成和发展。

当然，实践不是无条理、无目的的行动，它具有自身的逻辑，即实践逻辑。在德育过程中，学生的道德认知和道德观形成基于实践而获得。学生通过实践将学校教育、家庭教育、社会教育中所习得的道德知识转化为道德认知，进一步形成良好的道德品格。可以说，实践锻炼是道德认知发展的源动力，道德发展和道德成长需要通过自觉的实践行为来实现。因此，在进行道德教育过程中，应该将德育与实践锻炼相结合，引导学生了解实践锻炼活动本身的价值，充分发挥学生的主动性和积极性，引导学生掌握实践知识、规则与方法等，提高学生参与实践锻炼的能力，充分挖掘学生的实践经验，通过实践促进学生道德素养的提升。

二、杜威的“大德育”思想

实践锻炼法的发展与杜威的德育思想密不可分。杜威在1909年发表《教育中的道德原理》，可以说是当代道德教育理论的奠基之作。我国当今的道德教育理论既受马克思主义理论指导，也深受传统文化与儒家思想的影响，也深受杜威之影响。21世纪以来，我国教育领域出现的教育回归儿童生活、生活德育、实践德育等思想虽然渊源多元，但杜威的“大道德”与“小德育”的区分是其直接的思想资源之一，其影响不止于理论，还在于德育实践[①]。

（一）道德教育回归社会生活

杜威在《教育中的道德原理》中专门撰写了“道德论”一章，重点探讨了道德与社会的关系。杜威认为，如果在德育领域内有“大德育”与“小德育”的划分，那么学校内的道德教育（“小德育”）被视为可独立地培养学生的诚实、友爱、克己等美德，这样道德教育就等同于贴上美德标签的内容[②]。而杜威主张的“大德育”主要指社会生活中的道德教育，也就是说道德和有关我们和别人的关系的一切行为同样广泛。我们做事的时候也许没有想到我们行为的社会意义，但是所谓道德，潜在地包括我们的一切行为。归根到底，行为的道德特性和社会特性彼此是相通的[③]。以此看来，道德的出发点和落脚点都是回归于个人与社会生活的相互关系。

杜威主张的“大德育”既在于德育内容的广度，也在于德育场域的宽度。即使在学校教育中，要想扩展道德教育的广度，也需要把学校本身看作一种社会生活，社会的概念和社会的习惯只有在一个真正的社会环境中才能发展。因此，杜威主张，除了正式的德育课程和学科课程所增长的学识足以影响性格和道德素养外，还需要将校内学习与校外学习连接起来。通过社会情境来进行道德行为的引导和训练，否则单纯的道德知识的传授会变成道德说教，成为各自独立的德行组合[④]。这一点也进一步说明，单一的思政课程和道德说服是不够的，儿童的道德发展和进步，需要校内外的道德体验和自我的道德实践。杜威在探讨“教育与社会秩序”中又再次强调“我

---

① 高德胜．对杜威道德教育“根本问题”的再认识［J］．教育研究，2020 (1)：16 － 29.

② 刘长海，杜时忠．道德教育的广度批判：杜威德育思想及其启示［J］．教育研究与实验，2004 (3)：20 － 24.

③ 杜威．道德教育原理［M］．杭州：浙江教育出版社，2003：212.

④ 同③ 213.

们生活在一个变化着而不是安稳和固定的世界中。即使是建立了自然科学，物理学也充满未解决的问题。学校以外的生活，为实际的教育提供了丰富的机会。校外拓荒者的生活对自由活动和个人主动性有着足够的刺激，需要学生在社会实践中寻找答案。”①从这一角度说，在道德教育中也要让儿童通过亲身活动，在与社会的交互中获得经验和道德成长。社会中的实践锻炼，实际上是自我道德认知向道德行为转变的过程，是知识与行为的统一结合的过程。

那么，“大德育”具体指的是什么？杜威认为，一切能发展有效地参与社会生活的能力的教育，都是道德的教育。在社会实践中，能够养成纪律、自然发展、文化修养、社会效率，这些都是道德的特性——都是教育工作所要促进的一个社会优秀成员的标志②。因此，杜威虽然没有举出具体的德育路径，却进一步强调对于德育范畴的扩大化，不应局限于狭隘的学校教育或家庭教育等某一场域，而是包含在社会生活和实践的方方面面。社会中的实践锻炼能够带来人道德的多方面成长。杜威提到，“作为一个人，一个具有欲望、情绪和思想的人，在社会里他所授受的不是外部的占有物，而是有意识的对生活的扩大和加深——对各种意义的认识更加认真，更加训练有素，更加扩大。纪律、文化修养、社会效率、个人优雅、性格改善，都不过是高尚地参与这种平衡经验的能力发展的几个方面。维持这种教育的能力，就是道德的精髓。”③可见，杜威所理解的道德是积极的强调自尊、自发与利他相结合的道德，是能够真正推动社会进步的品质，而不是使人不犯错误的德行④。当道德教育的意识范畴扩大时，个体的道德发展就会更

① 杜威 . 道德教育原理［M］. 杭州：浙江教育出版社，2003：327.

② 同①214.

③ 同①214.

④ 刘长海，杜时忠 . 道德教育的广度批判：杜威德育思想及其启示［J］. 教育研究与实验，2004（3）：20－24.

全面、更深入。

（二）杜威道德观在德育中的实践意义

从教育的主体界定和途径来看，道德教育倡导学生通过切身感受加深对于知识和经验的内化过程。杜威“大德育”的理念，从根本上扩大了道德教育的广度，扩展了受教育者在实践生活中的学习兴趣与学习的主观能动性和客观必要性。通过实践活动引发受教育者对于问题的不断思考，提升受教育者的道德认知与思维能力。学校根据社会所需以及受教育者自身的条件设计实用的教学内容，使受教育者在完成实践活动过程中，经过不断思考、讨论、协作等一系列心理活动，养成良好的行为习惯和所需要的道德素养方便将来受教育者投身于社会实践中①。

基于杜威的“大德育”思想，现代德育课程也发展出认识性德育课程和活动性德育课程两大类。认识性德育课程发展儿童的道德认识能力，养成正确的道德判断能力，告诉儿童何者为善，何故应为善。但知善不一定就行善，行善的品质在实际的活动中才能形成、发展。活动性德育课程的最大价值就在于弥补知而不行之弊，它着眼于学生的自主和谐的发展，以培养学生的道德能力和行为习惯为其主要任务。因此，实践锻炼的实施过程就是一个建构富有道德教育意义的儿童生活过程，引领儿童通过有效的活动去产生自我感知、体验、探究和认识道德，经历这种有意义的生活，从而达到学习品德，认识社会，学会生活的目的。在现代德育过程中，实践锻炼法正在改变“教师讲授，学生静听”的模式，使用了“教师引导，学生实践”的模式，即教师根据德育理论知识的内容，创造或联系一个适当的现实生活场景，让学生自主参与进来，在学生的实践活动中，通过学生亲身体验和自我教育，教师根据学生的进展情况进行德育工作的开展。

---

① 关莹．根据杜威的德育思想构建生活化德育［J］．新课程研究，2006（2）：3－5.

现代德育将学校之外的社会、生活等多种情境视为儿童道德发展的课堂。正如鲁洁先生所说，“在一个开放的信息社会中，校内校外的影响已具有在空间上的不可分割性，时间上的连续性，它们之间存在着一种很强的结合能力”①。杜威的主张也进一步启示在德育方法中引入各种实践活动，使学生通过这些实践活动能够获取各种直接经验，并在真实任务的挑战下，让学生的头脑受到真实任务的激励②，从而能够促进学生个人经验与学习内容的联结。朱小蔓提出学校道德教育要坚守三个命题：“学校教育必须培养完整的人；德育需要打好品德基础；学校教育要为实现人的道德潜能提供支持性环境和条件。学校道德教育应当关注、尊重和鼓励学习者作为主体的道德生活实践；重视培育和发展人的情感；重视双向沟通、对话、伦理和代际交往。”③学校德育不能和学生眼前的生活割裂开来，要关注学生的日常生活，把现实社会生活的一些内容有机融合到教育过程中。让学生学会在生活实践中学习、在生活实践中成长，让他们在生活世界中培养完善的人格和体验生命的意义。

在杜威“大德育”思想的引导下，道德教育的广度得以扩展，道德教育实施的情境从课堂延伸到了社会情境中。学生的经验和经历在道德实践中得以重视。正如鲁洁先生所言“道德教育的根本在于引导生活的建构”④。由此可见，道德养成可以视为个人生活和社会发展的根本，而生活和社会情境又进一步为人的道德发展提供了真实情境和实践场域。因此，对于一线德育工作者而言，一方面可以利用社会情境来培养儿童的道德经验，另一方面也需要重视儿童在生活和社会实践中的自我成长体验和生命叙事，从而进一步对其道德发生和道德提升进行研究。

---

① 鲁洁．超越与创新［M］．北京：人民教育出版社，2001：180.

② 丁道勇．警惕“做中学”：杜威参与理论辩正［J］．全球教育展望，2017(8)：3－21.

③ 朱小蔓，其东．面对挑战：学校道德教育的调整与革新［J］．教育研究，2005(3)：3－12.

④ 鲁洁．道德教育的根本作为：引导生活的建构［J］．教育研究，2010(6)：3－8＋29.

三、班杜拉的社会学习理论

美国当代心理学家班杜拉的社会学习理论，从人类的行为和认知等各种角度积极探讨了社会学习现象，使人们对社会学习问题引起了高度重视。社会学习理论反对行为主义的机械决定论，一方面接受认知心理学的影响，也积极吸取人本主义心理学的思想，更多强调人是生动积极的有机体，能对作用于他的外部环境刺激进行选择，组织和加工来调节自己的行为[①]。可以说，社会学习理论用浅显的模仿和自我强化凸显了人之为人的能动[②]。能动具有预见、自我反思以及自我反应的特征。对于探索人在德育实践中的交互机制具有重要意义。

（一）社会学习理论的德育诠释

在德育的实践锻炼法中，尤为重视学生在生活实践、社会实践中获得道德成长和发展。社会学习理论为实践锻炼法在德育工作中的实施提供了重要的理论依据。班杜拉的社会学习理论认为，个体可以通过观察学习和亲历学习来形成自己的态度和品德。社会学习理论有三个核心要素：三元交互决定论、观察学习和自我效能感。三元交互决定论是研究环境与个体关系的基本部分；观察学习是理论的主要表现形式，强调学习的过程；自我效能感是学习的核心部分，它更多是与个体特征的作用有关。社会学习理论强调个体、环境和行为之间的相互关系，认为任何一个个体机能活动的现实表现都是其三元交互系统诸因素交互作用的历史产物[③]。其中，三元

---

① 蒋晓.试论班杜拉社会学习理论及其教育意义[J].华东师范大学学报(教育科学版)，1987 (1) : 83 − 94.

② 喻丰.有限自由的道德能动[J].心理研究，2022 (2) : 105 − 109.

③ 杨洁.社会学习理论给学校德育的借鉴[J].中国高等教育，2009 (17) : 52 − 53.

交互决定论是班杜拉的社会学习理论体系的一种理论表现形式，它包括环境因素、行为因素和人的主体因素（生理因素、认知因素、情感因素等），三者相互作用，且这种相互作用具有非共时性和非等效性的特点，体现了人、环境与行为之间的关系是独立的、互动的、相互决定的。班杜拉认为，人的整体表现是三个因素共同作用的结果，既不是内在力量的单向驱动，也不是环境的单向控制。人的内部因素、行为和环境影响是相互联系、相互决定的，突出了社会环境因素和内部因素的双向作用[①]。

从社会学习理论的角度出发，班杜拉的观点阐明，在人类自我调节的背景下，道德规范并非是内化于心而一成不变去指导任何行为，而是一种动态过程。班杜拉将人的道德品行的形成和发展视为个人与环境互动的社会化进程，强调社会环境、社会学习以及个人内部因素等的重要作用。因此，通过社会学习理论，可以看出外在环境和人的能动性对学生道德发展的影响是至关重要的。

（二）社会学习理论在德育中的实践意义

在德育的实践锻炼过程中，道德的养成需要个体的反躬自省与内在驱动。正如班杜拉所说："如果行为仅仅取决于外部奖赏和惩罚的决定，人们的举止就会像一个风向标，不断地改变方向和适应各种刺激的影响"[②]，内因在人的行为中发挥着至关重要的作用。因此，通过实践锻炼法进行德育，要充分发挥学生个体的积极性和自主性，相信学生的主观能动作用，提高学生的自我意识，把培养学生的主体性、能动性、自我教育和自我监控能力以及利用环境的能力作为根本性的任务，贯彻到一切阶段和活动中去。

其次，德育中的实践锻炼是具有情境性的。在实践活动过程中，学生

---

① 班杜拉．思想和行为的社会基础：社会认知论（上）［M］．林颖，王小明，译．上海：华东师范大学出版社，2001：32.

② 班杜拉．社会学习心理学［M］．长春：吉林教育出版社，1988：131.

自然会与外在的环境以及环境中的人产生交互。班杜拉提出“人有无可比拟的学习能力。向人敞开的生活道路部分是由社会文化的性质决定的，人的发展总是离不开社会文化”[①]。这种社会文化形成相应的社会环境，制约着人的学习和发展，这也就说明在实践活动过程中外在环境对于学生道德发展的影响至关重要。学生的社会交互过程，正是形成和培养良好道德素养，促进道德成长的重要环节。因此，构建相应的德育情境，发展学生的主体性，实现学生在互动中的自由，也有助于学生在复杂的环境中作出正确的价值判断和选择。

最后，榜样教育可以潜移默化地帮助学生树立正确的世界观，培养判断是非，分清善恶的能力，达到“春风化雨，润物无声”的教育目的。社会学习理论中提出，当标准被用语言和行动同时表达出来时，榜样示范所起的作用会更大[②]。因此，在进行德育的过程中，教师要通过活动指导、影响受教育者的发展，把培养受教育者的自我教育和道德发展作为根本性任务，并贯彻到一切阶段和活动中去[③]。将实践锻炼法应用到德育情境中，教师、家长及其社区成员都需要为学生提供道德行为上的引导和榜样作用，坚持“言高为师，身正为范”“言传身教，言行一致”的榜样原则。

总之，社会学习理论对于德育的启示在于：对于学生而言，通过在实践锻炼中的观察学习，在个体与外在环境和行为的交互作用下，能够提高道德认知。在具体的社会环境及生活情境中促进道德发展，进一步提高自我效能感。对于教师来说，需要关注学生的主体因素、行为及环境三者之间的相互作用关系，辩证地把握和遵循其内在规律，树立好榜样，创设良好的德育情境和实践活动情境，有计划、有组织、有反思地开展德育

---

① 班杜拉．思想和行为的社会基础：社会认知论（上）［M］．林颖，王小明，译．上海：华东师范大学出版社，2001：206.

② 班杜拉．社会学习理论［J］．北京：中国人民大学出版社，2015：17－30.

③ 杨洁．社会学习理论给学校德育的借鉴［J］．中国高等教育，2009(17)：52－53.

的实践工作，同时也要注重自身素养的提升。

四、哈贝马斯的交往学习理论

在道德学习和道德体验的过程中，学习者的交往是非常重要的实践。这种交往涉及师生交往、学生与社会的交往、学生与生活中他人的交往等等。因此，交往是实践的手段和途径，也是提高道德品性的关键影响因素。德国哲学家、社会学家尤尔根·哈贝马斯提出交往学习理论，认为交往是人类生存与发展的基础，也是人全面发展不可或缺的现实条件。道德实践需要通过交往来实现，交互行为也是检验个人道德品行的重要依据。任何主体意识都不可能孤立地形成，思想总是在交往中逐步形成的。交往行为是一种基于理解的协商一致或合作性互动，强调所涉行为体的非自我中心和相互理解[①]。因此，交往行为是一种以“理解”为价值取向的行为，交往行为的核心目标是交往主体之间的相互理解，最终形成共识。

（一）哈贝马斯的交往学习理论

哈贝马斯为了说明交往的重要性，将世界划分为三个世界：客观世界、社会世界、主观世界[②]；根据行为者与这三个世界的关系，他区分出四种行为类型：目的性行为、规范调节行为、戏剧行为、交往行为[③]。根据哈贝马斯的进一步分析，这四种行为的侧重点都是世界不同的方面。目的性行为与客观世界有关，它对客观世界进行因果干预，以实现其自身的行为计划；规范调节行为与社会世界相对应，社会世界是建立在由合法规范组成的个人间关系的整体基础上的，因此，规范调节行为要求相对于这个世界的正

① 哈贝马斯．交往行动理论［M］．重庆：重庆出版社，1994：78－101.

② 同①125.

③ 同①128.

当性和有效性；戏剧行为是与主观世界联系在一起的，即戏剧行为引导自己的主观世界来表达自己的观点；交往行为反思地或间接地与客观世界、社会世界、主观世界相关联。在交往行为模式中，行为者从“他们自己所解释的生活世界的视野”，即基于他们自己所理解的、用他们自己的语言所表达的“经历过的经验”[①]。

哈贝马斯认为，交往行为是最合理的，由交往行为组成的世界就是“生活世界”，是由人们的日常语言所支撑的世界。生活世界的结构通常有三个层次：社会、文化、个性。文化是知识的宝库。当传播者互相了解世界上的事物时，就会根据知识的宝库来解释。社会是一个合法的秩序，传播者通过秩序把他们的成员组成社会集团，从而巩固团结。个性赋予主体参与理解过程的能力，从而判断他们自己的同一性[②]。正因如此，“交往行为”和“生活世界”是两个相辅相成的概念。生活世界是交往行为依存的环境。客观与主观会在社会世界中合二为一，生活世界与交往行为有关，应作为交往主体间互动活动的背景。生活世界中的人们可以通过协商成功与他人互动，社会的知识和文化也可以通过互动得以传承和保存。生活世界就是交往空间的活动领地，交往的行为构成了个体之间互相理解的源泉。

（二）交往学习理论在德育中的现实意义

在生活世界中展开的道德实践活动，同样存在着人与人的交往。换言之，通过交往行为获得道德的实践性。鲁洁先生认为“教育活动中的教育性交往，显然应当成为教育学理论中一个极其重要、需要认真开掘其意义的范畴”[③]。因此，从主体间的交往行为出发深入探讨德育的本质是有必要的。交往学习理论注重人的生活世界，包括个体的个性、文化和社会性。

---

① 哈贝马斯．交往行动理论［M］．重庆：重庆出版社，1994：135.

② 同①172.

③ 鲁洁，王逢贤．德育新论［M］．南京：江苏教育出版社，2002：86.

因此，道德教育并不是单纯的道德训诫和行为规范，而是要结合个体的个性特征、学生所处生活世界的文化特点，社会特点等等，更深入地将德育与人的内在发展与社会发展结合起来。

交往学习理论进一步引导教育者反思德育方法的实际过程。德育并不是传授给学生单一的“美德知识”而是付诸行动，从德育的手段、追求善和美好生活的目的、获得交往共同体的正当认可中开展教育。从道德发生意义上讲，只有当一个人从内心体验到一定的价值，产生认同感、敬畏感、信任感或拒绝感、厌恶感和羞耻感时，才能谈道德学习和道德教育的实存性[①]。德育交往是有目的地形成思想品德的德育过程的基础，这就要求教育者身体力行、言传身教。在德育中，学科间直接、平等的对话与交流发挥着不可替代的重要作用。

在具体德育交往中，需要注重师生主体间性。主体间性即主体间的相互关系，为达到交往各主体之间无强制、无压制的相互理解和相互共识。哈贝马斯把交往对象从传统的“主体—客体”模式转向“主体—主体”模式，凸显了主体间性的重要作用。冯建军认为，传统“主体—客体”模式具有单子式的主体性，异化了共在性的个体生命。他认为教师不可能把教育内容“灌注”到学生的头脑中，只能通过学生自我生成、自主建构。教育活动是教师引导下学生对教学内容的主动选择、吸收和内化的活动[②]。基于教育者与受教育者之间的关系，德育工作者不应该以一种压迫的方式去逼迫受教育者学习或者接受一个观点，而是以平等的身份去教育去交换一种思想。它的主要目的和功能是通过教师与学生之间的相互接触与交流，实现教育者与被教育者之间的相互影响，以学生监督和促进教师的自我完善，以教师引导学生成长和发展，最终实现教学主体的共赢，展现和优化价值

---

① 刘惊铎. 道德体验引论[J]. 陕西师范大学学报(哲学社会科学版), 2003 (1): 85 – 93.

② 冯建军. 以主体间性重构教育过程[J]. 南京师大学报(社会科学版), 2005 (4): 86 – 90.

观教育的意义。

正因如此，哈贝马斯的“交往行动理论”特别注重“主体间”对话与话语的分析,他倡导交往行为合理化,强调主体之间平等自然的对话。因而，用相互主体性统摄德育过程，一方面，要求教育者和受教育者在人格上完全平等；另一方面，强调双方同时作为道德教育和发展的主体，是能够相互影响、相互渗透的。正如鲁洁先生所言，“道德就其本义而言是人们自己创造、自己建立的一种自我肯定、自我发展的手段。人之所以需要道德，根本上是为使人成为人，使人类的自由本性得以高扬，使每个人的独立人格得以确立，使自主、自觉、自尊等等自我肯定的人格属性得以涌现。在这基础上才能构成人与人之间的最佳结合——也才能满足人的诸种深层次精神追求与需要。”[①] 道德教育需要在实践交往中利用生活世界的真实情境，挖掘学生的主体性，培养学生的主体性道德人格，使之成为自觉践行道德的独立自主的行为主体。从哈贝马斯的交往行动理论中得到启发，现代德育中的实践锻炼法可以让德育回归生活世界，让学生在实践情境中既要主动适应社会生活，又要积极改造和超越社会生活，建立教育者与受教育者主体间性的直接平等交往的新型德育模式。

第三节　实践锻炼法的实践研究

在现代德育中，实践锻炼法在具体实施过程中，活动形式丰富、类型多样。我国学者根据道德实践的情境和途径对其进行了分类，包括社会调查、社会服务、军事训练[②]、劳动教育方法[③]、课外活动、社会实践、执行制度、

① 鲁洁．转型期中国道德教育面临的选择［J］．高等教育研究，2000（5）：6－10.

② 仇春霖．德育原理［M］．北京：中国青年出版社，1993：314－317.

③ 孙国瑞．德育科学方法论［M］．北京：光明日报出版社，1994：288－292.

行为训练[①]、基本形式模拟活动和日常规范训练等[②]。随着新时代“立德树人”基本任务的推进，德育的实践途径和方式将会更加多元化和具有创新性。本章综合已有分类和新时代德育的发展特点，简要介绍服务学习、社会实践学习、生活实践学习以及研学旅行四种方法。

一、服务学习

服务学习是德育实践锻炼法中非常重要的类型之一，是通过学生参与社区的服务活动，促进学生品格发展的德育实践活动之一。服务学习具有改善学生学习与健全学生人格的重要目的，同时也能促进社区的发展。在教师指导下，学生能够通过从事社区服务进行知识与技能的转化学习、发展多方面能力、养成公民责任感和健全个性、解决社区发展中的核心问题。通过社会服务与课程学习的结合促进学生知识技能的获得及能力的提高并使其在关注社会和关心他人的过程中成长为一个富有社会责任感并有能力服务于社会的人。

（一）服务学习的概念

服务学习通常被定义为一种实践学习模式。通过学校和社会的合作，将提供给社会的服务与课程联系起来，学生参与到有组织的服务行动中以满足社会需求并培养社会责任感，同时在其中学习以获得知识和技能，提高与同伴和其他社会成员合作分析评价及解决问题的能力[③]。一般认为，服务学习的要素包括：学生积极主动的参与与学业课程的结合，完善的组织

---

① 鲁洁，王逢贤．德育新论［M］．南京：江苏教育出版社，2000：407－410.

② 檀传宝．德育原理［M］．北京：北京师范大学出版社，2007：256－260.

③ Meyers, Susan., Service Learning in Alternative Education Settings［J］. The Clearing House, 1999, 73 (2) : 114－117 .

和计划，关注社会需要，学校和社会的密切配合有效的反思，应用知识和技能的机会，扩展的学习机会，关注社会、关心他人的情感培养等[①]。需要注意的是，服务学习与社区服务和志愿者行动有所区别。后者的核心是提供服务而前者将课程服务和反思结合起来。服务学习不同于社区服务的关键在于前者包含准备和反思的过程，服务学习的着眼点不仅试图通过为社会提供服务促进学生知识学习，还希望能够培养学生的公民意识、社会责任感、奉献及合作精神[②]。更重要的是，服务学习属于一种经验学习，通过实践经验学习的哲学观，为服务学习提供了理论基础[③]。

服务学习的出现始于20世纪初，受杜威实用主义理论的影响，1916年美国学者亚瑟·丹恩提出服务学习的雏形，开始试图将社区服务与社科教学过程结合起来。1967年罗伯特·西格蒙和威廉·拉姆西在美国南部区域的高等教育研讨会议上第一次提出了“服务学习”这一术语[④]。20世纪80年代中期，服务学习逐渐发展成为进入人们视线中的高等教育改革运动。90年代美国学术界将服务学习与专业课程改革加以融合，并通过法律的形式实行。自此，服务学习开始成为美国高等教育的新潮流。1990年，美国通过《国家与社区服务法案》指出，服务学习是学生通过积极参与在社区开展的、满足社区需要的服务活动而进行学习和发展的一种方法；与学校或社区服务项目以及社区相互协调；旨在培养学生的公民责任感。1993年，美国将服务行动定义为：学生参与到有组织的服务行动中以满足社会需求并培养社会责任感，同时获得知识和技能，提高与同伴和其他社会成员合

---

① 赵希斌，邹泓．美国服务学习实践及研究综述［J］．比较教育研究，2001 (8)：35－39.

② Anderson, Jeffrey., Service−Learning and Teacher Education. ERIC Digest August 1, 1998.

③ Carver, Rebecca Lynn., Theoretical Underpinnings Of Service Learning［J］. Theory into Practice, 1997, 36 (3)：143－149.

④ 玛丽·卢·富勒，葛兰·奥尔森．家庭与学校的联系：如何成功地与家长合作［M］．谭君华，译．北京：中国轻工业出版社，2003：76－80.

作分析、评价及解决问题的能力[①]。在过去的10年中，服务学习在美国得到了迅猛的发展。从1984到1997年，参与服务学习的K–12学生人数从90万发展到1260万。根据1999年美国教育统计中心的数字，64%的公立学校和83%的公立高中组织学生进行社会服务活动，大约1/3的学校和1/2的公立高中提供服务学习计划。服务学习的内容涉及自然环境与社会生活的方方面面：为有特殊需要的人提供服务、环境和文物保护、社会热点问题研究、为政府决策提供依据等等[②]。1999年，美国国家教育统计中心报告中，指出服务学习必须做到以下几点：(1)配合学科或课程而安排；(2)有明确的学习目标；(3)满足社区的真正需要；(4)经由定期安排的经验报告、学习体会或批判分析等交流活动[③]。21世纪初，服务学习的思想开始传入我国，国内学者对服务学习展开研究。

在我国教育发展过程中，一直倡导"教育与生产实际相结合""教育与社会实践相结合"，让学生在参与实践的过程中了解社会、参与社会、有服务于社会的能力。2001年，教育部颁发的《基础教育课程改革纲要（试行）》指出社会实践和社区服务是小学至高中必修的综合实践活动的一个组成部分。2017年，教育部印发的《中小学德育工作指南》提出，"要精心设计、广泛开展主题明确、内容丰富、形式多样、吸引力强、有利于学生身心发展的实践活动"。作为协同德育的方式之一，服务学习在新时代的德育工作中得到广泛应用。

我国关于服务学习的研究主要集中在以下几方面：一是服务学习概念的本土化。刘长海认为服务学习是指能对学生的知识、技能与情感态度产

---

① Meyers S. Service Learning in Alternative Education Settings [J]. The Clearing House, 1999, 73 (2): 114 − 117.

② 赵希斌，邹泓. 美国服务学习实践及研究综述 [J]. 比较教育研究, 2001 (8): 35 − 39.

③ 卢浩，杨海燕. 美国中小学"服务学习"课程：内涵、方案、实施及评价 [J]. 外国教育研究, 2005 (1): 63 − 67.

生影响的服务类活动。严格意义上的服务学习，更强调服务与课程学习的紧密联系，学习与服务一样重要[①]。也有学者认为服务学习是将社区服务和学习理论结合的教育方法，关注批判性、反思性和公民责任意识的养成[②]。服务学习要以学生为中心，学生在服务中运用所学知识，反思服务过程，同时形成社会责任感。二是服务学习理论依据的深入探究。胡金木等人认为服务学习作为一种学生主动性的学习方式，与杜威的生活教育理论密切相关，强调学生主动实践来不断获得有意义的学习经验[③]。三是探讨服务学习的德育价值和意义。我国多位学者指出服务学习具有完备的组织和计划、关注社会需要、学校与社会的密切配合、学习关心理论等[④]，可以培养学生的自我效能感、沟通技能、公民责任感[⑤]。在学习过程中，提高与他人合作分析、评价及解决问题的能力[⑥]以及价值观的养成和增强。

综上所述，从教育角度看，服务学习是把“学会服务”和“在服务中学习”整合起来，把“为了培养更好的学生”和“为了培养更好的公民”整合起来，把知识学习和社区服务整合起来的开放式德育实践教育方式。从国家层面看，服务学习是培养良好的公民素质的有效途径。从学生角度看，服务学习是以学生为中心，获得知识经验，发展形成良好品格与能力及社会责任感的重要德育方法之一。

---

① 刘长海.大学“服务学习”的综合教育价值研究［J］.江苏高教，2008 (2)：140－142.

② 沈蓓绯.美国大学生社区志愿服务与职业生涯发展关系研究［J］.教育发展研究，2009 (Z2)：122－127.

③ 胡金木，杨淑雯.服务学习：爱国主义教育的重要途径［J］.中国教育学刊，2021 (1)：85－89.

④ 赵希斌，邹泓.美国服务学习实践及研究综述［J］.比较教育研究，2001 (8)：35－39.

⑤ 黄孔雀.美国高校服务学习的实践及启示［J］.复旦教育论坛，2014 (1)：93－98.

⑥ 单玉.“服务学习”(SL) 与负责任公民的培养：美国学校公民教育中“服务学习”方法的运用及其启示［J］.外国教育研究，2004 (11)：36－39.

（二）服务学习的特点

服务学习要求将学校课程与社区服务结合起来，学生主动参与服务活动，坚持在做中学、不断反思，进而发展学生的社会责任感。服务学习使学生做好承担社会责任的准备，包括了解社会和政治信息，关注社会热点问题、发展对社会和国家的责任感，促进对社会和公众事务的理解和参与。具体而言，服务学习具有服务发展性、协同互惠性、主体反思性等特点。

1. 服务发展性

服务学习具有服务、学习两个目标。服务是前提，是载体，学习存在服务当中，没有服务，也就没有了学习。因此，高质量的服务学习需要有精心的准备和组织工作。首先要关注社区的实际需要，着重于解决社区中的发展的重要问题，从而促进社区适应社会的进步；其次，参与服务学习的主要参与者是学生，根据学生的年级和身心发展特点，提供与之相匹配的服务学习。同时，服务学习实施过程中应考虑多重要素，如服务方式、服务时间、学生的年龄阶段和生活经验，全面地关注到服务学习的具体实施条件，才能促使学生在服务学习过程中得到发展。

2. 协同互惠性

服务学习的互惠性是指社区、学校和学生多方的共赢，即参与各方都能享受服务学习带来的益处[①]。一方面服务学习将学校教育扩展着到社区之中，打破了学校教育围墙的界限。学生通过参加社区的服务活动，为社区解决真正需要的核心问题，从而促进社区的进步与发展；另一方面，学生在参与服务学习的过程中锻炼了意志品质，促进学生服务意识、责任意识的形成与发展。在这个过程中，双方是平等的、合作的、互助的关系，双

---

① 李斌，刘佳．美国高校服务学习模式与中国大学生社会实践比较［J］．中国青年政治学院学报，2015 (1)：114 – 117.

方共同完成既定的目标，从而使各自的需要都能得到满足。因此，服务学习通过实践的服务活动，能够进一步促进家校社的协同发展。

3. 主体反思性

在服务学习中，学生是服务学习的主体，教师和组织者只是服务活动的引导者和监督者。早期倡导服务学习的美国学者芭芭拉·加科比认为，“服务者是学习者，对期待从服务中学习到的内容有主导权。”[①]服务学习注重学生在参与服务的实践中的亲身体验，因此，在活动的过程中应该充分发挥学生的自主性和能动性。当然，服务学习不仅在服务之前有详细的计划，而且在服务之后有反思的环节。“反思是服务学习过程中的最重要环节之一，是对实践活动的再认识。这种再认识不仅有助于深化服务学习的经验，而且为下一次服务学习提供了借鉴和指导。”[②]一方面，反思是对已经进行的服务学习计划的重新审视，思考其目的、意义、效果与不足；另一方面，计划的制订及活动的组织，可从不足中总结经验教训，有利于服务学习项目更加完善。

（三）服务学习的实施

1. 服务学习的实施过程

服务学习是实践锻炼法的重要形式之一。服务学习并不是简单、随意的活动形式，而是需要有精心的准备和组织工作。服务学习需要关注社区实际需要、学生道德发展需要以及学校的实际情况，进而制订详细周密的服务学习活动计划和实施策略。具体流程图如下图 7–1：

---

① Barbara Jacoby and Associates. Service −learning in Higher Education: Concepts and Practices［M］. San Francisco, Calif:Jossey−Bass Publishers,1996：28.

② 郝运，饶从满．美国高校服务学习的特点、实施程序及对我国的启示［J］．东北师大学报（哲学社会科学版），2010 (1)：163 − 167.

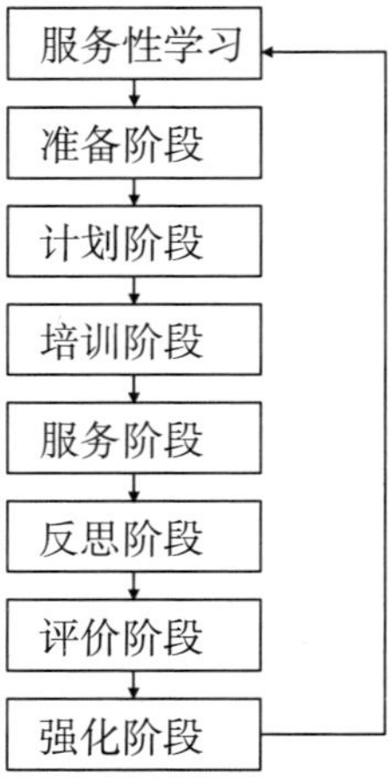

图 7-1　服务学习实施的流程图

首先，准备、计划和培训阶段。服务学习的准备工作包括学校要提前确定服务项目、服务对象、场地，并进行现场考察等。服务项目要结合社区的发展需求和学生的学习兴趣，要对学校周围的社区资源进行可行性评估，要了解社区有哪些要解决的实际问题等。在此基础上，进一步进行详细、周密的计划。计划的内容包括：确定社区问题；明确服务目标、对象、场地、时间、参与者与指导者及其职责和分工；解决问题过程；预算；评价体系等。服务学习的计划制订之后，要组织学生认真学习并接受开展活动所必要的知识学习和实践训练，让学生了解服务对象和任务，明确学习目标、要求、注意事项、安全措施、个人的角色和责任等。做好充分的准备和培训是完成任务的前提和保证。

其次，服务与反思阶段。服务阶段是服务学习的过程体现。学校教师带领学生按照计划实施服务学习，并根据开展情况及时对计划进行修正、调整。教师作为引导者和启发者，帮助学生将服务活动与学校课程结合起来，引导学生解决服务学习过程中遇到的困难，并提供必要的指导和激励[①]。在反思阶段，实施服务学习之后，服务学习并没有结束，还需要学生和教师对服务学习过程进行反思。可以采用写日记或研究报告、发言、对话、叙事法等方式进行。反思的程度决定着不同的学生对同一服务活动的不同收获。反思以学生为主，教师适时给予引导，以避免学生盲目的反思。反思的目的是要促进学习，要最终形成学生学习—服务—反思—再学习的良性循环。

最后，评价与强化阶段。在服务学习完成后，要进行总结性评价和过程性评价。利用具体的评价指标和方法评价学生在服务学习活动中的表现和收获及对社区的影响，既可以记录和判断学生达到服务标准的程度，又可提高学生学习水平。在评价时，教师要为学生提供交流经验的机会，使学生能互相学习、取长补短。在分享和理解的基础上，肯定成绩，见证成就，激发自信，获得认同感和归属感。在此基础上，为学生发放感谢信、徽章、奖状、证明书等，以推动服务学习的进一步拓展。

2. 服务学习的关键点

在服务学习的实施过程中，学生、教师、社区三方面相互作用，需要明确教师、学生和社区在服务学习过程中的关系。一方面，教师为学生提供帮助，并与社区进行对接；另一方面，学生为社区提供服务，社区为学生提供场所。只有明确服务学习的主体和对象，才能实现服务学习的德育目的。

（1）学生作为服务学习的主体

作为服务学习的主体，学生需要充分发挥个人的主观能动性。研究表明，学生在从事服务学习活动的过程中高度自主，感到能够“自由发展和应用自己的思想”或能够“追求自己的兴趣”,其个人能动性就会充分发挥。另一方面，学生要在确定的时间进行高质量反思。反思活动是影响服务学习质量的最强有力的因素。高质量的服务学习活动会提供特定的时间，以

---

① 卢浩，杨海燕．美国中小学“服务学习”课程：内涵，方案，实施及评价［J］．外国教育研究，2005 (1)：63 － 67.

反思和分析服务学习经验的内容与过程①。反思即探究，能全面探究服务学习的问题与结果，要从反思中产生高质量的行动。

（2）教师作为服务学习的组织者

在学生进行服务学习过程中，教师需要负责服务学习的设计、计划、评价以及组织反思的活动的顺利开展，教师要明确每次服务学习的组织形式、目标，与学生和被服务者之间做好对接。同时，服务学习对教师的专业发展有特殊的要求，教师需要由“演讲者风格的教学”转向“教练风格的教学”。为此，需要有相应的教师专业发展体系作保障②。

（3）社区作为被服务对象

服务学习是帮助社区解决真正需要的问题，被服务的对象一般为社区中具有一定困难，需要情感支持或行为帮助的弱势群体。因此，作为服务志愿者，要鼓励学生通过行动和情感支持，以平等友爱的方式帮助弱势人群。对于被服务者来说，他们也愿意接受来自学生的服务和帮助支持，并在此过程中感受到平等、尊重和关怀。以此，才能建构互动双向的服务学习情境。

（四）服务学习的意义

从社会层面，服务学习发生于社会的实际场景，了解社会的相关信息，关注社会热点问题，培养对社会和国家的责任感，促进学生对社区公众事务的理解和直接参与，进而促进公民素质和责任意识的发展。同时服务学习把师生与社区紧密联系在一起，通过参与社区服务，他们能够学会公正地面对这些问题的解决，致力于促进人与人之间的平等、宽容和公民责任

---

① Honig, M., J. Kahne, & M. Mclaughlin. School- Community Connections: Strengthening Opportunity to Learn and Opportunity to Teach［J］.In Richardson, Virginia (Ed.). Handbook of Research on Teaching (Fourth Edition). Washington, D. C.: American Educational Research Association, 2001 : 1012 - 1013.

② 张华 . 论服务学习［J］. 教育发展研究 , 2007 (9) : 1 - 8.

感，为未来公民支持提供良好基础[①]。其次，这项实践学习方式能够实际帮助解决社区发展中的问题，满足社区需要，促进社区发展。学生的服务活动解决了社区的一些现实问题，这些问题的解决有利于社区的发展[②]。对于被服务者而言，这项实践活动能够帮助被服务者建立更强的社会联结。学生通过服务学习的实践活动开始关注被服务者的需要，着重解决他们的问题，让他们感觉到社会的爱与温暖。

从学校层面，服务学习加强学校的公益化角色。美国学者乔·考甘认为，“如果我们要培养民主社会充分参与的公民，学校教育必须帮助学生理解和掌握教师、学校以及社区之间的关系属性，并在实践中加以验证。”[③]社区是学校人才培养的实践基地，学校是社区发展的重要资源库。服务学习将两者紧密相连，形成了良性互动。其次，服务学习具有促进学校育人的作用。服务学习提供了一种综合性、实践性的课程组织方式，带来了一种以实践为导向的主动学习方式，提升了教育的宗旨，师生关系在高质量的服务学习中得以提升，而服务学习也有效地建立了学生之间的合作精神和积极的同伴群体关系，对形成学校良好的风气起着正面的促进作用[④]。最后，服务学习使学校和社区之间建立了密切的合作伙伴关系，形成了协同德育的培养模式，有助于改变学校与社会之间相互割裂的状况，使教育为社会服务满足社会需要的目标得以体现[⑤]。

---

① Jay, Gregory.Service Learning, Multiculturalism, and the Pedagogies of Difference [J]. Pedagogy: Critical Approaches to Teaching Literature, Language, Composition, and Culture, 2008 (2) : 255 − 281.

② 黄孔雀 . 美国高校服务学习的实践及启示 [J]. 复旦教育论坛 , 2014 (1) : 93 − 98.

③ John J. Cogan. Civic Education in the United States: A Brief History [J]. Social Education, 1999 (1) : 23 − 28.

④ 许瑞芳 . 从“社区服务”到“服务学习”: 教育蕴涵在服务中拓宽 : 美国服务学习的启示 [J]. 教育探索 , 2010 (10) : 153 − 155.

⑤ 赵希斌 , 邹泓 . 美国服务学习实践及研究综述 [J]. 比较教育研究 , 2001 (8) : 35 − 39.

从学生层面，服务学习增加学生的社区参与，将学生与社区联系起来，进而促进学生体验成功，体验与社区成员合作、交流的快乐，极大地满足学生对于归属与尊重的需要，加强了学生对于社区的责任感，也能进一步帮助他们完善品格，改进社会行为，促进社会化发展，加强代际沟通，优化社区人际关系[①]。其次，服务学习有助于促进学生公民素养的增强。学生到社区去关怀弱势群体，通过服务培养学生的公民意识和社会责任感，有利于学生转变为积极奉献的社区成员和公民[②]。最后，服务学习发展了学生的服务意识。被承认和被欣赏是青少年的发展性需要，服务学习计划的成功实现，无论是服务于个人还是某个组织，对参与的青少年来说都是一种承认，使学生的自尊和自我效能感有所提高，减少了行为问题和危险行为的发生[③]。同时学生有机会参与行动并看到社区的真实变化，为学生提供了成功的体验，促进他们参与更多的社会服务活动。

二、社会实践学习

社会实践学习是实践锻炼法的另一重要形式。社会实践学习是学校对学生进行素质教育，培养学生创新精神和实践能力，让学生了解社会、认识社会的重要形式，也是促进学生完善德性、丰富社会性的重要手段。社会实践学习让学生走出教室直接参与到社会的生产实践当中，对于我国“全面发展”高素质创新人才培养目标的实现也具有非常重要的价值。

（一）社会实践学习的概念

相对于美国的服务学习，对社会实践学习的重视一直是我国教育的传

① 刘长海，罗怡．论服务学习对大学生社会实践的启示［J］．高教探索，2005 (3) : 20 － 22.

② 黄孔雀．美国高校服务学习的实践及启示［J］．复旦教育论坛，2014 (1) : 93 － 98.

③ 赵希斌，邹泓．美国服务学习实践及研究综述［J］．比较教育研究，2001 (8) :35 － 39.

统。1949 年以后，各级学校教育都强调对学生的教育要与社会生产劳动和社会生活相结合。1958 年 9 月，中共中央、国务院《关于教育工作的指示》指出："教育应该与生产劳动结合。"其目标就是克服传统教育中重书本知识传授，轻视实践、忽略劳动技能的特点，旨在督促学校教育要侧重学生社会实践能力的培养[①]。随着教育改革进程的深化、素质教育的推行，社会实践学习逐渐成为我国的教育特色，也是各个教育阶段重视的学习内容、学习途径、学习目标。

关于社会实践学习的理论研究主要聚焦在对于这一方法的内涵和特征的具体探讨上。孙国瑞较早提出社会实践学习的定义，即根据国家教育行政部门的规定，学校组织学生开展社会考察、咨询服务、学生社团、勤工俭学等社会实践活动，使他们在这些活动中接受实际教育是其提高德育水平的实践教育方法，这是促进广大学生政治上成熟、思想上进步、素质上提高的有效办法和途径[②]。檀传宝进一步说明，这一实践活动是以学生为主导的教育方法，主要特点是要求学生完成具体的道德任务，在完成任务中培养学生的道德情感，巩固学生的道德认知，帮助学生练习道德策略[③]。社会实践活动既包括全体完成集体交给的特定任务，也包括组织学生集体参加特定的集体道德实践活动。例如，利用寒暑期以及节假日、课余时间开展社会调查、生产劳动、志愿服务、科技发明、勤工助学等社会实践活动。

另一方面，我国研究者对于社会实践法的应用进行了深入研究。胡杨等人认为社会实践是学生正确认识自我、完善自我、了解社会、服务社会、提高素质和能力的重要途径[④]。社会实践活动也是大学生走向社会、参与具

① 许瑞芳．比较与启示：服务学习与社会实践［J］．思想理论育，2009 (11)：83 － 87.

② 孙国瑞．德育科学方法论［M］．北京：光明日报出版社，1994：288 － 292.

③ 檀传宝．德育原理［M］．北京：北京师范大学出版社，2007：256 － 260.

④ 胡杨，徐建军，邸可达．美国大学生社会实践的经验和启示［J］．中国德育，2007 (10)：93 － 95.

体的生产劳动和社会生活，了解社会、观察社会、分析社会、服务社会的重要途径，是大学生不断提高自身综合素质、激发创新精神和实践能力的有效措施，也是对高校教学环节的必要补充[①]。王坚进一步根据现代社会发展提出，项目化学习是社会实践活动的德育新境界。可以说，学生通过社会实践活动，突破了原本以完成任务性道德活动为目的的束缚，使自身的道德视野得以在主题道德项目的运作中获得拓展，更让道德的知识性接受上升为面向生活与社会的道德行为的价值延伸，从而夯实思想品德课程的实践性主旨[②]。

社会实践学习立足课堂教学，渗透生活真实，促进学生通过社会实践活动的参与，将思想品德课程内含的事实、概念、原理和技能，同亲身实践所体悟的道理、感想和观点，进行基于主题学习项目的比照，由此依托真实的社会生活情境汲取到深入内心的结论，在此过程中体会到自己与他人、与集体、与社会的责任关系，是正确认识自我、完善自我、了解社会、提高素质和能力的重要德育活动。社会实践学习是青年学生开展世界观、人生观和价值观教育的重要手段；是通过社会实践了解国情、了解社会、服务社会的有效途径，是学校课堂教学的重要补充和强化。

（二）社会实践学习的特点

社会实践活动作为学校教育与社会教育相结合的德育活动，对学生认识、亲近和服务社会的责任意识的培养，对学校德育建设的加强和校园文化环境的营造都具有积极作用。可以说，社会实践学习是基于学生的直接经验，密切联系学生实际生活和社会生活，依靠其丰富多样的实践方式，让学生直接与校外的社会环境发生密切的联系。因此，社会实践学习具有社会交互性、整体发展性和丰富开放性等特征。

---

① 胡舒敏．论大学生的社会实践活动［J］．求实，2006（S2）：269－270.

② 王坚．项目化学习：社会实践活动的德育新境界［J］．中国教育学刊，2018（6）：98－102.

1. 社会交互性

社会实践学习是学生形成社会要求的品德、成为合格公民的重要途径。这一本质决定了其具有社会性特征。从社会教育过程看，社会实践育人过程是按照一定社会发展要求培养受教育者的品德，要解决的矛盾是受教育者品德发展状况和教育目标之间的矛盾，解决矛盾的方法就是实现受教育者品德的社会化，因此，这一过程具有鲜明的社会性。从根本意义上说，社会实践是实现个体品德社会化的过程。随着社会实践的深入推进，受教育者的道德品质与社会和时代发展要求趋于吻合，其社会化程度就愈高。当然，社会实践学习不是以学科知识构建的，而是以学生的生活为基础的。社会实践主要以活动形式开展，学生积极主动亲身参与到各项活动中，在活动中不断体验，发展实践能力。社会交往只有在实践中才能存在，若是离开了实践，则不会有社会交互的可能。因此，社会实践过程本身就是社会交互的过程。

2. 整体发展性

社会实践学习具有整体性。世界是一个整体，世界是由不同个人、社会、自然构成的有机整体。作为世界的一部分，文化也具有整体性，文化的不同构成科学、艺术、道德也是相互交融的。人的个性具有整体性，个性发展不是不同学科知识杂汇的结果，而是通过对知识的综合运用而不断探究世界与自我的结果。社会实践主题的选择范围应包括学生本人、社会生活和自然世界。任何主题的探究都必须体现个人、社会、自然的内在整合，体现科学、艺术、道德的内在整合。社会实践立足于人的个性的整体性，立足于每一个学生的发展[①]。

3. 丰富开放性

社会实践育人的开放性，加快受教育者的社会化进程。社会实践的

---

① 张华．论“综合实践活动”课程的本质［J］．全球教育展望，2001 (8)：10－18.

丰富性则体现在社会实践的组织形式灵活多样，更加关注学生的意见和需求。一方面，把实践活动更多放到社会需求和学生需求的交点上来；另一方面，根据社会实践的目的，确定实践活动的形式、内容。社会实践有多种形式，包括生产实习、科技竞赛和发明、创业、项目化学习等，服务社会相关的包括志愿服务、公益活动、爱心活动、挂职锻炼、科技咨询等，学校内部的各类助学助管助研和社会工作等。社会实践的开放性体现在当前开放的社会形态、多元社会思潮的存在，为学生的道德发展提供了较多的可能。

（三）社会实践学习的实施

1. 社会实践的实施过程

社会实践学习的实施过程，需要引导学生把社会体验同课程主题深度融合，将生活教育理念落实在学生的课堂学习、教师的教育引领和学校的德育建设所构成的一体化平台中，也进一步夯实着社会实践学习的人文根基。社会实践学习的具体实施过程可分为三个阶段：明确计划阶段、现场实践阶段、反思总结阶段。这三个阶段依次进行，每一阶段都为下一阶段做准备，同时又都促进学生品德的发展。具体流程如下图：

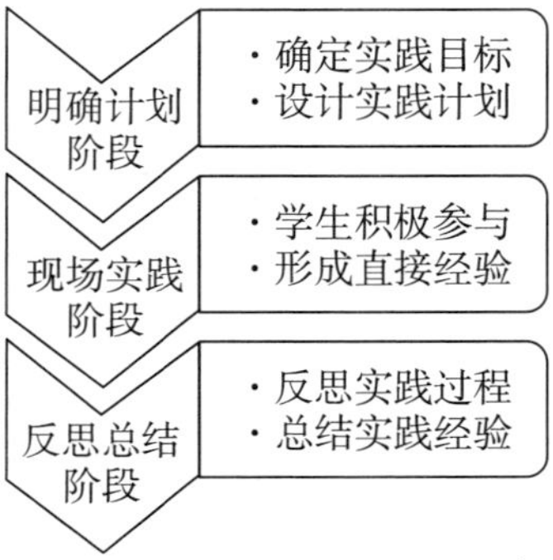

图 7-2　社会实践的流程图

首先，明确计划阶段。教师要明确社会实践的目标，对该目标进行深入分析，同时结合学生的年龄及其身心发展特点，设计出社会实践的具体计划。当然，学生也是思想品德课堂学习和社会实践活动的双重主体，教师可以引导学生主动参与社会实践活动的策划，根据不同学生的亲身观察和体验、新闻资讯的获知、相互谈论的感触等实际，将活动主题的选择、评估和设计同课程学习内容有机结合，使社会实践活动在立足学生特定需求的基础上充实和完善学校德育活动的层次和蕴涵，实现思想品德课堂学习与社会化思辨的衔接[①]。再者，教师还需考虑该计划的可行性，应该前往目的地进行实践考察，之后对已有计划进行再审视，对难以落实点进行修改调整。此外，教师还要引导学生明确社会实践的目的及其实践流程，为学生主动参与实践奠定基础。

其次，现场实践阶段。这一阶段教师充当引导者的身份，鼓励学生积极主动地参与到社会实践的过程之中，并在过程中对学生形成指导和帮助。把实践教学的理念运用到引领学生生活学习的过程中，鼓励和带动学生回到现实生活中，把所看、所听、所触、所说汇聚到日常行为中，让学生在亲身体验中感知道德和法治的普遍存在，使学生从行为规范的社会渗透中悟到思想品德课程知识的现实作用，由此，引导学生通过生活道德的践行去学习道德知识，养成道德行为学习习惯，夯实正向价值观在学生内心世界的贮存与积淀。

最后，反思总结阶段。教师应让学生自己完成源自生活实践的结论归纳和观点提炼，促进学生基于感性思维到理性思维发展的自主学习和社会践行能力的提高。教师也需要从社会实践的作用及效果入手，思考目标、计划是否合理，从中吸取经验教训。对于学生而言，学生在参与策划和主体运作的基础上再进行活动总结反思，使社会实践活动真正成为倾注学生自己的思考、探究、行动和体悟的学习项目。让社会实践学习成为增强社会价值观和提升道德素养的支点。

---

① 王坚.项目化学习：社会实践活动的德育新境界[J].中国教育学刊，2018(6)：98－102.

2. 社会实践学习实施的关键点

社会实践学习不仅是一种德育过程，而且是学习理念、教学理念、实践理念和思想理念的共融。在社会实践活动的创新策划中实现课堂学习与社会化思辨的衔接，在社会实践活动的务实运作中实现生活体验与课程主题的深度融合，在社会实践活动的总结反思中实现理性感悟与情感价值观的社会化提升。因此，社会实践活动的效果与现实中的具体实施情况密切相关。社会实践体系的完善、建设社会实践基地、创新社会实践课程、健全社会实践评价机制都对社会实践的发展具有重大作用。具体需要关注以下几点：

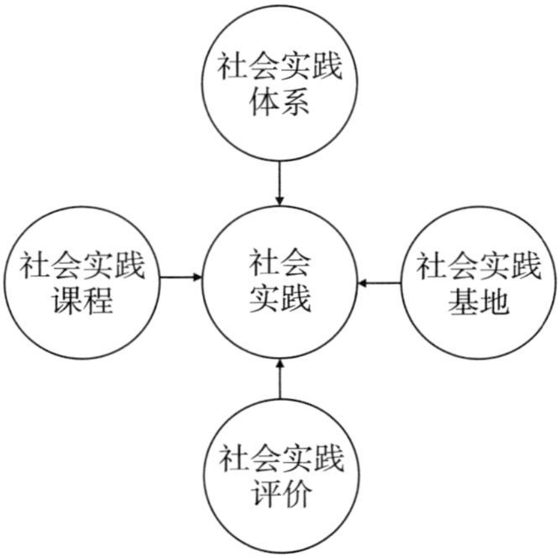

图 7-3　社会实践的模式图

（1）以“立德树人”为背景的社会实践学习体系建设

在“立德树人”的时代背景下，社会实践学习体系建设的出发点应该具有统一性和目标性。社会实践学习的目的始终是通过社会实践培养学生的道德修养，既是个人道德水平的提高，又是为国家和社会发展奠定道德基础。当前，一些学校对社会实践的重要性认识存在偏差，将其简单化，学生社会实践没有系统的规划和设计。针对此问题要突破观念和机制的限制，为社会实践育人功能的发挥提供理念上的支持和机制上的保证，完善社会实践教育制度体系的建设。制度是在社会或群体生活中逐渐形成的，主要通过法律授权的强迫性与权威性来引导组织的规则。让中小学生的社会实践教育权利有了基本的制度保障，才能为中小学生参与社会实践“提供稳定性和意义的规制性”[①]。

（2）深化学校社会的教育合作：创新社会实践教育的课程开发

社会实践活动是以现实社会情境为平台的真实学习项目，学生立足身边的真实情境，充分利用以当地独特资源为主要表现形式的真实情境，从地方性资源的特色化内容中解读和提取出与思想品德课程学习相对应的主题。具体而言，加强学校与社会教育机构的深度合作，利用专业优势制定一些符合时代特征的实践教育课题。课题的设计要考虑是否遵循社会实践教育的理念，是否有利于教育目的与目标的达成[②]。另一方面，加强学校与企事业单位的教育合作，利用产业优势共同开发中小学社会实践教育课程体系，着力开发设计不同维度、不同内容的贴合中小学生生活实际的实践教育课程。比如知识技术类社会实践课程、交互合作类社会实践课程、文化理解类社会实践课程以及生涯规划类社会实践课程等。在此基础上，逐步加深课程的内容，延展课程的广度，提升教育的力度，让社会教育实践真正发挥其应有的教育与引导价值[③]。同时，为了推动中小学生社会实践教育的广泛开展，政府应该加大改革力度。通过设置专门的社会实践教育行政管理部门，安排专业人员负责社会实践教育的组织开展，用管理强化制度落实。

（3）探索多元协同的评价方式：健全中小学社会实践教育的评价机制

学生是社会实践学习的主体，调动学生社会实践学习的主动性和积极性，对提高社会实践学习的效果尤为重要。此外，还需建立完善的社会实践考核评价机制。首先，在评价内容上，要促进学生素质及潜能的发展。社会

---

① 理查德·斯科特．制度与组织：思想观念与物质利益［M］．姚伟，王黎芳，译．北京：中国人民大学出版社，2010：56.

② 赵剑民．素质教育视野中的大学生社会实践［J］．湖南师范大学教育科学学报，2004(2)：41－45.

③ 娜仁高娃．我国中小学社会实践教育：价值向度、发展困境及优化路径［J］．当代教育科学，2021(9)：10－19.

实践既是学生对社会的适应，也是学生对自身的超越。其次，在评价过程中，要注重学生的综合素质和实践能力，而不能将其与学生的成绩挂钩。最后，在评价方式上，要采用多元的评价方式来协同保障评价的科学性，采用定量评价和定性评价相结合的方式形成评价结果。总而言之，评价方式越多样，就越能够发挥多元主体的协同作用，为科学、合理、有效的评价提供保障。

3. 社会实践学习的实施途径

社会实践是在学校与社会共同作用下，充分利用所有空间，集中时间，在不同区域进行实践学习、较为宏观的问题探索以及有针对性的社会考察。社会实践的实施主要有以下途径：

（1）社会志愿活动。志愿者活动以个人的自觉主动参与为前提，通过小组或集体的形式，以地域社会服务为主要内容。具体的活动形式包括：回收废旧图书报刊，促进资源的利用；募集零用钱，为公共福利事业开展集体募捐；访问残疾人、老龄社会福利设施，帮助照看儿童；帮助父母做家务，清扫社区环境等。社会志愿活动有助于培养学生的同情心以及为他人、为社会服务与奉献的精神，在一定程度上有利于促进整个社会风气的改善、推进社会福利事业的发展[①]。

（2）调查实践教学基地。在课程教学期间或期末根据教学目的和内容，教师组织学生到企事业单位、农村、革命圣地、爱国主义教育基地、历史文化景区和改革开放的前沿阵地等地进行参观考察，有利于学生走进社会、了解社会、了解国情，增强社会责任感和历史使命感[②]。调查实践教学基地立足于学生经常性学习与生活空间，以兴趣为基础自由组合，采取课外小组的方式，进行跨学科交流，如学生社团活动，围绕社会问题、学术问题

① 王晓燕．日本校外教育发展的政策与实践［J］．国家教育行政学院学报，2009 (1)：90－95.

② 叶婷，王超．国外德育实践对我国思政实践教学模式的启示［J］．求实，2010 (S1)：286－288.

以及生活问题进行讨论[①]。

（3）专题调研。根据课程内容和要求、同学们普遍关注的社会热点问题，例如生态环境问题、人口问题、就业问题、教育公平问题等等，任课老师拟定调查报告若干选题，要求学生利用课余时间或假期进行专题调研，获得丰富的第一手材料，运用所学习的基本原理进行思考、分析。在收集相关资料、借鉴相关研究成果的基础上，写出调查报告。

（4）公民教育体验活动。学校教育的首要目标是培养能忠诚服务国家的、适应本土文化的、能明确公民权利和责任的“合格的公民”[②]。组织学生到航天、航海等科研院所，切实感受国家的发展、强大，亲身体验现代公民的责任，培养学生的公民意识。

（5）军事训练活动。组织学生参加一定时间的军事训练，使学生在军训过程中接受锻炼和训练，增强国防观念和学习解放军好思想、好作风的德育教育方法[③]。

（四）社会实践学习的意义

社会实践育人发扬了科学的教育理念，以学生的个体化差异为前提，尊重个性教育的需要并为个性化发展提供条件。从广义上来说，教育是以影响人身心发展为直接目标的社会活动，教育的本质就是培养人的社会活动[④]。社会实践学习是学生的能动的社会活动，社会实践通过有目的的实践活动建立起学生与客观世界的联系，是在实践过程中提高知识水平、提升思想道德素质的教育活动[⑤]。因此，社会实践教育作为一种体验性的人才培

---

① 时伟．论大学实践教学体系［J］．高等教育研究，2013 (7)：61 － 64.

② 胡杨，徐建军，邸可达．美国大学生社会实践的经验和启示［J］．中国德育，2007 (10)：93 － 95.

③ 孙国瑞．德育科学方法论［M］．北京：光明日报出版社，1994：288 － 292.

④ 刘国钦，等．高校应用型人才培养的理论与实践［M］．北京：人民出版社，2007：15.

⑤ 宋珺．论实践育人理念在高等教育中的实施［J］．思想教育研究，2012 (7)：84 － 87.

养模式，对当前培养创新型人才尤其重要。

从学校层面，社会实践学习对学校的育人工作具有重要意义。学生的社会实践既是课堂教学的延续，又是对课堂教学和教学环节的补充。一方面，开展学生社会实践活动可以丰富和提高学生的知识，促进学生理论与实践的结合，完善知识结构，提高人才全面素质；另一方面，社会实践可使高校获得大量的社会最新信息，促进教育和教学改革，对课程设置、教学内容、教学方法到管理体制进行全面检验，使高等教育更顺应国情[①]。

从学生层面，社会实践学习有利于学生认识社会，加深对党的路线方针政策的理解。社会实践为学生打开一扇窗口，让他们能够贴近生活，了解社会的真实情境。学生开展社会实践的涉及面非常广泛，几乎包括了我们社会生活的各个方面，工厂、企业、学校、农村等等[②]。同时，社会实践学习有利于锻炼学生锲而不舍的坚强意识，促进其良好性格的形成。学生在成长过程中很少经历真正的挫折与磨砺。再者，社会实践学习有利于学生深入理解社会并及早进行生涯规划，为他们提供认识社会结构和职业环境的机会与条件。比如，参观食品的制作，了解社会组织的运转，以及各种职业的内涵等[③]。此外，通过社会实践，能使学生对自己有更加清晰的认知，促使学生的社会化发展，在实际过程中提高学生的人际交往、解决问题的实践能力。

三、生活实践学习

生活世界是人存在的基本事实，其基本属性是基于真实生活情境的实

---

① 胡舒敏．论大学生的社会实践活动［J］．求实，2006（S2）：269－270.

② 同①.

③ 娜仁高娃．我国中小学社会实践教育：价值向度、发展困境及优化路径［J］．当代教育科学，2021（9）：10－19.

践性。道德学习是生活的、实践的，不能把它简单地归结为“知识学习”[①]。生活世界是学生品德实践的重要场所，学生品德的形成与发展，必须依赖包括学校、家庭和社区在内的所有现实生活。最初的道德教育是在现实生活中直接进行的，生活方式、生命理解和选择的实践，都建立在丰富的实践育人基础上。

（一）生活实践学习的概念

德育方法中的生活实践学习是生活德育的重要途径。20 世纪 90 年代开始，教育回归生活成为时代的新理念。在教育回归生活理论的影响下，生活德育理论（或生活道德教育理论）应运而生，这是“生活德育论”产生的基础[②]。2011 年教育部颁布的《义务教育品德与生活课程标准》让生活德育的思想得到贯彻落实[③]。德育走向生活，让德育回归到学生的日常生活之中，得到了越来越多的认同。

我国生活德育的代表学者鲁洁曾发表文章多次探讨生活德育的内涵及其重要性，认为生活是人类特有的改变客观现实的活动。只有人才有生活，其他动物的存在只是生存，不可能有改变所面对现实的实践活动。而人却可能在他的生活实践中根据他的生存意志、生活意义而改变客观的现实，从而促进良好品格的发展[④]。道德存在于生活，生活是道德存在的基本形态。或者说，道德就是人所选择的生活方式[⑤]。在生活论的视域中，生活不只是由“思想”构成，生活的改变也不是完全由思想能左右的。一种新

---

① 鲁洁．生活·道德·道德教育［J］．教育研究，2006 (10)：3 － 7.

② 张忠华，耿云云．对生活德育理论研究的反思［J］．教育科学研究，2009 (10)：62 － 66.

③ 中华人民共和国教育部制定．义务教育品德与生活课程标准［M］．北京：北京师范大学出版社，2012.

④ 同①.

⑤ 鲁洁．德育课程的生活论转向：小学德育课程在观念上的变革［J］．华东师范大学学报（教育科学版），2005 (3)：9 － 16 + 37.

生活的构成，除了要有相应思想为指导外，更重要的是要通过感性的活动、实际的行动去改变现实境遇、现实的关系①。因此，生活世界具有德育实践性，这种实践性表明：生活世界是人参与其中的世界，在这个世界中的人不像在纯理性世界中那样被排除在外，而是在作为主体的活动中和他的对象物融为一体。生活世界不是一种预设的图景，现成地放在那里，仅仅供人去认识的对象，生活世界是在人的实践中不断生成新的意义，不断实现新的超越的世界。正因如此，鲁洁先生认为德育需要从知识道德走向生活道德②。

国内学者通过研究进一步阐明从知识道德走向生活道德的必要性。生活德育论者强调德育首先应使人热爱生活、体验生活，在真实的生活情境中养成德性，而非脱离现实生活，在虚无缥缈的世界中培养人的道德品质③。张忠华等人指出，生活德育作为一种新的德育理念和德育模式，是相对于知性德育提出的。它立足于现实生活，以现实生活为基础，在生活中教育个体，培育个体的德性，从而使个体养成良好的道德品质，使个体在善的生活世界中追求德性的不断提升④。高德胜、冯文全等学者进一步提出，生活德育是从生活出发，在生活中进行的德育，生活德育是对知性德育的全面超越⑤。陈光全、杜时忠进一步提出，新世纪德育课程改革将生活德育论作为德育课程的理论基石，摒弃了知性德育观对德育课程的误导。道德

---

① 鲁洁．道德教育的根本作为：引导生活的建构［J］．教育研究，2010 (6)：3－8＋29.

② 鲁洁．生活·道德·道德教育［J］．教育研究，2006 (10)：3－7.

③ 赵志毅．德育的“意志”转向：兼论走向“实践理性”的学校德育［J］．教育研究，2012 (2)：55－61.

④ 张忠华，耿云云．对生活德育理论研究的反思［J］．教育科学研究，2009 (10)：62－66.

⑤ 高德胜．生活德育简论［J］．教育研究与实验，2002 (3)：1－5＋72；冯文全．关于“生活德育”的反思与重构［J］．教育研究，2009 (11)：92－96.

学习不能与生活剥离，不能在生活过程之外来进行[①]。

上述表述进一步明确了生活德育的内涵和作用。道德的本性是实践的，道德生活是自为的。面对复杂的道德生活，生活德育培养受教育者学会处理与他人、与社会、与自然、与自身之间的关系，明确道德权利与责任间的关系，养成良好的道德认知能力、判断能力和行为选择能力。现实生活是社会道德和个体品德得以产生的沃土。最初的道德教育是在现实生活中直接进行的，它本身就是现实生活的有机组成部分，建立在丰富的生活细节基础上的道德知识才是有生命力的道德知识[②]。生活实践学习正是生活德育的主要途径，是在真实的生活情景中对学生进行的实践教育方式，能够使学生热爱生活、体验生活。在生活中教育个体，培育个体的德性，从而使个体养成良好的道德品质。

（二）生活实践学习的特点

生活世界的道德教育是人的道德教育最基本的部分。一方面，社会生活中的道德教育是人之成为人所不可或缺的道德教育；另一方面，一个人只有受到了生活世界的道德教育，才能够适应最基本的正常道德生活[③]。正因如此，生活实践学习需要从学生的真实生活入手，通过自然生活中的实践情景，磨炼学生的思想意志、道德品质。具体表现为以下特征：

1. 真实生活性

生活实践学习是以人的真实生活为原点，面向生活情境、生活经历，利用个体的手脑解决生活中发现的问题，满足人的正常生活需求。不像设

---

① 陈光全，杜时忠．德育课程改革十年：反思与前瞻［J］．课程·教材·教法，2012 (5)：83 － 90.

② 王现军，冯建军．走向生活化的德育［J］．思想理论教育（上半月综合版），2003 (3)：14 － 17.

③ 项贤明．回归生活世界的道德教育［J］．教师教育研究，2001 (1)：47 － 51.

置专门课程的传统德育方法，生活实践贯穿在人的所有生活之中，生活实践要求学生过道德的生活，通过道德的生活而学习道德。生活实践的真实性体现在其所生所长的生活是具体的、当下的、真实的，生活实践与学生真实的生活融为一体。其次，生活实践的过程是具体的，可感、可触的，就在学生的每日的生活之中，学生在这种德育过程中的认识、体验、感受、感悟都是真实的。最后，生活实践的真实性还体现在其效果是真实的。通过道德的生活而学会的道德同样是真实的。从生活中学习的道德是“德性之知”，而不是“见闻之知”，是生活的结晶，是可以直接化为德行的真实品质①。

2. 实践生成性

道德是在生活和学习中逐渐培养起来的，而这种实践生成性恰恰是生活德育最重要的特点。鲁洁先生认为，人在现实生活中所面对的道德问题并没有现成的答案。人所作出的道德决定都应当是在具体情景下种种关系的相互作用中生成的。好的行为来自变化的关系，它是行为者和他所处生活关系的产物。与自然本能的行为相比，道德行为在目的和手段上都不是确定的，它没有固定的规律、既定的规划，只能是在实践中生成。道德的决定、道德的行为都是具体的，它因时、因地、因人而生。它是生成的，因而也是有选择的。它有赖于个人成熟的生活经验、生活实践。因此，道德教育要培养生成性的人，要形成人的道德智慧，就必须在丰富人的生活实践上下功夫②。

3. 互动开放性

由于生活实践学习的场景是人们真实的日常生活，学生可以从自身的需求和情感需要出发，对生活中的知识、现象进行实践和理解，以促进自身的思想道德素质和人文素养的提高，并促进自身价值的实现。一方面，

---

① 高德胜．生活德育简论［J］．教育研究与实验，2002 (3)：1－5.

② 鲁洁．生活·道德·道德教育［J］．教育研究，2006 (10)：3－7.

生活实践是以生活为根基的主客体相互作用的过程，生活实践的教育源于学生的学习生活，融入学生的实际生活。另一方面，开放是生活实践固有的特征，学生对生活实践中出现的新情况、新问题进行深入的剖析，并对所学的知识和方法进行相应的调整和改，进让学生的价值观念和思维方式紧跟时代的潮流，为学生营造一个开放的交往空间，将生活中的各个方面利用起来，促进学生道德品质的发展。

（三）生活实践学习的实施

1. 生活实践的实施流程

生活实践倡导在真实的生活情景之中进行锻炼。由于未知的生活有众多的不确定因素，因此可将生活实践学习具体分为有计划的生活实践学习和非计划的生活实践学习。有计划的生活实践学习分为计划阶段、实施阶段、反思阶段；非计划的生活实践学习分为生活过程、反思阶段。具体流程如下图：

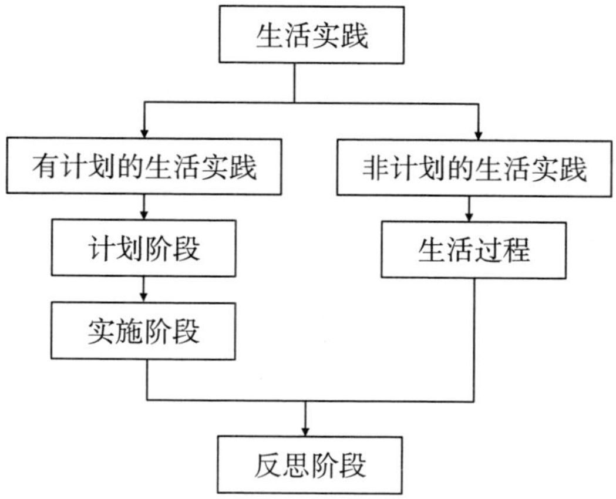

图 7-4　生活实践学习实施的流程图

（1）有计划的生活实践

在设计生活实践的过程中，要遵循其生活性的特点，以学生的真实生活为基础,建立在学生已有的认知基础之上,设计生活化的实践活动。同时，在实践过程中，要注重学生已有的间接经验对直接经验的促进作用，形成知识到经验的转化。传统的知识学习，注重的是间接经验的学习，学生很少有体验的机会，而生活实践就是让学生“在做中学”，拓宽了学生实践知识、品德等的全面发展。此外，还要注重生活实践的反思过程，将学生在生活实践过程当中的真实体验作为反思的原点，引导学生对生活及实践的意义思考。

（2）非计划的生活实践

生活实践因其生成性、开放性而具有独特的魅力。正是这种不确定性，我们可能没有预想到的生活场景具有价值的生活实践活动。因此，在非计划的生活实践中，就需要对学生进行积极引导，利于学生更好地感悟生活。同时，对非计划的社会实践要进行反思活动，思考非计划的社会实践的作用，必要时也可以将其设计为有计划的生活实践。这种反思也为应对更多的非计划的生活实践做好准备。

2. 生活实践实施的关键点

生活实践学习是学生接受道德教育的出发点，也是学生接受道德教育的归宿。学生不断自我完善，就是为了改变自己现实的或未来的生活质量。学生需要从内外两方面进行生活实践。内在方面，需要学生在生活中进行活动和交往，积极主动地参加社会实践；外在方面，需要现实生活提供实践环境，也需要他人进行实践指导。具体模式如下图：

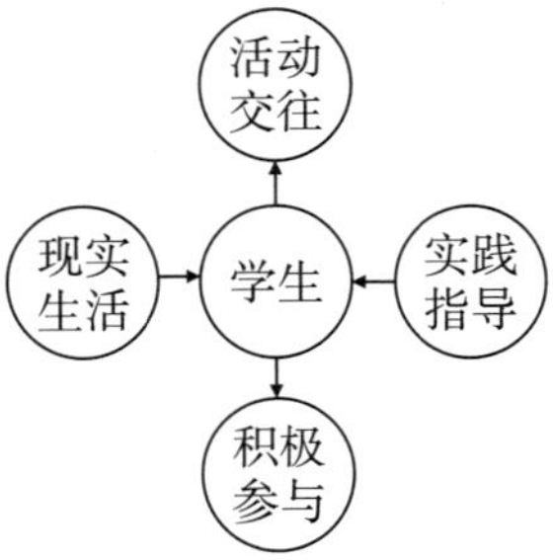

图 7–5　生活实践的模式图

（1）引导学生关注并积极参与生活实践

美国心理学家柯尔柏格认为，社会交往和生活情境促进儿童道德判断力的发展。在生活中创设一些探索性的丰富活动，允许学生出现一些并非有意的失误，引导他去总结，有利于提高理性选择能力和行为实践能力①。在学生的成长过程中，政治、经济、法律等社会问题看似与学生的生活相距较远，但却实实在在对他们产生着影响。培养学生的政治素质、法纪素质也是我国学校德育的重要任务，但要注意突出表现“生活化”。

（2）重视对学生的生活实践进行指导

在现实生活中的烦恼与困难，决定着学生自我教育的方向和程度。因此，德育一定要落实或体现在帮助学生解决生活的难题中。首先，教师要把德育的人生导向作用细化到对学生的生活指导中。学生对生活的体验并不都是理性的，往往是情感性的、具体的和自我的。其次，教师应该帮助学生树立直面生活的勇气，培养学生处理生活困扰和心理困惑的信心与技能。面对新的情景、新的关系、新的挑战，只有自己拥有处理问题的能力，才有可能从根本上提升自我、完善自我②。

（3）重视从学生现实生活中生成新的德育内容

生活实践是学生接受道德教育的出发点和归宿。学生不断自我完善，就是为了改变自己现实的或未来的生活质量。真正的教育就是帮助学生适应并超越现实的生活，创造未来可能的生活。教师要善于针对学生的生活实际生成新的德育内容，从学生生活实践中生成德育。首先，教师应该了解学生的道德基础究竟是什么样的状况，这样的道德基础是在什么样的现实生活背景下形成的，然后才能帮助学生确定可行的发展目标，寻找行之有效的自我完善办法。其次，在帮助学生适应生活实践的同时，教师应引导学生超越现实具体的生活，理解生活的意义和价值，让学生对生活有更

---

① L · Kohlberg. The Philosophy of Moral Development ［M］. San Francisco: Harper Collins. 1981 : 136.

② 王现军，冯建军 . 走向生活化的德育［J］. 思想理论教育（上半月综合版），2003 (3) : 14 － 17.

深刻的认识和更高的追求[①]。

（四）生活实践的意义

在教育层面,生活实践促使教育从关注“知识”到关注“生活”和“实践”的转变。传统教育注重知识的传播，而忽略了知识与学生生活世界之间的联系。生活实践的德育方法，弥合了传统教育的不足，促进个体不断地尝试着去感受、体悟自身的价值以及发现、调整发展的方向，逐步开启自我存在的诸多可能，进而促使教育不断完善与发展。

在学校层面，生活实践为学校提供了一种新的教育路径，促进学校教育生活化的转向。学校生活化教育包括课程、教材、教学以生活世界为其归宿。也就是说，通过教材、教学中习得的知识，能被学生运用到自己的生活中去,以解决生活中的问题,改变其生活方式,提升学生对生活的认识、态度、价值观等。同时，在教学过程中，教师从生活出发去教学，坚持从儿童的生活实际出发，努力缩短教学与儿童生活实践的距离[②]。

在学生层面,生活实践学习能够引导学生的生活朝着向善的方向发展,也是引导生活走向更好,更有意义和价值[③]。一方面,学生不仅可以在生活的真实情境中进行实践，感悟生活的意义，也避免了学生往往只相信权威诠释的理论与知识，而不相信自己的生活经验和感觉。在广阔的生活实践场地中，学生们自由地进行成为自我发展、自我完成，以更加全面的视角看待生活的意义。另一方面，生活实践为学生提供了真实的生活情景，培养学生良好的生活习惯，提升学生的生活能力，促进自我价值的生成，通

---

① 王现军，冯建军．走向生活化的德育［J］．思想理论教育（上半月综合版），2003 (3)：14 － 17.

② 鲁洁．再论“品德与生活”“品德与社会”向生活世界的回归［J］．教育研究与实验，2004 (4)：1 － 2.

③ 鲁洁．德育课程的生活论转向：小学德育课程在观念上的变革［J］．华东师范大学学报（教育科学版），2005 (3)：9.

过生活实践学会生活、学会做事、学会协作。通过将生活实践与德育有机结合在一起，在生活中不断积累经验，形成生活智慧，在道德反思中有意识地改善生活，才能实现道德生活与真实生活的双重提升。

四、研学旅行

研学旅行作为体验式学习的重要形式，也是道德实践锻炼的方法之一。在学习与旅行的生活共同体中朋辈群体相依，获得社会文化生活基础，增强生存能力和社会责任感，提高实践能力和创造能力，提升学生发展核心素养。研学旅行使得学生有机会在纷繁复杂的背景下，重新审视在课堂上学到的理性知识与客观实践的关系，更加注重通过研学旅行的实践，培养学生解决实际问题的实践品格。

（一）研学旅行的概念

研学旅行发展历史可追溯至西方 16 到 17 世纪的贵族出国游学“大旅行”运动，是英格兰人最先确立和开展的一种教育活动。二战之后，欧美一些国家为了加强学生综合素质的培养，开始将旅游作为培养学生能力、开阔学生视野的一种方式，大力倡导学生在学期间的旅行活动。日本也从 20 世纪 60 年代把修学旅行纳入教育大纲[①]。迄今为止，已有许多国家将研学旅行作为学校系统内能拓展大中小学生视野、提高跨文化理解能力的一种教育方式。

在我国，研学旅行最初是从 2000 年左右以冬令营或夏令营的活动方式呈现的。2003 年上海最先把研学旅行纳入教育计划。2009 年广东地区开始提出各级各类学校可在寒暑假和黄金周等法定节假日期间组织教师和

---

① 高峡．日本修学旅行怎样开展［N］．中国教育报，2016－12－29.

学生开展研学旅游活动，将研学旅游纳入学生综合实践课程[①]。我国教育部于2012年启动中小学研学旅行工作研究项目，开展试点工作，确定12个全国实验区。2013年2月，国务院印发《国民旅游休闲纲要（2013—2020年）》提出“逐步推行中小学生研学旅行”，“鼓励学校组织学生进行寓教于游的课外实践活动”[②]。

2017年，教育部印发《中小学综合实践活动课程指导纲要》，强化实践育人的重要作用，确定将研学旅行课程纳入学校教育学分系统。到了2018年，习近平在全国教育大会上强调，要努力构建德智体美劳全面育人的教育体系，强调要厚植爱国主义情怀、增长知识见识、增强综合素质，体现国家更加重视研学旅行的重要价值。

研学旅行的定义国内外尚未统一，国内学者大多用“研学旅行”和“研学旅游”两种提法，而国外学者则使用“教育旅游”一词。国外研学旅行的相关研究主要集中在将研学旅行作为教学要求，让学生直接体验社会，学习自然文化知识，提高跨文化理解能力。国内外学者普遍认为，教育旅游是一项以团队形式外出学习实践的旅游项目。英国学者瑞奇等人提出，教育旅游是参与旅游活动的旅游（过夜游客和远足游客）将“学”作为主要或次要旅游活动，包括普通教育旅游，成人教育旅游，国际和国内大学及学校学生的旅行（语言学校学习，学校远足和交换生项目）等[③]。

国内学者分别从广义和狭义的角度探讨对研学旅行的内涵。从广义的角度讲，研学旅行是指以研究性、探究性学习为目的的专项旅行，是旅游者出于文化求知的需要，暂时离开常住地，到异地开展的文化性质的旅游

① 刘璐，曾素林．国外中小学研学旅行课程实施的模式、特点及启示[J]．课程．教材．教法，2018(4)：136－140.

② 国务院．国民旅游休闲纲要（2013—2020年）.

③ Ritchie BW. Managing educational tourism [M]. London: Channel View Publications, 2003 (8) : 11－13.

活动。狭义的研学旅行则是特指由学校组织、学生参与的，以学习知识、了解社会、培养人格为主要目的的校外考察活动[①]。教育部等部门在2016年《关于推进中小学生研学旅行的意见》中指出，研学旅行特指在“教育部门和学校有计划地组织安排，通过集体旅行、集中食宿方式开展的研究性学习和旅行体验相结合的校外教育活动，是学校教育和校外教育衔接的创新形式，是教育教学的重要内容，是综合实践育人的有效途径。”总的看来，研学旅行的概念都有以下两个方面：第一，研学旅游是指以一种以教育为目的的旅游活动。第二，研学旅游是一种以强调研学旅行中旅游与教育的深入融合，以达到提高认知、陶冶情操的目的。以旅行为手段，以教育为目的来组织研学旅行，充分体现研学中的体验性、组织性和教育性。

（二）研学旅行的特点

研学旅行并不是一般的旅游活动。作为教育部门和学校有计划有组织安排的活动，它既是一种综合实践活动课程，又是一种研究性体验性学习，更是以学习共同体的方式开展的集体性学习活动，是走向社会、走向自然，在社会和大自然等课堂里面学习，在旅行中研究，在行动中探索，在实践中获得真知的教育形式。这种综合性实践育人的形式促进师生了解国情、社会、自然、他人和自我，促进学生全面发展[②]。因此，研学旅行需要注重以学生为主体，让学生在旅行的过程中增长知识、学习技能，有助学生“学逸结合”。研学旅行作为综合实践育人的途径，有以下特点：

1. 研究体验性

研学旅行是一种研究性学习活动，必须体现自主学习、合作学习、探

---

① 杨艳利．研学旅行：撬动素质教育的杠杆：访上海师范大学旅游学系系主任朱立新教授［J］．中国德育，2014（17）：19－24.

② 杨晓．研学旅行的内涵、类型与实施策略［J］．课程·教材·教法，2018（4）：131－135.

究学习等研究性特点。研学旅行通过自然风光游览，激发学生的好奇心与求知欲，促使学生自主探究。研学途中会产生一些意料之外的问题，也促使学生通过探究、合作等方式不断尝试加以解决。同时，研学旅行又是一种旅行体验活动。也就是说，研学旅行是一种通过体验来达成教育目标的育人方式，没有旅行体验就不能称之为研学旅行[①]。在研学旅行教育活动中，中小学校的学生分期分批走出校园，走进名胜风景、人文遗址、科技馆、博物馆、现代农业示范园、自动化的制造车间等，这是一种参与过程的体验，也是一种情感意志的体验，更是一种分享合作的体验。相比于春游和秋游，研学旅行有更加饱满的内容和充足的时间，能让学生有更加丰富、多元的体验。

2. 团体组织性

"团体性"指研学旅行作为一种集体旅游，不同于学生与家人外出旅游，学生之间自主组织的外出旅游。教育部等颁发《关于推进中小学研学旅行的意见》明确规定面向全体中小学生。研学旅行要以学校为单位集体组织，是全校学生分年级、分时段、分主题开展的校级集体活动，而不再是少数学生参与的春游、秋游活动。青少年的健康成长，离不开同伴互助和集体交往。只有通过参与集体性活动，青少年才能从封闭的自我中心走向开放的社会化。因此，研学旅行也是一项有组织、有规划的集体活动。在开始研学旅行之前，要做好课程方案、选择机构、确定路线、实地考察、方案确定、学生教育等准备工作。

3. 社会教育性

"社会性"是指研学旅行是一种社会教育活动，学生必须到广阔的社会中去体验、去活动、去研究、去感悟。这与我们平时在家庭中的教育活动、教室中的教育活动、校园内的教育活动不同。研学旅行既要注重旅行形式

---

① 朱洪秋．"三阶段四环节"研学旅行课程模型［J］．中国德育，2017 (12) : 16 − 20.

的趣味性、旅行过程的知识性、旅行内容的科学性，还要注重学生良好人文素养的培育，特别是要重视旅游过程中的良好习惯的养成教育，培养学生成为一个文明游客。研学旅行将“文化”和“人”融合统一到旅行过程中，其教育目的在于促进不同地域文化的交流，促进学生对不同地域文化的理解，让学生传承优秀传统文化，启发学生开拓创新文化。

（三）研学旅行的实施

1. 研学旅行实施的流程

作为实践锻炼的方法之一，研学旅行是一项对于学生有计划有组织的集体实践活动，也是学校教育的有益补充。研学旅行比学科课程内容更丰富，具有其他学科课程无法替代的作用，是中小学教育中的一门“新”课程，其教学活动是“第三教学”形式，即“以培养学生自主学习的教学”[①]。在研学旅行的具体实施中，需要注重研学旅行过程中的计划性、研究性和生成性。具体流程图如下：

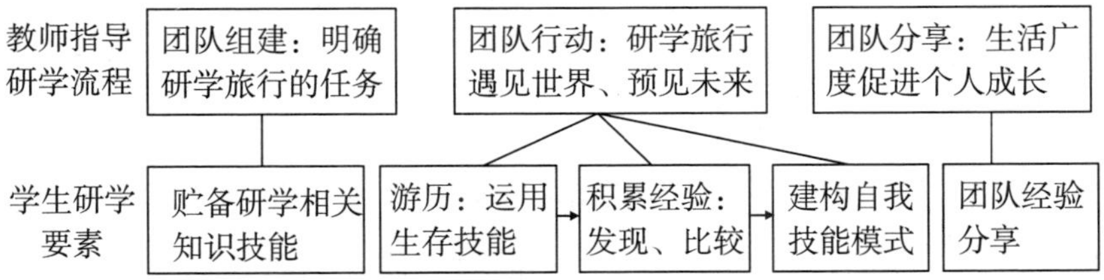

图 7–6　研学旅行流程图

首先，出发之前确定计划和研究。组建研学旅行团队，明确研学旅行的目标任务。第一，出发之前要对目的地进行踩点考察，仔细计划活动和行程，使之与课程的学习目标相关联。第二，要向学生清楚地解释实地考

① 钟启泉，李雁冰．课堂设计基础［M］．济南：山东教育出版社，2000：323.

察的学习目标和任务，鼓励学生搜索和研究与实地考察相关的信息。第三，安排简介会，向学生详细介绍行程安排并提醒学生学习的目的，指导学生有效和耐心地与活动组织保持联系。

其次，旅行之中给予关怀和体验。在研学旅行的过程中，最重要的是保障所有参与者的安全，研学导师要与领队或当地导游保持联系，确保服务质量及行程的顺利进行。同时，提醒学生牢记学习目标，积极观察和参与各项活动，为学生提供自由时间，让他们探索所参观的景点，利用一切机会与学生互动，与他们建立融洽的关系，培养学生产生灵活的态度和心态来处理任何意外的情况或危机。

最后，旅行之后回顾收获和成长。通过研学旅行后的回顾与反思，让学生基于观察、调查、访谈、动手操作等方式的基础上深化对所学内容的理解，获得新旧知识之间的平衡点，拓宽学生关于感知自己与外部环境的多种选择方式的知识，帮助学生实现他们的全部潜能。学校也可举办报告会，帮助学生反思和讨论课堂学到的知识以及实地考察的经验，向学生提供与旅行相关的报告和作业的反馈。此外，研学导师也要从学生那里获得反馈评价，为将来的实地考察积累经验。

2. 研学旅行实施的关键点

研学旅行的顺利开展离不开精心设计研学旅行活动课程、明确的研学旅行目标、研学导师的指导、多元的研学旅行评价机制，以及研学旅行的保障制度有效实施。为了有效有序地开展中小学研学旅行，必须推进其走向科学化，其核心在于实现科学世界与中小学教育生活世界的统一并形成课程，成为中小学课程体系中的一个部分①。具体研学旅行模式如下图：

① 殷世东，程静．中小学研学旅行课程化的价值意蕴与实践路径［J］．课程·教材·教法，2018 (4)：116 − 120.

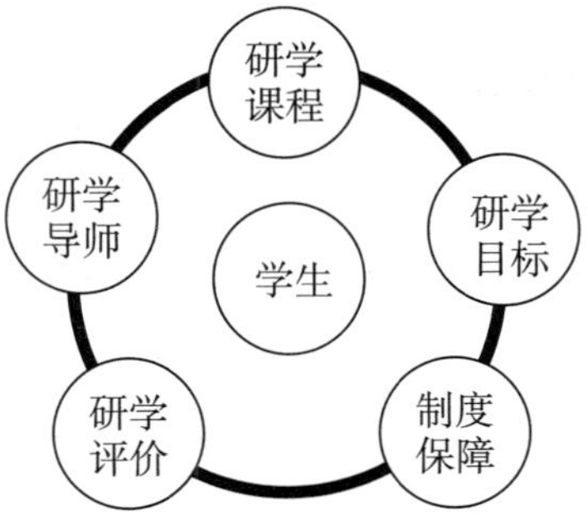

图 7-7　研学旅行模式图

（1）合理设计研学课程，明确研学的目标

研学旅行相关政策的落实不仅需要制定相关政策，推进研学旅行课程化，更需要中小学校转变教育教学的理念，积极发挥学校内在的动力。学校要合理设计研学课程。合理的研学课程开发是保障研学旅行活动正常开展的根本前提[①]。同时，研学旅行需要明晰教育目标。学校要从学生发展的角度出发，考虑该活动对学生的智力发展、身体发育和视野拓展是否有益；要从周围环境和可利用的乡土资源出发，考虑这些内容如何开发成为学习的资源，如何和学生的发展水平相适应[②]。

（2）明确研学导师职责，增强研学导师教育修养

不同于学校中的教师角色，研学导师需要做好研学旅行的内外部规划，联系基地工作人员，保证学生安全，多元评价学生研学旅行的表现，促进学生在研学旅行中全面发展和成长。此外，研学旅行作为一种校外课程，一方面要提高研学导师整体的专业素养，吸引一批综合能力较强的在校教师以及社会人员，以此壮大研学导师队伍；同时健全研学导师资格审查机制，保障有一支优质的研学教师队伍。另一方面，要加强在职培训，提高在职研学导师队伍的整体素质，防止“不作为”现象的发生，保障研学旅

① 宋晔，刘清东．研学旅行活动的教育学审视［J］．教育发展研究，2018（10）：15－19.

② 杨晓．研学旅行的内涵、类型与实施策略［J］．课程·教材·教法，2018（4）：131－135.

行教育质量①。

（3）明确研学旅行评价机制

研学旅行是以全面发展为目的，体验为主、快乐学习为原则的一种休闲教育。评价体系是研学旅行教育高效发展的核心要素，只有评价体系不断发展，研学旅行才能实现其教育宗旨。在评价的过程中，将过程性评价和发展性评价相结合，关注学生在研学旅行过程中的体验与感悟。首先，对研学旅行摘记、研学旅行心得进行价值判定，让学生选出最好的研学旅行成果，进行展览评价，为其他同学提供研学旅行示范；其次，对学生研学旅行计划、方案、过程等文本进行展示，为其他同学提供研学旅行范本②;最后，对研学旅行结果进行检测，了解其对学生发展核心素养的影响，进一步优化研学旅行活动，以促进研学旅行有效开展。

（4）建立研学旅行保障制度

研学旅行使个体在自然、社会中体验生活，发展自身德性，为保证其教育效果，必然要求国家相关部门在安全、经费与协调等方面加强制度建设，为研学提供外界保障③。一方面，建设研学旅行安全机制。另一方面，建构研学旅行监管机制，打击研学旅行过程中的不合法行为。根据国家的相关制度，学校寻求研学旅行的校本化路径，避免盲目跟风以及不贴合学校及学生发展实际的行为④。

（四）研学旅行的意义

从教育层面而言，研学旅行是培育学生践行社会主义核心价值观的重

---

① 宋晔，刘清东 . 研学旅行活动的教育学审视［J］. 教育发展研究，2018 (10) : 15 － 19.

② 殷世东，程静 . 中小学研学旅行课程化的价值意蕴与实践路径［J］. 课程 · 教材 · 教法，2018 (4) : 116 － 120.

③ 同①.

④ 章全武 . 研学旅行纳入学校教学的两难困境及其超越［J］. 课程 · 教材 · 教法，2018 (4) : 121 － 125.

要载体，也是拓展文化旅游发展空间的重要举措。研学旅行是践行“知行合一”教育理念的新方法，将生命个体的生存、成长和生活实践紧密结合。研学旅行教育的场所由封闭的学校引向开放的大自然和社会，对自然万物进行直接的接触、观察，认识并体验。此外，研学旅行也进一步促进“生态体验教育”的发展。研学旅行有别于传统的课堂教育，将课堂搬到了大自然、博物馆等更有趣味性、更有意义的地方，促进书本知识与生活实践的深度融合，使学生能够更好地感受生活、感受社会、感受自然，为他们未来更好地学习和生活打下良好基础①。在研学旅行过程中，学生可以进行人与自然交流的自然生态体验、人与人之间的交流的类生态体验和人与自我相处的内生态体验，从而达到“处处德育场，人人德行师”的目的。

从学校层面来看，研学旅行是深化基础教育课程改革的重要途径，是推进实施素质教育的重要阵地，是学校教育与校外教育相结合的重要组成部分。一方面，研学旅行是实现立德树人目标的新载体，校内教育与自然、社会的共生因研学旅行而实现。另一方面，研学旅行促进旅行活动与学校课程的有机融合。研学旅行是研究性学习与旅行体验相结合的教育活动，研学是目的，旅行是手段，两者相互结合、缺一不可。通过旅行中开展的各种教育活动和学生的亲身体验，实现综合育人的目的②。同时，研学旅行促进研学教师培训制度健全，促进指导教师队伍建设，增强组织管理能力，提升专业化水平。教师队伍建设是保证研学旅行质量和育人效果的重要因素。

从学生层面而言，研学旅行使学生走出传统课堂和教材的束缚，让学生在亲力亲为中扩宽视野、增长知识，塑造个体的人文素养，促进个体自

---

① 刘惊铎．道德体验引论［J］．陕西师范大学学报（哲学社会科学版），2003（1）：85－93.

② 王晓燕．研学旅行：让学生的身体与心灵：充分发挥研学旅行在立德树人中的重要作用［J］．人民教育，2017（23）：12－15.

身的自由发展。研学旅行一方面能促进学生自我认识、自我发展，塑造学生健全的人格。研学旅行以自然事物为载体，使个体在自然体验中感悟这种生态教育方式对个体潜移默化的影响，激发个体的好奇心与求知欲，让个体在自身主观能动性的基础上去探索求知，促进自身认知能力的发展[①]。另一方面，研学旅行也能推动学生社会参与，促进学生实践能力的发展。在教师的指导下，以问题为中心，让学生在实际情境中认识与体验客观世界，在实践学习过程中潜移默化地提高学生发现问题、分析和解决问题的实践能力。此外，研学旅行的过程能够夯实学生的文化基础，丰富学生的文化底蕴。在学校通过开展主题活动旅行中，学生以不断探索的状态对本地区范围内的自然、社会的生活、习俗、文化进行探索，在旅行的过程中陶冶情操，增长见识，体验不同的自然和人文环境，提高学习兴趣，提升人文底蕴[②]。

总体而言，人是在各种实践活动中发展自身的。作为人在实践活动中求知获能进而创造新的生活方式，不仅是个体认知和道德进步的主要方式，也对于人类社会形成和发展过程具有重要意义。实践锻炼在教育方法中的应用，进一步推动了教育将理论知识引向现实生活，从而形成学生的经验积累，并进一步在实践中寻找创新和发展。在“立德树人”的背景下，现代德育强调个体道德品行的完善和发展，并进一步推动整个民族道德水平和素养的提高。实践既是手段，也是目的。一方面，实践锻炼使得道德教育从书本中的道德戒律走向了真实的道德情境，形成了具体情境中的道德关照和道德反思。另一方面，个体道德水平和民族道德素养的发展，最终落实于实践生活，影响着最终生活质量和道德生命的延展。因此，对于实践锻炼法的历史脉络、理论基础、实践路径的梳理和探析，有助于现代德

① 宋晔，刘清东．研学旅行活动的教育学审视［J］．教育发展研究，2018 (10)：15 － 19.

② 吴支奎，杨洁．研学旅行：培育学生核心素养的重要路径［J］．课程·教材·教法，2018 (4)：126 － 130.

育充分认识到实践锻炼的重要性，促进道德知识与道德实践更好地结合，使得德育落地到日常生活情境中，延伸道德教育的实践功能和现实意义。

主要参考文献

一、中文文献

[1] 吴俊升 . 德育原理［ M ］. 上海 : 商务印书馆 , 1948.

[2] 凯洛夫 . 教育学［ M ］. 沈颖 , 等译 . 北京 . 人民教育出版社 , 1953.

[3] 包德列夫 . 学生的共产主义道德教育［ M ］. 李渊庭 , 译 . 北京 : 人民教育出版社 , 1958.

[4] 黑格尔 . 精神现象学（ 上 ）［ M ］. 北京 : 商务书馆 , 1962.

[5] 巴拉诺夫 . 教育学［ M ］. 李子卓 , 等译 . 北京 : 人民教育出版社 , 1979.

[6] 赵祥麟 , 王承绪 . 杜威教育论著选［ M ］. 上海 : 华东师范大学出版社 , 1981.

[7] 江苏省陶行知教育思想研究会 . 陶行知文集［ M ］. 南京 : 江苏人民教育出版社 , 1981.

[8] 陶行知 . 中国教育改造［ M ］. 合肥 : 安徽人民出版社 , 1981.

[9] 苏霍姆林斯基 . 帕夫雷什中学［ M ］. 北京 : 教育科学出版社 , 1983.

[10] 辞源 . 修订本［ M ］. 北京 : 商务印书馆 , 1983.

[11] 华中师院教育系 . 德育论 (教学参考资料)［ M ］. 武汉 : 华中师范大学出版社 , 1983.

[12] 费尔巴哈 . 费尔巴哈哲学著作选集 , 下卷［ M ］. 北京 : 商务印书馆 , 1984.

[13] 南京师范大学教育系编 . 教育学［ M ］. 北京 : 人民教育出版社 , 1984.

[14] 陶行知 . 陶行知全集 : 第 2 卷［ M ］. 长沙 : 湖南教育出版社 , 1985.

[15] 巴班斯基 . 教育学［ M ］. 李子卓 , 等译 . 北京 : 人民教育出版社 , 1986.

[16] 华中师范大学教育系 , 陕西师范大学教育系 , 杭州大学教育系等 . 德育学［ M ］. 西安 : 陕西人民教育出版社 , 1986.

[17] 黎清德 . 朱子语类 .［ M ］. 北京 : 中华书局 , 1986.

[18] 胡守棻 . 德育原理［ M ］. 北京 : 北京师范大学出版社 , 1986.

[19] 赵翰章 . 德育论［ M ］. 长春 : 吉林教育出版社 , 1987.

[20] 李意如 , 胡筠若 . 学校德育［ M ］. 北京 : 人民教育出版社 , 1988.

[21] 赫伊津哈 . 游戏的人 : 关于文化的游戏成分的研究［ M ］. 杭州 : 中国美术学院出版

社，1988.
[22] 王夫之. 船山全书：第 1 册 [M]. 长沙：岳麓书社，1988.
[23] 荀况. 荀子. 影印本 [M]. 上海：上海古籍出版社，1989.
[24] 胡守棻. 德育原理（修订版）[M]. 北京：北京师范大学出版社，1989.
[25] 诺尔曼·丹森. 情感论 [M]. 魏中军，孙安迹，译. 沈阳：辽宁人民出版社，1989.
[26] 吴先正，刘文，姚力. 中小学德育工作手册 [M]. 成都：四川人民出版社，1990.
[27] 顾明远. 教育大辞典 [M]. 上海：上海教育出版社，1990.
[28] 崔相录. 中小学德育方法 [M]. 延边：东北朝鲜民族出版社，1991.
[29] 亚里士多德. 修辞学 [M]. 罗念生，译. 北京：三联书店，1991.
[30] 马克思恩格斯选集 [M]. 北京：人民出版社，1992.
[31] 赵瑞祥. 学校德育学概论 [M]. 桂林：广西师范大学出版社，1992.
[32] 仇春霖. 德育原理 [M]. 北京：中国青年出版社，1993.
[33] 魏贤超. 现代德育原理 [M]. 杭州：浙江大学出版社，1993.
[34] 周浩波. 教学哲学 [M]. 沈阳：辽宁教育出版社，1993.
[35] 古人伏. 德育学教程 [M]. 上海：华东化工学院出版社，1993.
[36] A. M. 弗里德曼，K. H. 沃尔科夫. 中小学教师应用心理学 [M]. 李国辰，译. 北京：人民教育出版社，1993.
[37] [美] 约翰·杜威. 学校与社会·明日之学校 [M]. 赵祥麟，等译. 北京：人民教育出版社，1994.
[38] 罗国杰. 中国伦理学百科全书·德育伦理学 [M]. 长春：吉林人民出版社，1993.
[39] 仇春霖. 德育原理 [M]. 北京：中国青年出版社，1993.
[40] 冯增俊. 当代西方学校道德教育 [M]. 广州：广东教育出版社，1993.
[41] 孙国瑞. 德育科学方法论 [M]. 北京：光明日报出版社，1994.
[42] 鲁洁，王逢贤. 德育新论 [M]. 南京：江苏教育出版社，1994.
[43] 修毅. 人的活动的哲学 [M]. 北京：中国大百科全书出版社，1994.
[44] 哈贝马斯. 交往行动理论 [M]. 洪佩郁，等译. 重庆：重庆出版社，1994.
[45] 罗国杰. 中国传统道德名言卷 [M]. 北京：中国人民大学出版社，1995.
[46] 梁志燊. 中国学前教育百科全书·教育理论卷 [M]. 沈阳：沈阳出版社，1995.
[47] 班华. 现代德育论 [M]. 合肥：安徽人民出版社，1996.
[48] 侯怀银. 德育传统的当代价值 [M]. 武汉：湖北教育出版社，1996.
[49] 胡厚福. 德育学原理 [M]. 北京：北京师范大学出版社，1997.
[50] 杨国荣. 心学之思：王阳明哲学的阐释 [M]. 北京：生活·读书·新知三联书店，1997.
[51] 列昂节夫. 活动意识个性 [M]. 李沂，等译. 上海：上海译文出版社，1998.

[52] 宋春宏 . 比较德育新论 [M] . 重庆 : 西南师范大学出版社 , 1999.
[53] 董小燕 . 比较德育研究 [M] . 杭州 : 浙江大学出版社 , 2000.
[54] 黄向阳 . 德育原理 [M] . 上海 : 华东师范大学出版社 ,2000.
[55] 陈佑清 . 教育活动论 [M] . 南京 : 江苏教育出版社 , 2000.
[56] 田慧生 , 李臣之 , 潘洪健 . 活动教育引论 [M] . 北京 : 教育科学出版社 , 2000.
[57] 钟启泉 , 李雁冰 . 课堂设计基础 [M] . 济南 : 山东教育出版社 , 2000.
[58] 班华 . 现代德育论 . 第 2 版 [M] . 合肥 : 安徽人民出版社 , 2001.
[59] 李文娟 , 李远燕译注 . 管子 [M] . 广州 : 广州出版社 , 2001.
[60] 班杜拉 . 思想和行动的社会基础 : 社会认知论 [M] . 林颖 , 王小明 , 译 . 上海 : 华东师范大学出版社 , 2001.
[61] 鲁洁 , 王逢贤 . 德育新论 : 新世纪版 [M] . 南京 : 江苏教育出版社 , 2002.
[62] 苏霍姆林斯基 . 苏霍姆林斯基选集 [M] . 北京 : 教育科学出版社 , 2002.
[63] 朱小蔓 . 中小学德育专题 [M] . 南京 : 南京师范大学出版社 , 2002.
[64] 克里夫・贝克 . 优化学校教育一种价值的观点 [M] . 戚万学 , 等译 . 上海 : 华东师范大学出版社 , 2002.
[65] 路易斯・拉斯 . 价值与教学 [M] . 谭松贤 , 译 . 杭州 : 浙江教育出版社 , 2003.
[66] 刘惊铎 . 道德体验论 [M] . 北京 : 人民教育出版社 , 2003.
[67] 武汉大学思政教育系 . 比较德育学 : 第 2 版 [M] . 武汉 : 武汉大学出版社 , 2003.
[68] 威尔逊 . 道德教育新论 [M] . 杭州 : 浙江教育出版社 , 2003.
[69] 杜威 . 道德教育原理 [M] . 王承绪 , 译 . 杭州 : 浙江教育出版社 , 2003.
[70] 林崇德 , 杨治良 , 黄希庭主编 . 心理学大辞典 [M] . 上海 : 上海教育出版社 , 2003.
[71] 亚里士多德 . 尼各马可伦理学 [M] 廖申白 , 译 . 北京 : 商务印书馆 , 2003.
[72] 玛丽・卢・富勒 , 葛兰・奥尔森 . 家庭与学校的联系 : 如何成功地与家长合作 [M] . 谭君华 , 译 . 北京 : 中国轻工业出版社 , 2003.
[73] 杜时忠 . 德育十论 [M] . 哈尔滨 : 黑龙江教育出版社 , 2003.
[74] 吴铎 . 德育课程与教学论 [M] . 杭州 : 浙江教育出版社 , 2003.
[75] 范树成 . 德育过程论 [M] . 北京 : 中国社会科学出版社 , 2004.
[76] 冯益谦 . 比较与创新 : 中西德育方法比较 [M] . 北京 : 中央编译出版社 , 2004.
[77] 朱小蔓 . 情感德育论 [M] . 北京 : 人民教育出版社 , 2005.
[78] 刘慧 . 生命德育论 [M] . 北京 : 人民教育出版社 , 2005.
[79] 孟昭兰 . 情绪心理学 [M] . 北京 : 北京大学出版社 , 2005:7.
[80] 培根 . 新工具 [M] . 许宝骙 , 译 . 北京 : 商务印书馆 , 2005.
[81] 霍恩比 . 牛津高阶英汉双解词典 :6 版 [M] . 北京 : 商务印书馆 . 牛津大学出版社 (中

国)有限公司, 2005.
[82] 恩特维斯特尔. 时髦的身体[M]. 桂林:广西师范大学出版社, 2005.
[83] 檀传宝. 德育原理[M]. 北京:北京师范大学出版社, 2006.
[84] 张兴. 教育通论[M]. 天津:天津教育出版社, 2006.
[85] 檀传宝. 德育美学观[M]. 北京:教育科学出版社, 2006.
[86] 陈桂生. 中国德育问题[M]. 福州:福建教育出版社, 2007.
[87] 彭兆荣. 人类学仪式的理论与实践[M]. 北京:民族出版社, 2007.
[88] 段镇. 少先队学[M]. 上海:上海人民出版社, 2008.
[89] 詹万生. 和谐德育论[M]. 北京:教育科学出版社, 2008.
[90] 韩传信. 德育原理教程[M]. 合肥:安徽大学出版社, 2009.
[91] 陈学恂, 金忠明. 中国教育史研究[M]. 上海:华东师范大学出版社, 2009.
[92] 李萍, 林滨. 比较德育[M]. 北京:中国人民大学出版社, 2009.
[93] 易连云. 德育原理[M]. 武汉:武汉大学出版社, 2010.
[94] 沈壮海, 佘双好, 等. 学校德育问题研究[M]. 郑州:大象出版社, 2010.
[95] 理查德·斯科特. 制度与组织:思想观念与物质利益[M]. 姚伟, 王黎芳, 译. 北京:中国人民大学出版社, 2010.
[96] 彭未名. 交往德育论[M]. 太原:山西教育出版社, 2010.
[97] 康德. 判断力批判. 上卷[M]. 北京:商务印书馆, 2011.
[98] 周洪宇. 陶行知生活教育学说[M]. 武汉:湖北教育出版社, 2011.
[99] 张茂聪, 唐爱民主编. 儿童品德发展与道德教育[M], 济南:山东人民出版社, 2012.
[100] 尚俊杰、蒋宇、庄绍勇. 游戏的力量:教育游戏与研究性学习[M], 北京:北京大学出版社, 2012.
[101] 现代汉语词典:第6版[M]. 北京:商务印书馆, 2012.
[102] 安小兰译注. 荀子[M]. 北京:中华书局, 2012.
[103] 陆有铨. 现代西方教育哲学[M]. 北京:北京大学出版社, 2012.
[104] 戚万学, 唐汉卫. 学校德育原理[M]. 北京:北京师范大学出版社, 2012.
[105] 义务教育品德与生活课程标准[M]. 北京:北京师范大学出版社, 2012.
[106] 陈万柏. 思想政治教育学原理[M]. 北京:中国人民大学出版社, 2013.
[107] 赵志毅. 德育原理与方法[M]. 北京:人民大学出版社, 2013.
[108] 张岱年主编. 中国哲学大辞典(修订本)[M]. 上海:上海辞书出版社,2014.
[109] 严羽. 沧浪诗话[M]. 北京:中华书局, 2014.
[110] 潘建荣. 发展指导视野下的批评教育[M]. 上海:华东师范大学出版社, 2014.
[111] 约翰·杜威. 民主主义与教育[M]. 北京:中国轻工业出版社, 2014.

[112] 余子侠．中国近代思想家文库：陶行知卷［M］．北京：中国人民大学出版社，2015.
[113] 王阳明．王文成公全书：卷 2［M］．北京：中华书局，2015.
[114] 檀传宝．美学是未来的教育学：德育世界的探寻［M］．上海：华东师范大学出版社，2015.
[115] 王德荣．现代德育论［M］．北京：中国社会科学出版社，2016.
[116] 朱光潜．谈美［M］．上海：东方出版中心，2016.
[117] 戚万学．道德教育的视界［M］．北京：北京师范大学出版社，2016.
[118] 周凤林．学校德育顶层设计论［M］．华东师范大学出版社，2017.
[119] 檀传宝．德育原理：第 3 版［M］．北京：北京师范大学出版社，2017.
[120] 陈引驰，韩可胜．诗文评品［M］．上海：上海人民出版社，2017.
[121] 高平叔，编．蔡元培教育论著选［M］．北京：人民教育出版社，2017.
[122] 皮埃尔·布尔迪厄．实践理论大纲［M］．高振华，等译．北京：中国人民大学出版社，2017.
[123] 格奥尔格·林德．怎样教授道德才有效：德育心理学家给教师的建议［M］．杨韶刚，等译．北京：中国轻工业出版社，2018.
[124] 张娟．在生命深处与孩子相遇：如何重建与孩子的情感联结［M］．北京：机械工业出版社，2018.
[125] 金一民．全息学习：改变学习的面貌［M］．北京：教育科学出版社，2018.
[126] 陈桂生．德育引论［M］．上海：华东师范大学出版社，2018.
[127] 贾聚林．道德新说［M］．大连：大连理工大学出版社，2019.
[128] 冯建军，等，中国教育改革 40 年·学校德育［M］．科学出版社，2019.
[129] 冯建军．回归本真："教育与人"的哲学探索［M］．北京：中国人民大学出版社，2019.
[130] 马克斯·范梅南．教育的情调［M］．李树英，译．北京：教育科学出版社，2019.
[131] 王瑞．孟子［M］．成都：四川人民出版社，2019.
[132] 朱小蔓．情感教育论纲［M］．南京：南京师范大学出版社，2019.
[133] 张凤池，胡守钧．道德教育的方法与实践［M］．上海：上海社会科学院出版社，2019.
[134] 吕炳君．教育学［M］．上海：同济大学出版社，2019.
[135] 王天平．教学活动论［M］．北京：人民教育出版社，2019.
[136] 张忠华．共和国教育学 70 年·德育原理卷［M］．北京：北京师范大学出版社，2020.
[137] 肖海涛，阳书亮，张西西．道德教化与自我教育［M］．北京：中国社会科学出版社，2020.
[138] 扈中平．现代教育学［M］．北京：高等教育出版社，2020.
[139] 贾立敏．德育空间论［M］．北京：中国社会科学出版社，2021.

[140] 柳海民 . 教育学 [M] . 北京 : 国家开放大学出版社 , 2021.
[141] 李敏 , 等 . 儿童游戏与教育 [M] . 北京 : 北京师范大学出版社 , 2021.
[142] 卡尔·雅斯贝尔斯 . 什么是教育 [M] . 童可依 , 译 . 北京 : 生活·读书·新知三联书店 , 2021.
[143] 赵先寿 . 略论自我教育 [J] . 湖北大学学报 (哲学社会科学版) , 1985(3).
[144] А . И . 吉塔连柯 , 石远译 . 情感在道德中的作用和感觉论原则在伦理学中的作用 [J] . 哲学译丛 , 1986 (2).
[145] 易固基 . 试论陶冶的教育作用 [J] . 江西师范大学学报 , 1987 (3).
[146] 蒋晓 . 试论班杜拉社会学习理论及其教育意义 [J] . 华东师范大学学报 (教育科学版) , 1987 (1).
[147] 陈利 . 关于中小学德育方法的分类 [J] . 教育科学 , 1990 (4).
[148] 张曙光 . 方法的哲学实践论诠释 [J] . 河南大学学报 (社会科学版), 1991 (3).
[149] 冯增俊 . 价值澄清德育理论述评 [J] . 海南师院学报 , 1992 (3).
[150] 石鸥 . 德育困境中的病理性说服教育及其诊治原则 [J] . 湖南师范大学社会科学学报 , 1994 (6).
[151] 石鸥 . 论德育说服教育的类型及其意义 [J] . 上海教育科研 , 1994 (10).
[152] 涂艳国 . 试论活动的教育学意义 [J] . 华中师范大学学报 (哲学社会科学版), 1995 (4).
[153] 蔡鹤龄 . 自我教育在德育中的重要作用 [J] . 高等农业教育 , 1995 (6).
[154] 叶澜 . 让课堂焕发出生命活力 : 论中小学教学改革的深化 [J] . 教育研究 , 1997 (9).
[155] 戚万学 . 活动道德教育模式的理论构想 [J] . 教育研究 , 1999 (6).
[156] 王啸 , 鲁洁 . 德育理论 : 走向科学化和人性化的整合 [J] . 中国教育学刊 , 1999 (3).
[157] 屠春友 . 试论社会科学研究方法多元化原则 [J] . 学术研究 , 2000 (5).
[158] 孙喜亭 . 德育要拒斥任何意义上的“传递”“灌输”吗? [J] . 中国教育学刊 , 2000 (5).
[159] 余仕麟 . 中国古代道德教育思想的历史演变及其思想精华 [J] . 西南民族学院学报 (哲学社会科学版) , 2001 (1).
[160] 项贤明 . 回归生活世界的道德教育 [J] . 教师教育研究 , 2001 (1).
[161] 叶澜 . 试析中国当代道德教育内容的基础性构成 [J] . 教育研究 , 2001 (9).
[162] 赵希斌 , 邹泓 . 美国服务学习实践及研究综述 [J] . 比较教育研究 , 2001 (8).
[163] 张华 . 论“综合实践活动”课程的本质 [J] . 全球教育展望 , 2001 (8).
[164] 檀传宝 . 论儒家德育思想的三大特色与优势 [J] . 教育研究 , 2002 (8).
[165] 冯建军 . 人的道德主体性与主体道德教育 [J] . 南京师大学报 (社会科学版) , 2002 (2).
[166] 刘惊铎 . 体验 : 道德教育的本体 [J] . 教育研究 , 2003 (2).
[167] 高德胜 . 终身教育引论 [J] . 教育研究与实验 , 2003 (4).

[168] 王现军, 冯建军. 走向生活化的德育 [J]. 思想理论教育 (上半月综合版), 2003 (3).
[169] 刘长海, 杜时忠. 道德教育的广度批判 : 杜威德育思想及其启示 [J]. 教育研究与实验, 2004 (3).
[170] 冯建军. 生命教育论纲 [J]. 湖南师范大学教育科学学报, 2004 (5).
[171] 冯春芳. 自我教育的概念界定及特征分析 [J]. 前沿, 2004 (3).
[172] 何艺, 檀传宝. 诺丁斯的关怀伦理学与关怀教育思想 [J]. 伦理学研究, 2004 (1).
[173] 沈壮海. 思想教育、政治教育、道德教育过程之比较分析 [J]. 教学与研究, 2004 (6).
[174] 冯文全. 论新时期学校德育方法的变革 [J]. 中国教育学刊, 2005 (5).
[175] 冯建军. 以主体间性重构教育过程 [J]. 南京师大学报 (社会科学版), 2005 (4).
[176] 周宏军, 陈剑旄. 蔡元培道德教育思想初探 [J]. 伦理学研究, 2005 (3).
[177] 罗骋. 试析英国学校道德教育的方法和途径 [J]. 湖北社会科学, 2005 (7).
[178] 钟启泉. 教学活动理论的考察 [J]. 教育研究, 2005 (5).
[179] 雷静, 谢光勇. 近十年来我国生命教育研究综述 [J]. 教育探索, 2005 (5).
[180] 朱小蔓, 其东. 面对挑战 : 学校道德教育的调整与革新 [J]. 教育研究, 2005 (3).
[181] 鲁洁. 生活 · 道德 · 道德教育 [J]. 教育研究, 2006 (10).
[182] 潘柳燕. 现代自我教育探析 [J]. 广西大学学报 (哲学社会科学版), 2006 (4).
[183] 彭小明. 活动教学法初探 [J]. 当代教育论坛, 2006 (13).
[184] 卢家楣. 论情感教学模式 [J]. 教育研究, 2006, 12 (12).
[185] 冯建军. 主体教育理论 : 从主体性到主体间性 [J]. 华中师范大学学报 (人文社会科学版), 2006 (1).
[186] 朱炜. 日本"道德时间"课程设计与实施 [J]. 外国中小学教育, 2006 (12).
[187] 檀传宝. 欣赏型德育模式的核心理念 [J]. 中国德育, 2006 (5).
[188] 季爱民. 我国德育模式研究的现状与趋势 [J]. 武汉大学学报 (人文科学版), 2006 (1).
[189] 班建武. 道德灌输的本体论意义及当代危机 [J]. 思想教育研究, 2006 (9).
[190] 江峰. 论教育中的说服原理 [J]. 北京大学教育评论, 2007 (2).
[191] 康万栋, 康瑛. 活动理论及其教育意蕴 [J]. 天津市教科院学报, 2007 (4).
[192] 吕巾娇, 刘美凤, 史力范. 活动理论的发展脉络与应用探析 [J]. 现代教育技术, 2007 (1).
[193] 洪棋文, 陈红. 美国学校德育的价值澄清理论评析 [J]. 衡阳师范学院学报, 2007 (4).
[194] 杨莉娟. 活动教学 : 理念, 有效性与基本模式 [J]. 湖南师范大学教育科学学报, 2007 (3).
[195] 张鸿燕. 英国学校道德教育的特点及其对我们的启示 [J]. 教育探索, 2007 (2).
[196] 李昊凤. 德育方法之情感陶冶法理论基础初探 [J]. 辽宁教育行政学院学报, 2007 (11).

[197] 蔡连玉 . 道德灌输 : 两种不同视角的审视 [J] . 中国教育学刊 , 2008 (1).
[198] 左建莉 . 论德育方法及其综合应用 [J] . 理论导刊 , 2008 (12).
[199] 万美容 . 中国古代思想道德教育方法及其当代价值 [J] . 广西教育学院学报 , 2008 (4).
[200] 周国宝 . 论新课程下的德育方法改革 [J] . 黄冈师范学院学报 , 2008 (28).
[201] 刘培军 , 商秀梅 . 新加坡中小学德育方法及其启示 [J] . 教学与管理 , 2008 (1).
[202] 王威 . 中日中小学德育教育的途径与方法之异同及对我们的启示 [J] . 黑龙江教育学院学报 , 2008 (9).
[203] 李少华 . 浅谈情感陶冶法在教学中的应用 [J] . 现代企业教育 , 2008 (22).
[204] 梁秋英 , 孙刚成 . 孔子因材施教的理论基础及启示 [J] . 教育研究 , 2009 (11).
[205] 刘晋红 . 人本主义学习理论述评 [J] . 黑龙江生态工程职业学院学报 , 2009 (5).
[206] 傅淳华 . 生命叙事 : 超越道德教育生命困境的可能路径 [J] . 当代教育科学 , 2009 (4).
[207] 冯文全 . 关于"生活德育"的反思与重构 [J] . 教育研究 , 2009 (11).
[208] 费多益 . 寓身认知理论的循证研究 [J] . 科学技术哲学研究 , 2010 (1).
[209] 张忠华 . 我国新时期德育方法的研究与反思 [J] . 教育学术月刊 , 2010 (4).
[210] 张勇 . 王阳明的道德教育思想探析 [J] . 当代教育理论与实践 , 2010 (6).
[211] 鲁洁 . 道德教育的根本作为 : 引导生活的建构 [J] . 教育研究 , 2010 (6).
[212] 赵野田 . 价值澄清理论的合理性与局限性探析 [J] . 外国教育研究 , 2010 (8).
[213] 刘健儿 . "教学作为说服" : 一种新的关于教学的观点及其启示 [J] . 比较教育研究 , 2010 (8).
[214] 王颖 . 灌输 : 道德教育学和思想政治教育学的语境分歧与理论共识 [J] . 理论与改革 , 2010 (2).
[215] 傅琳凯 . 中国古代思想道德教育内容方法及其现代借鉴 [J] . 思想教育研究 , 2011 (4).
[216] 王涛 , 谭菲 . 韩国中小学道德教育的途径、方法及评估标准 [J] . 教学与管理 , 2011 (15).
[217] 李荣荣 , 麻彦坤 , 叶浩生 . 具身的情绪 : 情绪研究的新范式 [J] . 心理科学 , 2012 (3).
[218] 李宝玲 . 谈小学高年级心理课堂中冥想的运用 [J] . 新课程 (下) , 2012 (12).
[219] 张志坤 . 仪式教育于儿童生命成长的人类学意涵 [J] . 当代教育科学 , 2012 (18).
[220] 袁洁 . 试论德育活动类型及其功能的发挥 [J] . 教育与教学研究 , 2012 (7).
[221] 郭元祥 . 论实践教育 [J] . 课程 · 教材 · 教法 , 2012 (1).
[222] 赵志毅 . 德育的"意志"转向 : 兼论走向"实践理性"的学校德育 [J] . 教育研究 , 2012 (2).
[223] 陈光全 , 杜时忠 . 德育课程改革十年 : 反思与前瞻 [J] . 课程 · 教材 · 教法 , 2012 (5).
[224] 李臣之 , 王虹 . 活动教学法 : 历程、要义及趋势 [J] . 课程·教材·教法 , 2013 , 33 (11).
[225] 刘俊彦 . 共青团活动略论 [J] . 中国青年研究 , 2013 (8).

[226] 姚进生 . 朱熹的道德教育思想及其当代价值 [J]. 中共福建省委党校学报, 2013 (9).
[227] 冯文全, 冯碧瑛 . 论孟子对孔子德育思想的传承与弘扬 [J]. 教育研究, 2013 (1).
[228] 李琳 . 新加坡和韩国德育的特点及其启示 [J]. 教学与管理, 2013 (18).
[229] 周加仙 . 教育神经科学 : 创建心智、脑与教育的联结 [J]. 华东师范大学学报, 2013 (2).
[230] 张苗苗 . 思想政治教育说服机制论析 [J]. 学校党建与思想教育, 2013 (7).
[231] 袁芳 . 理论溯源与本质解读 : 思想政治教育说服机制研究 [J]. 华北电力大学学报, 2014 (5).
[232] 李修超 . 新加坡学校德育对我国的启示 [J]. 教学与管理, 2014 (6).
[233] 王京, 王颖 . 高校思想政治理论课实践教学长效机制的构建 [J]. 北京教育 (高教), 2015 (Z1).
[234] 殷明, 刘电芝 . 身心融合学习 : 具身认知及其教育意蕴 [J]. 课程·教材·教法, 2015 (7).
[235] 朱小蔓 . 德育的非理性视角 [J]. 考试, 2015 (Z2).
[236] 郝金金 . 朱熹《小学》中的德育教育方法及其当代价值 [J]. 教育探索, 2015 (6).
[237] 朱小蔓, 丁锦宏 . 情感教育的理论发展与实践历程 [J]. 苏州大学学报 (教育科学版), 2015 (4).
[238] 柳袁照 . 构建诗性的课程与课堂 : 诗性教育的研究与实践 [J]. 江苏教育研究, 2015 (z5).
[239] 孙海民, 刘鹏飞 . 以活动理论审视学习活动 [J]. 中国电化教育, 2015 (8).
[240] 张志坤 . 我们为什么需要仪式教育 [J]. 人民教育, 2015 (17).
[241] 王迪, 孙承信 . 关注学生实际获得 : 日本中小学德育方法及启示 [J]. 中国教师, 2016 (22).
[242] 赵琳 . 儒家思想对韩国大学德育的影响启示 [J]. 河南理工大学学报 (社会科学版), 2016 (4).
[243] 徐小涵, 张艳灵 . 比较中日学校意识形态教育的差异[J]. 中学政治教学参考, 2016 (9).
[244] 李敏 . 儿童游戏 : 德育的重要载体 [J]. 中小学德育, 2016 (2).
[245] 洪明 . 说服教育 : 讲理与会讲理 [J]. 少年儿童研究, 2016 (9).
[246] 马振兴, 陈雪莲 . 纪念仪式在爱国主义教育中的价值呈现 [J]. 思想政治教育研究 . 2017 (4).
[247] 曾祥书 . 初探英国德育方法论对我国大学生道德教育的启示 [J]. 佳木斯职业学院学报, 2017 (3).
[248] 杨子舟, 史雪琳, 荀关玉 . 从无身走向有身 : 具身学习探析 [J]. 教育理论与实践, 2017 (5).
[249] 薛国凤 . 论少年儿童的榜样教育法 [J]. 中国德育, 2017 (11).

[250] 姚颖 . 中国当代小学绘本教学的创新与思考 [J]. 课程・教材・教法, 2017 (10).
[251] 陆劲松 . 大学生自我意识的发展与思想道德修养课程教育探析 [J]. 改革与开放, 2017 (20).
[252] 金建水, 刘兴华 . 儿童和青少年学生群体的正念教育: 正念作为新的心理健康教育方式的探索 [J]. 首都师范大学学报 (社会科学版), 2017(2).
[253] 丁道勇 . 警惕"做中学": 杜威参与理论辩正 [J]. 全球教育展望, 2017 (8).
[254] 教育部关于印发《中小学德育工作指南》的通知 [J]. 中小学德育, 2017 (9).
[255] 姚菁菁, 王立仁 . 西方道德教育视域中的灌输 [J]. 外国教育研究, 2017 (12).
[256] 张梦蕾, 刘峻杉 . 道家经典诵读与冥想结合的小学国学课程研究 [J]. 课程・教材・教法, 2018 (4).
[257] 刘奕, 刘晓波 . 董仲舒的德育方法及其现代价值 [J]. 中学政治教学参考, 2018 (36).
[258] 刘雨 . 论教育社会学研究的情感转向: 来自情感社会学的启示 [J]. 贵州师范大学学报 (社会科学版), 2018 (5).
[259] 李志河, 李鹏媛, 周娜娜, 刘芷秀 . 具身认知学习环境设计: 特征、要素、应用及发展趋势 [J]. 远程教育杂志, 2018 (5).
[260] 李璐, 周加仙 . 开心的游戏化学习 [J]. 教育家, 2018 (36).
[261] 刘璐, 曾素林 . 国外中小学研学旅行课程实施的模式、特点及启示 [J]. 课程・教材・教法, 2018 (4).
[262] 杨晓 . 研学旅行的内涵、类型与实施策略 [J]. 课程・教材・教法, 2018 (4).
[263] 王坚 . 项目化学习: 社会实践活动的德育新境界 [J]. 中国教育学刊, 2018 (6).
[264] 王学斌 . 王阳明教育思想及当代价值 [J]. 河北师范大学学报 (教育科学版), 2019 (5).
[265] 刘欣雨 . 让"情感"在德育中绽放: 情感陶冶法在初中道德与法治课的运用 [J]. 教育教学论坛, 2019 (23).
[266] 钟晓琳 . 情感性德育: 关注德性成长的情感之基 [J]. 中小学班主任, 2019 (9).
[267] 刘皓宇 . 正念干预及其在中小学生心理健康教育中的运用 [J]. 中小学心理健康教育, 2019 (17).
[268] 郭婕, 刘峻杉 . 冥思教育的国际进展和相关启迪[J]. 中国教育科学 (中英文), 2020 (3).
[269] 高德胜 . 对杜威道德教育"根本问题"的再认识 [J]. 教育研究, 2020 (1).
[270] 陈彦竹 . 班级主题活动中价值引领的内涵与策略 [J]. 教学与管理, 2020 (7).
[271] 马晴 . 探究学生四种气质类型如何因材施教 [J]. 侨园, 2020 (3).
[272] 李忠军, 杨科 . 思想政治教育中的"理性"与"非理性": 基于马克思恩格斯经典文本的相关论断 [J]. 东北师大学报 (哲学社会科学版), 2021 (5).
[273] 胡金木, 杨淑雯 . 服务学习: 爱国主义教育的重要途径 [J]. 中国教育学刊, 2021 (1).

[274] 奚亚英 . 人类命运共同体视域下小学国际理解教育的实践探究 [J] . 人民教育 . 2021 (13−14).
[275] 殷世东 . 综合实践活动育人方式的逻辑与课堂教学重构 [J] . 教育科学研究 ,2021 (11).
[276] 李西顺 . 情感联结 : 教师专业成长的内在力量 [J] . 当代教育科学 , 2022 (9).
[277] 朱镜人 , 葛琪 . 论学校教育中有价值的活动——基于彼得斯分析的教育哲学观 [J] . 教育与教学研究 , 2022 (9).
[278] 喻丰 . 有限自由的道德能动 [J] . 心理研究 , 2022 (2).

二、外文文献

[1] Martin Buber, Between Manand Man [M] . NewYork: Macmillan,1965.
[2] L・Kohlberg. The Philosophy of Moral Development [M] . SanFrancisco: Harper Collins, 1981.
[3] Ritchie BW. Managing educational tourism [M] . London: Channel View Publications, 2003 (8).
[4] Kabat−ZinnJ. Coming to our senses; Healing ourselves and the world through mindfulness [M]. Hachette UK, 2005.
[5] ENGESTRÖ MY. Learning by Expanding: An Activity−theoretical Approach to Developmental Research [M] . 2ndEd. New York: Cambridge University Press, 2015.
[6] Bandura A. Social foundations of thought and action;a social cognitive theory [J] . Englewood Cliffs, N. J. ; Prentice−Hall , 1986.
[7] BlattSJ, HomannE. Parent−child interaction in the etiology of dependent and self−critical depression [J] . Clinical psychology review, 1992 (1).
[8] Carver, RebeccaLynn. Theoretical Under pinnings Of Service Learning [J] . Theory into Practice, 1997 (3).
[9] JohnJ, Cogan. Civic Education in the United States: A Brief History [J] . Social Education, 1999 (1).
[10] Meyers, Susan. Service Learning In Alternative Education Settings [J] . Clearing Hous, 1999 (2) .
[11] Baer, R. A. Mindfulness training as a clinical intervention; A conceptual and empirical review [J] . Clinical Psychology; Science and Practice, 2003(2).
[12] Jay, Gregory. Service Learning, Multiculturalism, and the Pedagogies of Difference [J] . Pedagogy: Critical Approaches to Teaching Literature, Language, Composition, and Culture. 2008 (2).

后　记

这本德育方法研究论著的撰写由首都师范大学初等教育学院李敏教授牵头，协同德育研究团队的张志坤副教授、钟晓琳副教授、刘祎莹博士三位从事德育及少先队教育研究领域的专业研究者具体承担与完成。李敏教授负责绪论、第一章德育方法概述、第二章德育方法研究历程、第三章说服教育法、第六章自我修养法的写作；钟晓琳副教授负责第四章情感陶冶法的写作；张志坤副教授负责第五章活动育人法的写作；刘祎莹博士负责第七章实践锻炼法的写作。首都师范大学初等教育学院在读研究生付柳、林萌、赵月、刘天娇、董雨晴、白朗、郑惠文、李聪、郭钰影、樊园、张倩、张淞雪、信书荣、强蕊、刘梦媛 15 位同学，参与了文献查找、梳理、理论查证等大量过程性研究工作。仝静、王洋、付柳、强蕊协助李敏做了最后一轮的资料核查和统稿。

三年来，德育研究团队发扬了专业、协作的科研态度，同时，学院也为本项研究提供了专门的资料整理空间和开展主题研讨会等重要资源支持。大家统筹协作、聚气凝神，从研讨、推敲、磨合整体框架，到理论对接、文献研判等具体研究推进，均经过德育团队的集体讨论和严格把关，尽可能客观、审慎地呈现新中国成立以来我国德育方法研究的脉络和特点。本研究是一项基于已有文献开展的回顾性研究，然而文献研究同样具有极强的言说性和创造性，研究团队在搜集、选择、评述文献的过程中，虽不断复查、对接和讨论，但一定还有文献搜集的疏漏和评介上的偏差，企盼得到教育同行的批评和指正。